Silvia Avallone

Marina Bellezza

Traduit de l'italien
par Françoise Brun

Liana Levi

ISBN : 978-2-86746-735-6

www.lianalevi.fr

à Sara, ma mère

PREMIÈRE PARTIE

Far West

1

Une clarté diffuse brillait quelque part au milieu des bois, à une dizaine de kilomètres de la départementale 100 encastrée entre deux colossales montagnes noires. Seul signe qu'une forme de vie habitait encore cette vallée, à la frontière nue et oubliée de la province.

Elle apparaissait soudain derrière le pare-brise, comme un appât qui luit par intermittence dans les abysses. Au virage suivant, ils la perdaient de vue.

Ils ralentirent à un croisement au milieu de rien, devant les ruines d'un restaurant. Deux fenêtres barricadées et un panneau sur lequel s'effaçaient l'inscription *Menu à prix fixe*, et d'autres mots encore illisibles. L'un d'eux se rappela y avoir fêté sa première communion. Vingt ans après, il n'en restait plus que le toit et les poutrelles. Vingt ans, et tout était fini.

De nouveau, ils accélérèrent. Il n'y avait plus d'éclairage sur cette portion de la route, plus de grillage pour les protéger des rochers en surplomb, menaçants. Les phares surprenaient des escarpements infestés de ronces, parfois une construction à demi écroulée. Même les panneaux routiers disparaissaient, là-haut, dans la nuit vide.

Ils étaient les seuls à rouler sur cette départementale, entre cul-de-sac et abandon. À grimper le long de ces pentes à bord d'une vieille Volvo break, enfiler les uns après les autres ces tournants qu'ils connaissaient par cœur depuis toujours. Les grands arbres, à mesure que la route montait, prenaient des allures de spectres. Les parois de la vallée se refermaient en précipice au-dessus du torrent, et par les vitres baissées n'entrait que le roulement usant et monotone de l'eau.

La lumière reparut, faible, en partie cachée par la crête d'une montagne. De nouveau ils la regardèrent, sans parler.

Ils atteignirent Andorno. Des feux orange clignaient à intervalles réguliers mais la Volvo filait à quatre-vingt-dix sans respecter les stops ni les priorités.

Après le cimetière, et ce qu'il restait du petit terrain de foot où ils avaient grandi, la silhouette délabrée du Bar Sirena les attendait, enseigne éteinte. Ils s'arrêtèrent. Descendirent de voiture. L'un était grand, l'autre râblé, et le troisième avait les yeux plus noirs que le pétrole. Ils s'approchèrent de la porte : à l'intérieur, pas un bruit. Ils secouèrent quand même la poignée.

« Fermé. »

Sebastiano, le grand, restait planté devant l'entrée. Il continua de fixer la porte d'un œil mauvais, y lança un coup de pied, puis un autre. Dehors les tables étaient empilées et attachées par des cordes, comme si quelqu'un pouvait avoir l'idée de les voler. Par terre, des paquets de cigarettes vides roulés en boule.

Luca, celui qui était râblé, fit le tour du bâtiment pour vérifier.

« Rien, c'est vraiment fermé.

– On s'en va », dit Andrea.

Lui, il était calme. Ses yeux durs plongés dans l'obscurité.

« Où ça ? »

La question fut aussitôt avalée par la nuit.

Sebastiano était nerveux et regardait Andrea d'un air de défi, attendant sa réponse.

Luca sortit son portable et commença à faire défiler son répertoire.

« J'en sais rien », dit Andrea.

Il arrangea son col de chemise, alluma une Lucky. La ville, ce n'était pas son truc, les discothèques du coin l'avaient toujours mis mal à l'aise. Il préférait ces montagnes désertées depuis des décennies, là au moins il n'était pas un étranger.

Il se retourna pour regarder là-haut, entre la Valle Cervo et la Valle Mosso, cette lumière qui était toujours là, voilée par l'humidité de la nuit. Il l'indiqua aux deux autres d'un signe de tête. Ils levèrent les yeux, hésitants, puis remontèrent en voiture.

Sebastiano démarra, ils retraversèrent Andorno mais prirent une autre route, la départementale 105 par San Giuseppe di Casto. La lueur maintenant était plus visible. Et semblait plus proche. Sans se concerter, ils décidèrent de la suivre. Ce n'était peut-être qu'un incendie, mais ils décidèrent de la suivre.

À San Giuseppe, il y avait un marchand de journaux, une épicerie, une église. Bientôt tout disparut dans le rétroviseur. Ils étaient tous comme ça par ici, les villages : abandonnés, volets fermés, enseignes éteintes. Eux, pourtant, ils n'avaient pas eu envie de partir, au contraire : leurs sentiments, leur sens de l'orientation, tout leur était dicté par ces routes, par ces montagnes.

Certains soirs comme celui-là, ils se parlaient à peine. Andrea, la tempe contre la portière, regardait dehors. Sebastiano conduisait et savourait sa liberté reconquise, après neuf mois d'assignation à domicile. Il se demanda un instant ce que son fils penserait de lui, plus tard, quand il serait grand.

Lieu-dit Golzio. L'autoradio ne marchait pas, et ils continuaient à ne rien dire. À force de fréquenter les rochers et les bois, ils avaient pris la manie du silence. Luca faisait défiler son répertoire à la recherche d'une fille à appeler – une copine, n'importe laquelle – sans arriver à se décider.

« J'aimerais bien savoir où on va », dit-il.

Personne ne répondit. Les bois formaient des masses obscures où les branches s'entremêlaient. Sebastiano continuait de se demander si Mathias lui donnerait raison, à lui, ou à sa conne de mère. Andrea pensait à son père, se persuadant qu'il était suffisamment adulte pour l'affronter directement. Tous trois fixaient les pentes ensevelies dans la nuit, cette terre qui n'appartenait à personne. Des petits villages agrippés aux rochers. Cent, deux cents habitants.

Ils continuaient à suivre cette lueur là-haut, qui n'était la promesse de rien, et si faible à présent qu'on aurait dit la flamme d'une chandelle.

Et ils continuaient à ruminer, grimpant le long de cette route déserte pour se laisser happer par des gouffres de sapins et de broussailles, se demandant comment faire pour trouver un billard, un bar ouvert, pour que quelque chose, enfin, arrive dans ce silence.

Puis, en une fraction de seconde, alors que Sebastiano se tournait vers l'arrière pour demander à Andrea de lui allumer une cigarette et que Luca se penchait pour ramasser le briquet qu'Andrea avait laissé tomber, dans cette fraction de seconde exactement, ce quelque chose arriva.

Cela jaillit d'un buisson à une vitesse folle et se matérialisa au milieu de la route.

Et c'était vivant. Énorme. Ça ne bougeait pas. Ça restait là, comme pétrifié par une force obscure.

Deux cercles jaunes s'allumèrent dans la nuit, réfractant la lumière des phares, sauf qu'ils n'eurent pas le temps de les voir. Et avant qu'ils puissent comprendre, avant que Sebastiano se retourne enfin et d'instinct écrase son pied sur le frein, la Volvo le prit de plein fouet.

Ce fut terrible. Le choc féroce d'un corps fait de tôles contre un autre plus dur encore. Les phares s'éteignirent en même temps que le moteur. Luca se retrouva le nez sur le pare-brise, le cœur battant la chamade, Andrea bascula entre les sièges avant. Le silence était total, comme le noir d'encre où ils étaient plongés. Sebastiano avait toujours les mains serrées sur le volant.

Il y eut un instant de panique, ils respiraient tous les trois par à-coups, sans rien pouvoir faire d'autre, les yeux écarquillés. Puis ils comprirent que la Volvo était morte, au beau milieu de la route.

« Putain de merde ! » cria Sebastiano. Et il chercha les autres du regard.

Ils avaient les joues brûlantes, leur cœur cognait si fort que chacun croyait entendre celui de l'autre. Ils étaient vivants.

« C'était quoi ? demanda Luca.

– Quoi que ce soit, dit Andrea, c'est toujours là, dehors. »

Cette simple constatation suffit à les clouer sur leurs sièges.

« Et si on avait tué quelqu'un ?

– *Quelqu'un ?* »

Ils restèrent muets, paralysés à l'idée des conséquences.

Puis Sebastiano se secoua, tapa du poing sur le volant.

« Putain mais qu'est-ce que vous racontez ? Je veux pas retourner en taule. » Il voulut redémarrer. « Ça part pas. »

Il se courba sur le volant pour regarder devant, à travers la vitre salie de traces de pluie et de moucherons écrasés. Il vit que le capot était tout tordu. Alors, furieux, il ouvrit la portière.

Les autres descendirent aussi. La nuit s'agitait dans le vent, entre les pentes, les bois, comme une créature vivante. Le côté gauche du capot semblait recroquevillé sur lui-même, irrécupérable. Un des phares n'existait plus. Et aucune autre lumière n'arrivait dans ces montagnes que celle, infime, de la lune.

Ils allèrent voir, espérant ne rien trouver. Mais une forme était couchée sur l'asphalte, à une dizaine de mètres, sur la ligne continue séparant la chaussée, et elle bougeait.

Sebastiano s'approcha, pendant que les autres restaient à distance. Il se courba, et fit un bond en arrière.

« Merde !

– C'est quoi ? »

La route était vide, les portables ne captaient pas.

« Allume les phares, vite ! » hurla Sebastiano, bouleversé.

Andrea demeurait silencieux, glacé par cette scène nocturne qui n'avait aucun sens, et qui pourtant était réelle.

Sebastiano continuait à se pencher puis à reculer, comme s'il ne trouvait pas le courage de regarder. Luca tourna la clé de contact, les mains moites, mais le moteur ne partait pas.

Andrea rejoignit Sebastiano près de la forme inerte et sombre qui gisait là, au milieu de la route secondaire. Il s'accroupit pour l'examiner, comprendre de quoi il s'agissait, mais à cet instant précis Luca put redémarrer, et le phare droit s'alluma d'un coup, les aveuglant.

Il y a des moments où tu ne penses rien, tu ne comprends rien et tu n'es personne.

Il y a des moments, à vingt-sept ans, où tu ne connais qu'une seule chose, la plus importante, la plus vraie de toutes. La peur.

Quand Andrea rouvrit les yeux, ce qu'il vit par terre, c'était une masse effroyable, sanglante et brune. Et quand il perdit l'équilibre, et involontairement la heurta du pied, elle poussa un cri déchirant, à la fois humain et inhumain, et se mit à trembler.

« C'est vivant… »

La fille qui roulait seule au milieu des rizières à bord d'une Peugeot 206 cabriolet, et ralentissait au carrefour de Carisio pour regarder autour d'elle, cherchait un motel où elle n'était jamais allée.

Il aurait dû se trouver là, trois cents mètres avant le péage, mais elle ne voyait qu'un bâtiment en construction et une rangée de containers rouillés.

Elle fit demi-tour dans une station-service, tenta de prendre une contre-allée. L'obscurité était assez dense pour désorienter même quelqu'un du coin, à plus forte raison elle, qui ne prenait presque jamais l'autoroute.

Puis elle vit une flèche clignoter, indiquant une direction dans la nuit, suivie du mot *Nevada* auquel manquaient deux lettres. Plus d'erreur possible. Elle enfonça l'accélérateur, sentit les roues déraper sur la chaussée, mais elle était trop pressée pour aller doucement.

Le Nevada, c'était de l'autre côté de l'océan, l'État des casinos et des néons qu'elle avait vus à la télévision. Ici, par contre, sur la limite administrative entre Biella et Vercelli, c'était un petit immeuble solitaire de quatre étages, dont tous les volets étaient baissés. Rien d'autre.

Elle entra dans le parking. Des nuées de moucherons s'agitaient autour des lueurs pâles des réverbères. Elle se gara et éteignit la radio qui transmettait à ce moment-là *Someone Like You* d'Adele. Sa chanson préférée, celle qu'un jour, en direct, face à des millions de téléspectateurs, elle lui dédicacerait, à lui, et à lui seul.

En descendant de voiture, elle s'aperçut qu'il faisait froid. Elle ne portait quasiment rien. Elle voulut courir mais ses talons hauts s'enfonçaient dans le gravier, impossible d'aller plus vite.

Elle avait peur qu'il ne soit déjà parti. Vérifia sa montre : huit heures passées. Peur qu'il ne l'ait pas attendue, peur de n'avoir pas assez de temps pour le persuader de la suivre, l'y obliger.

Le *Gala de la Chanson* allait commencer dans moins d'une heure, à quarante kilomètres d'ici, et elle voulait à tout prix qu'il soit devant la scène, pour l'applaudir. Au moins ce soir.

Elle ouvrit énergiquement la porte et entra dans le hall. Au comptoir, le réceptionniste et deux inconnus la dévisagèrent, pétrifiés comme devant une apparition. Mais elle ne prêta attention à personne, ne demanda rien. D'instinct, elle se dirigea vers le couloir de gauche. La moquette était usée et terne, les couleurs de la tapisserie au mur éteintes.

Elle descendit quelques marches, perçut une odeur de moisi et de linge sale, évita de se demander quel genre d'homme peut se réfugier dans un motel qui loue des chambres à l'heure, planqué derrière une bretelle d'autoroute. Puis elle arriva dans une petite salle mal éclairée, et son cœur s'arrêta.

Toutes les tables étaient vides, sauf une. Il était là.

Assis avec une femme sur laquelle elle ne voulut même pas poser les yeux. Il sirotait un apéritif, souriait en parlant à voix basse. Rasé de frais, élégant dans son costume gris, ce charme qui n'appartenait qu'à lui.

Même s'il n'avait pas l'air de celui qui attend quelqu'un avec impatience, même s'il ne s'était pas encore aperçu qu'elle le fixait du haut des marches, et même s'il tenait la main de cette fille qui avait vingt ans de moins que lui, elle se sentit envahie par une joie soudaine et sans retenue.

Elle traversa la salle au pas de course, cognant son sac aux chaises et aux tables. Elle se jeta sur lui, s'agrippant presque à ses épaules.

Il y avait plus de six mois qu'elle ne l'avait pas vu.

« Papa ! »

Et Raimondo Bellezza sourit, en la serrant dans ses grands bras forts.

« Ma chérie, tu es venue ! »

Son accompagnatrice se présenta en tendant la main. Elle ne la prit pas, ne lui accorda pas un regard.

« Tu es là pour combien de temps ? demanda-t-elle tout de suite.

– Oh, vingt, vingt-cinq minutes...

– Quoi ? ! Tu ne viendras pas m'entendre chanter ? Ça commence à neuf heures... Je t'en supplie ! »

Raimondo arrangea le nœud de sa cravate en soie. Il portait une bague en or au petit doigt de la main gauche, avec une topaze au milieu.

« Tu sais bien que je ne peux pas, on doit repartir... Mais tu vois, on t'a attendue ! »

Elle enfonça le visage dans les plis de sa veste, se réfugia contre sa poitrine. Elle s'était assise sur ses genoux comme quand elle était petite, et ne semblait pas vouloir se décoller de lui, qui lui caressait la tête et riait, gai et souriant comme un homme qui de la vie n'a connu que les meilleurs côtés.

« Tu prends quoi ? dit-il pour faire diversion. Un *prosecco*, ça te va ? »

Sa petite amie, peut-être encore plus jeune qu'elle, avec des ongles très longs, acérés, laqués de rose fuchsia, les regardait, silencieuse, visiblement agacée.

« Un Negroni, alors ? Qu'est-ce que tu préfères ? Ne fais pas ta gamine, allons, insista son père. Du champagne ? Tu veux du champagne ?

– Mmm... maronna-t-elle.

– J'en étais sûr, fit Raimondo avec un clin d'œil à sa compagne, ma fille a toujours eu de la classe, tu vois ? Elle tient de moi… Garçon, s'il vous plaît ! Trois verres de Dom Pérignon ! cria-t-il au serveur qui venait d'entrer.

– Dom Pérignon, on a pas.

– N'importe. Pourvu que ça soit français. »

Raimondo continuait à caresser les cheveux de sa fille.

« Tu ne viens jamais à mes concerts… » protesta-t-elle en relevant la tête avec une moue enfantine. Elle essayait de le faire culpabiliser, mais n'y arrivait pas.

« Ma chérie, tu sais bien que papa est très occupé… »

Elle s'écarta, s'assit en face de lui. « Mais on est dimanche soir ! Qu'est-ce que tu as à faire ? »

Raimondo Bellezza sentait le cigare et l'eau de Cologne. Il avait les yeux bleus de Paul Newman et les mêmes traits que sa fille.

« Tu es de plus en plus belle, tu sais ?

– Je sais. Dis-moi où tu dois aller ce soir. »

La nouvelle flamme de Raimondo s'était abstraite de la conversation, absorbée par un jeu sur son téléphone qui faisait des petits bruits bizarres.

« Il faut qu'on soit à Monte-Carlo avant onze heures et il nous reste encore trois cents kilomètres. Mais la prochaine fois… »

La prochaine fois, ce serait pareil, elle le savait.

Elle regarda son père, vit sur son visage le reflet de ce monde après lequel elle courait depuis l'enfance, quand il partait pendant des jours, des semaines, et qu'elle pleurait parce qu'elle aurait voulu qu'il l'emmène avec lui. Elle vit cette existence dont elle rêvait, qui était toujours et uniquement ailleurs, et selon les moments s'appelait Campione d'Italia, Saint-Vincent ou Monte-Carlo.

Depuis que Raimondo était parti définitivement, la plantant là avec sa mère, elle n'avait plus cessé de désirer cette vie qu'elle imaginait pleine de vêtements griffés, de nuits blanches et d'hôtels de luxe. Et même s'il lui envoyait un chèque tous les mois, des fleurs pour la Saint-Valentin, ses vœux pour la fête des Femmes, et des centaines de cartes postales de tous les endroits qu'il fréquentait sur la Côte d'Azur et la Riviera, il n'avait jamais cessé de l'abandonner.

Lentement dans sa tête elle détacha les syllabes de ce nom, Mon-te-Car-lo. Un nom qui disait tout ce dont elle avait été privée, qu'il lui avait enlevé : les anniversaires ensemble, les excursions dans les environs, les applaudissements à la fin des concerts. Alors elle recommença à le détester.

« Tu sais au moins que j'ai fait un détour exprès pour te voir ? »

Elle le fixait sans ciller.

« Je ne sais pas comment tu fais pour rester ici, *amore.* Heureusement, tu vas bientôt commencer à travailler... À propos, quand passe l'émission ? Chaque fois que je reviens dans le coin, c'est encore pire, hein, Nadia ? On dirait un no man's land, on se croirait au Far West, misère de misère ! »

Et il riait.

Son éclatant, son magnifique rire d'homme d'affaires. Son costume à fines rayures, sa chemise bleue, sa cravate en soie mauve.

« Pourquoi tu ne m'y emmènes pas, moi, à Monte-Carlo ? Pourquoi tu ne m'appelles jamais, tu ne viens jamais me chercher pour m'emmener moi, au lieu de cette énième pétasse de merde ? »

Raimondo eut à peine le temps d'écarquiller les yeux, Nadia d'ouvrir la bouche pour répondre à cette fille de son âge « Pétasse, moi ? » que le garçon arrivait avec son plateau.

Le silence était devenu de plomb, sa fille le fixait avec rancœur mais il arrivait toujours à s'en sortir, à louvoyer entre les problèmes et leur échapper.

« Tchin-tchin ! s'exclama-t-il en levant sa flûte en plastique. Aux futurs succès de ma fille ! Parce que tu vas y arriver, ma chérie, tu seras la star de... », il toussa parce qu'il avait oublié le nom, « de cette émission. Et là, c'est toi qui m'emmèneras ! »

Il lui fit un clin d'œil : « Montre-leur qui tu es, sois plus maligne que les autres. Montre-leur que t'as des couilles. »

Ils trinquèrent. Il la traitait comme une gamine, et elle faisait tout pour qu'il en soit ainsi. À vingt-deux ans passés, elle tentait encore de récupérer les arriérés de son enfance.

Elle se lança. Essaya de raconter l'émission à laquelle elle allait participer, gonflant le plus possible les prévisions d'audience, inventant les noms des invités, citant comme présentateurs les noms les plus célèbres pour impressionner son père, le convaincre que maintenant, elle était comme lui. Et il l'écoutait, il la caressait, jetait un œil à sa montre, ou à sa petite amie débile qui avait recommencé à jouer à Bubble Gun.

« Montre-leur que t'as des couilles, surtout ! Oublie pas ça. Je n'en raterai pas un seul épisode, je te le promets... Et si tu as besoin d'un conseil, d'un avis, je suis là, vingt-quatre heures sur vingt-quatre. »

Puis, de but en blanc, avant qu'elle ait fini de boire, son père et l'intruse s'étaient levés en évoquant un retard *hallucinant.* Elle l'étreignit, encore et encore, mendiant ces vingt, trente secondes de plus pour lui donner un autre baiser.

Aucune similitude entre sa mère et son père, elle le savait, comme elle savait pour quelle raison il les avait plaquées, même si elle n'avait pas envie de s'en souvenir. Elle savait que sa mère était une ratée, mais pas lui. Parce qu'il l'avait toujours abandonnée dans les moments importants, elle le détestait, le haïssait, tout en l'aimant à la folie. Même si elle ne devait jamais lui pardonner, elle était prête à tout pour obtenir dix minutes de plus avec lui, le convaincre de venir l'écouter, l'applaudir au *Gala de la Chanson* puis dîner avec elle après le spectacle. Eux deux, seuls.

Mais déjà son père s'en allait avec cette Nadia. Et elle, à contrecœur, les suivait sur le parking. Elle les regarda monter en voiture, claquer les portières. En s'éloignant il dit quelque chose par la vitre baissée, qu'elle ne comprit pas. Elle les vit s'éloigner. À bord d'une Maserati noire magnifique dont jamais elle n'aurait pu imaginer que son père l'avait louée.

Et même si on lui avait dit: *Cette voiture, ton père la loue quand il cherche à impressionner*, elle ne l'aurait pas cru.

« Appelle-moi, hein ? cria-t-elle. Envoie-moi un texto quand tu seras arrivé ! »

Mais il était déjà loin, il ne pouvait pas l'entendre. Et cette grande fille blonde, un mètre soixante-quinze, une beauté naturelle semblable à la fureur d'un ouragan et tous les hommes à ses pieds, était là, sur ce parking de gravier et de terre battue, les yeux remplis de larmes, les bras ballants.

Elle se dirigea vers sa Peugeot 206 d'occasion. Ouvrit la portière et resta le regard perdu dans l'obscurité entre les cônes de lumière projetés par les réverbères.

Elle s'en fichait bien, maintenant, d'être en retard au *Gala de la Chanson*. De toute façon, sans elle, ils ne pourraient pas commencer. Elle fixa la barre du péage au loin. La vit se soulever, laisser passer la Maserati et s'abaisser aussitôt.

Là-bas courait la plaine, brillaient les larges rubans d'asphalte qui menaient à Milan, à Rome, à tous les endroits du monde où ça valait le coup d'aller.

Et de l'autre côté, le vide. Le no man's land. Une poignée de réverbères, une lueur ténue au nord-ouest.

Et au-dessus de la ville de Biella, elles, les montagnes.

D'ici, elle distinguait dans l'obscurité le relief des crêtes. Ici, Oropa et son sanctuaire; tout au fond, Piedicavallo, et, plus à droite, Camandona, où elle était censée aller, un petit point perdu au milieu des bois.

Une muraille de granit, sans futur, sans histoire. Du motel Nevada, on pouvait d'un seul regard tenir la chaîne alpine tout entière dans sa main. C'était la limite, la frontière.

Sauf que de l'autre côté, il n'y avait rien.

Du sang, partout. Du sang sur la chaussée, du sang sur les flancs, du sang sur le museau, et même du sang sur les cornes.

Andrea se plia sur cette masse gigantesque qui se débattait, impuissante, agitant les pattes comme pour se relever et s'enfuir.

Luca le rejoignit, et plaqua aussitôt la main sur sa bouche. Non, ce n'était pas un homme, mais ça écarquillait les yeux comme si c'était humain. Et ce regard sans langage était de pure terreur.

Sebastiano était resté à genoux sur la chaussée, et commençait lentement à réaliser. Il s'envoya une grande claque.

« Non mais vous vous rendez compte ? » cria-t-il en se relevant.

Il fixa le capot enfoncé, puis de nouveau la bête qui meuglait.

« Cette caisse, c'est la seule chose que j'aie, putain de merde ! »

Et il lança un coup de pied à l'animal, qui eut un sursaut.

Le moteur de la Volvo ahanait dans un gémissement qui ne couvrait pas le râle sourd et continu de la bête.

« Éteins le moteur », dit-il à Luca.

Luca retourna à la voiture, absent. Le sang l'étourdissait : une odeur impitoyable, comme les odeurs de métal ou de feu.

Andrea était toujours penché sur ce corps en proie aux convulsions, ce corps vivant, désespéré, qui perdait son sang par la gueule. Il s'approcha de l'œil écarquillé, qui ne voulait pas mourir. Se vit reflété dans cet œil qui ne disait rien, ne pouvait rien dire, et il en fut paralysé.

« Crève donc ! » cria Sebastiano. Et il lui envoya un coup de pied dans le sternum.

Le cerf baissa le museau, eut un mouvement de retrait.

« Arrête », dit Andrea.

Sebastiano fumait de colère, et lui balança un autre coup de pied.

« Crève donc, fils de pute ! »

Mais le cerf ne mourait pas.

« Qu'est-ce qu'on fait ? » demanda Luca.

Andrea continuait de se refléter dans l'œil brun de l'animal, convaincu à présent que l'autre aussi le regardait. Il la sentait presque, la douleur physique de cette bête. Comme si c'était la sienne.

De la masse obscure des bois n'arrivait qu'un grand silence, dense, assourdissant.

« On peut pas le laisser là, dit-il.

– Oui, mais on va pas attendre non plus qu'il crève ! » rétorqua Luca. Sa colère se transformait en peur et la peur en violence. « Une voiture va finir par arriver et on est en plein virage… »

C'était vrai, ils étaient arrêtés au milieu de la route, dans la nuit noire, avec un cerf agonisant et la Volvo bousillée. Et ça pouvait empirer.

« Faut le déplacer, dit Sebastiano.

– Et où ?

– J'en sais rien où ! s'énerva Sebastiano. On a qu'à le tirer là, sous la barrière de sécurité. »

Ils allèrent voir ce qu'il y avait au-delà : un précipice. Ils firent le tour de la voiture, insultant père et mère, eux-mêmes et le monde entier.

Andrea, lui, était resté immobile, à côté du cerf.

Il voulut poser la main sur son ventre. Un geste absurde, mais c'était plus fort que lui. À quelques centimètres il sentit sa chaleur et, avant même de le toucher, son poil rêche, la vie qui se débattait furieusement.

Et lui, qui essayait de le caresser.

Sa ramure était énorme. Un grand mâle adulte, déjà vieux. Une existence guidée par l'instinct, les dangers, les alertes.

« Moi je veux le jeter nulle part », finit par dire Andrea.

Sebastiano se tourna vers lui et le fixa, excédé : « T'es con ou quoi ? »

Andrea lui rendit son regard, la main toujours sur le flanc du cerf, comme pour le protéger.

« Quoi ? Tu veux peut-être le ramener chez toi ?

– Oui, je veux le ramener chez moi. »

Luca les regardait tous deux, l'œil exorbité. Manquait plus qu'ils s'engueulent, et c'était complet.

Mais Sebastiano, contre toute attente, changea de visage.

« Ok, Andre, t'as raison. » Et il se mit à rire. « Prends-le d'un côté, moi je le prends de l'autre. » Et en s'approchant, il tendit le doigt vers l'animal et dit : « Je t'avertis, mon vieux. Ceci est un enlèvement. »

Alors Luca aussi se mit à rire. Ils riaient tous les deux comme des fous, mais c'était peut-être juste l'angoisse. La peur que tout leur échappe, ce qui était d'ailleurs le cas.

Andrea, lui, restait muet.

Ils esquissèrent un geste vers l'animal, puis rassemblèrent leur courage et l'attrapèrent par les pattes pour le soulever. Mais il pesait des tonnes, résistait, se débattait. Et continuait de perdre son sang, de pousser ces cris inarticulés qui n'étaient ni un appel au secours ni une protestation.

Andrea le tenait fermement par les pattes avant, Sebastiano par les pattes arrière et Luca l'avait attrapé par ses bois, mais le cerf ne s'avouait pas vaincu et secouait la tête, terrorisé.

Ce fut peut-être à cause de ça : la peur du cerf les rendit fous.

Luca et Sebastiano commencèrent à tirer rageusement sur les pattes. Puis à lui balancer des coups de pied.

Andrea, incapable de réagir, se sentait impuissant. Ses bras et ses jambes se glaçaient. Sur le visage de ses copains il vit une expression étrange, c'était à peine s'il les reconnaissait. Eux continuaient à rire, à s'acharner sur la bête.

« Arrêtez ! » cria-t-il, exaspéré.

Pendant un instant, le silence retomba. Et ils reprirent leurs esprits

Ils le transportèrent jusqu'à la voiture. Ouvrirent le coffre, qui était immense, et le mirent dedans. Pour cela il leur fallut pousser à trois de toutes leurs forces, et plier le cou pour faire entrer la tête. Ils essayèrent à mains nues, avec une froideur qu'ils ne se connaissaient pas, de lui briser les articulations des pattes avant, mais n'y arrivèrent pas. Ils rabattirent le hayon, qui ne voulait pas fermer, plusieurs fois, mais il y avait toujours ce bruit sourd des bois cognant contre la tôle. Jusqu'à une dernière tentative, pleine de rage. Et le coffre se ferma.

Quand ils remontèrent dans la Volvo, ils transpiraient, respiraient fort.

« Bon, nous voilà avec un cerf dans le coffre, dit Sebastiano en démarrant. Ce qui est sûr, c'est qu'on s'en rappellera ! »

La Volvo, miraculeusement, repartit. Andrea posa l'oreille contre la banquette arrière : il entendit encore ce râle. Le langage des bêtes, il l'avait appris de son grand-père dans son enfance. Il savait que le langage, sans les mots, touche à la racine nue des choses.

« Ok, maintenant qu'on a pris Kadhafi et qu'on lui a réglé son compte, dites-moi ce qu'on fait ce soir. »

La lumière qu'ils avaient suivie au début avait complètement disparu.

« Kadhafi… répéta Luca en riant, ah oui, ça c'est excellent, Kadhafi ! »

Même la lune avait disparu.

Andrea renifla le bout de ses doigts, ils sentaient le gibier et le fer.

« Il va mettre combien de temps encore à mourir ? se demanda-t-il tout haut.

– La question c'est pas combien de temps il va mettre à mourir mais combien de temps je vais mettre pour trouver le fric et réparer ma bagnole. »

Ils dépassèrent Callabiana et la Nelva. Sebastiano accéléra, bien que la Volvo, à la torture, lourde comme s'ils transportaient une montagne, ait du mal à tenir la route. Soudain surgit un virage en épingle que le phare n'éclairait qu'à moitié et qu'à cette vitesse il était impossible de prendre.

Sebastiano le prit pourtant, sans ralentir. Andrea crut qu'ils allaient s'écraser, et ne fit rien pour l'en empêcher. On entendit le rugissement du moteur et un autre, plus sourd, qui venait du coffre.

Ils firent une embardée à droite, puis à gauche.

Et brusquement cette clarté qu'ils avaient cessé de suivre explosa entre deux pans de roche, sur la départementale 105, à la hauteur de Camandona. Elle explosa comme un pétard ou comme un feu d'artifice, et la nuit, avec ses dangers et ses déserts, se retira d'un coup.

Des files de voitures garées dans les deux sens apparurent là-haut, dans ce coin perdu de la vallée. Des familles entières se dirigeaient en groupes vers le même endroit, attirées par cette unique lumière, si proche maintenant.

Ils mirent la tête à la portière, incrédules, cœur battant, pendant que la foule descendait la route à pied. Par-dessus la hêtraie, deux projecteurs éclairaient a giorno une clairière en pente d'où montait un vacarme de plus en plus fort, avec une musique lointaine, peut-être une mazurka.

Ils se garèrent en double file.

Se regardèrent : ils étaient sauvés.

Sebastiano et Luca, sans perdre de temps, ouvrirent les portières et s'élancèrent à l'extérieur, euphoriques. Comme si rien ne s'était passé. Ils se mêlèrent aux grands-mères tenant leurs petits-enfants par la main, suivirent un groupe de scouts.

Andrea resta en arrière, prit son temps pour descendre de voiture. Tenta de contenir son angoisse. Posa la main sur le coffre d'où n'arrivait plus aucun bruit, et s'obligea à ne pas l'ouvrir. Puis il leva les yeux droit devant lui, où une banderole de la Pro Loco[1] était accrochée, et il se rendit compte qu'il était déjà venu ici.

Enfant, avec ses parents et son frère. Et plus grand, avec des copains. Et puis la dernière fois, celle dont il ne voulait surtout pas se rappeler.

Il pensa à *elle* tout à coup, et à l'œil paralysé du cerf.

Au milieu des arbres, il descendit les marches de terre battue qui menaient à la fête de Camandona. Il alluma une cigarette, et un demi-sourire triste lui échappa quand il revit les mêmes cuisines, le même hangar-discothèque, et jusqu'à ce plancher en bois sur lequel ils avaient dansé ensemble cette fois-là, tous les deux enlacés.

Ce même endroit, où une lumière lointaine l'avait conduit ce soir.

1. Organisation caritative chrétienne. (*Les notes sont de la traductrice.*)

2

> Ne reste pas longtemps avec une chanteuse, de peur que tu ne sois pris par son art. […]
> Beaucoup sont séduits par la beauté de la femme, et la passion s'y allume comme un feu.
>
> *Siracide 9, 4-9*

Andrea n'avait pas un rapport facile avec son passé. La plupart du temps il préférait l'oublier. Mais voilà qu'il se retrouvait à Camandona, avec cette odeur typique des kermesses de village : viande grillée et chiottes chimiques derrière les chapiteaux.

Il resta là quelques minutes, à fumer sur les dernières marches. D'en haut, il regardait la clairière où se tenait la fête, comme alors : les banderoles, les cocardes et la musique en direct. Et aussi le marché d'artisanat et produits du terroir. Sur la droite, adossé à un petit bois de bouleaux, l'orchestre jouait un slow sous l'éternel hangar transformé en discothèque. Et autour, comme s'il n'y avait qu'un seul îlot de lumière, l'obscurité stagnait telle une mer calme et cependant hostile.

Le chapiteau blanc, celui qui abritait le bar, le restaurant et les longues tables où s'asseyaient les familles avec leurs plateaux, se poussant pour se faire une place, était plus minable que dans son souvenir. Même la scène, là-bas, celle des grandes occasions, lui semblait en carton-pâte. Comme si le temps avait tout rapetissé, mis à nu ce qui lui paraissait, enfant, si imposant.

Il éteignit son mégot. Descendit les dernières marches, heurtant un couple qui s'embrassait. Puis il se faufila entre deux étals et se perdit dans la foule.

Il voyait les enfants tendre la main vers les croquants aux amandes et les sucettes, et les femmes qui les tiraient en les sermonnant comme sa mère faisait toujours. Une petite musique continuait de se faire entendre derrière le vacarme indistinct. Une chanson qu'il connaissait, il en était sûr, même s'il n'aurait pas su dire laquelle.

Jouant des coudes, il se fraya un chemin. C'était presque impossible de marcher avec tout ce monde, comme si tous les habitants du Biellois s'étaient rassemblés là pour échapper à un désastre. Il n'était pas pressé de retrouver les autres : la façon dont Sebastiano s'était acharné sur ce cerf, et comment Luca l'avait imité, lui avait donné la nausée.

Il vit une sorte de loterie avec un clapier rempli d'animaux, et détourna les yeux. Il vit une rangée de vieux marcaires[1] venus avec leur chaise pliante, qui observaient la scène en silence, le chapeau baissé sur les yeux. Brusquement, il éprouva un élan de nostalgie pour son grand-père. Puis il aperçut le stand de tir.

Ce *même* stand. Et au milieu des rayons de lots à gagner, exactement au centre, un grand koala en peluche. Un jouet, mais qui bougeait. Il remuait la tête et les pattes au rythme de la musique : cette petite musique de tout à l'heure, celle

1. Éleveurs de vaches laitières, qui produisent des fromages et pratiquent la transhumance.

dont il ne voulait pas se souvenir. La musique de Rocky III, *Eye of the Tiger.*

Tout à coup il le reconnut : le même poil blanc et gris, les mêmes yeux tristes en verre. Il avait gardé cette peluche pendant des années sur l'étagère au-dessus de son lit, comme un trophée, comme le but ultime à atteindre. Parce que c'était lui qui l'avait gagnée, en l'arrachant à son frère : il avait suffi d'une seule balle de carabine à air comprimé. Et pendant un instant il s'était cru un champion.

Il tourna les talons et se glissa entre deux étals de fromages. Ce fut alors qu'il remarqua une affichette posée en bas d'un réverbère, un carton jaune annonçant en lettres majuscules : *Gala de la Chanson, dimanche 16 septembre à 21 heures.*

Mais l'heure était passée depuis longtemps, et il n'y prêta pas attention.

La scène était vide, la plupart des gens faisaient encore la queue devant la caisse, et il sous-estima l'avertissement. Les bénévoles, pendant ce temps, touillaient à la louche d'énormes marmites en aluminium. Ils portaient tous le même T-shirt marqué Pro Loco.

Andrea erra sans but jusqu'au moment où il repéra Sebastiano et Luca, vingt mètres devant. Ils faisaient la queue, lisaient le menu écrit au feutre sur un drap. Malgré tout, il n'arrivait pas à leur garder rancune. Il repensa à la façon dont son père, en faisant la grimace, les avait une fois surnommés les « deux desperados ».

« Oh, mais où t'étais passé ? » lui cria Luca.

Andrea lui fit une clé du bras, pliant le coude comme pour l'étrangler. Luca était costaud, il mesurait un mètre soixante, et il lui manquait une dent. Il croyait qu'un polo Dolce&Gabbana suffisait pour attirer les filles.

« Alors, on bouffe ? » dit Sebastiano.

Ils étaient debout en plein passage, et tout à coup ils avaient faim. Mais à ce moment-là, ils se sentirent observés et se retournèrent vers un petit groupe au loin qui les montrait du doigt. Alors ils se penchèrent sur leurs jeans, leurs T-shirts, leurs chaussures. Et s'aperçurent qu'ils étaient couverts de sang.

« À votre avis, il est mort ? » demanda Luca.

Andrea en perdit instantanément l'appétit.

« Si on allait vérifier ? proposa-t-il.

– Arrêtez ! cria Sebastiano. Il va pas se sauver, Kadhafi ! »

La caissc se rapprochait.

« Andrea, tu veux quoi ?

– Une bière, c'est tout.

– Bon, alors c'est toi qui vas nous chercher une table. »

Des tables, il y en avait une trentaine, longues de cinq ou six mètres, comme pour les mariages d'autrefois. Les gens se serraient, les femmes tenaient les enfants sur leurs genoux. Andrea trouva une place entre deux groupes, empila les assiettes en plastique restées là puis s'assit.

Il examina calmement cet endroit ressurgi du passé.

Une banderole, qu'il n'avait pas vue, tout effilochée et sale, s'étendait au-dessus de la scène dans la brise légère qui descendait du Monte Casto et du Bo. Et la même inscription : *Gala de la Chanson.*

L'orchestre jouait une polka, et des couples de vieux dansaient joue contre joue. Bien serrés, comme pour s'empêcher de tomber, ils tournaient autour de la piste.

La dernière fois qu'ils étaient venus ici en septembre, ils avaient dansé eux aussi. Les mamans et les papas, son frère avec sa cousine, lui avec Marina, et la musique était plus ou moins la même. Marina... ça lui fit un drôle d'effet de repenser à ce nom.

Ce soir-là, elle portait une robe bleu ciel, serrée à la taille, qu'il s'étonna de se rappeler aussi bien.

Il n'avait pas eu de nouvelles d'elle depuis trois ans, depuis la énième fois où il s'était obstiné à l'attendre devant la salle de sport, pour rien, la veille de Noël 2009.

Puis les autres arrivèrent et prirent place à côté de lui. Il déboucha la bouteille avec son briquet, prit une gorgée au goulot.

C'était peut-être la fête ou bien, pour quelque raison obscure, le cerf qui avait ramené son souvenir. Mais ça n'avait plus d'importance.

« Quand est-ce que tu lui demandes la ferme, à ton père ? »

Andrea remarqua quelques bénévoles qui soulevaient un vieil ampli et tentaient de le monter sur la scène. Il se tourna vers Sebastiano.

« Demain, répondit-il.

– Et tu crois qu'il te la donnera ? T'es sûr ? C'est quand même de ton père qu'on parle. »

Son père, maître Caucino, pénaliste et ancien maire de Biella : le genre qui ne s'abaisse à fréquenter les fêtes de village que pendant les campagnes électorales.

« Ça ne lui coûtera rien. Et il déteste cet endroit. »

Sebastiano et Luca mangeaient avec les doigts, parlaient la bouche pleine en imaginant ce qu'ils feraient là-haut, dans cette ferme d'alpage loin de tout sur les pentes du Monte Cucco.

« Ça serait super si ça marchait, non ? dit Luca. »

Andrea finit sa bière et acquiesça.

« À moins que… fit Sebastiano d'un ton distrait, à moins qu'il n'ait l'intention de la faire retaper pour ton frère, pour qu'il revienne plus souvent. »

Andrea changea brutalement d'expression. Ses grands yeux noirs se durcirent jusqu'à ressembler à deux morceaux de charbon.

« Mon frère en a déjà eu assez. Et il n'est pas près de revenir. »

Sebastiano regarda ailleurs, regrettant d'avoir laissé échapper cette phrase. Luca sortit un morceau de papier alu de sa poche et commença à chauffer le hasch avec son briquet. Il jeta un coup d'œil à son portable, déçu : « Même la Daniela, elle m'a pas répondu… »

C'était redevenu une soirée identique à des milliers d'autres.

« À propos, vous l'avez remarquée la fille, là-bas ?

– Où ça ?

– Celle du bar. »

Andrea lança un regard vers le chapiteau, nota une fille aux cheveux verts rasés d'un côté, qui tirait la bière à la pression. Il pensait au chalet d'alpage de Riabella tel qu'il était du temps où son grand-père y montait les bêtes de mai à septembre, et tel qu'il était aujourd'hui : abandonné aux ronces.

Cet endroit-là lui revenait de droit, c'était tout ce qu'il lui restait de son grand-père. Puis il repensa au cerf, au bruit sourd de ses bois qui cognaient contre le capot du coffre. Et eux qui l'avaient frappé, frappé sans s'arrêter.

Ils se levèrent en laissant les restes de leur dîner, puis allèrent au bar, où la punkette derrière le comptoir avec son T-shirt Pro Loco les accueillit d'un regard morne.

Ils commandèrent.

Andrea entendit Sebastiano dire à la fille : « Eh, beauté, d'où tu viens ? »

La vérité, c'était que ça le rendait triste d'être là. La dernière fois qu'il était venu, il avait dix-huit ans, et aujourd'hui vingt-sept. Et n'avait encore rien réalisé de ce qu'il s'était promis.

La dernière fois, c'était quand ils avaient dansé ensemble, devant ce même orchestre qui jouait en ce moment : quand de but en blanc elle s'était arrêtée de danser et lui avait demandé, avec une pointe de malice, s'il l'accompagnerait faire pipi parce qu'elle avait peur toute seule.

Et il l'avait accompagnée. Dans le petit bois de bouleaux, derrière un tronc renversé. Elle avait baissé sa culotte, s'était accroupie. Et tout ça semblait si loin, et embarrassant, revu avec ses yeux d'aujourd'hui.

Puis Luca l'appela, le tira par sa veste.

« Oh, regardez un peu là-bas... »

À gauche de la scène, où des barrières étaient installées, s'était formée une rangée de femmes, de toutes jeunes filles et même des gamines de l'école primaire donnant la main à leur maman, chacune arborant une cocarde numérotée sur la poitrine.

Certaines, plus agressives en décolleté et minijupe, riaient et complotaient. D'autres, moins jeunes, regardaient autour d'elles d'un air égaré, fumaient et s'arrangeaient les cheveux en se passant un petit miroir de poche.

Andrea, Sebastiano et Luca observaient, incrédules, toutes ces femmes rassemblées et vêtues de manière voyante.

Tout à coup, une des filles escalada une barrière sans respecter la file d'attente. Deux mères protestèrent violemment, d'autres concurrentes se mirent à jouer des coudes pour passer devant. Une petite fille éclata en sanglots. Une quadragénaire qui avait filé ses collants insulta tout le monde.

« Si au moins y en avait une de potable », dit Sebastiano.

Lui, il avait choisi sa proie. Elle s'appelait Mirella.

« C'est pas vrai. Regarde la troisième à partir de la gauche, elle est pas mal », fit Luca.

Les allées et venues s'intensifiaient. On entendit un organisateur crier qu'ils avaient un retard de trois quarts d'heure sur le programme, que la *star* n'était toujours pas là, ajoutant :

« On ne peut pas travailler comme ça ! » Arriva un garçon, les écouteurs sur les oreilles, qui alla se placer derrière la table de mixage et la rangée de chaises où avaient été collées des feuilles A4 portant l'inscription *Jury*.

Luca continuait à passer au crible les filles les plus jeunes, les montrait du doigt à Andrea, qui ne voyait là qu'une misérable tentative de transposer ici, à Camandona, l'ambiance des shows télévisés.

Sur les chaises du jury s'installèrent un homme qui était peut-être le buraliste d'Andorno et une femme couverte de bijoux, aux cheveux rouge feu ; il lui sembla la reconnaître parce qu'elle venait de temps en temps à la bibliothèque.

Puis arriva une poignée de journalistes de l'*Eco* et de la *Nuova Provincia*, une caméra de télévision avec un autocollant *Tg Regione*. Alors quelque chose changea sur le visage des concurrentes, qui se firent plus sérieuses. Les bénévoles accélérèrent le rythme, transportant presque en courant les derniers câbles électriques. Les gens autour baissèrent la voix, indiquant les uns aux autres la présence de la télévision. Pour finir, deux gamins se mirent devant l'objectif et crièrent « Vas-y Milan ! Merde à la Juve ! » en faisant de vilains gestes avec les mains.

Quelqu'un, en veste à paillettes fuchsia sur un jean et des chaussures de sport, monta sur la scène essayer le micro. Quelqu'un qui ressemblait à quelqu'un d'autre, un sosie de Dieu sait qui.

Luca ne retrouvait pas le nom : « Oh, mais c'est lui ou c'est pas lui ?

– Moi, je trouve qu'il ressemble à Umberto Smaila... » dit Sebastiano en se mettant à rire.

La clairière se transformait en un parterre bondé, transpirant et impénétrable. Les enfants continuaient de jouer au baby-foot et aux fléchettes. Les vieux regardaient sans ciller, assis sur leur chaise de camping. Et, au-dessus de tout cela, les masses noires et gigantesques des montagnes pesaient, dans un silence immobile et sans fin.

Quand les projecteurs s'éteignirent sans crier gare, une guirlande de néons multicolore qui ressemblait à une décoration de Noël s'alluma sur la scène. Des applaudissements retentirent depuis les cuisines et la piste de danse où ne restaient plus que trois couples qui se tenaient enlacés sans musique.

Le présentateur bondit au milieu de la scène, toussa dans le micro qui sifflait. Il se gratta la tête et déclara ouvert le concours de *la promesse musicale du Biellois.*

« À mon avis, c'est le moment de partir, dit Andrea.

– À mon avis, répondit Sebastiano, faut la savourer jusqu'au bout, cette foire à la tristesse. »

On remercia la municipalité, la province, la fabrique de pâtes, la charcuterie et les autres sponsors qui, *par ces temps, avec la crise…* Un applaudissement spécial fut demandé pour le journal télévisé régional, monté de Turin pour filmer *la fine fleur de notre terroir.* Enfin, on invita la première concurrente à monter sur scène. Et dans l'obscurité où le public était plongé apparurent les lueurs bleuâtres des portables qui filmaient ou prenaient des photos.

Une gamine grassouillette avec un appareil dentaire, du rouge à lèvres et des taches de rousseur s'empara du micro. Elle dit : « Bonsoir, je suis d'Occhieppo Superiore », et annonça, encouragée avec enthousiasme par ses parents, qu'elle allait chanter *La Solitudine* de Laura Pasini.

Andrea commanda un autre Negroni.

« C'est le dernier, après je me retire.

– Ok, tu regarderas comment va notre copain Kadhafi… lui répondit Sebastiano. S'il est toujours vivant, donne-lui le bonjour de ma part ! »

La gamine s'appliqua à chanter de toutes ses forces. Andrea tournait le dos et buvait. Il entendait les cris hystériques des parents, les fausses notes insupportables de cette voix trop jeune, et ça lui suffisait amplement.

Il regarda ses copains : il avait parfois du mal à les comprendre. Sebastiano était en train de raconter sa vie à Mirella, entre deux clients. À un moment, il avait même tiré une photo de Mathias de son portefeuille pour la lui montrer. Luca était toujours absorbé par sa concurrente, celle qu'il avait remarquée tout à l'heure et qu'il rêvait de mettre dans son lit à la fin de la soirée.

Puis *La Solitudine* se termina, il y eut des sifflets et des applaudissements. Le sosie d'Umberto Smaila revint sur scène et dit qu'à présent c'était le tour d'une fille spéciale. Qu'il voulait un instant d'attention, s'il vous plaît !

Andrea fit mine de se lever, posa son verre vide, mit une main sur l'épaule de Sebastiano : « Donne-moi les clés de la voiture, je fais un saut à Biella et je reviens vous chercher. » Mais il n'eut pas le temps de finir sa phrase que brusquement, comme si les montagnes elles-mêmes s'éboulaient, furent annoncés le prénom et le nom de la concurrente numéro deux.

Alors son sang se glaça.

Marina Bellezza.

Dans le micro qui continuait à siffler, le présentateur ressuscité des années quatre-vingt, à vingt-deux heures passées, dans cette soirée absurde à la fête de Camandona, cria ce nom.

Andrea cessa de respirer.

C'était impossible. Impossible que ce soit *elle.*

Eh bien, chers amis, je sais que vous vous souvenez d'elle haute comme trois pommes dans la dernière publicité d'Aiazzone[1]*...*

Éclats de rire.

---

1. Important fabricant de meubles à Biella, nationalement connu et victime d'une faillite frauduleuse en 2011.

C'était en 1994, elle avait quatre ans et déjà un talent fou... Mais elle a grandi maintenant, elle a fait du chemin et... je peux le dire ?

Il s'adressa à quelqu'un en coulisse.

On peut le dire, oui ou non ?

Impatience.

En octobre, nous la verrons en prime time sur BiellaTv 2000 !

Impossible à croire.

Il avait pâli, ses yeux s'étaient écarquillés, sa bouche était complètement sèche, les battements de son cœur se propageaient dans tout son corps.

Il ne s'y attendait pas. Il sentait son sang battre avec violence dans ses reins, son estomac, ses tempes.

Canale 19, la chaîne de télévision numérique terrestre ! N'oubliez pas !

Il n'était pas préparé. Ç'aurait peut-être été différent, il aurait pu trouver une contenance, s'il l'avait croisée dans un bar, à la sortie d'un supermarché, si seulement ça avait pu se passer avant...

Mais pas maintenant, et pas ici.

Marina, accroupie dans le petit bois de bouleaux, là, derrière, sa culotte tendue aux genoux, qui lève la tête et dit : « Andre, t'aurais pas un mouchoir en papier ? » Ses chaussettes blanches dans les tennis roses, les incisives un peu écartées, une écorchure au genou. « J'ai parlé de toi dans mon journal ce matin. »

Elle avait treize ans, cette nuit-là, et lui dix-huit. C'était en 2002, ou peut-être 2003. Et sa robe bleu ciel en coton léger était restée gravée dans sa mémoire.

Son sourire, limpide et radieux : comme le torrent Elvo, comme les paillettes d'or qu'on ramasse dans le tamis et qu'on garde ensuite dans de petits flacons. Marina Bellezza. Depuis quand n'avait-il pas réussi à prononcer entièrement son nom ?

Elle nous fait l'honneur d'être là ce soir… On y est presque avec l'ampli, non ?… de concourir avec les autres, même si, bon… nous le savons tous, la battre sera un exploit !

Andrea se tourna d'un coup vers Mirella, tourna le dos à la scène et s'efforça de contenir son cœur qui galopait. Il interrompit Sebastiano qui continuait à lui raconter sa vie – omettant son arrestation, sa condamnation, son casier judiciaire bien rempli – et demanda un autre Negroni.

Il entendait les hurlements des gens, les mouvements furtifs sur la scène pour installer l'ampli, et il avait peur. Une peur folle qui lui remuait les sangs. Trois années avaient passé, trois ans : une vie entière, nom de Dieu.

Pourtant, son corps ne mentait pas.

Le moment est venu de l'appeler sur scène… Oui, ou plutôt non ! On me fait signe qu'elle n'est pas prête !

Andrea ne sentait plus ses jambes. Sa mémoire débordait, les digues qu'il avait érigées à grand-peine ne servaient à rien. Brusquement, il revit nettement devant ses yeux, comme s'il était là, le petit immeuble à deux étages avec le portail qui grinçait et le hall sombre où il était si facile de se cacher, la plaquer contre le mur et l'embrasser. Il l'avait vue aller à l'école avec son cartable sur le dos. Puis il l'avait vue exploser, du jour au lendemain. Devenir une jeune fille, consciente de sa beauté, de l'effet terrible qu'elle lui faisait en lui laissant entrevoir le liseré de sa culotte : ici, à Camandona, il y avait neuf ans, quand pour la première fois il s'était aperçu de son existence.

Allons, ne soyez pas avares… Faites-lui un accueil triomphal !

La mémoire d'Andrea continuait à restituer des fragments d'images au hasard, et là, autour de lui, il n'y avait plus personne, plus de date, plus de lieu hormis le silence colossal des montagnes. À part ce bobsleigh rouge qui glissait sur le Prato delle Oche enneigé, en dessous du sanctuaire d'Oropa, et eux deux entassés dedans, empaquetés dans leur combinaison de ski, lancés à la vitesse d'une fusée sur un tapis de cristaux blancs. Ils étaient tombés. Ils s'étaient retournés en bas de la descente. Et lui, cette fois-là, n'avait pas pu se retenir. Parce qu'il faisait froid, que le ciel était blanc et bas, qu'ils étaient en nage, qu'ils étaient seuls.

Ladies and gentlemen… Eh, eh… les maris et les femmes… Les petits-enfants et les grands-parents !

Ils avaient commencé à se voir, en cachette. À faire des choses, dans le noir, au cinéma de Candelo. Et en plein jour, au bord du torrent Cervo, au milieu des fougères. Il s'était inscrit à l'université de Turin mais il rentrait chaque fin de semaine. Elle l'attendait devant le lycée le samedi midi. Et Marina le laissait faire, jusqu'à un certain point. Lui, il était celui de la villa d'en face, celui qui avait du fric, le fils du maire. Et elle, celle qui ne partait jamais en vacances l'été, qui courait les castings pour les catalogues des filatures bielloises… Elle le lui reprochait, d'être riche. Puis, un soir, elle avait décidé de ne plus être vierge.

J'oubliais, nous sommes filmés par la télévision régionale, le Tg Regione !

Pendant que la tension montait en attendant son arrivée, pendant que ce fichu sosie d'Umberto Smaila continuait à déblatérer, Andrea restait le dos tourné, les yeux rivés sur le comptoir, et se rappelait leur première fois. Là-haut, au belvédère. Ils avaient fait l'amour toute la nuit sur la banquette arrière, en décembre, avec les vitres embuées et le chauffage au maximum. Jusqu'au moment où le moteur de la Punto avait calé. Il avait été obligé d'appeler chez lui à six heures du matin pour qu'on vienne les chercher. Il se rappelait la tête de sa mère, son expression en ouvrant la portière, quand Marina, avec une insolence totale, lui avait dit : « Bonjour. J'espère ne pas vous rendre grand-mère. »

Et maintenant, c'est parti ! Accueillons-la par un tonnerre d'applaudissements car elle le mérite, notre Bellezza... Elle a passé avec succès les sélections de Cenerentola Rock[1] *!*

Mais ça devait finir, c'était logique. Ils s'étaient aimés, battus, haïs, embrassés pendant six ans. Et puis, en 2009, était arrivé ce qui était arrivé. Et ils ne s'étaient plus revus.

Cenerentola Rock, *le télécrochet qui verra naître la nouvelle étoile de la chanson italienne... L'émission de BiellaTV 2000 ! C'est la crise, mes enfants, dans deux mois ça pourrait être la fin du monde, mais nous ne voulons pas cesser de rêver !*

Andrea vida son Negroni d'un coup et en commanda un autre. Tous ces gens les mains en l'air à hurler...

Que savaient-ils, *eux*, de Marina ?

Les cuisines fermaient, les bénévoles en nage laissaient tomber les marmites et les sacs-poubelle.

Il avait connu beaucoup de femmes mais elle, c'était différent. Le genre de fille qui va jusqu'à te faire penser que tu pourrais l'épouser et la regarder vieillir de l'autre côté du lit.

Elle a été choisie parmi plus de deux mille candidates ! Canale 19, la chaîne de télévision numérique terrestre ! Cenerentola Rock, *la nouvelle émission qui va faire décoller notre chaîne non seulement dans le Piémont, mais aussi en Vénétie et en Lombardie !*

Retourne-toi, se dit Andrea, allez.

Il s'accrochait à son verre et ses mains tremblaient.

De toutes ses forces il essayait de rassembler son courage.

Pendant ce temps, tout le monde s'entassait et jouait des coudes pour se rapprocher de la scène. Ils applaudissaient, ils criaient son nom. Filmaient avec leur portable.

Retourne-toi et regarde-la, s'il te plaît.

La peur. La peur est la racine de tout.

---

1. Cendrillon Rock.

Et la voilà qui arrive, dans toute sa splendeur… Même son nom le dit[1] *!*

Retourne-toi et regarde-la, nom de Dieu.

Marinaaa Bellezzaaa !

Les lumières s'éteignirent d'un coup.

Pendant une poignée d'instants interminables ce fut le vide.

Une nuit océanique tomba sur ce petit renfoncement entre la Valle Cervo et la Valle Mosso, un silence éternel au fond duquel s'agitaient la queue d'un écureuil, le sabot d'un chevreuil. Au fond de laquelle se prolongeait l'agonie du cerf qu'ils avaient renversé.

Andrea se retourna lentement, presque contre sa volonté. Il commençait à ressentir les effets de l'alcool, son cœur qui accélérait sans frein.

Il eut à peine le temps de déglutir qu'explosa un faisceau de lumière si blanche qu'on aurait dit un canon à neige – la neige odorante du Prato delle Oche – qui effaça tout le reste. Les centaines de personnes qui attendaient n'étaient plus rien, face à cette seule présence imminente, cette seule créature bientôt visible, dans dix secondes, cinq secondes, *la voilà !*

1. *Bellezza* signifie beauté en italien.

3

Marina Bellezza se matérialisa soudain dans le cône de lumière projeté sur la scène, comme l'aura d'une enseigne qui surgirait de la nuit. La plus belle créature qui soit, un de ces personnages sur lesquels on rêve en lisant Tolstoï ou Flaubert.

Andrea ne respirait plus. Ses copains aussi avaient cessé de respirer. Comme si la foule était tout à coup devenue muette face à cette apparition lumineuse contre la montagne, une madone.

Andrea était toujours assis, son Negroni devenu tiède, le cerveau anéanti. Elle était là, réelle, transfigurée par la lumière intense qui enflammait ses cheveux blonds.

Les lèvres collées au micro, elle dit : « Bonsoir à tous. »

Les applaudissements éclatèrent. Luca, Sebastiano et Mirella applaudirent eux aussi, quelqu'un laissa échapper un *Waouh*.

Andrea lutta contre l'éblouissement et parvint de nouveau à cerner les contours. Alors il vit combien elle avait changé.

Elle avait grandi, ou alors c'étaient ces talons hauts. Ce n'était pas le maquillage : elle se maquillait déjà à treize ans. Mais ce short qui lui arrivait à l'aine, ce haut moulant profondément décolleté… Elle saluait la foule en ouvrant les bras comme une diva.

Andrea avala la dernière gorgée. Il était en nage, du sang sur ses vêtements, une bière et quatre Negroni dans l'estomac. Il fixait la silhouette éclairée comme une icône au centre de la scène.

Elle n'était plus la gamine qu'il avait emmenée au Nido del Falco, là-haut, à la Balma, prendre sa première cuite. Ni la fille qui riait à gorge déployée sur le siège de sa voiture après une bouffée de marijuana. C'était une femme, à présent. Vêtue comme une strip-teaseuse… Une étoile faite pour le succès.

Puis, un instant avant que démarre la bande-son, un millième de seconde avant que sa voix se diffuse du micro jusqu'aux tables, aux stands et jusqu'aux bois d'érables et de bouleaux, et plus haut encore jusqu'à la cime nue et désolée du Monte Bo, elle eut le même sourire qu'avant, teinté de tendresse.

Et ce sourire lui fit poser son verre vide et s'approcher. À mesure qu'il s'ouvrait un chemin parmi la foule, Andrea reconnaissait sur cette scène triste et clinquante, malgré la tenue de bimbo, le rouge à lèvres trop foncé, la seule femme pour laquelle il ait perdu la tête, et son expression malicieuse et perdue quand elle s'arrachait à ses baisers. *Sa* Marina.

La bande-son partit, une attaque qu'il connaissait bien. Marina installa le micro, entrouvrit les lèvres.

Il était toujours allé l'écouter chanter, l'applaudir dans le public, certain qu'un jour elle se lasserait de jouer à la star. Mais non.

« *Oh, my life is changing everyday. In every possible way.* »

Dreams, des Cranberries. Une chanson qu'il lui avait fait découvrir un siècle plus tôt. Elle la chantait vraiment mais d'une manière complètement nouvelle qui le clouait là, écrasé de stupeur. Plus rien de son ingénuité quand elle imitait Dolores O'Riordan en 2003, sur le balcon. Maintenant sa voix était ferme et profonde. Et elle le savait : elle s'en servait comme d'un sabre, avec une gestuelle persuasive et calculée, des regards concentrés et intenses. Elle avait même appris l'anglais.

Pendant ces trois ans elle avait dû beaucoup travailler. Comprendre que pour devenir chanteuse il ne suffisait pas de chanter. Elle avait appris à canaliser ses rancœurs, à exploiter son instinct de vengeance. Elle avait pris des risques, travaillé à dépasser ses limites, à discipliner sa nature. Andrea était bouleversé : la gamine qui détestait le solfège, et qui faisait ses répétitions générales devant sa glace, en vraie professionnelle.

Dreams. C'était *You have my heart, so don't hurt me.*

Sa voix n'était plus un son, mais un élan. Marina ne chantait plus pour elle-même mais pour le monde entier.

Andrea sentit qu'on le tirait par-derrière. Sebastiano lui cria dans l'oreille : « Allez, on se tire ! Mirella a fini son service et je veux l'emmener chez moi.

– Non, attends… lâcha-t-il distraitement. Encore dix minutes. »

Mais que voulait-il faire ? L'attendre, lui parler… Pour lui dire quoi ? *Salut, tu te souviens de moi ?*

« Dix minutes ? Mais c'est toi qui voulais qu'on parte ! »

Andrea ne répondit pas. Il laissa Sebastiano débattre avec Luca de comment ramener Mirella. Il entendit Luca protester : « Et si le cerf est encore vivant ? » Et Sebastiano répliquer : « Putain mais comment il pourrait être vivant ? » Puis, se ravisant : « Cours-y voir. » Et l'autre, furibard : « Merde alors ! Vas-y toi-même ! »

Le temps s'écoulait. Et Andrea n'arrivait pas à prendre une décision. Il restait là, à regarder comment elle bougeait, comment elle était habillée, comment elle s'offrait au public. Envoûté, confus et irrité. Elle aurait dû grandir en écoutant les Rancid et les Lagwagon. Elle aurait dû s'habiller en jean large et chemise à carreaux informe. Et en baskets, roses, pourquoi pas.

Mais il se souvenait vaguement – comme d'une chose dont on ne veut pas se souvenir – de cet après-midi de novembre 2009, la voiture des carabiniers que les voisins, terrorisés, avaient fini par appeler. La scène hystérique de la mère de Marina en pleine rue. Sa mère en tablier et savates qui voulait échapper aux carabiniers, et Marina devant le portail qui pleurait. Des larmes devant lesquelles il s'était senti impuissant.

Quand Sebastiano lui dit qu'ils avaient envie d'une assiette de pâtes, Andrea répondit : « Ok, je viens avec vous. »

Après, elles avaient disparu, sa mère et elle. Elles avaient déménagé à Biella. Andrea se rappela ces attentes douloureuses devant son école, chaque jour, pendant des mois. Ses tentatives pour trouver sa nouvelle adresse, son nouveau numéro de portable. Ses planques sur le parking de la salle de sport.

En vain. Il y a des choses qu'on ne peut pas réparer. Qui cassent la vie en deux, impossible de revenir en arrière. Ce jour de novembre avait séparé leurs vies. Trois années avaient passé, et elle était là, sur cette scène. Qu'y pouvait-il ? Rien.

Andrea suivit les deux autres en fendant la cohue, traversant des haies de familles et d'enfants. Il les entendait crier, manifester un bonheur dérisoire. Il vit Sebastiano glisser la main dans la poche arrière du jean de Mirella. Il ne voulait pas se retourner, regarder vers ce point de lumière où elle souriait en répétant « Merci, merci », à une distance sidérale, infranchissable, de lui.

Apercevant la voiture, Mirella se figea et dit, stupéfaite :

« Eh, mais qu'est-ce que vous avez fait ? »

Le capot faisait peur à voir, en effet. Sebastiano inventa qu'il avait oublié la veille de serrer le frein à main, lança un coup d'œil éloquent à ses copains et parla d'autre chose.

Ils montèrent dans la Volvo. Andrea se laissa tomber sur le siège arrière, essaya d'entendre si un bruit venait du coffre. Mais tout était silencieux.

Luca s'assit à côté de lui, Mirella à côté de Sebastiano. Luca lui donna une pichenette sur la joue : « On a bien bu, hein, ce soir ? »

Andrea n'avait jamais été aussi lucide.

À Pralungo, dans le deux-pièces de Sebastiano, Luca alluma la télé et commença à zapper. Le maître des lieux sortit son chumba, un genre de narguilé artisanal, et prépara le nécessaire sur la table de la cuisine envahie de bouteilles vides, de boîtiers de DVD et de CD ouverts, et une demi-pomme noircie.

Mirella ne cessait de regarder autour d'elle, regrettant sans doute d'avoir accepté l'invitation. L'appartement de Sebastiano trahissait les errements d'une vie chaotique, et elle était assez adulte pour en interpréter les signes.

« Vous pouvez me le dire maintenant, finit-elle par demander. Qu'est-ce que vous avez fait pour vous mettre dans cet état ? » Elle montrait leurs jeans et leurs chaussures. Évidemment, elle n'avait pas gobé l'histoire du frein à main.

« Tu veux la vérité ? dit Sebastiano avec un rire feint. On a enlevé un Libyen qu'on a découpé en morceaux et planqué dans le coffre. »

Andrea restait un peu à l'écart. Sebastiano chargea le chumba et le silence s'installa. Pas un insecte dehors, pas un bruit de voiture. La nuit était dense et vide, et le monde, vu d'ici, semblait lointain.

Andrea aurait voulu dire à Mirella de ne pas s'inquiéter, que si Sebastiano s'était toujours débrouillé dans la vie pour collectionner les emmerdes, c'était un brave type. Et Luca aussi, malgré les apparences. Il s'était choisi les meilleurs amis au monde, ceux que sa famille n'aurait surtout pas voulu qu'il fréquente.

Ils fumèrent tous sauf Andrea. Il restait dans son coin, assis sur une chaise, les mains sur les genoux et le regard fixé au sol.

Les autres se mirent à rire, ils commençaient à partir. C'était leur façon de combler le vide, d'alléger les tensions et les souvenirs. Une façon comme une autre de passer les dimanches, par ici. Sauf que le dimanche était presque terminé, et pas sûr qu'il y en ait un autre pareil.

Andrea se leva brusquement. Il alla dans la cuisine, ouvrit un placard en agglo déglingué – peut-être un reste de l'époque Aiazzone – et fouilla bruyamment à l'intérieur. Il trouva une bouteille de Jack Daniel's. Chercha un verre propre dans l'égouttoir. En but deux grands fonds d'affilée.

Puis il retourna dans le salon où Sebastiano dormait par terre, le réveilla et lui demanda, avec ce regard qu'ont peut-être les assassins à l'instant de tuer : « Seba, excuse-moi, tu me prêtes ta bagnole ? »

L'autre se secoua de la torpeur dans laquelle il était plongé, la tête posée sur l'épaule de Mirella, et le fixa d'un regard mi-étonné mi-absent.

« Et où tu vas ? balbutia-t-il. Il est bientôt minuit…

– Justement. J'en ai pas pour longtemps. »

Sebastiano se releva du tapis sur lequel il était couché. Luca et Mirella, assommés, comprirent vaguement qu'Andrea s'apprêtait à sortir et lui firent un salut de la main.

« Te fais pas arrêter, hein ? dit Seba en chancelant. Des fois qu'on te demanderait d'ouvrir le coffre…

– T'inquiète », répondit Andrea, les yeux glacés, sur le pas de la porte.

Il la referma et se lança comme un fou dans la nuit déserte.

De Pralungo à Camandona il fit les 14,4 kilomètres de virages à quatre-vingts à l'heure sans ciller.

La beauté de ces montagnes était violente parce qu'oubliée, sauvage et inconnue de tous. Et Marina aurait dû rester comme cette vallée, un spectacle réservé à lui seul. Comme ce petit bois de sapins blancs spontanément apparu au sommet de l'Alpe Cusogna : abrupte, inchangée.

Mais elle avait trop de conneries dans la tête, petite déjà. Il y avait trop de problèmes et trop de liberté dans cette famille ravagée. Andrea se rappelait les cris qui s'échappaient de leur fenêtre et s'entendaient dans toute la rue. Les scènes d'hystérie devant ses parents, sa mère qui faisait les courses avec peu d'argent, et son père qui jouait toujours les types sympas.

Mais il ne voulait pas y penser, pas maintenant.

À quatre ans, elle avait été choisie pour chanter *Venez, venez, venez chez Aiazzone, venez pour ne pas l'regretter !* et depuis lors n'avait pas cessé de rêver à la télévision. Elle étudiait le chant tous les jours, allait à la salle de sport trois fois par semaine. À seize ans elle avait un book, elle était l'égérie de quelques entreprises locales. Puis elle était devenue la bimbo assistant le présentateur dans une émission sportive de Teleritmo et avait cessé d'aller régulièrement en cours.

Mieux valait ne pas y penser.

Mieux valait ne penser à rien.

Andrea revivait ce passé lointain comme s'il datait de la veille, et que Marina et lui venaient de se croiser. Comme si ce qui la concernait le concernait aussi.

Comme si.

Il était trop saoul pour réfléchir.

Et il y avait trop de *si.*

S'il avait connu entre-temps une autre femme capable de la lui faire oublier, jamais il n'aurait pris le risque de se tuer sur la départementale 105 entre Andorno et San Giuseppe.

S'il avait fini ses études à la fac. Si son frère n'était pas parti pour les États-Unis. Si son père ne l'avait pas toujours traité comme le fils raté. Peut-être aurait-il su qu'il faisait une erreur gigantesque.

Mais Andrea, en ce moment, avait perdu la tête.

Il conduisait la Volvo accidentée en dérapant dans chaque virage, avalant la route entre ces montagnes où ils avaient grandi ensemble.

Arrivé à la fête, il laissa la voiture au milieu de la route. Les gens commençaient à partir. Partout des papiers gras et des canettes écrasées. Il s'élança à contre-courant de la foule qui s'en allait dormir. Il ne s'arrêta qu'un instant pour la chercher des yeux.

Ça venait à peine de se terminer, elle était sûrement là quelque part...

Et il la vit.

Il la vit quitter l'arrière-scène qu'on débarrassait, passer entre deux barrières et s'éloigner du groupe des derniers techniciens près d'une rangée de frênes touffus, son portable à la main.

Le Jack Daniel's, à certains moments, est le meilleur ami de l'homme. Andrea ruisselait de sueur. Mais il ne fallait pas qu'il réfléchisse, il ne fallait pas laisser passer une seconde de plus. Il se lança dans la pente, sans freiner, en prenant tous les risques. La clairière était presque déserte, puant l'ordure et l'abandon. C'était une course merveilleuse, c'était un suicide. La gravité l'entraînait exactement vers ce point escarpé où Marina s'était réfugiée pour téléphoner. Il la voyait de dos, essayant de capter la ligne, et c'était elle, sans l'ombre d'un doute. Ses omoplates. Ses cheveux blonds.

Andrea lui tomba dessus, au risque de la faire chuter. Il se plaça devant elle et se découvrit incapable de lui dire quoi que ce soit.

Marina, effrayée, fit un bond en arrière. Elle fronça les sourcils. Une expression sévère, de stupeur agacée, qu'il ne lui avait jamais vue. Il y eut un instant où elle ne comprenait pas, et il avait cessé de respirer. Un instant dont Andrea aurait eu honte s'il n'avait pas été saoul, sale à faire peur, incapable d'éprouver quoi que ce soit hormis le bonheur sans limites de se retrouver face à elle depuis tant d'années.

Marina, brusquement, détendit les muscles de son visage. Elle s'épanouit en un sourire plein d'émerveillement, plein d'une enfantine et terrible tendresse. Elle voulut parler. Mais Andrea l'en empêcha.

Ils ne se touchèrent pas, ne se frôlèrent même pas.

« Demain, lui dit-il. À la Burcina. »

Elle laissa s'évaporer son sourire. Reprit ses esprits.

« Non, demain je peux pas. »

Elle recula d'un pas, chassa quelque chose qui volait sur son épaule. Mais Andrea ne renonçait pas, et la fixait d'un regard égaré. Obstinément. Elle était là, mais à des centaines de kilomètres.

Puis Marina ajouta précipitamment : « Disons mercredi. À trois heures. »

Et elle se retourna d'un coup, sans lui dire au revoir, comme si elle regrettait déjà, et s'éloigna comme elle était apparue, dans la clarté diffuse d'une lumière blanche entre les bosquets.

Quand Andrea arriva à la voiture, son cœur cognait de toutes ses forces et la sueur coulait sur son front. Il allait monter, quand il s'arrêta. Il revint en arrière, vers le coffre.

Il l'ouvrit, écarta la toile de bâche dont ils l'avaient recouvert. La masse obscure de l'animal semblait inerte, engloutie dans l'ombre. Mais en posant la main sur son ventre, il sentit qu'il respirait encore.

Andrea resta là, la tête au-dessus du coffre qui sentait le fer et le gibier.

« Allons, murmura-t-il en le caressant, allons… »

S'il avait eu un fusil, il l'aurait abattu sur-le-champ. Mais il ne pouvait que le regarder mourir et souhaiter que ce soit rapide. Il lui caressa le museau, comme pour lui rendre ce moment plus supportable. Son cœur battait de plus en plus fort à mesure que celui du cerf ralentissait sous le pelage hérissé. Dans l'œil brun ne se reflétait plus maintenant aucune image.

4

Aux confins du monde émergé

Le matin remontait lentement la plaine, éclairait d'abord le chef-lieu au fond de la vallée, puis les virages de la départementale 100 en surplomb du torrent Cervo. Les squelettes usés des filatures, délaissées depuis des décennies, couraient le long des berges sur des kilomètres.

Quelques anciens restaient postés derrière leurs rideaux pour épier les moindres mouvements dans la rue : la fuite d'un chat, le passage pachydermique d'un tracteur. Les maisons abandonnées au bord de la route se laissaient ronger par la neige et les pluies, les mousses et les lierres. Les magasins « historiques » – la crémerie Rubino, la boulangerie Sangiorgi – avaient depuis longtemps baissé leur rideau. Presque toutes les écoles avaient été fermées, et la plupart des bureaux de poste.

C'était un spectacle amer, celui du temps qui se retirait et fissurait les villages, les rues. Restait le travail incessant des ronces, et celui, implacable, du torrent. L'obstination des arbres à résister et se régénérer.

Elsa fumait accoudée à la fenêtre, en pyjama. Les *Cahiers de prison* de Gramsci ouverts sur la table de la cuisine, près de la tasse de café vide et de la boîte de sucre. Elle se levait chaque jour à six heures et demie du matin ; puis, vers neuf heures, elle faisait une pause et préparait le petit déjeuner.

La lumière filtrait par des ouvertures dans les parois de la vallée étroite et sombre, où la majorité des villages confondus avec les rochers restait dans l'ombre des journées entières. C'était un lieu mourant, que l'humidité, les plantes grimpantes, l'odeur âpre des carrières ouvertes comme des blessures dans la crête des montagnes rendaient inaccessible et hostile. Le lieu idéal pour se concentrer, commencer sa thèse de doctorat et oublier que quelque part, là-bas, par-delà le chef-lieu et les rizières, l'Histoire continuait. Ou plutôt, s'achevait.

Elsa Buratti avait grandi dans cette vallée. Elle y avait passé l'enfance puis le début de l'adolescence, quand ses parents partaient au bureau l'après-midi et qu'on l'emmenait chez ses grands-parents. Cet endroit était dans son sang. Au point qu'elle y revenait souvent, de plus en plus souvent pendant ses études universitaires, jusqu'à cette décision draconienne d'y louer quelque chose. À vingt-sept ans.

Par la fenêtre de la dernière maison du dernier village adossé à la frontière avec le Val d'Aoste, elle regardait la lumière s'atténuer sur les dorsales du Mucrone et du Cresto. Une muraille oubliée, parcourue par les marcaires solitaires et leurs troupeaux, faite de pâturages et de hêtraies, de roches dont on disait qu'elles irradiaient une substance obscure.

Au début, quand elle avait décidé de vivre là, à Piedicavallo, on l'avait prise pour une folle, aussi bien ses parents que ses collègues de doctorat. Certains partaient à Paris ou à Berlin pour réaliser leurs rêves dans le cœur surpeuplé du monde, tandis que d'autres, comme elle, venaient se réfugier près de leurs racines, dans leur province abandonnée, à l'extrême nord-ouest de l'Italie, si mal desservi par les moyens de transport et de communication qu'elle en devenait presque une frontière inexplorée.

Ç'avait été une terre de casseurs de pierres, de chercheurs d'or, d'émigrants. Une frontière, mais pas à conquérir, à quitter. Au XIXe siècle, et jusqu'à la moitié du XXe, les hommes partaient en Amérique, en Australie. C'était la coutume : ils se mariaient, et le lendemain s'embarquaient à la recherche d'une fortune qui ne brillait jamais que sur des continents lointains.

Les femmes non. Les femmes ne bougeaient pas, elles étaient comme les racines enterrées des châtaigniers, comme les tubercules et les rochers. Elles attendaient. Que les maris reviennent les mettre enceintes, que les enfants grandissent, que les maris rentrent pour mourir. Elsa sentait qu'il y avait en elle quelque chose de ces femmes. Quelque chose qu'elle aurait voulu combattre, mais l'instinct était plus fort.

Et puis, il fallait le reconnaître : les prix des maisons, les loyers, étaient bradés. Ce n'était peut-être qu'un prétexte, mais il avait son importance. Et pas seulement pour elle.

Progressivement, depuis quelques années, sans que personne s'en aperçoive, comme sur la pointe des pieds tandis que disparaissaient les magasins et les derniers vieillards, la vallée, en catimini, se repeuplait.

Comme elle, des jeunes de son âge, sans travail fixe ni demeure, s'installaient l'un après l'autre dans ces vieilles habitations qui avaient appartenu à leurs grands-parents, avec des poêles pour tout radiateur, des bûches pour l'hiver et des greniers remplis d'objets qui n'avaient plus d'usage ni de nom.

Ils les retapaient, ou bien ils louaient pour cent, deux cents euros par mois. Ces mêmes maisons que leurs parents avaient abandonnées dans les années soixante et soixante-dix, ils revenaient les habiter.

C'était étrange. Et c'était même, en un certain sens, une transgression. Vodaphone qui captait ou ne captait pas, Internet en un seul point de la maison, les quinze kilomètres de route pour envoyer un fax ou faire une photocopie. Et les tomates à cultiver. Au fond, sa génération était exclue de tout, née au mauvais moment au mauvais endroit. Alors autant se retirer sur la frontière. Rebrousser chemin, désobéir.

Elle perçut des bruits à l'étage. Marina devait s'être réveillée. Bizarre, à cette heure-ci, pensa-t-elle, surtout qu'elle est rentrée tard hier.

Elsa éteignit sa cigarette et rinça la cafetière pour refaire du café.

Parfois elle se comportait comme une grande sœur avec cette fille ingérable, qui était son exact contraire et avec qui elle partageait cette vaste maison de trois étages dans la minuscule commune de Piedicavallo depuis avril. Leur cohabitation fonctionnait uniquement parce qu'Elsa avait une patience infinie et se rendait souvent à Turin : ainsi elles ne se voyaient pas tous les jours.

Elle l'entendit dévaler l'escalier. La vit débarquer dans la cuisine, une chaussure à la main et l'autre à demi enfilée. Les cheveux en bataille, les yeux barbouillés du maquillage de la veille.

« Tu veux un café ?

– Non. »

Encore endormie, habillée n'importe comment, Marina s'agitait déjà. Elle plongea les deux mains dans son sac à la recherche de quelque chose. Changea d'idée :

« Allez, oui, tiens. »

Elsa alluma le gaz, posa la cafetière sur le réchaud.

« Qu'est-ce qu'il se passe ? »

L'autre continuait à fouiller son sac tout en essayant d'enfiler les tennis qu'elle mettait pour courir, usées et incrustées de terre.

« T'as vu ma mère hier ? Par hasard, *par un hasard absurde*, est-ce qu'elle est passée ? »

Elsa ne connaissait même pas la mère de Marina.

« Non, personne n'est venu. »

Elsa ne posa pas d'autres questions et attendit que le café monte. Puis elle le versa dans deux tasses, revint à Gramsci et essaya de se concentrer, malgré cette furie qui continuait d'ouvrir des tiroirs et déplacer des objets sur les meubles, à la recherche, sans doute, de ses clés de voiture.

Elle lui tapait sur les nerfs, parfois. Sa façon de se mouvoir en envahissant les pièces communes, de s'accaparer les placards de la salle de bains pour y empiler ses affaires. De fainéanter des après-midi entiers devant MTV avec le volume à fond. Ou au contraire certains matins de se précipiter pour déplacer des meubles d'un étage à l'autre, improvisant de grands nettoyages hors saison, faisant tourner des lessives en continu avec les couettes, les draps, les vêtements de sport sales qu'elle entassait depuis des semaines.

Personne d'autre qu'elle n'existait. Elle se fichait visiblement qu'on essaie de travailler, ou qu'on reçoive des amis. Elle arrivait, criait, se déshabillait, mettait du vernis aux ongles de ses pieds dans la cuisine, en se fichant bien des lasagnes qu'on sortait du four pour les collègues montés de Turin tout exprès.

« Putain mais où je les ai foutues, ces clés ? »

Ce qui arrivait autour d'elle lui était indifférent. Née en 1990, elle ignorait tout du monde d'avant Berlusconi et les textos.

« Elles étaient là, merde ! »

Et pourtant, quand elle était de bonne humeur – pas comme ce matin – elle pouvait être déconcertante. Les deux ou trois fois dans le mois où Marina lui repassait ses chemisiers, faisait la poussière sur ses livres et lui proposait de descendre ensemble au supermarché de Biella faire les courses.

Elsa regardait discrètement Marina, levant par moments les yeux des *Cahiers de prison*. Elsa ne possédait pas le dixième de la beauté de Marina. Elle avait d'autres qualités, certes, plus durables, plus sérieuses. Mais pas celle-là.

Elle la vit boire son café à toute vitesse, se rouler une cigarette, continuer de tout remuer jusqu'à ce que, glissant la main dans sa poche de jean, elle y retrouve les clés qu'elle cherchait. Puis filer dehors, sans dire au revoir.

Une fureur brûlait en elle, qui l'empêchait de rester tranquille. Elsa l'entendit démarrer et disparaître dans la mer calme des hêtres tachetés de soleil.

Le Bar Sirena apparut au fond de la rue, là où il avait toujours été et serait toujours. Quatre murs érigés au milieu de rien avec un store pâli par le soleil, un petit terrain de foot pelé sur la droite et le cimetière à gauche. Le dernier rivage.

Marina pila contre le bord du trottoir et descendit en claquant la portière. Aucune nouvelle de sa mère depuis une semaine. Elle n'avait pas téléphoné, n'était pas passée chez elle et n'était pas venue à Camandona.

Ce n'était pourtant pas faute de le lui avoir répété – *le 16 septembre, maman, c'est dimanche prochain* –, elle aurait quand même pu s'en souvenir ! Mais avant de l'accuser, il fallait savoir s'il ne lui était pas arrivé quelque chose.

La terrasse était pleine d'hommes assis en rond qui jouaient aux cartes. Marina passa comme une flèche entre les tables. Elle voulait éviter, pour une fois, d'entendre les habituels *Hou-hou ! Eh-oh !* et *Salut-jolie-poulette.* Elle n'était pas d'humeur. Terrifiée de ne pas la trouver, et terrifiée de la trouver.

Elle releva d'un ample geste le rideau de perles qui faisait office de porte à la belle saison, et fit irruption dans une grande salle rectangulaire et sombre qui puait le tabac, avec des moutons de poussière sur le carrelage à vous dégoûter, et partout des mégots, des tickets de caisse et des dizaines de coupons de Gratta e Vinci froissés sous le baby-foot, autour des machines à sous, entre un tabouret vide et deux autres occupés par un type rachitique aux cheveux visiblement teints et une blonde habillée comme un homme.

« Maman ! »

La blonde se retourna. Pas d'un coup, comme Marina l'aurait souhaité, mais très lentement. Comme si ce mot, cet appel, cette voix chargée de reproche, d'amour, de désespoir ne la concernaient que de loin.

Sa mère se retourna avec l'expression de quelqu'un qui sort d'un rêve. Le verre de vin bien collé en main, les yeux larges et vaporeux de certaines bêtes dociles des steppes orientales, le visage creusé et pâle comme un linge.

Il était dix heures du matin. Le lundi. 17 septembre.

Marina sentit la rage monter. Elle lança avec énergie son sac par terre, ouvrit les bras comme pour dire : *Non, encore, putain c'est pas possible !* Elle était prête à lui faire une scène hallucinante devant tout le monde quand, par-delà sa colère, elle perçut quelque chose de la réalité de sa mère.

L'expression réelle de sa figure fanée, anéantie.

Paola avait levé les sourcils et ouvert la bouche, comme les enfants quand leurs yeux sont pleins de stupeur après une mauvaise chute et qu'ils regardent autour d'eux, cherchant les adultes l'air égaré et, sans émettre aucun son, demandent si c'est bien vrai, si c'est vraiment possible de se faire *aussi* mal.

Ce fut ainsi qu'elle regarda sa fille, ébahie, au bord des larmes. Consternée, oui, coupable sans l'ombre d'un doute. Et pourtant si égarée et sans défense qu'elle en semblait *presque* innocente.

« Si tu t'achètes pas un nouveau portable, demain c'est moi qui vais à Euronics et qui t'en prends un. »

Paola lâcha son verre et fit mine de descendre de son tabouret.

« Mari, ma petite chérie, comment tu vas ? » Et elle fit comme si elle voulait prendre dans ses bras Marina qui s'approchait.

C'était toujours *comme si* elle allait faire quelque chose – se mettre debout, ouvrir ses bras, cesser de boire, travailler – et n'y arrivait décidément pas.

« Tu sais bien qu'on me les vole, les portables... Et les messages, j'sais pas m'en servir, j'y comprends rien à ces machins-là... Et de toute façon, j'en ai pas l'utilité.

– L'utilité, c'est de pouvoir parler avec moi, maman. »

Paola, l'haleine lourde, rassembla ses forces pour la serrer dans ses bras : sa fille, son orgueil, dont elle racontait les faits et gestes du matin au soir à quiconque franchissait la porte du bar, à quiconque était encore en mesure de lui offrir un peu de son temps. Son incroyable, supersonique *petite fille* qui passerait en octobre à la *Télévision*.

Mais elle oubliait de lui téléphoner.

« Assieds-toi », dit-elle en s'essuyant les yeux. Elle avait du mal avec les sentiments, chaque émotion la prenait au dépourvu. « Mets-toi là, entre le Giangi et moi. »

Le Giangi était son compagnon depuis trois mois. Un type que Marina ne cernait pas bien encore mais qu'a priori elle détestait, pour la seule raison qu'il avait les cheveux teints et restait assis au comptoir d'un bar – ce genre de bar – à côté de sa mère.

Il ne bougea pas, hocha la tête en signe de salut. Il ne voulait pas s'interposer entre mère et fille. Mais il observait la scène, soupesait les paroles, avec des petits yeux intelligents sous le voile brumeux de l'alcool.

« T'es pas venue, hier. »

Paola s'était réinstallée sur le tabouret mais n'osait pas prendre son vin.

« Où ça que je suis pas venue ? » Et elle regarda autour d'elle, perdue. « Quand ça, hier ? »

Marina, immobile, la fixait. Dans ces cas-là, elle avait envie de l'étrangler. De lui balancer à la figure qu'elle puait, qu'elle était jaune cirrhose. Et qu'elle avait vu son père la veille. Oui, son ex-mari : il était accompagné d'une très jolie femme, et il allait à Monte-Carlo en Maserati.

Elle tendit le bras, attrapa le verre de sa mère, se pencha et le vida dans l'évier du bar.

« À Camandona, maman. Le *Gala de la Chanson.* Je te l'ai dit des millions de fois que j'avais envie que tu viennes. »

Paola mit la main devant sa bouche. Ses yeux ne cessaient de cligner. Des yeux marron brillants de larmes, cerclés de jaune. Elle avait des trous de mémoire préoccupants, même le médecin le lui avait dit : *Madame, vous vous abîmez la santé.*

Elle aurait voulu lui demander pardon, mais un seul mot ne suffisait pas. Le regard de sa fille disait : *Tu me déçois toujours.*

Marina alla ramasser son sac et en sortit un journal. Elle l'étala devant elle. Lui indiqua du doigt un article.

« Lis, lis ce que tu as raté. »

C'était en première page. La une de l'*Eco di Biella*, en bas à droite. « Marina Bellezza triomphe au *Gala de la Chanson.* »

« Mon Dieu ! » s'écria Paola, enthousiaste mais gardant sa main devant sa bouche, comme pour se cacher ou pour se protéger de l'expression sévère et sans tendresse de Marina. La même qu'à huit ans quand on lui ôtait quelque chose ; ou à dix-neuf, quand son ex-mari était parti pour toujours.

« Notre jeune concitoyenne continue de s'illustrer et de faire l'orgueil de notre région. En attendant la première édition de *Cenerentola Rock*, la nouvelle émission de téléréalité de BiellaTv 2000 qui promet de relancer… *Suite p. 25.* »

« Houlala ! s'écria le Giangi en se penchant sur la grande page avec photos en couleurs et titre en gras. Voilà que ces dames deviennent de plus en plus célèbres ! »

Marina ne lui accorda pas un regard. Elle continuait de garder ses grands yeux cobalt fixés sur cette femme qui n'avait même pas la force de lire, fagotée comme un bûcheron en grosses godasses et chemise à carreaux typique des marcaires.

Mais sa mère n'avait pas toujours été comme ça. Un peu évaporée et faible de caractère, ça oui. Le genre qui n'avait jamais su se défendre. C'était Marina, dès toute petite, qui se chargeait de la remettre sur les rails et la poussait à s'occuper d'elle : « Maman, va chez le coiffeur s'il te plaît ! »

Pourtant, il y avait eu une époque, avant que son père ne se fasse prendre avec sa maîtresse, où Paola s'habillait de manière décente, et passait ses après-midi à repasser et faire des machines. Quand elle préparait les petits pains au lait avec du salami pour elle et ses copines de classe, et qu'elle était une maman normale, douce. L'alcool, elle ne savait pas ce que c'était. Elle avait un joli teint. Et quand elle se maquillait, dans la salle de bains, et que Marina restait assise sur le bord de la baignoire à écouter ses conseils, elle était belle avec son rimmel et le fard à paupières violet qui faisait ressortir ses yeux.

Le contraire de cette femme qui, à dix heures du matin un lundi, avait déjà du mal à tenir debout.

« Tu peux le garder, le journal. »

Difficile d'accepter que cette femme soit sa mère.

« Il suffit que tu t'achètes un portable et que tu donnes de tes nouvelles. »

Marina était furieuse.

Paola fit oui de la tête. Elle était plongée dans la lecture maintenant. Extasiée qu'un journal parle de sa fille. Diable, elle l'avait bien réussie, sa fille, quand même…

Elle découpait toutes les pages de l'*Eco*, du *Biellese*, de la *Nuova Provincia* et parfois même de *La Stampa* que Marina lui apportait, puis elle les encadrait et les accrochait dans sa chambre à coucher. Au début, ce n'étaient que des entrefilets. Puis, peu à peu, les articles étaient devenus plus longs. Parfois il y avait même des photos. On l'appelait « la jeune prodige », « la Bellezza ». Ce journaliste-ci parlait de sa voix, « une voix limpide et mordante, comme nos plus hautes montagnes ». Et en lisant cela, Paola, l'espace d'un instant, se sentit presque consolée de tout.

Du cocufiage. Des mensonges. De la solitude qui, la nuit, comme dans son enfance, devenait une prison remplie de terreur et de fantômes. De la honte de devoir laisser une boîte de thon à la caisse et recompter ses sous. Et jamais personne pour l'aider. L'humiliation de sentir que derrière elle à la poste on la montrait du doigt. Une vie d'enfer.

Mais dans cet enfer, elle avait fait Marina : elle l'avait mise au monde, allaitée, lavée et habillée ; elle l'avait accompagnée aux castings de Teleritmo, à la recherche d'un cahier de textes pour l'année scolaire, aux séances de photos pour le catalogue automne-hiver de Lana Gatto ; elle lui avait préparé le petit déjeuner, le déjeuner et le dîner, inventé chaque fois une excuse nouvelle aux absences de son père, pour qu'elle n'apprenne pas à le détester ; elle avait repassé ses jeans et ses T-shirts, brossé ses cheveux et noué ses lacets, jusqu'à ce qu'elle devienne assez grande.

Marina, belle – il fallait le reconnaître – comme son père, était sur le pas de la porte et s'apprêtait à partir.

« Quand est-ce que tu viens déjeuner chez moi ? » demanda-t-elle.

Elles avaient encore besoin l'une de l'autre.

Marina avait besoin de sa mère, mais pas question d'inviter le Giangi chez elle.

« Mari, c'est merveilleux… dit Paola en refermant le journal. Vraiment, tu ne peux pas imaginer combien je regrette de… » Elle s'efforçait de trouver les mots justes. « Mais hier soir, nom de Dieu… Giangi, où on était hier soir ? À Ivrea ? Ou à Gattinara ? Je suis vraiment désolée… »

Marina la fusilla du regard.

« Maman, je t'ai demandé quand on déjeunerait ensemble. »

Au croisement pour Sagliano, le feu était rouge. Au lieu d'attendre le vert et de remonter chez elle par la départementale 100, Marina fit demi-tour sans réfléchir et repartit dans l'autre sens. Elle repassa devant le Sirena, le petit terrain de foot, le cimetière.

Elle pénétra dans un centre-ville à moitié désert, compta les magasins qui avaient fermé cette année. Elle n'en avait rien à foutre, soyons clair. Voir sa vallée tomber en ruine et mourir ne lui faisait ni chaud ni froid. La vie se déplaçait ailleurs, c'est tout. Ce qui l'embêtait, c'était le vide.

Elle passa devant son école primaire, la bibliothèque où elle n'avait jamais mis les pieds. Elle glissa le dernier Lady Gaga dans le lecteur, monta le volume au maximum, baissa les vitres et fit le tour complet de la ville.

Au début, juste après le scandale – les carabiniers, le regard horrifié des voisins –, sa mère avait décidé de partir. Elle ne supportait pas les commérages, les commentaires. Elle avait honte. Mais, trois ans plus tard, elle s'en moquait bien, pensa Marina : elle venait se saouler ici, à Andorno, devant ces mêmes concitoyens qui l'avaient jugée et condamnée. Et qui continuaient, sûrement.

Ils continuaient à s'acharner sur sa mère, sur sa famille. Si elle en avait pris un sur le fait, elle aurait été capable de le frapper devant tout le monde. Elle était *Marina Bellezza*, sélectionnée parmi plus de deux mille concurrents pour participer à *Cenerentola Rock*. La favorite de la compétition, la plus belle voix du moment. Elle allait leur montrer, à ces salauds. Question de semaines, ou même de jours. Après ça, personne, dans toute la province, ne pourrait plus rien dire.

C'était juste le début, une rampe de lancement. Elle se voyait voler haut, elle visait Rai Uno en première partie de soirée. Elle était comme son père, elle avait le même ADN. Elle voulait tout conquérir et elle y arriverait. À n'importe quel prix.

Ça commençait avec BiellaTv 2000, ok. Mais gravir tous les échelons ne lui faisait pas peur. Marina accélérait dans les ruelles pavées, repérait les quelques volets restés ouverts. Oui, oui, vous pouvez rigoler, se disait-elle. En attendant, le 13 octobre, vous serez tous là, collés sur le canapé devant votre poste, à penser *merde alors qu'est-ce qu'elle est douée la fille à Paola*. Morts de jalousie.

Quand on l'avait appelée pour lui dire *oui, tu participes à l'émission*, elle avait hurlé dans le téléphone : « Putain, putain, putain ! » Mais en fait, elle l'avait toujours su. Elle était née pour ce moment. Même chanter, elle s'en fichait. Ce qu'elle voulait, c'était triompher. Arriver la première. Remporter *Cenerentola Rock*, s'emparer des vingt-cinq mille euros puis voler droit à Rome dans les studios de la Rai, via Teulada, ou à Mediaset, n'importe. Avoir un million et demi de fans sur

Facebook, être photographiée dans la rue, être la plus visible, la plus célèbre du monde.

Alors, peut-être aurait-elle vengé « la fille à Raimondo et à la Paola », cette gamine en tenue de Disney qui chantait *Venez, venez, venez chez Aiazzone, tous les meubles sont exposés…* La petite fille qu'elle avait été.

Presque sans s'en apercevoir, elle prit la via Dante, puis ralentit d'un coup. Baissa la radio.

Elle était arrivée. Elle avait fait vingt fois le tour de la ville pour finalement s'arrêter là, avec le moteur allumé et les warnings.

Devant la maison délabrée où elle avait grandi et, en face, de l'autre côté de la rue, la haie qui protégeait des regards indiscrets le jardin et la villa où avait grandi Andrea.

Quand il lui était tombé dessus la veille, sans prévenir, elle avait commencé par ne pas le reconnaître. Il était saoul, sale, avait une barbe de trois jours. Mais c'était bien lui.

Et elle, comme une idiote, qui s'était empressée de dire : « Demain je ne peux pas, disons mercredi. » Mais ce n'était pas vrai, elle pouvait, bien sûr. C'était juste que ça n'avait aucun sens. *Mercredi ?*

J'inventerai un prétexte, se dit-elle, sauf que je n'ai pas son numéro de portable. Et puis quel drôle d'endroit pour se rencontrer, la Burcina. Il n'y a même pas un bar où s'asseoir boire quelque chose !

En attendant, elle était postée sur le trottoir devant chez lui et cherchait à transpercer la haie du regard.

Depuis qu'elle était partie, elle n'était plus jamais passée dans cette rue, même par jeu ; elle s'en était toujours tenue éloignée. Le passé était un chapitre clos qu'elle n'avait nullement l'intention de rouvrir. Après lui, il n'y avait pas eu d'autres garçons, ou alors des figurants, pour passer le temps. Après lui, il y avait eu cette décision : Maintenant, Mari, tu vas te donner du mal, tu vas y croire vraiment. Qu'il ne reste pas un seul bar, une seule entreprise, une seule plage où on ne passe pas tes chansons jusqu'à la nausée.

Les cloches de l'église sonnaient la demie, et elle était encore là à regarder. La haie bien entretenue, la fenêtre de la chambre qui donnait sur la grille. Qui sait s'il habitait encore là, dans cette villa blanche à la tonnelle couverte de jasmin qu'elle avait toujours détestée. Elle se ferait construire une villa trois fois plus grande, un jour. Elle leur cracherait à la figure, à l'avocat et à sa femme. Pour qui vous vous prenez ? Qui vous croyez être pour juger mes parents ? Vous n'êtes qu'un troupeau de ploucs minables.

Un jour, elle irait à Rome, elle serait interviewée par Mara Venier à la *Vita in diretta*. Je suis partie de zéro, dirait-elle, et même de moins un. Comment j'ai réussi ? En trimant dur, depuis que je suis toute petite.

Sympathique, désinvolte, mais tout compte fait normale. Sans chichis, sans poses recherchées, mais avec une histoire à raconter.

Elle s'était préparée. Elle avait répété des dizaines et des dizaines d'interviews toute seule, devant la glace. Tout le monde le savait, maintenant, ce qu'il fallait dire, quelle expression avoir et quels vêtements choisir pour percer à la télé. Mais elle, elle était plus déterminée que les autres. Elle avait des couilles en béton armé, et elle ne permettrait à personne, *personne*, de lui passer devant.

Elle se rappela le sanctuaire d'Oropa qui se découpait contre les montagnes, le ciel bas et gonflé de neige. À un moment, le bobsleigh s'était retourné. Ils avaient fini l'un sur l'autre et elle s'était retrouvée si proche de lui qu'elle avait senti sa joue râpeuse lui piquer la peau. Elle se rappela les vitres embuées de la Punto, combien les sièges étaient inconfortables, et les murs carrelés des toilettes au cinéma de Candelo, quand ils faisaient silence dès que quelqu'un entrait.

Puis elle vit la lumière orange clignoter, la grille automatique de la villa s'ouvrir, et elle enclencha une vitesse, donna un coup d'accélérateur et disparut du plus vite qu'elle put alors qu'une autre voiture – celle dont elle venait de se souvenir – ralentissait à la hauteur du numéro 21 et entrait dans l'allée de gravier bordée de plates-bandes impeccables.

5

La famille « présidentielle », comme son père aimait l'appeler autrefois, se composait de quatre éléments : le personnage principal, c'est-à-dire lui-même, sa femme, le fils surdoué et le fils voyou. Ce dernier, à quatorze ans, au sommet de sa phase révolutionnaire, avait bombardé à coups de pierres le siège d'Alleanza Nazionale[1], parti auquel adhérait le père, et cassé une baie vitrée. Entreprise jugée digne d'un entrefilet en page 5 de l'*Eco di Biella*, avec photo du maire courroucé, et qui lui avait valu une pluie mémorable de coups et cette phrase historique : « Tu n'es pas mon fils. »

Andrea le pensait aussi. Et aujourd'hui encore, marchant sur le parquet en chevrons où il n'avait jamais eu le droit de jouer, il était sûr que maître Caucino avait dit la vérité.

Sa mère était montée à l'étage chercher quelque chose. Elle n'avait rien dit de plus, mais il espérait que ce n'était pas *ce à quoi il pensait.* Son père, comme d'habitude, avait des coups de fil à passer.

Le salon était une grande pièce ensoleillée, tendue de soie avec une table basse en verre au milieu. Andrea s'attarda près de la cheminée. Sur le dessus en marbre trônait, bien en

1. Parti néofasciste.

vue et mise en valeur par un précieux cadre en argent, une photographie d'Ermanno en troisième, habillé en chemise et cravate, brandissant le premier prix des Olympiades de mathématiques avec une indéfectible expression de confiance. Andrea le regarda : même enfants ils ne se ressemblaient pas.

Puis il s'arrêta sur une autre photo, la cérémonie de Cambridge, où son frère – encore lui – avait fait ses études. De ce jour-là, Andrea se rappelait la cuite mémorable qu'il avait prise, seul, dans les rues de cette ville étrangère, après une engueulade furieuse avec toute sa famille.

Lui à la dérive, débordant de rancune, et les « présidentiels » qui fêtaient le lauréat dans un pub sur la rivière.

Il s'aperçut qu'une autre photographie avait été ajoutée, plus récente, dans un cadre en nacre, sans qu'il puisse cette fois y associer aucun souvenir personnel. Il prit le cadre et le tint longtemps entre ses mains.

C'était le mariage. À Tucson, en Arizona. Ermanno fixait l'objectif derrière ses lunettes, avec l'incroyable certitude que le succès, c'était juste une question d'engagement, être au bon endroit au bon moment. Sa femme en robe blanche – une jeune Américaine sportive, à la peau très claire – l'embrassait sous une pluie de riz devant le porche d'une horrible église moderne du Grand Canyon State.

« Ça y est, je les ai trouvés », dit sa mère en entrant dans la pièce.

Andrea reposa immédiatement le cadre, comme s'il avait peur d'être pris sur le fait. Il ne put s'empêcher de penser, tourné vers elle, que sa mère n'avait jamais eu l'idée d'ajouter, aux moments bénis de la vie d'Ermanno, ne serait-ce qu'un seul moment de *sa vie*, à lui.

« Pourquoi ne t'assieds-tu pas ? » dit-elle en montrant le canapé. Puis elle lui tendit une pochette rouge. « Tiens, voici nos vols. »

Au mot « vol », un frisson lui parcourut l'échine. Mais il essaya de se contenir. Il s'assit au bord d'un fauteuil, à une certaine distance de sa mère. Ouvrit la chemise et lut : *AZ 7618, Milano Malpensa 9.50, Atlanta Hartsfield 14.40*, puis : *Atlanta Hartsfield 19.05, Tucson 20.05, lundi 22 octobre, temps de vol 19 heures et 15 minutes, prix aller et retour 9 930 euros.*

« Mais... vous avez réservé pour moi ?

– Bien sûr. »

Andrea fouilla parmi les feuilles, lut la suivante puis leva les yeux vers sa mère : « Et vous avez fixé le retour le 31 ? Dix jours ? » Puis il haussa la voix : « Sans rien me demander ?

– Je t'avais demandé, Andrea, souviens-t'en...

– Non, tu ne m'avais pas demandé. Moi, dix jours, je ne les ai pas. »

Appuyée contre le dossier du canapé en cuir, Clelia sentait bon le coiffeur. Elle était toujours tirée à quatre épingles, même au petit déjeuner, même ce jour où elle était venue les chercher sur le parking de l'Oropa à six heures du matin.

« Allons, tout le monde peut prendre dix jours de vacances... » Sa voix habituée à minimiser. « Tu renonceras à tes vacances de Noël.

– En CDD, maman, on n'a pas de vacances, même à Noël.

– Ne me fais pas rire.

– Je n'ai aucune envie de te faire rire. C'est comme ça, c'est tout. J'ai ma thèse à finir, j'ai mille choses à faire, je ne peux pas venir.

– Ta thèse... » Clelia sourit, amère : « Ton *neveu* va naître, je ne sais pas si tu te rends compte, et tu me parles d'une thèse que tu écris depuis trois ans déjà ? » Son ton clair et superficiel se voila un peu : « Tu n'as même pas eu la décence de venir au mariage de ton frère, et maintenant tu voudrais renoncer à la naissance de son fils ? Je t'en prie... Tu n'as pas honte parfois ? »

Andrea ne se troubla pas. Il reposa la pochette rouge d'Alitalia sur la table en verre et dit : « Je ne suis pas venu parler d'Ermanno.

– Franchement, tu as du toupet ! »

Andrea évitait de regarder sa mère, son tailleur, les rides qui se multipliaient sur son visage. L'évitait parce qu'il avait souvent du mal à l'aimer, bien qu'il fût adulte et qu'il s'efforçât de la comprendre. La pensée qu'elle vieillissait, et qu'ils continuaient de se parler comme deux étrangers, lui faisait encore plus mal. Mais il ne devait pas se laisser gagner par la culpabilité, il devait lui dire pourquoi il était venu.

« Qu'est-ce que vous avez l'intention de faire avec la ferme de Riabella ?

– La vendre, j'espère. »

Clelia n'avait changé ni de position ni d'expression. Son visage maquillé, poudré mais plus aussi impeccable qu'autrefois, trahissait la déception et le ressentiment.

« Pourquoi cela t'intéresse-t-il ?

– Peu importe. »

Elle n'était pas méchante, non. Mais c'était une femme indifférente, de celles qui sont toujours du côté de leur mari parce qu'elles n'ont pas d'opinion personnelle.

« Que veux-tu faire avec cette ruine ?

– J'ai un projet.

– Sois sérieux, il n'y a même pas l'électricité... » Cette façon de glisser sur chacune de ses initiatives, idées ou désirs. « C'est ton frère, tu dois venir. Tu dois demander un congé, *absolument*... Et si on te le refuse, je dirai à ton père de les appeler. »

On entendit des pas à l'étage, puis dans l'escalier. Andrea se raidit mais resta assis. Cette fois, il n'avait pas l'intention de céder. Sa décision était prise. Il avait les mains moites.

Sa mère se leva du canapé et dit tout haut : « Maurizio, ton fils dit qu'il ne pourra pas venir à Tucson ! »

Andrea baissa les yeux pour trouver la concentration nécessaire. Il regarda le tapis et les pieds en cuivre de la table basse. Il avait envie d'allumer une cigarette mais dans cette maison on ne fumait pas. Il sentait l'adrénaline monter, même s'il gardait le contrôle.

Son père approchait. Andrea n'avait pas besoin de le voir. Il entendait ses pas sur le parquet, percevait sa masse, sa respiration lourde, et connaissait par cœur chaque expression que pouvait prendre ce visage.

« S'il ne veut pas venir, qu'il reste ici. »

Troisième personne du singulier, comme toujours.

La seule erreur que son grand-père avait commise dans sa vie avait été de mettre des sous de côté pour faire étudier son fils unique et de s'imaginer qu'en devenant avocat, il aurait une existence meilleure. Il avait fait d'innombrables sacrifices, et l'autre, dès sa mort, avait tout vendu : les bêtes, la trayeuse, même le chaudron en cuivre pour cailler le fromage. L'enterrement fini, l'après-midi même, il avait fait disparaître les traces du passé, pour faire oublier que lui, le maire, n'était en réalité qu'un fils de marcaire.

Il n'était resté que la ferme d'alpage. C'était pour celle-ci qu'Andrea était venu.

Son père s'était arrêté au milieu de la pièce et attendait. Andrea leva la tête et le fixa bien en face.

« Je voulais te demander ce que tu as l'intention de faire de Riabella. »

L'homme restait planté là. Mais ce n'était pas un homme. C'était un mur. Et lui rappeler Riabella n'allait sûrement pas l'attendrir. Il ne changea pas d'expression, ne prononça pas un mot. Se contenta de caresser la pointe de ses moustaches.

« J'ai un projet, et j'ai besoin de cette ferme pour le mener à bien.

– Tu as un projet ? » demanda son père.

Sa mère, silencieuse, les observait.

« De quoi s'agit-il ? »

La voix de Maurizio était distante, cadencée, neutre. En apparence.

« Tu verras. »

Son père sourit : « J'imagine qu'il s'agit d'un projet ambitieux, parce que cet endroit tombe en ruine ; il est si isolé qu'on n'y arrive même pas en tracteur. J'imagine que tu as l'argent pour ce projet, parce que moi, je ne te donnerai pas un sou. Et j'imagine aussi que tu as pesé le pour et le contre, et que tu t'es informé sur les démarches administratives à faire, aussi farfelue que soit l'idée qui t'est venue… – pause – et j'imagine enfin que tu sais ce que ça signifie, faire faux bond pour la naissance de ton neveu. »

Andrea se leva d'un coup.

À cet instant, l'idée de le voir transpercé par une balle lui plaisait bien.

Monsieur *imaginait*, bien sûr. Cet homme trapu, le cou large et la lèvre mince, ce fils de marcaire devenu maire fasciste, cette baudruche, était bien incapable d'imaginer quoi que ce soit qui s'écarte de sa vision rigide de lui-même et de la vie.

Andrea resta silencieux. Il n'avait jamais vu une expression humaine sur ce visage de pierre, sauf à la remise de diplôme d'Ermanno, où il s'était tamponné les yeux. Et aussi un épisode très lointain, dans le garage, où Andrea enfant était aux prises avec un tricycle rouge.

« La ferme est en vente, conclut-il. Si tu l'achètes, elle est à toi. L'agence est la Mucrone Immobiliare, tu n'as qu'à leur demander. »

Pas une, mais des dizaines de balles, tirées dans chaque centimètre carré de ce corps.

« Ce n'est pas la peine de m'humilier », dit Andrea.

Clelia ouvrit la bouche pour intervenir mais n'en trouva pas le courage. Elle resta près du canapé à les regarder, l'œil égaré, les rides bien visibles autour de sa grande bouche.

« Personne ne veut t'humilier… Mais, nom de Dieu, tu ne la vois pas, la crise ? Qu'ici, tout ferme, et que dans quelques années ou tu as des millions à la banque ou tu es à la rue ? Tu ne lis pas les journaux ? Ah, on peut parler de la Grèce ! Et toi, tu fais quoi ? D'abord tu t'inscris à ces cours qui ne servent à rien… Philosophie, tu parles ! Tout le monde sait que ça n'engendre qu'une bande de *desperados*. Puis tu changes d'avis et tu commences agronomie. Mais enfin, avec toutes les facultés qui existent, il fallait que tu choisisses *agronomie* ?! » Les veines de son cou commençaient à gonfler. « Et tu n'as même pas passé ton diplôme dans cette université pour les ploucs ! Tu es toujours là à rédiger ta thèse ! Et tu viens me demander une baraque perdue au beau milieu des montagnes ? Mais qu'est-ce que je dois penser, *moi*, de *toi* ?

– Ne pense pas, ça vaut mieux. »

Maître Caucino, pour la première fois depuis qu'il était descendu dans le salon, regarda son fils.

« Dis-moi ce que tu veux faire avec cette foutue ferme ! » cria-t-il.

Andrea serra les poings mais ne répondit pas. Il ne lui donnerait pas cette satisfaction. C'était quelque chose de trop précieux pour être lancé en pâture à un salaud dans son genre. Son projet de vie, sa révolution à lui. Sa réponse au monde fragile et corrompu que son père et les gens de sa sorte avaient amplement contribué à piller, polluer, appauvrir, en se moquant bien de ceux qui viendraient après.

Clelia restait, paralysée, une main appuyée à l'accoudoir du canapé, comme pour s'aider à tenir debout, et elle hochait la tête en répétant doucement, d'une voix à peine perceptible : « Non, non, non, je vous en supplie, ne vous disputez pas…

– J'aime bien ce salon, dit Andrea en changeant de ton, je vois que vous ajoutez toujours de nouvelles photos. »

Maurizio, immobile au milieu de la pièce, fixait son fils comme on fixe un objet qui n'est pas à sa place. Parler ainsi à Andrea n'avait pas été facile. Le voir débarquer chez lui, les rares fois où il daignait passer les voir, de plus en plus négligé, empli d'hostilité et d'idées saugrenues, était quelque chose de douloureux pour l'avocat. Mais il ne l'aurait jamais reconnu.

« Je vois que vous vous intéressez toujours beaucoup à mes projets, continua Andrea, sarcastique. C'est une vraie chance, de pouvoir compter sur une famille qui vous appuie. Merci ! Je vais appeler l'agence immobilière, et je te suis reconnaissant, papa, de me traiter comme n'importe quel acheteur. Ne me fais surtout pas un prix. Gonfle-le bien, au contraire. Je veux la payer le double, ta ferme. Le double de ce que tu l'aurais vendu à Ermanno ! Mais non, lui, tu lui en aurais fait cadeau… »

C'est à ce moment que la baffe arriva. Si rapide et si puissante que d'abord il n'en eut même pas conscience. Il s'en rendit compte seulement quand la douleur commença. Alors il remarqua que sa mère avait disparu dans la cuisine.

Il toucha sa joue enflammée. Le silence était de plomb. Son père était resté à la même place, comme la statue de Quintino Sella sur la place du marché, transformée en parking.

Andrea sourit. Il fit un pas en arrière, comme sur la scène d'un théâtre. S'inclina. Commença à applaudir. Il frappait dans ses mains de plus en plus fort. Alors le visage de son père s'assombrit. Son expression impénétrable cédait peu à peu, au rythme des battements de mains de plus en plus rapides.

« Bravo ! cria Andrea. Compliments ! »

Puis il s'arrêta. Le fixa de ses yeux noirs et intenses, un regard de haine pure.

« Ok, je fais un hold-up et on se retrouve chez le notaire. »

Il partit sans se retourner. Claqua la porte en se jurant qu'il trouverait cet argent coûte que coûte. Il monta dans sa voiture, tourna la clé de contact. Puis, pendant une fraction de seconde, pensa à Marina. Pensa qu'il allait la revoir dans moins de deux jours.

Le balcon où il l'avait admirée pendant des années, avec un mélange d'étonnement et de tendresse, quand elle se produisait dans des concerts de Whitney Houston pour un public imaginaire, avec le micro du karaoké et ses lunettes de soleil, était toujours là, les volets barricadés, portant la pancarte *À louer.* Il se rappela toutes les fois où ils étaient restés seuls, à se raconter ce qu'ils feraient quand ils seraient grands.

S'il l'avait vaguement pensé, il le savait maintenant : jamais, de toute sa vie, il ne mettrait les pieds à Tucson. Même si l'Arizona avait été leur seul rêve en commun, à son frère et lui, quand ils jouaient aux cow-boys et aux Peaux-Rouges et qu'ils s'aimaient encore.

Il sortit en faisant crisser les pneus au passage de la grille et partit, sans savoir comment il allait passer l'après-midi et tout le temps qui le séparait encore de Marina. S'il avait rencontré un barrage routier à ce moment-là, il aurait foncé dedans. S'il avait croisé un chat, il l'aurait écrasé. Il avait un projet ; et assez de colère en lui pour déclencher une guerre.

6

Une diva de province

Les après-midi d'hiver, là-haut dans la vallée, paraissaient sans fin. Quand dehors il neigeait et qu'on restait bloqué à la maison des journées entières, Paola s'installait dans la cuisine pour repasser, à côté du seul radiateur qu'elle laissait allumé. Il arrivait que les soucis lui creusent les joues, fassent trembler ses mains. Marina savait lire ces signes. Elle n'était qu'une petite fille mais elle devinait que pour une mère, élever seule sa fille est une chose difficile, épuisante. Ça ne l'empêchait pas de venir l'embêter.

Elle grimpait sur la table, dégainait le plus agressif de ses sourires et criait : « Bonjour, madame ! D'où appelez-vous ? » en imitant la voix de la speakerine. Et sa mère, qui venait peut-être tout juste de pleurer, se prêtait quand même au jeu. S'efforçant de sourire, elle répondait : « De Caltanissetta. – Ah, très bien ! Et vous vous appelez comment ? » Son mari venait peut-être de lui hurler au téléphone d'aller se faire foutre, elle et ses angoisses. Elle se demandait peut-être comment trouver un travail, à qui laisser la petite. Mais Paola était toujours là pour elle, prête à jouer à *Non è la Rai*, à essayer de deviner l'objet mystérieux contenu dans le sac : « À mon avis, aujourd'hui, dans le sac, il y a... un crayon-feutre. »

Marina, devant la vitrine du magasin Euronics, hésitait entre un modèle de téléphone à trente-neuf euros quatre-vingt-dix et un autre à trois cents, et elle repensait à ces après-midi, l'odeur de vermicelles aux œufs et de vapeur du fer à repasser qui régnaient toujours dans la cuisine. La façon dont elle parvenait, tout en la percevant distinctement, à escamoter la souffrance de sa mère sous les « Bonjour, madame ! », et la patience de celle-ci. La façon dont elles étaient unies pendant ces longs hivers. Unies, et seules.

Le jeune vendeur qui se tenait devant elle n'y était pour rien, bien sûr. Il gardait les yeux baissés, intimidé par sa beauté, et attendait depuis un quart d'heure qu'elle se décide : « Vous savez, ce sont des articles très différents... » Marina, d'un regard, le fit taire. Elle ouvrit son sac, chercha son portefeuille. Elle le fit presque par contrariété envers elle-même et ce que Paola était devenue.

Elle dit, du ton le plus brusque et antipathique possible : « Je veux le Samsung. Et faites-moi un paquet-cadeau. » Ni merci ni bonsoir. Elle sortit trois cents euros en espèces – ceux qu'elle avait gagnés au *Gala de la Chanson* – et les jeta sur le comptoir.

Les gens la regardaient, les hommes comme les femmes. Ils se demandaient ce qu'une fille comme elle, avec deux jambes à couper le souffle, gainée dans un tailleur de velours noir qui laissait entrevoir le haut de ses bas, faisait dans cette grande surface.

Elle était une apparition, elle le savait. Elle aimait exercer son pouvoir, laisser bouche bée des hordes entières de pères de famille, passer à côté d'eux avec un demi-sourire et se venger ainsi sur de parfaits inconnus de sa frustration de n'avoir jamais réussi à attirer l'attention de son propre père.

Il bruinait. Marina sortit et traversa la rue d'un pas rapide sans rien regarder. Elle regrettait déjà d'avoir fait ce détour, d'avoir claqué tout son argent, et voilà qu'elle était en retard d'une demi-heure. Elle remonta en voiture, furieuse. Contre elle-même. Contre sa mère. Et surtout, contre son salaud de père.

Mais la colère lui faisait du bien, c'était du pur carburant pour sa détermination. Elle glissa dans le lecteur la B.O. de *Scarface*, programma en boucle la plage 5 et plongea dans le fleuve de voitures sous lequel était noyé à cette heure le corso Europa.

Les studios de BiellaTv 2000 se trouvaient sur la strada Trossi, en banlieue, dans cette partie de la ville qui, en s'étirant vers le sud, s'éclaircissait en friches industrielles, avec des usines abandonnées envahies de plantes grimpantes et des centres commerciaux jamais finis de construire.

Marina, les yeux fixés droit devant elle, se galvanisait en écoutant la musique de son film préféré. Elle repensait à la fameuse scène, celle où Tony Montana lève les yeux vers le ciel et voit passer un dirigeable où est inscrit en lettres lumineuses THE WORLD IS YOURS. Voilà: le monde devait lui appartenir.

Elle dépassa le Mercatone Uno et le McDonald's, là où s'élevait autrefois la fabrique de meubles Aiazzone. Elle n'était qu'une petite fille de quatre ans quand elle avait tourné cette publicité, mais on devinait déjà qu'elle était faite pour le succès. Et combien de route avalée depuis? Infinie. Elle gardait une VHS de sa première apparition, avec ses couettes, en combinaison Walt Disney. Mais, sans savoir pourquoi, elle n'avait jamais eu le courage de la revoir.

Et maintenant, dix-huit ans plus tard, elle descendait la route de la ville vers la plaine, ralentissait à cause de la circulation, s'énervait chaque fois qu'elle devait stopper. Elle se sentait prête. Et suffisamment remontée pour franchir le seuil fatal, pulvériser tous ses adversaires et prouver au monde entier qu'elle était vraiment *quelqu'un*.

Le ciel était bas, une lumière poussiéreuse rendait grise la plaine. Marina traversa par à-coups les rangées d'outlets plantés de chaque côté de la route, les vestiges en béton armé de ces vingt dernières années. Une époque qui avait commencé au début des années quatre-vingt-dix, dépeuplant graduellement les provinces, déplaçant vers les villes des masses de jeunes gens confiants. L'époque du miracle économique, de la *Roue de la Fortune* et de la marionnette Gabibbo, quand il semblait évident qu'on pouvait vendre n'importe quoi : un projet politique, une paire de jambes, une plaque d'aggloméré aux faux airs de bois massif, une époque désormais ensevelie sous les pancartes annonçant *Tout doit disparaître* et *Fermeture définitive*.

Marina s'en fichait un peu, de savoir ce que l'Italie allait devenir. Si on lui avait demandé le nom de l'actuel président de la République, elle n'aurait pas su répondre. Elle prendrait ce qui restait à prendre, en se moquant de tout et de tous.

Et là, elle s'envolerait.

Parce que même les émissions locales étaient regardées par les gens de la Rai. Et ceux de Mediaset aussi. Ils cherchaient sans cesse de nouveaux talents. L'État pouvait bien s'écrouler, et l'économie et l'Europe, la télévision, elle, ne s'écroulerait jamais. Et Marina n'était pas une fille comme tant d'autres, qui ne savent rien faire et encombrent les castings. Elle, elle savait chanter mieux que personne, en un temps où tout le monde croit savoir chanter. Elle avait quelque chose de plus, et le savait. Elle savait danser. Et face à la caméra, d'un coup, elle devenait sincère.

Qui sait ce qu'avait pensé Andrea quand il l'avait vue sur scène. Est-ce qu'il l'avait cherchée sur Internet pendant toutes ces années, est-ce qu'il avait lu les centaines de commentaires que ses fans lui laissaient sur YouTube et sur Facebook ? Il ne fallait pas qu'elle y pense, pas maintenant. Il fallait qu'elle garde les nerfs solides et se concentre sur son objectif : Rome. Ou Milan. Un contrat avec Sony ou Universal. Les radios de toute l'Italie transmettraient sa voix à n'importe quelle heure du jour ou de la nuit.

Elle n'irait pas au rendez-vous à la Burcina, c'est tout. Andrea n'avait rien à voir avec son parcours, la faim qu'elle avait, la rage. Il ne serait qu'une complication, un obstacle de plus.

Le petit immeuble de BiellaTv 2000 apparut enfin, découpé sur un horizon de rizières et de montagnes. Il apparut comme le dirigeable de *Scarface* dans le ciel nuageux de septembre, encadré par un bowling et une station de lavage dans la plaine désolée.

Marina décéléra brusquement, serrant plus fort le volant.

C'était un bâtiment carré, à deux étages, mal repeint et rongé par les intempéries. C'était ce que c'était, mais ça n'avait pas d'importance. Son rêve commençait à se réaliser.

Le panneau publicitaire qui recouvrait un des murs, grand comme une maison, disait *Cenerentola Rock - Accrochez-vous.* Dans sa tête, il disait *Marina Bellezza - Tu vas tout déchirer.*

Elle entra sur le parking avec des frissons, le cœur pompant l'adrénaline. Quand elle éteignit le moteur, elle se laissa aller quelques instants contre le dossier du siège. Elle fixa la grande antenne parabolique sur le toit, l'entrée de verre et la file continue des panneaux publicitaires. *Cenerentola Rock – Que le défi commence.* Elle respira profondément et se dit : Ok Mari, c'est une guerre. *La tienne.* Et elle descendit de voiture en claquant la portière.

Sur des talons vertigineux. Avec ses bas résille. Ses vingt-deux ans magnifiques bourrés de rancœur jusqu'à la gueule.

Me voici, je suis arrivée. Elle ne le dit pas, mais le fit amplement comprendre en posant le coude sur le comptoir de la réception.

Le gardien leva la tête et l'examina sans enthousiasme.

« Votre nom, s'il vous plaît.

– Marina, dit-elle en scandant les syllabes, Marina Bellezza.

– Papiers d'identité. »

Bientôt, elle n'en aurait plus besoin : tout le monde ici la reconnaîtrait instantanément, de la femme de ménage pliée en deux qui passait la serpillière dans l'entrée jusqu'à l'administrateur délégué de BiellaTv 2000.

L'homme photocopia sa carte d'identité, lui donna un passe : « Couloir de droite, studio B. »

Il était quinze heures trente, le mardi 18 septembre 2012. Une date historique. Sa première entrée dans les studios de cette nouvelle chaîne locale qui, née deux ans et demi plus tôt, marchait de mieux en mieux. Et même si Marina était toute seule, sans personne comme témoin, ce fut une entrée triomphale.

Le hall était prétentieux, en marbre de Carrare, avec des canapés en cuir noir et partout sur les murs des écrans renvoyant les images des programmes en cours sur toutes les chaînes. Un peloton de professionnels, du machiniste au journaliste, traversa un couloir. Affairés, souriants, complices d'un monde que la plupart des gens se contentaient d'imaginer.

La moitié obscure de l'écran.

Marina fixa un instant le sourire parfait de Simona Ventura en premier plan sur Sky. Elle lui dit : Eh, un jour ou l'autre je te connaîtrai. Je suis meilleure que toi, tu sais ça ? Elle glissa sa carte dans le lecteur magnétique, la flèche lumineuse devint verte et le système d'ouverture se déclencha pour la laisser passer.

Ça y est, elle était dedans.

Elle faisait partie de l'autre moitié du monde.

Catalina Foothills, Rita Ranch, Star Valley. Les noms se matérialisèrent l'un après l'autre, sur un fond vert-or et marron-ocre, à mesure que la carte se chargeait.

Mais pour Andrea ce n'étaient pas des mots, c'étaient des mondes. La représentation de ses rêves. Les clairs-obscurs se changeaient en sommets, en fonds de vallées pierreuses, en landes brûlées à perte de vue. Et au milieu, en dernier, dans un crescendo réticulaire d'*avenues* et de *streets*, de constructions basses, alignées et identiques, Google Earth la fit apparaître. Tucson.

Andrea zooma en bas à gauche et le satellite descendit en piqué pénétrer le cœur aride du désert de Sonora, à la frontière avec le Mexique. Une étendue gris-vert peuplée de coyotes et de reptiles, parsemée de cactus, si semblable aux décors des films de Sergio Leone qu'il connaissait par cœur. Un autre mouvement et le satellite décolla une nouvelle fois. Il migra vers le nord-est, à la frontière de l'Utah. Andrea tenait la souris dans la paume de la main, il s'y agrippait presque, pendant que sur l'écran s'ouvrait le grand plateau incandescent de Monument Valley.

Une étendue lunaire, constellée de murailles rocheuses usées par les millénaires. Ils en avaient accroché une vue à couper le souffle sur le mur de leur chambre, face à leurs lits jumeaux. Quand ils dormaient encore ensemble, avant que ne se produisent les « incidents », avant que leurs parents ne décident de les séparer une fois pour toutes.

Elles formaient des silhouettes gigantesques, ensanglantées par les couchers de soleil. La poussière, les boules d'arbustes secs. Et au milieu une seule et unique route, la

Highway 163. Un trait d'asphalte tiré d'un coup net dans cette liberté où l'immensité donnait le vertige.

Andrea se demanda ce que ça voulait dire, traverser vraiment le désert, le faire à bord d'une jeep recouverte de sable. Apercevoir le profil intermittent d'un lynx dans les rochers; des bêtes féroces, affamées et magnifiques. Aller jusqu'à John Ford's Point et se sentir surplombé par tout ce ciel.

Quand ils jouaient, Ermanno choisissait toujours d'être un cow-boy. Dehors, dans le jardin de la villa, ils se poursuivaient au galop de leurs chevaux imaginaires, comme qu'ils étaient dans un western, et quand ils s'attrapaient par la nuque ou par les bras, ça finissait toujours par une vraie bagarre.

Ils se rêvaient tous les deux en pionniers. Même si Ermanno portait des lunettes, était maigrelet, et qu'il se sauvait à toutes jambes quand, chez le grand-père, à Riabella, il voyait une vache nerveuse tenter d'en encorner une autre. Pas Andrea: lui, il arrivait même à les prendre au lasso, les vaches tachetées du grand-père. En y repensant, il avait envie de rire.

Mais c'était un rire plein d'amertume.

Parce qu'entre-temps Ermanno y était allé pour de bon, là-bas, dans la terre des cow-boys et des Peaux-Rouges, à 457 miles de Monument Valley et à 124 du Chiricahua National Monument où Geronimo en personne s'était caché pour échapper aux Blancs. Et il s'était marié, il travaillait pour la Nasa, et allait même avoir un fils. Tandis que lui – le second, «pas celui qui est doué, *l'autre*» –, il était resté à Andorno, dans un désert sans Nasa, sans femme, à faire le bibliothécaire à temps partiel dans l'unique bibliothèque de la vallée.

Au lieu de ranger les livres sur les étagères comme il aurait dû, il ouvrit une nouvelle fenêtre et tenta de calculer la distance entre Andorno Micca et Tucson: 9 409 kilomètres à vol d'oiseau. Deux continents et un océan, un quart du globe. Depuis quand n'avait-il pas entendu la voix de son frère ? Depuis quand ne s'écrivaient-ils plus une seule ligne ?

Le 22 octobre était dans un mois et quatre jours. Andrea fixait l'écran, ces neuf mille kilomètres qui les séparaient, immobile derrière le bureau des prêts et restitutions. En gilet réglementaire, le badge de la ville fixé à la poche de poitrine, une barbe de plusieurs jours et une expression absente, dans la pénombre de la bibliothèque vide à cette heure de l'après-midi.

Si Marina avait accepté de l'accompagner, il aurait pu envisager de le faire, ce voyage. S'ils montaient ensemble dans l'avion… ils loueraient une Cadillac, dormiraient dans les motels le long de la route. Avec un T-shirt de rechange, une brosse à dents. Nus et sales dans l'immensité merveilleuse du Grand Canyon.

C'était absurde de penser ça. Et pourtant il y pensait, en cet énième après-midi de sa vie de précaire. Il espérait que ce serait le dernier, ou l'avant-dernier, parce que la révolution, il l'avait déjà dans la tête. Il fallait juste qu'il se présente à Marina demain et qu'il lui dise tout ce qu'il avait répété en silence pendant ces trois années, dans le train qui le ramenait de l'université de Turin, perdu dans les brouillards ; dans la solitude de la petite cuillère qui cogne contre la tasse de café au petit déjeuner, dans sa mansarde de trente mètres carrés.

Il entendit que quelqu'un entrait dans la salle, mais il évita de lever les yeux.

Il les gardait collés à l'ordinateur, à la réduction à l'échelle de l'Arizona. Marina avait été sa première pensée chaque matin. Son fantôme l'avait accompagné sur le siège passager le long des routes, dans chaque recoin de bar minable, dans le fond vide et sombre de toutes ses cuites ; et il avait insulté ce fantôme, et haï, et questionné, et supplié de revenir. Il s'était obligé à le tenir à distance.

Mais voilà qu'elle était revenue. Elle avait dit : « Demain je ne peux pas, disons mercredi. » Et il se voyait déjà avec elle dans un motel d'Arizona. Il se torturait dans cette attente, ce doute atroce : et si elle ne venait pas ? Elle en serait bien capable.

Il entendit des pas approcher du bureau mais il ne voulait pas se distraire. Seize heures passées : il restait vingt-quatre heures avant leur rencontre. Il fixait le mot de Tucson au centre de l'écran, le fixait comme pour le mordre. Quand tout à coup une voix étonnée brisa le silence.

« Andrea ? C'est toi ? »

L'image de Marina, nue, étendue sur le siège arrière d'une Cadillac et que ses mains caressaient lentement s'évanouit à l'instant.

Il leva la tête, tenta d'identifier la jeune femme qui lui souriait, un léger embarras sur le visage. Il la connaissait, mais là il n'arrivait pas à se rappeler son nom.

« Je suis Elsa, Elsa Buratti... »

Andrea écarquilla les yeux, surpris. La toisa de la tête aux pieds. Bien sûr, comment ne l'avait-il pas reconnue ?

« Eh, Elsa... » Il se laissa tomber contre le dossier de sa chaise. Ferma la page de Google Earth et observa de nouveau la jeune femme. « Qu'est-ce que tu fais dans les parages ?

– J'habite par ici maintenant, dit-elle en souriant. Depuis cinq mois. »

Puis elle s'interrompit, regarda autour d'elle, un peu perdue.

« J'ai découvert aujourd'hui seulement qu'il y avait encore cette bibliothèque d'ouverte, alors je me suis dit : pourquoi aller jusqu'à Turin ou Biella ? Faisons au moins une tentative. »

Elle semblait contente de le revoir. Elle avait toujours les mêmes taches de rousseur sur le visage, les mêmes cheveux d'un roux vif coupés au carré, et la même timidité désarmante qu'au collège.

« Je ne savais pas que tu travaillais ici, sinon je serais passée avant… »

Andrea tenta de lui rendre son sourire mais n'y réussit qu'en partie. En silence, il commença à jouer avec un stylo-bille.

« Tu as dû passer ta thèse, j'imagine », dit-elle.

Il baissa les yeux, gribouilla sur une feuille de papier.

« Non.

– Ah », elle avait l'air étonnée, « mais tu as trouvé du travail, c'est une chance… Ça doit être bien d'être là, au milieu de tous ces livres, dans un petit village, où tu peux donner des conseils de lecture aux gens…

– Pas vraiment, répondit-il d'un ton brusque. De toute façon c'est temporaire. Et toi, alors ? dit-il pour faire diversion. Tu as fini tes études ?

– J'ai passé le concours pour les bourses de doctorat en philosophie de l'Histoire.

– Oh dis donc, tu es l'une de ces trois personnes sur un million qui y sont arrivées. »

Il le dit avec un cynisme évident. Elsa s'en aperçut et changea d'expression. Elle se fit plus sérieuse, se pencha et feignit de farfouiller dans son sac.

« Ce n'est pas facile, crois-moi. Je suis bloquée à l'université pour trois ans, je fais l'aller-retour à Turin une fois par mois. Après, ils me donneront un coup de pied au cul en me disant d'émigrer. »

Andrea n'aimait pas beaucoup cette conversation. Il lui coûtait de laisser entrevoir son propre échec à une ancienne camarade de classe qui, en dépit de sa fausse modestie, avait réussi quelque chose.

« Quel livre tu cherches ? » coupa-t-il.

Elsa se raidit, posa les mains sur le bord du bureau.

À l'expression de son visage, il comprit qu'elle aurait préféré continuer à bavarder, lui raconter son doctorat. Mais il ignorait de quelle façon Elsa Buratti passait la plupart de ses après-midi : dans le silence. Il n'imaginait pas combien pouvait être dure pour elle, parfois, la solitude dans la grande maison de Piedicavallo.

« Je cherchais les *Essais sur Gramsci*, de Norberto Bobbio. »

Andrea se mit à rire : « Et tu t'imagines qu'ici, on a les œuvres complètes de Bobbio ? »

Elle rougit un peu.

« Il y a des choses, mais sûrement pas les *Essais sur Gramsci*. Je peux te donner Calvino, Enzo Biagi ou la Morante. Je peux te donner les *Chants* de Catulle ou Stephen King, si tu veux t'y risquer… » Est-ce qu'il se moquait d'elle ? « On est quand même au milieu des Alpes.

– Bon, j'aurai essayé », dit Elsa en écartant les bras. Elle hésita un instant, puis renonça. « Merci.

– Tu as trop confiance en cet endroit », répondit Andrea sans réfléchir.

Elsa, qui s'était tournée pour partir, le regarda à nouveau : « Tu crois ? »

Andrea croisa son regard pour la première fois : « Je crois. »

C'était une fille réservée, parfois fuyante. Le genre de fille qui s'accorde rarement des distractions, qui ne fait jamais étalage de sa personne, qui préfère réfléchir et observer en restant à l'écart. Le genre de fille qu'on n'imaginerait pas se lancer dans une action inconsidérée.

« Pour être honnête, dit-elle en s'arrêtant au milieu de la pièce, je préférerais ne pas avoir à émigrer plus tard. Ni à Turin, ni ailleurs. Pour toi qui as toujours été de cette vallée, c'est peut-être une chose stupide ou insensée. » Elle avait son sac en cuir d'étudiante serré contre elle, des ballerines aux pieds, un gros pull de laine grège sur les épaules : en un certain sens elle ressemblait bien à une *valìt,* une habitante de la vallée. « Mais je crois que j'aimerais rester ici.

– Où ça ici ?

– Ici, dans la Valle Cervo. »

La bibliothèque était composée d'une grande salle garnie de tables en noyer et de chaises de velours vert, où l'air était saturé de bois et de papier, de vieilles reliures, une odeur de silence englouti par les années. C'était un lieu magique et d'une beauté mélancolique, comme tout ce qui l'entourait. Un lieu de recueillement, fréquenté par quelques lecteurs tenaces, avec de vieilles estampes accrochées aux murs. L'une représentait un groupe de femmes penchées avec une grâce muette pour filer la laine, une autre un marcaire à la barbe longue guidant un troupeau d'une centaine de moutons sur le Bocchetto Sessera. L'après-midi s'éteignait peu à peu derrière les vitres. Il bruinait toujours, la lumière s'était obscurcie et ils étaient là, dans cette bibliothèque perdue au milieu des montagnes, seuls.

« Je te le souhaite », lâcha Andrea, histoire de briser le silence en attendant qu'elle s'en aille.

Ils avaient fréquenté le même collège et le même lycée, s'étaient inscrits au même cours de philosophie à l'université. Étaient restés assis à quelques bancs de distance pendant des années sans jamais se dire plus que *Ciao.* Puis Andrea était passé à agronomie, ils s'étaient perdus de vue. Et maintenant qu'ils étaient devenus adultes, malgré ses efforts, il ne trouvait pas un seul mot sensé à lui dire.

« Enfin, ça dépend du genre de vie que tu choisis… Si tu veux faire carrière, ou si tu cherches autre chose. » Et il baissa la tête, recommençant à mordiller le capuchon de son stylo

Elsa se contenta d'acquiescer. Elle devait avoir compris que le temps imparti était échu, que lui faire prononcer d'autres phrases serait une épreuve, et pourtant elle restait là, immobile.

« Peut-être… ajouta-t-elle. Dis-moi, pour que je ne sois pas venue pour rien, tu aurais peut-être un bon livre à me conseiller ? »

Andrea reposa le stylo, un peu agacé. Il se leva de sa chaise, alla jusqu'à une étagère et commença à ranger des livres qui n'étaient pas à leur place.

« Tu aimes Mandelstam ?

– À vrai dire, je ne connais pas.

– Bien, dit-il en posant un livre sur le bureau en même temps qu'un formulaire d'inscription. Comme ça tu connaîtras. »

Suivit un instant d'embarras tangible pour tous les deux. Un instant absurde, comme toujours quand d'anciens camarades d'école se retrouvent. Elsa l'avait observé souvent pendant les longues matinées de cours, d'un regard en biais, entre deux feuilles de notes. Certaines choses se prolongent en silence pendant des décennies, sans que personne en soupçonne l'existence.

Elle se pencha sur le bureau, signa le formulaire et prit le volume des poésies de Mandelstam, pendant qu'il recommençait déjà à tapoter le clavier de l'ordinateur.

« Alors je lis ça, et je te dirai.

– Ok, répondit Andrea sans y penser, en rouvrant la page de Google. Si je suis toujours là quand tu repasses, volontiers. »

Andrea ne put le voir – il ne l'entendit même pas s'en aller et fermer la porte –, mais les yeux d'Elsa s'étaient illuminés.

« Regarde la caméra, Mari. Regarde-la maintenant ! Non, reste de trois quarts, donne-moi ton profil. Voilà, comme ça ! Comme ça, tu es parfaite. On peut commencer ? Ok, on enregistre. On la refait autant de fois que tu veux. »

Marina, super-maquillée, blondissime, assise dans un fauteuil de cuir rouge, fixait l'objectif dans une sorte de placide extase.

« On les enregistre toutes les deux, alors. La promo courte, pour la pub. Et la plus longue, qu'on mettra sur Internet et qu'on passera pendant l'émission. Ça va ? Tout est clair ? »

Marina acquiesça. Bien sûr que tout était clair. Pour qui la prenaient-ils ? Elle était à demi couchée sur ce fauteuil, les jambes croisées haut et le visage incliné vers l'épaule, parfaitement à son aise au milieu du tourbillon des préparatifs du tournage. Comme si elle avait été seule chez elle.

« On y va alors, à mon signal ! cria le metteur en scène. Je veux toute la vie de Marina Bellezza en trois minutes ! »

Dès le signal, l'œil-de-bœuf envoya sur elle un feu aveuglant.

Et Marina, d'un coup, se mit à exister.

Toute la production de *Cenerentola Rock* était suspendue à son silence. La file de ses adversaires attendant leur tour était désespérément suspendue à son silence. Marina sourit, installée sur son trône. Elle sourit au point le plus obscur et le plus lointain au fond de l'objectif.

Elle laissa monter l'attente. Joua un instant avec son bracelet : comme ça, pour titiller encore un peu le suspense. Et seulement quand elle fut certaine à cent pour cent qu'elle les tenait tous dans son poing, sans aucune exception, seulement alors elle entrouvrit les lèvres et commença à raconter.

« Quand j'étais petite, en classe, on se moquait de moi. Parce que j'étais un peu forte. On m'appelait la *grosse*… pouffa-t-elle en soufflant sur son front une mèche de cheveux. En réalité, personne n'avait aucune idée de ce que je pensais, combien j'en souffrais. Je jouais toujours toute seule, je restais dans un coin de la cour, cachée derrière la haie, à regarder les autres de loin… Et je me sentais abandonnée. J'écoutais les oiseaux chanter, j'écoutais le bruit du vent, et c'est là, dans cette solitude, dans ce corps où j'étouffais comme dans une prison, que j'ai commencé à imaginer une musique à moi… »

Rien n'était vrai, naturellement. Pas une miette de vérité dans ces phrases qui avaient été choisies avec soin et réécrites pour elle par les auteurs. Elle n'avait jamais été grosse, jamais laissée à l'écart pendant les récréations. Et pourtant, là, en se confessant devant la caméra, elle y croyait aveuglément.

« Seul mon père me comprenait, lui seul parvenait à interpréter mes désirs… »

Et plus elle mentait, plus elle était sincère.

« Parce que, disons, c'est difficile à expliquer… Mais avant de partir pour les États-Unis… » Et là elle laissa tomber, en la retenant difficilement, une larme d'émotion. « Oui, parce qu'il devait partir à New York pour son travail et se séparer de moi… Eh bien, juste avant de partir, il m'a dit : "Mari, tu es née avec cette voix-là, elle t'appartient, elle est ton âme, elle est ton vrai corps, et tu dois la suivre…" Alors j'ai pris ma décision. À neuf ans, j'ai choisi d'*être ma voix.* »

Pause. Effet terrible de la pause.

« Mon père n'est jamais revenu des États-Unis. »

Elle parlait dans le silence le plus absolu.

Un silence plein, habité par elle.

« Jamais. »

Elle percevait les présences immobiles, la respiration suspendue, tous fascinés par sa soif de revanche, par sa férocité candide, par la force avec laquelle elle savait se raconter, se dissimuler, et s'émouvoir, la force d'une petite fille qui n'avait jamais existé en dehors de l'histoire mélodramatique

que chaque spectateur avait envie d'entendre. Elles avaient quelque chose en commun, elle et son double. Mais ce n'était ni le poids ni les États-Unis. Les secondes couraient sur le minuteur, et elle devait conclure. Conclure en beauté.

« Je suis venue ici pour gagner. J'ai maigri de vingt kilos et je veux gagner. Je le dois à la petite fille qui jouait toute seule derrière la haie… Et, par-dessus tout, je le lui dois à lui, à mon père.

– Top ! »

L'œil-de-bœuf s'éteignit, l'obscurité alentour s'évanouit. Les lumières du studio revinrent éclairer les visages émus, enthousiastes, de tous les présents.

« Tu as été fantastique, Mari ! »

Le producteur vint lui serrer la main.

« Fantastique, vraiment », répéta un des auteurs en s'approchant.

Marina se leva du fauteuil. Elle traversa ce fleuve de sourires, de compliments, d'applaudissements qui venaient à sa rencontre et qui étaient pour elle le minimum syndical. Elle passa à côté de ses adversaires. Les regarda une par une, glissant dessus avec indifférence. Elle lut clairement dans leurs yeux la tension, l'envie, la peur.

Et elle savoura ce moment à en mourir.

7

Andrea vérifia pour la énième fois sa montre. Il était vingt heures quarante-cinq, il restait encore une nuit. Le temps, au lieu de glisser, indolore, ralentissait, se raréfiait jusqu'à presque s'éteindre, amplifiant démesurément le supplice de l'attente.

Il regarda les autres. Luca était pelotonné sur le squelette d'un vieux fauteuil et suivait le *Gioco dei Pacchi,* Max Giusti aux prises avec la concurrente de la Calabre, qui allait ouvrir le paquet numéro six. « Un jour j'irai moi aussi, dit-il. Je leur téléphone et je verrai bien s'ils me prennent. » Un hurlement jaillit du téléviseur : *Nooon ! Cinquante mille euros qui s'envolent !* Sebastiano avait la tête penchée sur son ordinateur, collé à Facebook comme d'habitude. De temps en temps il attrapait la bouteille de genièvre et en avalait une gorgée.

Si Andrea avait pu voir Marina aujourd'hui, pendant qu'elle enregistrait la promo pour *Cenerentola Rock,* s'il l'avait entendue raconter tous ces mensonges de l'air le plus innocent du monde et s'il avait su quel était son objectif… Mais il n'en avait pas la moindre idée, pas encore. Aussi restait-il là, appuyé sur le rebord de la fenêtre, à transformer en légende chaque trait de son visage, à le caresser en imagination. Le temps ne voulait pas s'écouler normalement, et il regardait dehors, s'allumait une Lucky Strike, revenait observer les autres. Il était comme une âme en peine, incapable d'autre chose que d'attendre.

La table n'était pas débarrassée. Partout des bouteilles de bière. La cuisine de sa petite mansarde était plongée dans un chaos total, sale et puante à vomir, comme tous les soirs.

Ils se traînaient depuis des années dans ce désordre, dînant chez l'un ou chez l'autre, prenant leur voiture à tour de rôle pour économiser sur l'essence, sur les courses au supermarché, sur les factures d'eau et d'électricité. Sur quoi n'économisaient-ils pas ?

« Mon père ne veut pas me donner Riabella », lâcha-t-il à un moment donné.

Sebastiano tchattait et riait tout seul. Il s'interrompit brusquement et leva la tête de l'ordinateur : « Hein ? »

Luca, s'extrayant du fauteuil, baissa le son de la télé.

« J'ai besoin de quarante-cinq mille euros, dit Andrea.

– Tu rigoles ?

– Non. Il m'a dit que je pouvais contacter la Mucrone Immobiliare, ajouta-t-il d'un ton sarcastique.

– Qu'est-ce que tu vas faire ? »

Andrea alla s'asseoir à table, décapsula une nouvelle bière.

« Je sais pas. Je sais juste que je dois trouver ce fric.

– Mais c'est ton père… Ça n'a pas de sens. »

Non, se dit Andrea, ça n'avait pas de sens. Et aller à Tucson, ou pas, travailler à la bibliothèque pour quatre cent cinquante euros par mois, finir cette foutue thèse qu'il n'avait pas touchée depuis trois ans – depuis que son frère était parti, depuis que Marina l'avait quitté –, ça n'avait pas de sens non plus. Sauf le fait de la revoir, dans quatorze heures.

« Putain, mais c'est monstrueux comme somme ! fit Sebastiano après un temps de réflexion. Faudrait braquer une banque. »

Andrea se mit à rire : « C'est ce que j'ai dit à mes parents.

– Faut être un sacré fils de pute, quand même ! Et ton père, c'en est un, si tu permets. Je me rappelle toutes les conneries qu'il balançait quand il était maire et que j'étais en taule. Il en disait, ça oui. Qu'il allait améliorer les choses, qu'on aurait au moins des chiottes pour quatre personnes, alors qu'en taule on n'avait même pas droit à un bouquin. »

La prison l'avait marqué, il ne pouvait pas le nier. L'assignation à domicile non plus ça n'avait pas été la joie, avec Andrea et Luca qui se relayaient pour lui faire les courses, louer des films et des jeux vidéo, obligés de le voir là, toute la journée chez lui, sans que sa pétasse d'ex-femme lui amène une seule fois son fils.

« Qu'est-ce qu'il en fait, de cette ruine ? C'est dingue… Et ils voudraient qu'on étudie, qu'on travaille, qu'on gagne du fric, qu'on fasse carrière… Mais va te faire foutre ! »

Andrea buvait, il comptait les miettes de pains éparpillées sur la table. Ne disait rien, parce qu'il n'y avait rien à dire. Ils restaient tous les trois enfermés dans cette cuisine, et les soirées passaient, dépourvues de sens.

« À qui tu crois qu'il va la vendre ? intervint Luca. Réfléchis : qui va l'acheter, cette ferme, à part toi ? Remarque, tu pourrais poser ta candidature au *Gioco dei Pacchi* pour représenter le Piémont ! »

Andrea finit sa bière et rota avec insolence.

« Sérieusement, qui crois-tu que ça intéresse, une ferme d'alpage perdue tout en haut d'une montagne ? Je veux dire, par ici il n'y a même pas de touristes !

– Par ici y a rien de rien », conclut Sebastiano.

Il regarda à nouveau l'écran de son ordinateur portable. Cliqua sur quelque chose, puis changea de visage. Il les appela, hilare : « Eh, venez voir ! Regardez les photos que Mirella a mises sur sa page Facebook ! »

Luca et Andrea se levèrent à contrecœur, s'assirent à côté de lui sur le canapé trouvé un matin près des poubelles. Andrea se dit que jamais aucune banque ne lui accorderait un prêt sans la signature de son père, que personne ne lui prêterait un sou et qu'il se tirerait une balle plutôt que d'écrire à son frère.

Il n'y avait pas d'issue, pas de solution. Il se pencha pour regarder, vit l'image de Mirella en maillot de bain étendue sur un rocher du torrent Cervo. Et soudain, il fut comme touché par la foudre.

« Seba, dit-il à son copain, fais voir un truc. »

Il lui prit l'ordinateur des mains.

Andrea n'était pas sur Facebook, il n'avait pas envie qu'on le trouve. Sur Internet il regardait seulement Google Earth, les prix et les offres qui l'intéressaient. Pour le reste, il avait toujours évité de la chercher, il se l'était interdit... mais aujourd'hui c'était différent.

« Cherche-moi ce nom, s'il te plaît. Cherche *Marina Bellezza.* »

Sebastiano se mit à rire : « Bellezza ? Tu parles d'un nom ! »

Puis, plus sérieusement : « Ça serait pas la fille de...

– T'occupe. Cherche-la, vite.

– Oh, mais qu'est-ce qui te prend ? »

Sebastiano tapa le nom, fit « entrée ». Et en moins d'une seconde la page se remplit de *Marina Bellezza.* De parfaites inconnues, des visages sans importance. Il y en avait une à Roccaraso, une autre qui travaillait chez Bennet, une autre qui était fan du groupe « On est tous des branleurs ». Rien à voir avec la seule Marina Bellezza qui eût le droit d'exister sur cette terre.

Andrea descendait dans la liste des profils de ses homonymes – sept ! —, en proie à une impatience forcenée, à une déception cuisante, jusqu'au moment où il lui sembla la reconnaître. Il se pencha pour mieux voir, écarquilla les yeux. Il eut un choc quand il reconnut, dans le petit cadre en haut à gauche, sur une photographie prise à l'ordinateur, la présence évocatrice de sa Marina, un peu fanée, sur un divan à fleurs.

Marina qui, en ce même instant, en débardeur et en string dans sa salle de bains, savonnait ses culottes dans une bassine en chantant *Call Me Maybe* de Carly Rae Jepsen, qui résonnait à fond dans toute la maison.

Elsa déclara forfait. Elle corna le coin supérieur de la page et referma le troisième volume des *Cahiers de prison*. Cela faisait plus d'une demi-heure qu'elle fixait les mots sans jamais franchir le seuil du signifiant, c'était absurde de continuer.

Elle avait vraiment eu l'intention de prendre le train cet après-midi. Elle avait même vérifié les horaires sur Internet. Elle savait qu'à la Bibliothèque nationale de Turin elle trouverait à coup sûr les titres qu'elle cherchait. Et puis, au dernier moment, découragée par la pluie et l'ennui de ces voyages d'une lenteur exaspérante, dans des michelines bourrées de banlieusards, elle avait eu l'idée de voir ce qu'il y avait à Biella. Sur Google, elle avait trouvé : *Bibliothèque municipale d'Andorno Micca, piazza Unità d'Italia 3.* Cette bibliothèque-là avait survécu au dépeuplement de la vallée.

En y repensant, elle avait du mal à y croire. Elle était entrée comme ça, la tête ailleurs, espérant trouver au moins les essais de Bobbio… Et voilà qu'il était là, devant elle ! Andrea Caucino. Immobile derrière le bureau des prêts, un peu marqué peut-être, mal rasé. Mais en tout cas c'était lui, avec la même lueur sombre dans les yeux et sa voix rauque de toujours.

Elsa remit le surligneur dans sa trousse, rangea ses pages de notes. Pendant qu'elle travaillait, elle avait laissé les *Poésies* de Mandelstam sur la table, et leur lançait de temps en temps un coup d'œil distrait. Puis, songeant encore à l'expression d'Andrea à l'instant où il l'avait reconnue, elle ôta les boules de ses oreilles. Aussitôt elle fut agressée par une vague de musique de dingues à un volume insupportable.

Bon Dieu. Elle savait pourtant qu'elle devait travailler, non ? Le niveau de je-m'en-foutisme que Marina pouvait atteindre, c'était hallucinant. Elsa se leva, débarrassa la table de tous ses livres. Jeta un regard au coucou accroché au mur, un des legs de la vieille maison, et vit qu'il était neuf heures passées.

À l'étage supérieur, le boucan était infernal. Elsa mit une grande casserole d'eau à bouillir et se résolut, malgré tout, à l'appeler. En fait, elle n'avait pas envie de dîner seule, pas ce soir. Elle n'arrivait pas à chasser de sa tête les quelques phrases prononcées entre eux à la bibliothèque. Il fallait qu'elle se change les idées, qu'elle parle avec quelqu'un, même son idiote de colocataire.

Elle monta l'escalier. C'est difficile de vivre avec quelqu'un, plus encore si l'autre a des habitudes différentes des tiennes, te regarde chaque fois de haut en bas, et trouve évident que tu fasses le ménage quand il n'en a pas envie, que tu lui prépares du café tous les matins, que tu ailles seule faire la queue à la poste pour payer les notes d'électricité et d'eau. Sans compter le soir où elle avait essayé de séduire – avec succès – un de ses collègues, en lui demandant de l'aide pour attacher son soutien-gorge.

Elsa se présenta à la porte de la salle de bains et trouva Marina en train de chanter à gorge déployée, à moitié nue mais en chaussettes, savonnant des culottes dans une cuvette en faisant de drôles de grimaces dans la glace.

« Mari ! cria-t-elle. Je t'attends pour dîner ? »

L'autre ne pouvait pas l'entendre mais la regardait dans la glace, toujours savonnant et chantant comme si de rien n'était.

« Je verse les pâtes, tu en voudras ? »

Elle avait presque inondé le carrelage à force de frotter et rincer, pirouetter et tortiller des fesses.

« Oui ! » répondit-elle après quelques instants, prenant bien son temps.

Mourir plutôt que baisser une seule seconde le volume de sa chaîne, ou par exemple arrêter de faire le clown, et proposer au moins de mettre la table. Elsa, malgré elle, restait à la regarder, fascinée. C'était difficile de ne pas regarder Marina. Chaque partie de son corps vous le demandait d'une manière éhontée : regarde-moi, admire-moi, et surtout jalouse-moi tant que tu peux.

Elle semblait particulièrement exaltée ce soir-là. Au fond, Elsa ne savait rien d'elle. C'était à peine si elle lui avait dit qu'elle allait participer à une émission sur une chaîne locale. Pour le reste, noir complet. Ses parents n'étaient jamais venus la voir. Des copines, elle en avait peu, et aucune qui l'appelle ou qu'elle voie souvent. Des garçons, oui, elle en avait mis quelques-uns dans son lit ces derniers mois. Mais c'était sa vie.

« Tu préfères à la sauce tomate ou au beurre ? »

Son corps tonique, modelé comme une œuvre d'art par les six à huit heures de sport hebdomadaires, était un prodige de la nature. Et Elsa, bien sûr, ne pouvait que le lui envier : il n'était pas seulement mince et élancé, mais respirait la sauvagerie, l'harmonie secrète, la fertilité. Dans un monde primitif et barbare, les hommes, pour posséder un tel corps, se seraient déchirés. Et elle savait s'en servir : avec insolence, quand elle se baissait pour rincer sa lingerie puis s'étirait pour l'étendre, toute dégoulinante, sur le fil tendu au-dessus de la baignoire. Même là, elle était gracieuse. Il en émanait une charge explosive d'assurance et de confiance en elle-même.

Elsa attendit encore un instant, mais Marina ne répondit pas. Alors elle redescendit, sortit les couverts et la nappe du tiroir pendant que Marina, qui avait fini d'étendre son linge, se regardait une dernière fois dans la glace, en chantant le refrain du single qui était numéro un à ce moment-là en Europe et aux États-Unis.

Il lui fallait un type comme Bruno Mars, ou comme Justin Timberlake. Un Américain, une star de la pop internationale. Pas un Andrea Caucino. Tu parles que je vais y aller, pensa-t-elle, pas question. Elle se voyait déjà immortalisée en couverture de *Novella 2000* au bras d'un garçon étranger ultra-célèbre, les revers de sa veste relevés pour se protéger, une horde de paparazzis excités à leurs trousses.

Mais non, ce n'était pas vrai.

Marina s'en fichait bien, d'être la petite amie de la star. La star, ce serait *elle*. Celle qui a le fric, le succès, le pouvoir. Elle se fit un clin d'œil dans la glace, éteignit la radio et se rhabilla. Décida que oui, elle lui poserait un lapin. Feignit d'oublier le regard d'Andrea, sa voix rauque, et la fois où il l'avait emmenée à la Balma fumer un peu d'herbe ; celle où ils avaient fait l'amour pour la première fois, au parking d'Oropa, en plein décembre ; et celle où il était venu l'attendre devant la salle de sport et l'avait attrapée par le bras, en criant qu'elle ne pouvait pas se comporter comme ça, qu'elle ne se rendait pas compte de ce qu'elle faisait, et elle, sans répondre, qui s'était obligée à se dégager de sa prise, à marcher droit devant elle et remonter en voiture.

Mais les dés étaient lancés, il n'était plus temps de penser au passé, surtout pas. Et c'était juste le début : très vite, la vidéo commencerait à tourner sur le net, et le 6 octobre, dans une vingtaine de jours, au centre commercial des Orsi, le plus grand de la région, aurait lieu le grand concert de lancement de l'émission, devant au moins un millier de personnes. Et dans sa tête, elle était déjà sur cette scène, sur toutes les scènes où elle se produirait dans le futur.

Elle se pencha par-dessus la rampe et cria à Elsa que oui, elle voulait bien des pâtes.

«Attends, c'est pas la fille qui chantait l'autre soir?»

Andrea ne pouvait pas à la fois répondre, la regarder et réfléchir.

«Fais voir ce qu'elle écrit, dit-il.

– Je ne peux pas voir son mur, on est pas amis!

– Alors demande à être son ami!

– Attends un peu, protesta Sebastiano. Calme-toi. Laisse-moi vérifier.»

Une nouvelle page s'ouvrit sur l'écran.

Marina Bellezza. Née à Biella le 15 avril 1990.

«Quatre-vingt-diiix?!» s'écrièrent en chœur Luca et Sebastiano.

Ville actuelle: Piedicavallo (BI)

«Je peux pas le croire...» murmura Andrea.

Elle était là. Dans la vallée. À sept kilomètres, sept kilomètres seulement de lui.

Collège/Lycée: lycée artistique Caravaggio

Travail: bientôt à Cenerentola Rock, première édition

À Piedicavallo..., continuait de penser Andrea. Mais *pourquoi* était-elle revenue?

Musique préférée: Lady Gaga, Rihanna, Britney Spears, Bruno Mars, David Guetta, Cranberries

Livres préférés: aucun

Les autres étaient lancés dans des commentaires mais il ne les entendait pas, ne voulait pas les entendre. Il voulait juste voir les photos, qui étaient bloquées par les paramètres de confidentialité. Et même sans les voir, il en était jaloux. Il les imaginait : des photos prises dans des boîtes, des embrassades avec d'autres gens, à la plage en maillot de bain. Ça l'énervait, cette espèce de vitrine, qu'elle aussi se retrouve sur Facebook et que 4751 amis ou parfaits inconnus puissent savoir des choses que lui seul avait le droit de connaître. Pourtant, en voyant *Livres préférés : aucun*, un demi-sourire plein de tendresse s'était dessiné sur son visage. Parce qu'elle avait toujours été comme ça : allergique aux livres, aux études, à tout ce qui ne débouchait pas sur un résultat immédiat. Et ça voulait dire qu'elle n'avait pas changé.

Opinions politiques : rien à faire

Religion : christianisme

Situation amoureuse…

Situation…

Non, ne regarde pas.

… amoureuse.

Ne regarde pas.

single

« Alors, dit Luca en se levant et en croisant les bras, vous voulez me dire ce qu'on va en faire, de ce cerf ?

– Bordel de merde ! s'écria Sebastiano en se tapant le front. Comment j'ai fait pour oublier ce putain de cerf ? »

Andrea continuait à fixer les traces légères que Marina avait laissées d'elle, son image un peu floue prise à la webcam en ce qui ressemblait à un après-midi d'ennui passé sur le divan à ne rien faire. Il détacha les yeux de la page, éloigna l'ordinateur.

« Le moment est venu de lui donner une digne sépulture », dit-il.

Ils dormirent tout habillés. Puis, à quatre heures du matin, la sonnerie du réveil fit irruption dans la mansarde où stagnaient la fumée et les vapeurs d'alcool. Ils se levèrent à grand-peine, qui du lit, qui du tapis, qui du fauteuil. Andrea fit un café noir et amer. Ils enfilèrent une veste et sortirent sans même se passer de l'eau sur le visage.

Ils montèrent tous les trois dans la Punto d'Andrea. Allèrent récupérer la Volvo à Pralungo, et prirent la départementale 100. Sebastiano et Luca suivaient Andrea, qui ouvrait la route sans savoir lui-même où il les emmenait. Ils avaient baissé toutes les vitres pour atténuer l'odeur de putréfaction qui imprégnait désormais chaque plus petit recoin de l'habitacle.

La départementale montait à pic au-dessus du torrent. La vallée se resserrait à mesure qu'on prenait de l'altitude, les parois de la montagne s'approchaient presque à se toucher. On disait qu'elles irradiaient, ces roches, une substance mystérieuse, une sorte de poison ou d'attraction négative qui finissait par empêcher de penser, saturait le sang et les tissus, vous obligeait à monter, à les rejoindre. On disait que c'était pour ça que tant de gens se jetaient du pont de la Pistolesa ou d'une crevasse quelconque sur le Cervo, le Sessera ou le Mosso. Question de gravité, de chimie, une force incoercible et sans nom.

Pour Andrea, Marina était une de ces pierres. Ils traversèrent la Balma, Campiglia Cervo, Rosazza, et les feux orange clignotaient dans la nuit vide. Piedicavallo était là-haut, caché derrière le dernier tournant. C'était l'endroit où finissaient les routes, les communications, les poteaux électriques, où commençaient les voies de la transhumance. À partir de là, comme dans l'*Aut-aut* de Kierkegaard, il fallait choisir entre continuer à pied ou continuer à cheval. Là commençait un monde de pierres, vierge et hostile, comme les Coyote Moutains dans le comté de Pima, Arizona. Une frontière dressée comme un mur, à pic sur le néant.

Mais ce néant aussi était habité : des parois calcaires, des ruisseaux cachés sous les fougères et les mousses, des edelweiss blancs perchés au bord des crevasses. C'était le monde auquel le cerf appartenait par nature, et auquel Andrea voulait appartenir.

Il se gara à l'entrée du village, en face d'un petit hôtel familial. Les autres arrivèrent peu après. Quand ils descendirent de voiture, le silence les fit frissonner.

« Pourquoi à Piedicavallo ? »

Andrea ne répondit pas.

Il y avait une fontaine à quelques mètres – le bruit de l'eau blessait la surface de la nuit –, et derrière commençait un sentier qui grimpait le long d'une crête de petits hêtres et de châtaigniers.

« Par là », dit Andrea, en désignant la fente dans l'obscurité.

Autour d'eux, le village dormait comme un amas de tombes.

Sebastiano et Luca ouvrirent le coffre et écartèrent la bâche. Il s'en échappa une puanteur insupportable d'excréments, de gibier et de mort. Ils attrapèrent le cerf par les pattes et s'aperçurent qu'il était froid, et raide.

Et qu'il était impossible de seulement le bouger.

« T'es dingue, dit Luca, viens voir combien il pèse. »

Andrea s'approcha de l'animal. Il le vit étrangement immobile dans le cône de lumière d'un réverbère. L'œil était devenu sec et gris comme du verre sale, la suspension du temps avait figé son museau glacé et oblong dans une expression définitive de stupeur. Mais il y avait encore quelque chose de doux dans la mâchoire à peine ouverte, les narines larges et sombres. Qui lui donnait une beauté inexplicable.

Il plia les genoux, glissa les deux bras sous le ventre abîmé du cerf, sentit le pelage rêche, le sang caillé, et dit : « Vous tirez par les pattes, et moi j'essaie de soulever. »

Toute la violence qu'ils avaient exprimée le dimanche soir avait quitté leurs mains. La mort demandait le respect, et la peur. Le froid et le poids de ce corps l'exigeaient. Ils tentèrent de le soulever d'abord avec délicatesse, dans un silence quasi religieux, mais c'était un effort gigantesque, une fatigue immense qui les fit tout de suite crier et lâcher bruyamment leur souffle.

Rien que pour le sortir du coffre, à trois, ils durent faire appel à tout ce qu'ils avaient de force. Le cerf tomba au sol comme une pierre. Comme si la mort, au lieu de lui ôter l'existence, l'avait augmentée démesurément.

Sebastiano s'assit sur le trottoir : « Et tu penses tirer Kadhafi jusque là-haut ? fit-il, haletant, en désignant le sentier. Moi j'ai pas envie de mourir d'un infarctus.

– Je veux l'enterrer, dit Andrea, et je veux l'enterrer ici. »

Il le disait comme si c'était une affaire personnelle. Et ça l'était.

Luca hocha la tête, attrapa l'animal par les bois : « Bon, on y va parce qu'à sept heures je dois être au boulot. »

Ils parcoururent les quelques mètres qui les séparaient de la fontaine en un quart d'heure, devinrent pâles, puis violets. Ils essayaient de faire le moins de bruit possible pour n'alerter personne, mais de temps en temps laissaient échapper un juron.

Au moment de remonter le sentier muletier, Sebastiano lâcha la carcasse avec rage : « Va te faire foutre, Kadhafi, toi et toute ta race ! »

Andrea était épuisé, trempé, écarlate mais il ne voulait pas se rendre : « Allez, grogna-t-il, aidez-moi !

– Tu vois pas comme il est raide ? Réfléchis, un peu. »

Mais Andrea ne réfléchissait pas, il n'en avait pas l'intention.

Il leur fallut reprendre la charogne et la traîner, dans la montée, en heurtant les branches basses des arbres. Ils pénétrèrent dans les bois. On ne voyait rien. C'était une fatigue insensée, et ils jurèrent tant qu'ils purent. Ils mirent plus d'une heure et demie pour monter cent, deux cents mètres peut-être, avec ce bloc de pierre qui, même mort, leur opposait résistance et s'accrochait par sa ramure aux rochers.

Ils arrivèrent enfin au pied d'un grand hêtre. Andrea dit que là c'était bien, et ils s'écroulèrent tous les trois au sol, trempés de sueur, pour reprendre leur souffle. Ils n'avaient ni pelles ni pioches. Tout ce qu'ils pouvaient faire, c'était accumuler du feuillage, des branches et des cailloux sur le corps de la bête. La hêtraie était sombre, à peine éclairée par la lumière ténue des étoiles. Par moments, quelque chose traversait la feuillée, ou bien c'était le vent.

Quand ils eurent fini, c'était presque l'aube. « Adieu Kadhafi, dit Sebastiano, tu m'as cassé la bagnole, les bras et les couilles… Mais à présent repose en paix et pardonne-nous si on t'a tué. »

Pendant que les autres fumaient, Andrea se pencha au-dessus de la pente pour regarder le village où Marina habitait.

Il essaya de deviner sous quel toit elle dormait. Les maisons étaient barricadées, les potagers en friche. Il n'avait pas besoin de la chercher. Pas besoin de se souvenir d'elle, de l'imaginer, la toucher. Il lui suffisait d'exister dans le même lieu. D'être là où elle était. Le plus près possible. Le plus silencieusement possible. Il restait encore neuf heures, seulement neuf.

Et il lui apportait ce cerf en sacrifice. Pour elle. Comme les chats quand ils reviennent de la chasse avec un lézard dans la gueule et qu'ils le déposent à vos pieds.

On entendit un coq chanter dans une ferme, le froissement des feuilles qui commençaient à jaunir et se dessécher. Le cerf reposait sous un monticule de branchages, sans croix, comme un soldat inconnu.

8

Le jour de l'incendie

Mercredi, à trois heures de l'après-midi, la chaîne alpine tout entière resplendissait de blanc et argent.

Le Mucrone, le Barone, les cimes jumelles des Mologne et le Bo, le plus majestueux, se dressaient, sculptés par la lumière. Le soleil les taillait, les festonnait. Un amas de nuages porté par le vent projetait d'une paroi à l'autre des ombres mobiles et incertaines sur les creux noirs, les anfractuosités plantées de sapins. Elles surplombaient, raides comme une famille de pierre, les vies pareillement silencieuses qui demeuraient en bas, prises dans les plis inaccessibles de la vallée.

Paola, assise au comptoir du Sirena, tenait entre ses mains le portable que sa fille lui avait offert, et ses yeux étaient emplis de larmes. Le Giangi l'observait sans rien dire, la regardait comme si elle était la créature la plus fragile de la terre.

À Andorno toujours, à quelques rues de là, enfermé dans son cabinet en ronce de noyer, maître Caucino se torturait à l'idée que son fils – pas celui qui était doué, l'autre – puisse vraiment se livrer à une action criminelle ; et sa femme, à l'étage en dessous, se demandait la même chose en versant les ingrédients de la crème pâtissière dans le récipient du Thermomix.

Au fond de la vallée, devant la grille de l'école primaire San Paolo, Sebastiano se tenait immobile, avec l'expression mélancolique qu'ont parfois les maniaques ou les fous. Il observait de loin, à travers les barreaux, un groupe d'élèves en blouse bleue qui jouaient au ballon sur le terrain de l'école : dans ce groupe, il y avait Mathias. Le filet des buts bougeait dans la brise légère, le ballon frappait la traverse. Les cris des enfants restaient longtemps dans l'air, portaient loin. Et il voulait l'appeler mais la voix mourait dans sa gorge.

Luca était couché sous le ventre d'une Polo, dans un garage entre Oneglie et Sagliano. Concentré sur le démontage d'un pot d'échappement, le casque sur les oreilles pour ne pas entendre brailler son collègue, il écoutait le dernier album des Lagwagon.

Un peu plus haut, à Piedicavallo, Elsa s'était installée dans le jardin entre deux buissons d'hortensias, dans la dernière tiédeur estivale de la saison. Assise sur un banc comme les vieilles femmes de la vallée, elle était recueillie sur ses pensées. De temps en temps, ouvrant le livre à la page 11, elle lisait : *Il n'est rien qu'il vaille d'évoquer / Rien qu'il soit utile d'enseigner.* Les mêmes deux vers de cette même poésie répétés à l'infini pendant des heures, sous le ciel infiniment haut et lointain.

Dans un tripot clandestin un peu après Carisio – une salle fumeurs qui n'avait rien à voir avec Monte-Carlo –, Raimondo Bellezza pariait une colonne de jetons sur le numéro 36, et l'avançait précautionneusement sur le tapis vert, pendant que Nadia était retournée à l'hôtel dormir, après vingt-quatre heures ininterrompues de jeu.

Chacun se tenait en silence, dans son petit coin de monde. Parce qu'il n'y avait rien à ajouter, rien à répondre à la vie qu'ils étaient en train de vivre.

À Pavignano, Marina soulevait un balancier dans le gymnase Pettinengo Gym, en fixant son image reflétée dans le miroir : les adducteurs contractés, le poids réparti sur les épaules, la puissance que dégageait son corps dans l'effort pour garder l'équilibre, d'abord en appui sur un genou, puis sur l'autre ; sauf qu'en ce moment elle n'était ni contente ni satisfaite d'elle-même. Elle était encore là, enfermée dans un hangar de province, au milieu d'appareils de musculation antiques, sans public, sans projecteurs.

Et à des hauteurs bien différentes, sur l'esplanade ensoleillée de la Burcina, Andrea l'attendait en vain, le cœur battant, en s'accrochant du regard aux sommets du Mucrone, du Barone, des Mologne et du Bo. Il se répétait la liste de ces noms qu'enfant son grand-père lui avait fait apprendre par cœur en les lui indiquant de la main, se les récitait comme une rengaine. Et il leur demandait de la faire revenir, de la lui rendre au moins aujourd'hui, même pour une heure.

De l'autre côté de l'océan, en Arizona, il était six heures du matin et le soleil restait caché à l'orient, par-delà les témoins de l'érosion et du désert.

Il se demandait comment elle pouvait lui faire un coup pareil. Il s'était rasé, il avait repassé son jean et sa chemise. Cette nuit, il n'avait pas dormi, et toute la matinée s'était montré incapable de trouver dans les rayons les livres qu'on lui demandait.

Plus de vingt minutes s'étaient écoulées ; c'était clair, elle ne viendrait plus. La lumière dessinait autour de lui des à-plats lumineux, parois de roche calcaire ou moraines glaciaires qui avaient mis des milliers d'années à se former. Et il était là, dans cet instant fragile, debout devant la grille du parc, le regard planté sur la route déserte, à transpirer, à vérifier l'heure, à sentir dans son sang monter la colère, sans pour autant se décider à partir.

Il aurait dû le faire : monter dans sa voiture et ne plus y penser. Comme pendant ces trois dernières années ; à l'époque il avait survécu, et il survivrait maintenant aussi. Avec d'autres femmes qu'il mettrait dans son lit, juste l'instinct, ou la vengeance, et qu'il ne rappellerait jamais. Peut-être même qu'il braquerait une poste, une de ces petites agences restées ouvertes au-dessus du Sessera ou du Mosso. Plus rien à perdre, de toute façon. Il s'était fait des illusions, comme un imbécile.

Andrea arrangeait son col de chemise, la boucle de sa ceinture. En 2009, il n'avait pas accepté qu'elle le quitte. Il avait cessé d'étudier, de rédiger sa thèse, et pris un travail qui ne lui convenait pas. Il ne répondait plus aux mails de son frère, qu'il effaçait parfois sans les ouvrir. Il était parti de la maison pour vivre seul dans une mansarde digne de *Crime et châtiment*. Il avait détruit sa vie, mais il n'avait pas baissé les armes.

C'était un homme de la vallée. Un de ceux qui peuvent rester des années dans le silence, la solitude la plus complète, et s'y entêter, obsédés par une même pensée, tête penchée et regard immobile, telle une montagne.

Et il aurait pu continuer ainsi toujours, il en avait la force.

Sa Punto était garée de travers dans le parking vide. Il était trois heures vingt-cinq. Pourquoi l'attendait-il encore, accroché à cet infime espoir qu'une voiture allait jaillir soudain de ce virage et qu'au volant ce serait elle ? Parce qu'il lui avait été fidèle.

Chaque fichue journée il s'était imaginé qu'il la rencontrait, l'attrapait par le bras et lui disait : *Maintenant tu viens avec moi, tu prends toutes tes affaires, vite. Et sache que là où nous allons tu n'auras besoin de rien.*

Elle était la seule qui aurait pu le suivre dans cette aventure, la seule avec qui il voulait la partager. Il était convaincu que sous toutes ses faiblesses et ses rêves à deux balles se cachait en réalité une femme dure, capable de tenir une maison, élever des enfants, se lever à l'aube et se coucher à sept heures du soir dans une chambre sans chauffage, serrée contre lui, respirant à côté de lui, lui demandant de la mettre de nouveau enceinte.

Il allait trouver l'argent. Se rebeller, même seul. Il était capable de rester du matin au soir, de mai à septembre, sans parler avec personne, fixant le ciel sans limites au-dessus du Monte Cucco. Sans portable, sans télévision. Il le ferait, il y arriverait, c'était sûr. Mais comment vivre ainsi sans une femme ? Et il ne voulait pas n'importe quelle femme, il voulait Marina. Juste Marina.

Monte dans ta bagnole et tire-toi, se disait-il.

Mais il restait là sans bouger.

Marina se coucha sur le banc et commença à fléchir les jambes et contracter les abdominaux. Un, deux, trois, jusqu'à vingt fois. Elle avait l'air tranquille. Elle se reposa un instant et attaqua la deuxième série.

La salle de sport, à cette heure-là, était presque vide. De temps en temps quelqu'un passait près d'elle, un culturiste d'âge mûr ou un garçon de son âge, maigre avec un T-shirt Metallica. Ils hasardaient un compliment, cherchaient à lier conversation. Mais elle restait dans sa coquille, à compter en silence jusqu'à vingt, occupée à terminer la troisième série ; ne pas penser qu'on était mercredi.

Elle leva les yeux vers l'horloge au mur : trois heures vingt-cinq. Elle se dirigea vers la presse. Étendit sa serviette sur le siège. Positionna la tige sur soixante kilos et remit en place une mèche de cheveux. C'était une question de cohérence, voilà. Les décisions, il faut les respecter. Les engagements, on va jusqu'au bout. C'est ainsi qu'on gagne les guerres : avec constance, et sacrifice. Le miroir qui montait jusqu'au plafond lui renvoyait l'exacte mesure de sa solitude.

Elle fixait les disques de dix kilos empilés les uns sur les autres, mais ne s'asseyait pas, ne commençait pas l'exercice. Le prof de gym lui avait dit un jour : « Tu aimes trop la compétition, Bellezza, tu ne dois pas vaincre à tout prix. » Mais si, elle devait. Du coin de l'œil, elle voyait sa propre image reflétée dans le miroir, puis l'aiguille des secondes qui faisait son tour. Ça prenait du temps et le temps passait. Trois heures vingt-six.

Elle s'assit et commença la série. Souleva le poids en contractant les muscles des jambes. Le redescendit. Une, deux, trois fois, en faisant attention à bien respirer avec le diaphragme, à ne pas forcer sur le dos. Il était essentiel, non d'être meilleure que les autres, mais d'être plus belle. Et surtout plus forte.

Et plus elle faisait d'efforts, plus elle s'obligeait à ne penser qu'à l'exercice, au concert du 6 octobre, à remporter le trophée puis partir, plus elle sentait qu'elle n'y arrivait pas, que c'était trop lourd, qu'Andrea peut-être allait repartir. Alors elle se répétait : Assez, Marina, concentre-toi. Et le contrôle de ses muscles lui échappait, sa pensée lui échappait. Andrea se penchait sur elle comme la première fois, à Oropa, tendait la main pour actionner la fermeture centralisée des portières et lui disait doucement : « Je te jure que jamais je ne te ferai de mal. »

À la quatrième poussée, elle n'en pouvait plus et le poids retomba dans un grand fracas. Va te faire foutre, se dit-elle. Elle attrapa sa serviette et se mit à courir.

Elle entra dans les vestiaires comme un ouragan. Deux femmes se rhabillaient. Marina passa entre elles et les heurta, ôta ses vêtements qu'elle laissa tomber par terre. Se glissa dans la douche. Ouvrit l'eau, se lava à toute vitesse, comme un chat.

À quinze heures trente c'était déjà en soi une entreprise désespérée. Elle s'essuya à la vitesse de la lumière, ses cheveux mouillés lui dégoulinaient dans le dos. Sûr, il était parti maintenant, et il ne voudrait plus jamais la revoir. Et elle n'avait même pas son numéro pour… Pour quoi ? L'appeler ? Lui dire : Attends-moi, je t'en supplie ? Elle s'arrêta, nue au milieu du vestiaire. Putain Marina, mais qu'est-ce que tu fais ?

Elle enfila la robe-fourreau qu'elle avait apportée au cas où – pourquoi tu l'as apportée, hein ? – mais ne mit pas son soutien-gorge. Chercha sa culotte et ses bas. Enfila ses chaussures à talons et roula en boule le reste de ses affaires dans son sac. Quinze heures trente-cinq. Elle se maquilla, avec le rouge à lèvres qui bavait, le crayon noir approximatif sur les yeux. Elle se tartina les cils de rimmel, son sac et sa veste déjà sur les épaules.

Il était trop tard. Jamais il ne l'aurait attendue si longtemps. Alors, pourquoi courait-elle si vite alors qu'elle avait décidé tout le contraire ? Elle s'était promis et juré que non, elle ne céderait pas, pour aucune raison.

Elle sortit du gymnase les joues en feu, faillit perdre une chaussure, son sac dont la bandoulière glissait. Elle monta dans sa voiture, enclencha la marche arrière, heurta le pare-chocs de la voiture garée derrière. Elle se lança sur la départementale sans même attacher sa ceinture, continuant à se répéter tout haut : Putain Marina, mais qu'est-ce que tu fais ? Elle faillit tamponner une camionnette qui s'arrêtait au feu, se déporta pour l'éviter et passa au rouge.

C'était une garce. La plus belle garce, gâtée, immature, égoïste et égocentrique qu'il ait jamais rencontrée. Qu'est-ce qu'elle allait faire maintenant ? Se vendre à cette télé pourrie, montrer son cul partout ? C'était pour ça qu'elle lui avait posé un lapin ? Andrea était furieux.

Comment elle s'appelait, déjà, cette émission, *Cenerentola* quoi ? Il repensa à la façon dont elle était attifée le soir de la fête de Camandona, sur cette scène de série Z, pour jouer les Britney Spears du Biellois. Elle ne voyait donc pas dans quel monde ils vivaient ? Que tout était fini ? Que les gens revenaient vivre dans les montagnes parce qu'ils n'avaient plus de fric, que l'essence était hors de prix ? Elle ne lisait donc pas les journaux, ne voyait pas les pancartes *Liquidation totale* ? Il fallait mettre le feu. Faire la révolution. Qui sait par combien de types elle s'était fait sauter, cette pute.

Elle ne s'était pas arrangée, c'était sûr. Elle était devenue la énième bimbo ridicule de ce pays mort. Ça lui donnait envie de gerber, rien que d'y penser. Mais c'était sa faute à lui. C'était lui qui avait bâti autour d'elle une légende, qui avait fait d'elle, dans sa tête, pendant ces trois années, ce qu'elle n'était pas. Il était vert de rage. Il la détestait. Comment avait-il pu croire qu'au fond, elle aussi l'attendait ?

Le parc s'étendait sur soixante hectares à travers toute la colline. C'était un lieu magnifique et secret, un lieu pour les enfants, où ils étaient allés plusieurs fois tous les deux avec l'école, et il l'avait choisi pour ça. Mais Marina ne méritait pas un lieu d'une telle pureté, elle ne méritait rien. La lumière, au lieu de baisser et décliner, continuait d'incendier les silhouettes des chênes séculaires, des hêtres rouges, des bouleaux qui bruissaient dans le vent, en cet après-midi de fin d'été, le dernier avant que le froid n'arrive.

Il était quinze heures quarante-cinq, et Andrea décida que ça suffisait. Il se dirigea vers sa voiture, sombre à faire peur. Jamais il ne l'avait autant détestée. Elle méritait de finir comme ça : à se prendre elle-même en photo, à demi nue, pour la publier ensuite sur Facebook, imiter Rihanna, piapiater comme une starlette dans les télévisions de province. À combien de types avait-elle dit oui ? En y pensant, il avait envie de vomir, et donc il y pensait – juste pour se faire mal. Se jurant que plus jamais, même une fois, il ne prononcerait son nom.

Il sortit de sa poche les clés de la Punto, ouvrit la portière. Cette chemise ridicule qu'il avait mise, ce jean Calvin Klein que sa mère lui avait offert pour Noël il y avait deux ans et qu'il n'avait encore jamais porté.

Je te jure que c'est fini, se dit-il, je te jure que t'es grillée.

Il monta dans la Punto, tourna la clé de contact et entendit alors le bruit d'une voiture qui arrivait à toute allure sur le parking. Il leva les yeux. Ses jambes tremblaient. Les pneus d'une Peugeot 206 cabriolet verte hurlaient sur les chevrons en ciment. Il la vit foncer sur lui, si vite qu'elle aurait pu lui rentrer dedans. Mais elle freina avant.

Les roues dérapèrent sur quelques mètres. Derrière le pare-brise son profil apparut, flouté par la lumière intense.

Marina descendit de voiture. Elle portait une robe-fourreau serrée, un peu relevée sur les cuisses, et on voyait la dentelle du haut de ses bas. Hâtivement maquillée, les cheveux mouillés, elle s'était arrêtée à la hauteur du capot de sa Peugeot, debout. L'expression sévère et le regard plein de défi.

Une garce. Andrea avait maintenant les jambes, les mains, le cœur qui tremblaient.

Marina ne bougeait pas. Elle restait plantée, à cinq ou six mètres de lui, et le fixait sans rien dire. Andrea était incapable de quoi que ce soit, sauf de rester assis, enfermé dans sa voiture. Il lui rendait son regard, plein de rancune.

Quarante-cinq minutes de retard, c'était trop. Il était presque sûr de ce qu'il devait faire. Démarrer et partir. Au lieu de cela, il ouvrit la portière.

Il fit quelques pas, et à son tour s'arrêta.

Ils ne s'étaient pas vus, pas parlé, pas touchés depuis trois ans.

Et ils étaient là, debout face à face au milieu d'un parking vide, leurs autos garées en travers, et autour d'eux des pâturages, des vols d'oiseaux, des sapins, et des montagnes si hautes qu'elles découpaient le ciel.

Elle avait changé, ça se voyait. Jamais elle ne se serait habillée comme ça avant. Les cheveux collés aux joues, elle s'obstinait dans son silence. Elle l'avait trompé, sûrement. Andrea, pour ça, l'aurait tuée. Il aurait été incapable de le faire, mais la pensée l'effleura. Elle avait le pouvoir de lui tirer des tripes une violence inouïe.

Mais elle n'en valait pas la peine. Va-t'en, va faire ton *Cenerentola Rock*.

Andrea ne dit pas un mot. Il la fixa bien en face, féroce. Puis fit demi-tour, posa la main sur la poignée, fit le geste d'ouvrir la portière pour partir. Marina n'avait pas bougé d'un centimètre.

Elle était venue. À la fin, elle était venue. Andrea ouvrit la portière, fit comme s'il allait monter. Mais au lieu de monter referma le battant avec force.

Il marcha vers elle, vite, courant presque. Elle, immobile. Se contentant d'exercer son pouvoir, comme les blocs de granit de la vallée. Il était maintenant si près qu'il aurait pu lui faire ce qu'il voulait. Cette fine bande de tissu qu'elle portait laissait entrevoir chacune des courbes de son corps.

Il n'y a rien qu'il vaille la peine d'évoquer / Rien qu'il soit utile d'enseigner. Les vers de Mandelstam passèrent par sa tête à ce moment-là, en même temps que des millions d'autres pensées perdues et gratuites, comme on dit qu'il en passe dans la tête des gens qui se jettent du pont de la Pistolesa. Il lui attrapa le bras, serra à lui faire mal.

Marina ne protesta pas. Elle le regardait maintenant presque avec indulgence, comme un gamin entêté. Puis les traits de son visage se détendirent, et elle sourit, à sa façon candide et terrible. Ses yeux si limpides qu'ils reflétaient parfaitement le monde alentour.

Il l'enferma entre ses bras. La sentit s'accrocher à lui. Alors il chercha sa bouche. Il l'embrassa avec toute la rage qui le possédait. La répétition, mais plus immature encore et plus affamée de ce premier baiser, il y avait neuf ans, dans la cuvette enneigée du Prato delle Oche, quand ils n'étaient que deux gamins inconscients.

Maintenant, ils étaient adultes.

Il souleva sa robe, remonta le long de sa colonne vertébrale sans cesser de l'embrasser. Aucun autre lieu n'existait, aucun autre corps. Il aurait pu aussi bien pleurer. Lui dire des choses très vraies, qu'il aurait peut-être regrettées ensuite, s'il avait su se servir de la voix et des mots qu'il lisait dans les livres. Mais la vie, c'est autre chose.

Il la sentait respirer dans sa bouche, les mains agrippées à sa nuque, et il lui en était profondément reconnaissant à ce moment-là, excité et vaincu. Puis elle se détacha de ses lèvres, lui caressa la joue avec la délicatesse et l'étonnement d'une mère qui regarde son enfant. Et l'éloigna d'un geste malicieux de la main.

« T'as pensé quoi l'autre soir quand tu m'as entendue chanter ? demanda-t-elle en éclatant de rire. J'ai été bonne, hein ? Dis la vérité. »

Elle s'écarta de lui. Se laissa regarder quelques instants, à moitié nue dans la lumière de septembre. Puis remonta au-dessus de son genou un bas qui avait glissé.

Cet éloignement lui fit mal.

Mais le pire, en fait, ce fut cette question.

Il sentit derrière ses oreilles une chaleur qui brûlait si fort que sa vue se brouilla et qu'il crut même vaciller. Cela lui arrivait quand le désir était stoppé brutalement, ou quand il remontait de l'eau trop vite après un plongeon en piqué. Une sensation qu'il avait éprouvée des milliers de fois. Le terme exact, c'était *frustration*. Remonter à la surface, dans les courants glacés du Cervo, avait toujours été perturbant pour lui, quand il était enfant. Une partie de lui aurait voulu rester en apnée à jamais.

Marina arrangeait sa robe. Très calme. Avec une lenteur presque cruelle et une volonté infantile de s'exhiber qui le blessaient au cœur et le déconcertaient en même temps. Quel besoin y avait-il de s'attarder à ce point sur un bout de dentelle ou un lacet de chaussure ? Des chaussures affreuses, grêlées de brillants à quatre sous, tellement voyantes qu'elles en étaient attendrissantes. Ces trucs *made in China*, qui embarrassaient sa mère rien qu'à les voir sur les étals du marché. À cause de cela, il les avait toujours trouvées belles, belles dans leur misère. Comme maintenant.

« Je me suis dit que *Dreams*, c'était moi qui te l'avais fait découvrir, la première fois », dit Andrea en déglutissant.

Marina se pencha sur le rétroviseur extérieur de sa voiture et nettoya son menton taché de rouge à lèvres.

« Ah oui ? dit-elle. Je me rappelle pas. »

Ses cheveux n'étaient pas tout à fait secs, son rimmel coulait, et ses paroles détruisaient tout.

« J'ai mal au genou, fit-elle en se massant la jambe. Je crois que j'ai exagéré à l'entraînement. »

Les paroles prononcées, pensa Andrea, ne sont jamais comme celles qui demeurent à l'état de pure intention, dans la tête. Comme si, une fois réelles, partagées avec les autres, elles s'appauvrissaient jusqu'à ne plus rien signifier du tout.

« Tu ne m'as toujours pas dit ce que tu en as pensé », dit-elle en souriant. Elle finissait de se maquiller, comme dans certains films américains où les héroïnes sont belles, fuyantes et distraites par des occupations inutiles. « Tu ne m'as pas dit si j'étais bien ou pas... »

Savoir si elle était bien. La seule chose qui importait vraiment, pour elle.

À ce moment-là, Andrea comprit ce qui lui brûlait les tempes, et plus loin, la nuque, les reins. Impossible de ne pas comprendre.

C'était un souvenir. Juin 2006.

Le petit palais des sports. Le spectacle de fin d'année.

Il y avait aussi Ermanno, cet après-midi-là, assis dans la tribune opposée. Il sortait avec une championne de gymnastique rythmique à l'époque. Tous les jeunes de Biella étaient dans ces tribunes, mais aussi ceux des villages et des vallées alentour, parce que toutes les filles possibles et imaginables de quatorze à dix-neuf ans étaient présentes, et qu'il était rare de les voir aussi euphoriques et peu vêtues.

Ça commençait toujours par la rythmique, avec une demi-heure de retard.

Des tas de parents comprimés les uns sur les autres criaient le nom des gamines et agitaient dans la mêlée des banderoles de soutien : *Allez Marta ; Occhieppo avec toi ; Lucia 4ever.*

Andrea était sorti à un moment pour fumer, avant même le discours de l'adjoint à la jeunesse et aux sports. À l'extérieur, il avait rencontré quelques copains, des types d'Andorno qui se retrouvaient au Sirena pour jouer aux cartes, encore galvanisés par le but d'Inzaghi à la quatre-vingt-septième minute la veille.

Italie-République tchèque, 2 à 0 : il se rappelait encore le score parce que c'était le dernier match qu'il avait pu regarder avec son grand-père, assis près de lui sur son lit, avant que son état n'empire et qu'on ne l'emmène de toute urgence à l'hôpital. Mais il n'avait pas envie de se rappeler ça.

Il n'était pas resté discuter avec eux, surtout de foot. Il fumait, seul, en fait. Il attendait. Revenait de temps en temps voir où on en était : c'étaient les cours de danse, maintenant. Classique, jazz, hip-hop. Une sorte de grand rite collectif, le rendez-vous annuel des citoyens, au même endroit, plus ou moins le même premier jour de l'été, pour célébrer la jeunesse féminine, ses vertus, sa beauté.

Il était un des rares à avoir fini le lycée, et pour cette raison n'était pas à son aise. La copine d'Ermanno avait deux ans de moins que lui, elle était déjà venue chez eux, avait été présentée dans les règles à la famille, et sa mère avait chaleureusement approuvé. Marina, elle, avait seize ans, et il était formellement interdit de prononcer son nom.

Mais c'était pour elle qu'il était là. Et il supportait ce rituel sans gloire qui, selon lui, poussait sournoisement les filles à se lancer dans une compétition absurde, pour gagner ensuite les parents et les diverses associations sportives, toujours prêtes à recruter de nouveaux adhérents. Il avait déjà assisté à des scènes hystériques de mères mécontentes que leur fille soit au troisième rang et non au premier, ou d'adolescents furieux que leur copine ait été photographiée sans eux.

Marina était parfaitement à l'aise dans ce genre de situation. La compétition, elle adorait. Elle se produisait toujours à la fin, dans la section chant. Et cette année-là c'était elle, pour la première fois, qui clôturerait la manifestation en chantant *My Heart Will Go On*.

Elle était si excitée qu'elle n'en dormait plus depuis une semaine. On aurait dit que le monde entier, la rotation de la planète sur son axe, les destins des nations et le bonheur de tous les citoyens ne dépendaient que de cette chanson, et de la façon dont elle allait l'interpréter.

Andrea aussi était nerveux ce jour-là. Agité comme s'il devait chanter lui-même, et ça l'énervait. De se sentir contaminé par les angoisses d'une fille de seize ans, et de fumer cigarette sur cigarette. Il ne cessait d'entrer et sortir, de jouer des coudes dans la foule, et ces gens ainsi entassés lui donnaient une sensation de vertige et d'étourdissement.

Marina voulait triompher ce 23 juin 2006. Prouver à tous qu'elle était la meilleure : meilleure que la fille du préfet ou que la fille du notaire, et celles des industriels du coin. Être la meilleure en paroles et en vrai, devant le maire et tout le conseil municipal. Et surtout, elle voulait que son père soit là.

Elle avait chargé Andrea de cette mission : descendre dans les vestiaires et l'avertir dès qu'il arriverait. Et ça lui cassait les pieds, à Andrea. Il se sentait utilisé, stressé, mal à l'aise comme rarement. Et le père de Marina n'arrivait pas. Les minutes passaient, les demi-heures, et toujours rien. Andrea faisait des allées et venues dans les gradins, un œil sur le siège vide à côté de la mère de Marina, un autre sur l'entrée fourmillant de gamins qui pleuraient ou s'étaient fait pipi dessus, de papys qui ne tenaient pas debout, d'ados qui chantaient Popopopopopoopo et se bagarraient pour savoir si Iaquinta était meilleur qu'Inzaghi ou pas.

Mais de Raimondo Bellezza pas l'ombre.

Puis Marina avait chanté, au milieu d'une obscurité ouatée qui la protégeait du public et de ce siège vide. Et elle avait chanté divinement, comme elle seule savait, comme si elle était née pour ça, pour le centre lumineux de la scène. Elle ne s'était pas trompée sur les notes, juste un peu la prononciation ici ou là. Mais ça n'avait pas d'importance, personne ne pouvait s'en apercevoir. Elle était si infiniment belle qu'elle faisait taire les nouveau-nés dans leurs landaus et les mamans, envieuses, des autres gamines, et ce salaud de maire qui, pour la petite histoire, était justement maître Caucino.

Andrea, à la fin, avait la nausée : de cette chanson et du reste. Et quand il était descendu dans les vestiaires et l'avait trouvée au milieu de cette marée d'adolescentes déchaînées, Marina était la plus déchaînée de toutes, avec son collant turquoise, son soutien-gorge rembourré et son visage constellé de paillettes. La première chose qu'elle lui avait dite, presque agressive, c'était : « Comment j'ai chanté ? J'ai bien chanté, hein ? » Pas un baiser, pas un merci, et même pas un regard en face.

Elle continuait à répéter : « Il était là, mon père ? T'es sûr, il était là ? » Mais il n'était pas venu, ce salaud, ce fils de pute, si sympathique en paroles mais ça s'arrêtait là… Et son grand-père à lui, à l'hôpital en train de mourir.

Alors Andrea avait craqué. Submergé de bile et de honte, il avait perdu patience. Il était parti sans lui répondre, la laissant hurler au milieu des autres : « J'étais bien, hein ? J'étais bien ? Et mon père il est venu, hein ? Hein qu'il a applaudi ? »

Aujourd'hui, après six années, avec un retard coupable et lâche, dans le parking vide de la Burcina, à leur premier rendez-vous d'adultes, après qu'ils s'étaient aimés, haïs et quittés tant de fois qu'on en perdait le compte, et après trente-six mois de silence, Andrea se rappela ce jour et éprouva le besoin de réparer.

« Tu as chanté divinement », dit-il.

Et, comme la gamine d'autrefois, elle s'éclaira.

Visiblement plus âgée, changée, avec cette robe et ces chaussures tape-à-l'œil, elle parvenait à être comme elle avait toujours été.

Elle ne dit rien, se contenta d'acquiescer, comme pour se confirmer à elle-même que oui, elle avait vraiment été bien.

Puis elle se tourna vers l'entrée du parc et marcha dans cette direction d'une manière comique, ses talons s'enfonçant dans la terre entre les dalles de ciment. Andrea mit ses clés de voiture dans sa poche et la suivit calmement. Il alluma une cigarette et la regarda avancer sur ces échasses, le dos à moitié dénudé, la robe froissée, comme une fille qui rentre à l'aube d'une soirée triste en boîte. Il la vit enlever enfin ses chaussures et continuer pieds nus, sans se retourner, sans l'attendre.

En silence ils franchirent la grille.

9

« Ma fille ? Nooon, ma fille c'est autre chose… n'en parlons pas. Là, elle fait cette émission sur une chaîne numérique, tu sais, ces trucs qui marchent du tonnerre. Ça n'est plus comme il y a dix ans, maintenant. Les gens *normaux* n'ont plus une lire même pour pleurer, ils ne peuvent plus sortir le soir, aller s'amuser… Alors qu'est-ce qu'ils font ? Ils regardent la télévision ! » Il avait dit ça comme s'il venait de résoudre la grille des mots croisés. « C'est un peu comme pour nous, il faut donner aux gens ce qu'ils veulent : une illusion, un espoir. » Son interlocuteur transpirait sur la chaise en face. « La télévision, c'est l'avenir, je te le dis, moi. Encore plus aujourd'hui qu'avant. Et Marina elle l'a compris, parce qu'elle est intelligente, elle est mûre, pas comme les gamines de son âge. Moi, je suis toujours allé l'écouter chanter, depuis qu'elle est haute comme ça, tu vois », il fit un geste de la main à hauteur de table, « je l'ai toujours encouragée. Dès qu'elle a fait la publicité pour Aiazzone, et d'ailleurs je l'ai connu moi, le fils Aiazzone, personnellement. On était allés dîner, bon… peu importe. En tout cas, je suis toujours allé l'écouter chanter. J'ai été le premier à deviner qu'elle avait du potentiel. »

Ce n'étaient pas vraiment des mensonges. Il était convaincu de ce qu'il disait. Sauf qu'il y avait d'un côté sa vie, celle qu'il vivait réellement, et de l'autre la vie qu'il racontait, à lui-même et aux autres.

Derrière le comptoir du bar, le calendrier était resté au mois de juin de l'année précédente. Les clients portaient des chaussettes blanches en éponge dans des mocassins en cuir synthétique, des jeans et des pulls déformés, et se tournaient souvent vers ces deux messieurs distingués assis à une table, qui picoraient des cacahouètes, des olives et des chips, et qui en étaient à leur deuxième verre de Negroni, décoré d'une tranche d'orange sur le bord.

Ils avaient largué leurs bonnes femmes à l'outlet de Vicolungo, leur avaient donné un peu de cash pour qu'elles se défoulent dans ce faux village de boutiques construit du jour au lendemain en bordure d'autoroute. Ils avaient rendez-vous une demi-heure plus tard, dans le centre de Biandrate. Une commune de la province de Novare qui, au mois de septembre, flottait dans une brume liquide et collante infestée de moustiques.

« Tu sais, je me rappelle, moi. Ma grand-mère était des Pouilles. De Minervino Murge, elle avait émigré ici avec toute sa famille dans les années vingt. Et mon grand-père, qui était d'Andorno, il a été licencié séance tenante quand il l'a épousée. Pendant deux ans, personne ne lui a donné de travail, parce qu'il avait choisi une fille du Sud. Quant à mon père, laisse tomber. Lui, il a toujours travaillé comme un âne chez Lancia, dix jours par an il nous emmenait en vacances à Riccione, la pension Gisella, je m'en souviens encore... Une étoile. Une seule, putain ! Et chaque fois il était heureux comme un môme. On se mettait par terre sur nos serviettes, à la plage, avec un parasol qu'on amenait de la maison parce que c'était trop cher de louer une cabine. Je me le rappelle bien, tout ça. Mon père, il y croyait peut-être, mais pas moi, je t'assure. Je suis tout, sauf un imbécile.

Ma sœur a étudié, elle a fait l'école normale pour être institutrice. Elle habite à Rignano Flaminio maintenant, tu vois. Elle aussi, du moment qu'on lui touche pas son Ferragosto[1] à Cesenatico ou à Ostia Lido, pour elle tout va bien. Mais moi, mon cul. J'ai bien essayé de faire cette vie-là, au début, je me suis donné du mal... Et puis tu sais quoi ? Salut les gars, je leur ai dit. Avant il y avait Aiazzone, il y avait des usines, des night-clubs, y avait plein de fric qui circulait dans le Biellois, tu le sais mieux que moi... Et puis, je suis métis », il leva son verre de Negroni, en but une gorgée satisfaite, « je suis un bâtard, moi, dit-il en riant trop fort. Je lui ai expliqué tout de suite à ma fille : le monde, c'est comme le Far West, ma belle. Tu dois y aller et t'en tailler un morceau. Personne ne t'offrira jamais rien. Tu dois te jeter dans la mêlée, avec tes ongles et tes dents. »

L'homme devant lui ne buvait pas et ne parlait pas. Il faisait juste oui de la tête de temps en temps, et continuait à transpirer. Le monde se divise entre ceux qui parlent et ceux qui se taisent. Sauf que la raison est toujours du même côté. Et dans certains milieux, la raison c'est ce qu'on gagne, c'est le fric. Le fric que Raimondo avait dans son portefeuille bien gonflé, en évidence sur la table, et celui que Piero, lui, gardait caché dans son slip.

Le monde se divise entre ceux qu'on voit et les invisibles. La femme aux cheveux gris qui continuait à appuyer de manière compulsive sur les touches du vidéo poker sans jamais gagner était une invisible. Le Noir qui avait passé treize heures dans les champs et dépliait maintenant le billet de vingt euros représentant sa paie du jour pour demander un ticket de Gratta e Vinci au barman somnolent était un invisible. Personne ne s'apercevrait de leur présence.

1. Congés du 15 août.

Mais Raimondo et Piero, assis confortablement à cette table dans leurs costumes à rayures signés Armani, étaient visibles, eux, ça oui.

« Allons aux toilettes, dit Piero. Tu m'aides ? »

Il se leva, et Raimondo le suivit.

Ils poussèrent l'un après l'autre la porte déglinguée, sans se donner la peine d'être discrets. Parce qu'aucun de ces sous-payés, là-bas, ne parlerait ni ne voudrait même se rappeler leur visage.

Raimondo ferma la porte à clé. Piero enleva sa veste, puis sa chemise. Il ôta son tricot de peau devant la glace fixée au-dessus du lavabo. Sur son dos énorme apparut un dessin magnifique, soigné dans chacun de ses détails, où ressortaient les couleurs bleu, rouge et or.

Des épaules jusqu'au coccyx, sur chaque centimètre de peau, dans une attitude infiniment compatissante et compréhensive, la Madone noire d'Oropa regardait Raimondo avec des yeux emplis d'amour, dans les toilettes pour hommes de l'unique bar de Biandrate, un patelin dont bien peu de gens auraient entendu parler si son nom n'avait pas été celui d'une sortie de l'A4 Turin-Venise.

Piero continuait de se déshabiller, attentif à ne rien froisser.

« Quelle heure il est ?

– Cinq heures et quart. »

Il passait le pantalon puis la ceinture à Raimondo, qui gardait le tout suspendu sur son bras et faisait attention lui aussi à éviter les faux plis.

« Bon. On a encore le temps avant que le Coyote arrive. »

De l'élastique du slip de Piero dépassaient des liasses de billets, un couteau suisse et un pistolet d'alarme. Raimondo continuait de regarder l'image de la Madone tatouée dans son dos, comme un enfant de chœur débutant.

« Il faut faire un saut à Cerrione après, ce couillon du Zanzibar nous doit du fric, dit l'homme grand et fort comme un géant, qui se lavait les aisselles plié sur le lavabo. Toi aussi, passe-toi un petit coup, faut pas qu'on pue. D'ailleurs je sais même pas si on arrivera à dormir quelque part cette nuit. »

Raimondo ne quittait pas des yeux la croix que la Madone tenait avec grâce et l'enfant qu'elle levait haut, en guise de torche, comme la statue de la Liberté. Il ne lui venait même pas à l'esprit qu'ils en étaient réduits à se laver dans des chiottes publiques. Demain, ils dormiraient dans un hôtel de luxe, avec minibar et tout le reste. C'était comme ça, dans leur partie, un jour en haut de l'affiche, le lendemain plus bas que terre. Mais le fric a un prix, lui aussi. Il veut toujours quelque chose en échange : ton temps, ta fatigue, et surtout un bon morceau de ta conscience.

L'espace d'un instant, il repensa à sa femme. Il ne l'avait pas vue ni entendue depuis bientôt trois ans, mais il continuait à lui envoyer du fric, malgré ce qu'elle avait essayé de lui faire, malgré tout.

Il était quelqu'un de responsable, généreux. Mais ce genre de vie, ces dimanches de beau temps au bord du Sesia avec les moustiques, les fourmis et la glacière pleine de sandwiches et de Coca-Cola, la ligne qui reste immobile pendant des heures sans que jamais ça morde, et ta femme qui bronze dans une chaise achetée au supermarché et qui se plaint de la chaleur, et la gamine qui pleure toutes les cinq minutes parce qu'il y a des fourmis… C'est ça un dimanche, bon Dieu ? C'est ça le jour de congé pour lequel tu t'es tué au boulot les six autres jours de la semaine ? Non, lui, cette vie-là, il n'en voulait pas.

C'était pas faute, d'ailleurs, d'avoir essayé. Après que Paola l'avait coincé en se faisant mettre enceinte à seize ans, il avait pris ses responsabilités. Il s'était donné du mal. Sauf qu'après…

Et puis, ça n'était plus comme autrefois. Au lieu de travailler comme un esclave, tu passes ta retraite anticipée sur ton canapé. Et le dimanche, ce dimanche pourri sur le Sesia, même pas la peine d'y songer. À qui la faute, alors ?

Ta fille qui passe à la télé, c'est une chose qui te remplit d'orgueil. Une fille célèbre qui se retrouve dans les journaux, ça console presque de tout. Ça donne un sens à tes sacrifices. Et à ceux de ton père, et à ceux de ton grand-père, et plus en arrière encore jusqu'à la nuit des temps.

Piero avait fini de se laver. Il s'essuya avec un rouleau de papier hygiénique. Dès que les salles de poker seraient légales en Italie, tout changerait. Tout deviendrait plus facile, et propre. Parce que Raimondo y tenait, à ce que les choses soient propres, et Piero aussi y tenait.

Là, c'était juste un passage nécessaire. Le pistolet d'alarme, un petit prix à payer pour passer de l'autre côté de la barrière. Même la Madone le savait. Elle le comprenait, qu'il n'y avait pas d'autre chemin, et même si elle n'approuvait pas, elle était quand même compréhensive.

« Le 13 octobre ça commence, l'émission, dit Raimondo tout haut, sans cesser de fixer l'icône tatouée de la Vierge. Je veux la rater pour rien au monde. »

Pour bien faire, il aurait fallu qu'il aille au studio et qu'il se fasse réserver une place dans le public. Le 13 octobre, c'était quoi, un dimanche ? Non, un samedi… Et de toute façon le lendemain, l'hôtel serait un cinq étoiles, avec la télé haute définition et le minibar rempli de Coca-Cola et de mignonnettes de whisky, Nadia deviendrait folle en voyant ça.

« Comptons le fric, dit Piero, il faut que tout soit prêt quand le Coyote arrive. Le combat de chiens, comment ça s'est passé ?

– Bien. »

Raimondo desserra le nœud de sa cravate, se pencha sur le lavabo, ouvrit le robinet et s'aspergea le visage d'eau glacée, plus froide encore que celle du Sesia.

Les enfants c'est les enfants, ça se discute pas. Il était sûr de l'avoir emmenée, petite fille, au parc d'attractions de Gardaland et de l'avoir accompagnée aux bouts d'essai de la publicité Aiazzone. Sûr de n'avoir jamais raté un seul de ses spectacles de fin d'année. Mais en repensant à l'émission, maintenant, en regardant dans la glace son visage dégoulinant, indéniablement vieilli par rapport à ses belles années, il ajouta pour lui-même, en silence, en un instant de dure, douloureuse lucidité : Faudrait pas que je rate ça aussi.

Ils remontaient ensemble le sentier de gravier sur le dos de la colline.

La lumière commençait à se rassembler à l'occident, formant des canaux de lumière dans les amphithéâtres d'arbres et des puits de clarté à proximité des clairières, pendant que les silhouettes dentelées du Bo et du Cresto devenaient plus sombres. Marina s'arrêtait de temps en temps, étirait les muscles de ses jambes contre le tronc d'un hêtre, ou se suspendait à une branche basse et se laissait balancer.

« Tu fais quoi, maintenant ? »

Andrea s'efforça de rire.

« Bibliothécaire, admit-il en hésitant. À Andorno. »

Marina se tourna vers lui, amusée. « Tu rigoles ? »

Il la regardait. Lisait distraitement les noms en latin sur les écriteaux plantés au pied des plantes. *Parrotia persica, prunus autumnalis.* Puis il levait de nouveau les yeux vers elle, comme pour s'assurer que c'était réel.

Quand il pouvait la surprendre, sauvage et fragile comme en ce moment, avançant, incertaine et un peu enfantine, entre les grandes ombres penchées sur le sentier – des séquoias centenaires, le feuillage pointu des sapins géants –, c'était comme s'ils ne s'étaient jamais interrompus, qu'ils ne s'étaient jamais séparés, et Andrea parvenait même à ne pas avoir peur.

« Tu voulais pas être poète ? Ah non, philosophe… » Elle se moquait de lui. Elle avait toujours su se moquer des gens. « Qu'est-ce que tu voulais faire d'autre encore ? Attends… » Cruelle, affectueuse. Elle disparut derrière un grand houx hérissé de piquants et reparut quelques mètres plus loin, en riant.

« C'est à temps partiel. C'est pas un emploi définitif, c'est juste pour quelques mois… » Andrea était gêné. « Le temps de m'organiser.

– T'organiser pour quoi ? »

Il aurait aimé le lui dire, là. Dans ses rêveries, et même dans la réalité de ses intentions, elle devait être la première à le savoir. *Tu te rappelles Riabella, Mari ? Le pré des narcisses sur les pâtures à l'est du Monte Cucco ? Les vaches ne les mangent pas, les narcisses, parce qu'ils ont un goût amer et qu'elles n'aiment pas ça…* Mais cette once de rationalité qui lui était restée lui imposait de se taire, d'attendre le bon moment.

« On ne parle pas des choses avant de les avoir réalisées. »

Marina se laissa balancer un peu, accrochée à une grosse branche de cerisier. « Ok, dit-elle, je suis d'accord avec toi. » Puis elle sauta et s'accroupit sur le gravier, déplaçant les petits cailloux à la recherche de quelque chose. Pliée sur les genoux comme une petite fille qui joue ; affairée, distraite, en harmonie parfaite avec le reste du monde. C'était ainsi qu'il avait toujours voulu la voir : sans témoins, sans langage.

Pour Andrea Caucino, le secret, le caché, le non-dévoilé était le fondement naturel de la beauté, et le silence, la solitude en faisaient partie. Les animaux sauvages étaient beaux, beaux aussi les yeux ronds et brillants des vaches au museau levé qui vous regardent avec un étonnement muet ; beau cet endroit inconnu de tous sinon des enfants qui viennent au printemps et surtout en mai, quand fleurissent les rhododendrons ; et belle Marina, avec son bas filé et sa robe de travers, son maquillage à moitié effacé et son sourire clair comme la première neige dans les creux du Mucrone.

Il lui semblait presque pouvoir lui pardonner, pour l'exhibition de l'autre soir, pour le retard de cet après-midi, pour ces images d'elle couchée dans d'autres lits avec d'autres hommes qui cherchaient à affleurer à sa conscience, et qu'il repoussait dans les recoins les plus noirs et lointains de son cerveau. Il lui semblait qu'il pouvait lui pardonner ces trois années d'absence, les trahisons, si c'était pour goûter à cet instant. Et il le voulait : parce qu'ils avaient encore une vie devant eux.

Il guettait les traces que le temps avait déposées sur son visage. Son profil était plus tendu, ses pommettes plus dures, son nez plus dessiné ; et sur son corps aussi, resté longiligne comme celui d'une adolescente, mais avec des hanches plus larges et des rondeurs qu'il ne se rappelait pas. Il était un peu comme un père revoyant sa fille qui avait grandi, et qui sait avoir perdu d'elle quelques-unes des meilleures années. Mais aussi comme un amant frustré incapable d'attendre une minute de plus.

« On arrive à la cuvette des rhododendrons », dit Marina. Elle s'était arrêtée, et elle le regardait dans les yeux, son ton avait changé.

« On y va et ensuite on repart. » Elle baissa les yeux. Se mordit la lèvre inférieure, hésita un instant. Mais ne put se retenir et lâcha : « Il me reste seulement une demi-heure. »

C'était un mensonge.

Elle vit le visage d'Andrea s'assombrir. Il lui sembla presque distinguer, comme un objet aiguisé et pointu, son silence. Y lire une déception qu'il savait ne pas mériter, et elle le savait aussi.

Sauf qu'elle devait se laisser une porte de sortie, redonner à ce baiser, et à cet endroit, leur vraie dimension. La vérité, c'était qu'Andrea n'avait pas changé ; ce travail de bibliothécaire, c'était un travail triste, une vie avait passé depuis leur dernier temps ensemble, et maintenant en plus, il y avait *Cenerentola Rock*. Marina commençait à regretter.

« J'ai les essais pour l'émission, je ne peux pas rater ça. »

Elle accumulait les prétextes, tout en sachant qu'il n'y croirait pas.

« C'est important, ajouta-t-elle, cette émission. »

Andrea ne répondait rien, ne voulait même pas répondre. Imaginer Marina sur un écran, dans un studio de BiellaTV 2000, avec un producteur baveux qui lui faisait du gringue, et elle qui accepterait peut-être, si ce n'était déjà fait, lui aurait fait péter un plomb et perdre tout contrôle : cette émission n'existait pas, c'est tout.

« Ok, dit-il, allons jusqu'au belvédère. »

Il alluma une cigarette et marcha d'un pas rapide.

Les sentiments ne connaissent pas d'évolution. Ils ne sont pas comme les roches calcaires érodées et façonnées par les intempéries, ni les tissus vivants des corps qui se développent jusqu'à un certain point puis commencent à vieillir. Ils n'ont pas de gradations, pas de mesures. C'est nous qui avons besoin de les raconter et cherchons à les faire entrer dans une histoire. Les sentiments n'ont pas d'histoire, Andrea le savait.

Il savait qu'elle lui faisait un coup tordu, comme avant, quand elle s'était détachée de lui et l'avait repoussé. Elle mentait. Mais comment faire pour dire à l'autre qu'il ment et se tient sur la défensive, trois ans après un amour d'enfance, égoïste et violent, interrompu tres vite sans avoir jamais rien construit... Comment pouvait-il lui dire qu'il n'était pas venu juste pour prendre de ses nouvelles, et que ce n'était pas pour rien que tout à l'heure il l'avait embrassée ? Il avait vingt-sept ans maintenant, il n'était plus un gamin, et il était là pour une raison évidente.

Il ne pouvait pas le lui dire.

Ils arrivèrent au belvédère et à la cuvette des rhododendrons sans fleurs, dont les feuilles commençaient à changer de couleur et à se racornir. Là-bas, de l'autre côté de la rambarde, la circulation de la ville, les rectangles tous égaux des rizières et les épaves industrielles du siècle dernier se perdaient dans le brouillard.

« Je n'ai pas l'intention de rester longtemps ici », dit Marina en se penchant par-dessus la balustrade. Elle fixait le monde qui s'affairait en bas, le réseau des routes qui se ramifiaient en échangeurs, ronds-points et carrefours, les silhouettes en béton des centres commerciaux ouverts sept jours sur sept en bordure de la plaine. « Je veux aller à Rome après l'émission, ou bien à Milan. Ça dépend où on me demandera d'aller. De toute façon, je veux partir. »

Andrea alluma une autre cigarette et aspira profondément.

« Ça commence à marcher pour moi, maintenant, continua Marina. Tu le sais, j'attends ce moment-là depuis toujours. Pour être franche, je ne voulais pas venir, aujourd'hui... Ça commence à marcher vraiment. » Elle regardait dans les brumes de la plaine, comme si là-bas brillait l'Eldorado.

Elle ne le voyait pas, que ça n'avait aucun sens, cette circulation, ce va-et-vient continu des hangars et des bureaux vers les habitations puis de là vers les supermarchés, que ces divisions entre quartiers hauts et habitat populaire, cette manière de penser tellement imprimée dans le paysage, qui pose comme finalité ultime la carrière, le fric, n'avait vraiment aucun sens ? Et quand l'économie entre en dépression, comme maintenant, quand l'époque t'éclate à la figure, tout cela devient plus dur et plus impitoyable, les différences, la pauvreté et la richesse, l'exhibitionnisme et la marginalisation deviennent impitoyables ; l'industrie émigre là où on peut produire pour moins cher, et vendre au meilleur prix, parce que tout a un prix et tout peut être vendu. Ainsi fonctionne le capital, mais la vie ne fonctionne pas pareil.

« Ce que je pouvais prendre ici, dit Marina, je l'ai pris. *Cenerentola Rock* ça dure deux mois, jusqu'à Noël. Et c'est moi qui gagnerai. »

Andrea jeta son mégot, se retourna pour regarder la chaîne intacte et pure des Alpes. Sans évolution possible, sans futur. Comme le sentiment qu'il éprouvait en ce moment.

« Alors pourquoi tu es revenue ?

– Revenue où ? » Marina s'était tournée pour le regarder.

« Dans le seul endroit où la télévision ne passe pas. Et même si elle passait, peut-être que personne la regarderait. »

Elle était appuyée à la rambarde du belvédère et le fixait d'un œil ébahi, avec un frémissement imperceptible au fond des yeux.

« À Piedicavallo, Marina, là où tu habites maintenant. »

Marina recula, comme si elle voulait souligner encore une fois la distance. « Tu sais ça ? Demain on se reverra plus toi et moi. »

Elle s'écarta de la balustrade et, lui tournant le dos, se dirigea vers le sentier.

« Dis-moi pourquoi tu es revenue, répéta-t-il sans se troubler.

– Qu'est-ce que tu me veux, Andre ? On s'est revus, et voilà. On n'a rien à se dire. » Elle s'arrêta, se tourna de nouveau vers lui : « Moi, je ne me résignerai jamais, pas comme toi. J'en ai rien à foutre de rien ni de personne, et même pas de ce que tu crois. Moi je veux faire mon chemin. Et alors ? C'est un crime ? Je veux chanter, je veux une vie décente... Bon, maintenant j'ai des trucs à faire, alors salut. »

Andrea ne sourcilla pas.

« Il doit bien y avoir une raison, non ? Et même le fait que tu sois venue... » Il laissa échapper un sourire. « C'est un hasard si tu as choisi *justement* Piedicavallo ? »

Marina restait là, immobile face à lui, et le fixait avec colère.

« Tu es toujours la même, Mari », ajouta-t-il en perdant patience. Il la voyait distante, il la voyait mesquine, et il lui devenait difficile de se contrôler. « Va où tu veux. Je ne regarderai pas ton émission. Je ne peux pas dire que je suis content pour toi, parce que je ne le suis pas. »

Marina le regardait avec hostilité maintenant. Ce genre de rancune qu'ont les gens blessés, indemnes en surface seulement.

« Et je ne te dirai pas ce que j'ai pensé de l'autre soir, ce que j'ai pensé *vraiment*, quand je t'ai vue sur cette scène minable à Camandona... Avec ce présentateur débile, cette tristesse sans fond...

– Parce que ma mère est alcoolique ! l'interrompit Marina, en criant. Et que je n'en pouvais plus d'habiter à Biella avec elle ! » La fureur dans ses yeux, son visage congestionné de colère. « Voilà pourquoi je suis partie, connard ! Parce qu'à Piedicavallo, les baraques ça coûte rien ! »

Elle ramassa ses chaussures qu'elle avait jetées par terre.

« T'es content ? »

Le cœur d'Andrea se fendit en deux.

Il se la rappela telle qu'elle était, cet après-midi de novembre 2009, bouleversée à côté des feux bleus clignotants des carabiniers. Il était resté à regarder derrière sa fenêtre, comme les autres voisins, impuissant.

Une semaine plus tard, Ermanno était parti pour les États-Unis. Ils lui avaient fait une fête d'adieu avec toute la famille et les amis, tandis que le même soir Marina et sa mère partaient sans rien dire à personne. On avait vu la pancarte *À louer* sur la porte de leur maison. Et le monde s'était écroulé sur lui, d'un coup.

Andrea sentit quelque chose bouger au fond de ses tripes. Quelque chose qui était de l'affection, de la culpabilité, de la colère, de la tendresse, de la rancune, et un désir fou. Sauf que Marina s'en allait vraiment, d'un pas rapide, presque en courant, sur le sentier de gravier qui descendait au parking. Elle avait disparu, et il restait planté, comme un imbécile, les jambes de plomb et le sang ralenti dans ses veines. Rien n'était arrivé. Rien n'avait changé.

Il n'était qu'un bibliothécaire intérimaire, un raté, un utopiste.

Il se mit à courir comme un forcené. La lumière disparaissait derrière le Monte Rosa, planant lentement vers les Pyrénées. Elle survolerait l'océan puis le laisserait derrière elle. Elle aborderait, en même temps que des milliers d'avions de ligne, de navires bourrés de marchandises et de canots de clandestins désespérés, les plages de Floride. Puis elle s'étalerait dans le ciel : le ciel américain, immense et vide comme une tête de mort. Sur les plaines de l'Alabama, sur les déserts roses du Nouveau-Mexique, jusqu'en Arizona, jusqu'à Tucson.

Il la rejoignit. Elle s'en aperçut mais ne lui accorda pas un regard.

C'était fini avant même de commencer. Ç'avait été tout un rêve dans sa tête, comme quand enfant, il jouait avec son frère et qu'il disait : « Toi tu es la Brute, et moi le Truand. »

« Ta mère s'en sortira, c'est une femme forte. »

C'était bien la dernière chose à dire.

« J'ai un billet d'avion pour les États-Unis, je pars le 22 octobre. Tu pourrais venir avec moi... » Andrea était désespéré. « Qu'est-ce que tu en dis ? »

Marina marchait vite, les yeux fixés au sol comme s'il n'existait pas. Ils étaient presque arrivés au parking. Quasiment tout était parti en fumée.

« J'ai des sous de côté. C'était pour autre chose, mais ça fait rien, je peux t'acheter un billet. Peut-être qu'il y a encore des places dans l'avion... Je peux m'en occuper. »

Ils arrivaient aux voitures. Marina glissa sa clé dans la serrure de la Peugeot, ouvrit la portière. Elle s'assit sur le siège et se baissa pour attacher ses chaussures.

« Marina, écoute-moi. »

Elle ne l'écoutait pas.

« Je les pensais pas vraiment ces choses. »

Elle leva la tête et croisa son regard.

« Je ne vais pas rester bibliothécaire toute ma vie. Je n'habite plus avec ma famille, depuis quelques années. J'ai des sous de côté, pas beaucoup, mais ils sont à moi. Mon père n'a rien à voir. »

Marina le fixait sans ciller.

« Je ne lui parle plus. Je ne parle plus avec personne de ma famille. J'ai un projet, un gros truc. Je voudrais t'en parler... »

Elle continuait à le fixer, sans aucune expression.

Sans trahir la plus petite, la plus lointaine émotion.

« Ne pars pas. »

La lumière du soleil éclairait la moitié de son visage, soulignant la forme nette et aiguë de sa pommette gauche. Ses yeux bleu sombre, presque noirs à présent, brillaient, à la fois pleins et vides, comme ceux du cerf qu'ils avaient enterré.

« Je suis content que tu y sois arrivée, vraiment. » Il essaya de sourire. « Je suis content de t'avoir revue. »

Marina restait immobile, assise sur le siège, la portière ouverte, une jambe dehors et l'autre dedans.

« Si tu dois y aller, je comprends. »

Elle restait silencieuse. Et le silence était vaste, aussi vaste que l'arc des montagnes qui les entourait, le sentiment d'abandon, et le temps qui ne voulait plus rien dire.

« Sans rancune, ok ? » Il essayait de faire le malin. Il se sentait comme un imbécile, un idiot, dévasté.

« Bonne chance, Mari. Ce n'est pas vrai que je ne te regarderai pas à la télé, tu penses bien… Allez, vas-y maintenant. »

Il faisait presque nuit. Une silhouette minuscule apparut soudain derrière les barreaux de la grille. Le gardien du parc venait fermer.

Andrea resta planté au milieu du parking, décidé à la regarder jusqu'au bout, quand elle partirait en faisant crisser les pneus.

Bientôt sept heures. Marina se pencha sur le tableau de bord, vérifia les appels sur son portable, les messages. Puis elle passa la tête dehors pour cracher. S'essuya la bouche avec le dos de la main.

Et le regarda à nouveau.

« J'ai faim. »

J'ai faim.

Pour Andrea, cette toute petite phrase sonna comme les vers d'un poème d'Ungaretti : *De quel régiment êtes-vous / frères ? Phrase tremblante / dans la nuit.*

Comme le point d'appui enfin trouvé, le filet d'eau dans le désert. L'espoir qu'on survivra à la guerre.

« Monte, dit Marina en démarrant, emmène-moi dîner quelque part. »

Andrea fit le tour de la voiture, monta. Sans conscience de ce qu'il faisait, comme un otage.

« J'ai envie d'un hamburger, dit-elle, ou même d'un cheeseburger géant. »

Andrea tira sur sa ceinture. Il n'était jamais monté dans ce genre de voiture. Accrochés au rétroviseur du cabriolet, une demi-douzaine de vieux Arbre Magique, un dé en caoutchouc et une figurine de la Madone noire, tenant d'une main la croix et de l'autre l'enfant.

Marina desserra le frein à main, partit sur les chapeaux de roues et s'inséra sans hésiter sur la nationale en passant la troisième, comme une criminelle en cavale. Elle alluma la radio et monta le volume au maximum.

Andrea, incrédule, était ballotté sur son siège sans arriver à attacher sa ceinture, pendant que les haut-parleurs envoyaient *We Found Love* de Rihanna.

Marina ne chantait pas. Elle dévorait la route, le regard droit devant elle, appuyant sur le klaxon chaque fois que quelqu'un ne se poussait pas pour la laisser passer. Et il la regardait, ahuri, heureux, accroché à la poignée de la portière.

Ce qui se passa ensuite, Andrea s'en souviendrait encore de nombreux mois, le repasserait des milliers de fois dans sa tête, essaierait d'y mettre de l'ordre, trouver un sens à chaque geste, chaque phrase, poser une trame sur les heures, les silences, les changements de lieux confus qui se succédèrent cette nuit-là.

Et tous ses autres souvenirs pâliraient au regard de cette nuit du 19 au 20 septembre de l'an 2012.

10

Il est rare, si tant est que la chose arrive jamais, qu'un homme sache au moment dit que l'histoire de sa vie, son unique histoire, est en train de débuter.

Russel Banks, *La Dérive des continents*

À vingt heures exactement, le mercredi 19 septembre, au moment où apparaissait sur la première chaîne le sigle du journal télévisé et où commençaient à défiler les images et les titres d'ouverture – *L'Italie ne parvient pas à sortir de la crise / La crise n'épargne pas les classes moyennes / La consommation jamais aussi faible depuis 1997 / En 2013 non plus les jeunes n'auront aucun espoir de trouver du travail* (ce dernier titre, le journaliste ne le dit pas, mais elle le pensa) –, Elsa se rendit compte que Marina n'était pas rentrée.

Sur le moment elle ne s'alarma pas. Quelles obligations avaient-elles l'une envers l'autre ? Quelques vagues règles de cohabitation avaient été formulées, que Marina n'avait jamais respectées. Mais des obligations, aucune. Elles n'étaient ni parentes ni amies. Et puis, il n'était que huit heures du soir.

Elsa se pencha pour ouvrir le four, mélangea le romarin aux pommes de terre – ration pour deux – qu'elle avait préparées avec soin une heure plus tôt et se dit que tout le monde pouvait être en retard, surtout quelqu'un comme Marina. La viande décongelait dans un plat posé sur le chauffage. La poêle était enduite de matière grasse, il ne restait plus qu'à allumer. Le journaliste énumérait l'un après l'autre les gouffres dans lesquels l'Italie allait plonger, du Nord au Sud sans distinction, les usines au bord de la faillite, les dizaines de travailleurs sur le toit des hangars à Tarente, dans le ventre des mines du Sulcis, en haut des silos de Marghera, bref tout allait exactement comme ça n'aurait jamais dû aller et les pommes de terre étaient quasiment cuites.

Elsa éteignit le four, installa les couverts, les assiettes, les verres, se mit à table et attendit une demi-heure en écoutant distraitement les infos, par moments regardant sa montre. Elle repensait à Andrea Caucino, le plus ombrageux et le plus introverti de ses camarades de classe en dernière année de lycée. Au jour où il avait été obligé de lire à voix haute, devant tout le monde, son devoir de sciences éco. Titre : *Les vaches à lait détestent le capitalisme, et elles ont bien raison.* Note : 3/10. La prof qui secoue la tête pendant qu'il lit, car elle exige son humiliation publique, et Caucino qui s'interrompt au meilleur moment, quand il explique la quantité de bouse au kilo produite par une vache adulte, et les autres, la main devant la bouche, qui essaient de s'empêcher de rire. Alors Caucino jette les feuilles sur son pupitre et quitte la classe.

Le chômage des jeunes à 35 %. Interviewé numéro un : *Il faudrait plus de mesures d'incitation et un abaissement des taxes pour favoriser l'embauche.* Interviewé numéro deux : *Il faudrait faire intervenir le mérite dans les concours administratifs.* Interviewé numéro trois : *Si ma fille décide d'émigrer, je lui dirai tu as raison.* La viande, décongelée, gouttait sur le poêle.

Après le *Bonne soirée à tous,* Elsa se leva et regarda par la fenêtre. Aucune voiture à l'horizon, la place de parking de

Marina restait vide. Les montagnes étaient devenues couleur de fonte, et le seul bruit était l'éternel roulement monotone de l'eau sur les rives pierreuses du torrent. Elle doit dîner dehors, se dit-elle, rien d'anormal. Quand même, elle aurait pu m'avertir.

Elle rangea la viande dans le frigo. Sortit les pommes de terre qui, restées longtemps dans le four éteint, étaient devenues *gnecche*. Ce fut le terme de dialecte qui lui vint à l'esprit pour décrire cette consistance désagréable, sèche, élastique, pendant qu'elle mangeait – directement dans le plat –, avec la table dressée pour deux et face à elle une place vide. Elle se dit que les sonorités du dialecte rendaient bien l'idée, s'interrogea sur le genre de pensées qui vient à force de vivre dans la compagnie exclusive de Gramsci et de ses *Brèves notes sur la politique de Machiavel*.

La logique dialectique, selon Gramsci, sous-tend et produit le mouvement de l'Histoire. Selon Gramsci, et avant lui selon Marx, l'Histoire est une guerre. La nature humaine est un fait historique, elle est fonction des rapports sociaux, du mode d'organisation du travail. Elle n'est pas abstraite, elle est en constant changement. Pourtant, ses sentiments pour Andrea – l'après-midi de la veille en bibliothèque, et il y a huit ans en terminale – n'avaient nullement changé.

Ils étaient restés là, à l'endroit exact où ils s'étaient cristallisés, sans évoluer. Comme un monolithe, comme une pierre qu'elle emportait avec elle sans le dire, qu'elle essayait de comprimer et de cacher ; comme ce jour où Andrea était sorti en claquant la porte pendant que la moitié de la classe était pliée en deux, et que la prof avait crié « Imbécile ! » tellement fort qu'on l'avait entendue à trois salles de là.

Contrairement aux autres, elle n'avait pas ri. Elle était restée assise, s'efforçant de contenir l'instinct de se lever et de courir le rejoindre. Ne sois pas en colère : voilà ce qu'elle lui aurait dit, si elle avait eu du courage. Ta dissertation était utopique, provocatrice, et stupide aussi d'une certaine façon, mais *belle.*

Elle se leva pour ranger les assiettes, puisqu'elles étaient propres. Quand même, elle aurait pu lui passer un coup de fil. Ça lui aurait coûté quoi ? Deux secondes et cinq centimes ? C'était rare que Marina dîne à l'extérieur. En général, elle rentrait autour de sept heures et demie, pour ressortir plus tard, vers onze heures. Elle s'étonna de connaître aussi bien ses horaires. L'habitude. Ou parce que, mis à part les jours où elle descendait à Turin suivre les séminaires, elle était constamment là, assise dans la cuisine, sa chaise face à la porte, la voyant entrer et sortir. Elles se saluaient toujours de la même manière : « *Ciao – Cia'...* » Et se disaient toujours à peu près les mêmes choses. Marina : « Tu as réparé la fenêtre ? » Elsa : « Oui. » Marina : « T'as acheté les produits de lessive ? » Elsa : « Oui. »

Ou bien Elsa : « T'as enlevé le linge de la machine à laver hier ? » Marina : « Non. » Elsa : « Tu pourrais pas, s'il te plaît, aller le payer, le gaz ? » Marina : « Non. » Elsa : « C'est ton tour de nettoyer la salle de bains, aujourd'hui. » Marina : « C'est pas vrai ! La dernière fois c'est moi qui l'ai fait, alors, hein ? ! » Elsa : « Je crois que tu te trompes... » Marina : « Je sors, *cia'...* »

Et puis de temps en temps, c'est vrai, il y avait des journées spéciales, où il se passait des choses aussi étonnantes que les éclipses de soleil ou la neige sur la mer. En général, Elsa arrivait à les prédire quelques heures avant, parce qu'ils suivaient toujours les dépressions cycliques de Marina. Elle la voyait avachie sur le canapé des après-midi entiers, un plaid sur les genoux même en plein été, les cheveux pas lavés depuis une semaine, une bouteille king-size d'orangeade à portée de main et le regard perdu dans la télévision. Parfois elle pleurait. Son programme préféré, c'était *Teen Mom*: des histoires d'adolescentes américaines enceintes, presque toujours plaquées par le père supposé et qui élevaient leur enfant toutes seules. Oui, elle pouvait se mettre à pleurer pour Amber, Maci, Farrah ou Catelynn. Et puis, aux heures les plus insensées, elle se levait d'un bond, jetait le plaid par terre, l'appelait: « Elsa ! Faut passer le produit sur l'évier ! » D'elle venaient les idées les plus farfelues, évidemment. Et elle les mettait en œuvre: à dix heures et demie du soir, munie de gants et d'un masque de protection, elle descendait passer le produit imperméabilisant sur l'évier en pierre du jardin, armée d'un pinceau comme elle avait vu faire sur YouTube.

Voilà qu'elle lui manquait, maintenant.

Elsa n'avait pas envie de travailler ni d'écrire sa thèse. Assise sur le canapé, elle regardait un film mais elle n'avait allumé la télé que pour entendre des voix en arrière-fond, au lieu de la maison vide autour d'elle. Ce soir, elle voulait penser. Penser au jour où, pas tout de suite évidemment mais dans pas trop longtemps, elle retournerait à la bibliothèque rapporter les poésies de Mandelstam. Et qu'ils se reverraient.

Cette fois, peut-être qu'ils arriveraient à parler. Peut-être qu'ils sortiraient tous les deux, un de ces soirs, maintenant qu'ils étaient adultes. Elle lui dirait qu'elle l'avait bien aimé, elle, son devoir en terminale. L'idée des vaches anticapitalistes, c'était drôle. Mais non, inutile d'évoquer les épisodes du passé.

En terminale, Andrea sortait avec une fille. Elle n'avait jamais su qui, mais il avait une petite amie, c'était visible. Son comportement, déjà ombrageux, avait empiré. Au fil des mois, il devenait de plus en plus irascible et distrait. La première année à l'université, elle l'avait entendu se disputer au téléphone presque à chaque intercours. C'était à l'évidence cette fille qui le mettait dans cet état. Puis il s'était inscrit en agronomie ; il n'était sûrement plus avec elle depuis longtemps.

Elsa décida qu'elle attendrait Marina. Elles boiraient peut-être une tisane ensemble avant d'aller se coucher. Ce serait sympa, agréable. Il était neuf heures et demie quand elle prit cette décision mais elle s'endormit sur le canapé. À cinq heures du matin, quand elle se réveilla, l'emplacement de Marina sur le parking était encore vide. À sept heures, quand elle alluma le feu sous le café, à midi quand elle termina d'écrire le premier chapitre de sa thèse, et à deux heures de l'après-midi quand elle eut fini de déjeuner, Marina n'était toujours pas rentrée.

La nuit du 19 au 20 septembre – comme Andrea parvint à la reconstituer a posteriori – commença en sourdine, pour ne pas dire d'une manière désastreuse.

Marina conduisit sans un mot jusqu'à Biella et n'ouvrit la bouche qu'après avoir trouvé une place dans l'immense parking du centre commercial des Orsi.

Elle dit : « Cheeseburger. » Et descendit de voiture.

Andrea n'avait pas encore mis les pieds dans cet endroit qu'il le détestait déjà. D'une façon générale, il détestait les centres commerciaux, les magasins, les villes, les feux de circulation. Pourtant, au début en tout cas, il était ému comme un gamin et s'efforçait de la suivre sans la perdre au milieu des files de caddies, poussés au ralenti par des familles mélancoliques ou tapageuses.

Il était sept heures et demie du soir. On commençait à baisser les rideaux des boutiques de parfumerie ou d'articles de sport. Marina marchait vite dans ce labyrinthe, droit vers la zone restauration qu'elle avait l'air de bien connaître.

41 000 mètres carrés : c'était énorme. Un mètre carré pour chacun des habitants de Biella. Des distributeurs, des lumières partout, du verre, de l'acier, du béton. Une sorte de base aérospatiale au milieu des champs et des stations de lavage. Andrea se sentait mal à l'aise, perdu, effrayé, mais tentait de garder son calme. Il suivait Marina comme un enfant suit sa mère, et priait que tout aille vite.

Dans la zone des restaurants, une succession vertigineuse de possibilités s'offrit tout à coup : Mishi Mishi, Itaka Food, Giovanni Rana, Fish Cucina, Old Wild West, BEFeD Brew Pub, Fratelli La Bufala, Panino Giusto. Le souffle coupé, incrédule, Andrea demeura planté comme un piquet à l'entrée, face à la rangée des take-away, tous pris d'assaut un mercredi soir, et des centaines de tables et de chaises éparpillées dans l'énorme hall, comme une cantine d'usine ou une succursale de Gardaland. Grec, italien, américain, oriental…

Mais ils n'étaient ni à Phoenix ni à Houston. Ils étaient à Biella. Inacceptable de penser qu'à quelques kilomètres de l'endroit où il avait grandi, de ses pâturages, de ses montagnes, il puisse y avoir quelque chose de ce genre. Jusque-là, il n'avait vu ça qu'au cinéma.

Marina se tourna vers lui, agacée : « Alors ? Tu viens ? »

Andrea, comme quelqu'un qui a perdu le sens de l'orientation, la rejoignit. Ce qui le troublait le plus, à part cette quantité impressionnante de fast-food, c'était le nombre de personnes qui mangeaient là. Des familles, pour la plupart, munies de plateaux et de serviettes en papier. Les enfants souvent obèses. Les parents tête baissée sur leur assiette parlant à peine. Il aurait emmené Marina dans un petit restaurant tranquille, dans une trattoria à menu unique : ragoût de cerf et polenta. Il l'aurait emmenée partout, au bout du monde, mais pas là.

Ils s'assirent à l'Old Wild West. Barrières style OK Corral, cactus en plastique, portillon à battant genre saloon.

« Tu prends quoi ? »

Andrea tournait et retournait le menu sans se résoudre à le lire.

« Comme toi.

– Ok. Alors, va commander deux cheeseburgers avec des frites et deux grandes bières, double malt. »

Andrea alla se placer dans la queue. C'était la crise, évidemment. Ce devait être la crise, qui empilait ainsi tous ces gens dans cet enfer. L'Old Wild West passait de la musique country, tandis qu'un peu plus loin, au Giovanni Rana, c'était Eros Ramazzotti non stop. Il se tourna pour regarder Marina, restée là-bas au milieu des tables. Elle pianotait sur son portable. Elle avait enfilé une veste en jean par-dessus sa robe, ses cheveux étaient en désordre, son visage fatigué, et son bas filé était bien visible, dans le chaos et la solitude ambiante.

Ce fut à ce moment qu'Andrea réalisa qu'ils étaient ensemble, et peu importait où. Il réalisa qu'elle était là, fragile et seule, en train de l'attendre, exposée aux regards en biais des pères de famille. C'était à lui de la protéger, à lui de prendre soin d'elle, parce qu'elle n'était pas capable de le faire. Il le comprit à la façon dont elle arrangeait ses cheveux devant un miroir de poche, sûre de ne pas être vue.

Il commanda, paya et la rejoignit avec les plateaux.

« Tu vois, là-bas ? » dit-elle, après avoir mordu dans son sandwich. Elle montrait de l'autre côté de la verrière une esplanade en ciment vulgairement éclairée de lanternes jaunes et fuchsia. « Le 6 octobre, ils installeront une scène gigantesque pour le concert de lancement de *Cenerentola Rock*, et je chanterai. »

Andrea s'efforça de regarder dans cette direction, d'imaginer la scène, le concert et tout le reste. Quelque chose en lui commença à se fissurer.

« Ça va grave déchirer, en plus on a des putains de sponsors… Ça sera un truc dingue, comme on n'en a jamais vu par ici. Mais je n'ai pas encore décidé ce que je vais chanter. J'ai besoin d'un truc fort, nouveau, auquel personne ne s'attend. Tu comprends ? Pas la chanson italienne classique. »

Andrea évita de la regarder. Il lui était reconnaissant de partager ça avec lui, ça voulait peut-être dire que ce n'était pas le dernier jour qu'ils passaient ensemble. Mais l'allusion à l'émission le mit mal, et le sandwich était dégueulasse. Il s'efforça de survoler l'information, de faire comme si Marina n'allait pas réellement prendre part à ce programme. Il se vit poussé dans le public, recevant des coups de coude, comme l'autre soir à Camandona, comme six ans plus tôt au petit palais des sports, et il eut la nausée.

« Alors, superstition à part, dis-moi ce que c'est, ton projet. »

Andrea sursauta sur sa chaise. Émergea de ses pensées. Esquiva.

« Non, rien.

– Comment ça rien ? Tu disais que c'était un gros truc, que tu avais mis des sous de côté. Vas-y, envoie. »

Andrea laissa son sandwich à la moitié, prit sa bière et en but une grande lampée.

« Je te le dirai. Mais pas maintenant et pas ici. »

Marina se contenta de soupirer. Elle fit un sort à tout ce qui se trouvait sur la table, y compris ce qu'Andrea avait laissé. Une fois tout mangé, tout bu, il n'y avait plus de sujet de conversation qu'ils pouvaient aborder sans que cela vire à la dispute ou au silence.

« Tu veux une autre bière ? »

Il avait besoin d'un prétexte pour se dégourdir les jambes.

« Oui », répondit-elle.

Il se leva d'un bond, courut presque, mais au lieu d'aller vers le comptoir se dirigea vers la grande porte coulissante en verre.

Dehors, il alluma une cigarette. Quelques personnes se hâtaient avec leur caddie plein. On voyait les montagnes, au loin. Leur profil au fond de la nuit.

Ils se connaissaient depuis toujours, Marina et lui. Pourtant c'était comme s'ils ne s'étaient jamais rencontrés. Des expressions du genre « ça va grave déchirer » ou « envoie » l'embarrassaient, l'attristaient. Ils avaient changé, tous les deux. Choisi deux directions opposées. Il n'y avait plus rien qu'ils puissent partager, rien dont ils puissent parler.

Il finit sa cigarette, l'écrasa du bout du pied et se rendit compte qu'il avait envie de rentrer. Envie de lui dire au revoir, d'aller dormir, de tout oublier, et le lendemain matin de reprendre les rênes de sa propre vie. Appeler l'agence immobilière, remplir sa demande d'installation : signer les formulaires, monter son dossier sérieusement. Il avait assez étudié pour avoir la conscience des choses, du moment historique que la société traversait et, surtout, de ce que représentait sa terre. Sa terre, il l'*aimait.*

La Valle Cervo, le Monte Cresto, le Lago della Vecchia où naissait le torrent. Tout à coup il pensa à Elsa Buratti, à ce qu'elle lui avait dit à la bibliothèque. C'était la Buratti, mais elle avait raison : il fallait trouver le courage de rester, construire quelque chose de durable, de nouveau, et le faire ici. Marina était extraordinaire, oui, elle avait été son premier et violent amour. Peut-être le seul. Mais elle n'avait rien à voir avec son avenir. Elle était éblouissante, ça faisait peur tellement elle était belle. Mais Andrea, *réfléchis* : regarde où elle t'a mené, écoute ce qu'elle dit. Rappelle-toi ce qu'elle attend de la vie, ce qu'elle est vraiment, et pas ce que tu voudrais qu'elle soit.

En revenant, il éprouva une immense tendresse pour elle. Une affection qui avait des racines très lointaines, mais qui n'était pas de l'amour. Il la regarda encore une fois de loin, toujours pendue à son portable. Vulgaire avec ce rouge à lèvres, cette minirobe collante… Il ne devait pas confondre l'instinct de protection avec l'amour ; il devait penser à ce qui allait arriver : le concert du 6 octobre, *Cenerentola Rock*, la télévision. Elle lui faisait de la peine, voilà, il fallait le reconnaître. La revoir avait été une grande déception.

Il décida qu'il irait chercher les deux bières, puis, avec calme, mais sans trop traîner, il se ferait raccompagner à sa voiture et il rentrerait.

« T'en as mis du temps ! protesta-t-elle dès qu'elle le vit.

– Pardon, j'étais sorti fumer. »

Ils restèrent silencieux quelques instants. Ils buvaient leur bière et ne se regardaient pas.

Marina recevait des messages toutes les minutes, elle répondait en tapant sur les touches à la vitesse de la lumière puis reposait le téléphone sur la table, buvait une gorgée de bière, regardait la salle autour d'elle, et le téléphone sonnait de nouveau. À un moment, grâce au ciel, elle l'éteignit.

« Comment va Ermanno ? »

Ce nom suffit à le blesser.

« Bien, je crois.

– Pourquoi ? Vous vous parlez plus ? »

Andrea détruisit la serviette en papier qu'il déchira en morceaux de plus en plus petits, et ne répondit pas.

« Je l'ai toujours bien aimé, ton frère. C'est quelqu'un de gentil. J'ai jamais compris pourquoi t'en avais autant après lui… »

Andrea continuait à baisser les yeux et réduire en miettes la serviette en papier.

« Il fait quoi maintenant ?

– Il travaille pour la Nasa, lâcha-t-il d'une voix basse, il est parti vivre en Arizona.

– Ah, alors c'est pour ça que tu vas aux États-Unis ? Tu vas le voir ? »

Andrea se passa la main dans les cheveux, se frotta les yeux comme s'il était fatigué. « Non, en réalité je n'ai pas le temps et pas envie d'y aller non plus. » Il se laissa glisser sur sa chaise, allongea les jambes sous la table.

Il était distant, comme s'il s'ennuyait. Marina s'en aperçut.

« Alors pourquoi tu m'as demandé d'y aller avec toi ?

– Je sais pas, dit-il sans la regarder.

– Ton père, c'est sûr que c'est un salaud. Et ta mère pareil, j'ai jamais pu la blairer. Mais Ermanno… » le ton de sa voix s'adoucit, « c'est quelqu'un de spécial. Je suis contente qu'il soit parti en Amérique, c'était son rêve… C'est moche que vous vous parliez plus. »

Andrea était comme absent, maintenant.

« Tu m'as entendue ? Je dis que c'est moche !

– J'ai entendu, fit-il, agacé. Écoute, demain je dois me lever tôt… Il vaudrait mieux qu'on y aille. »

Il repoussa sa chaise.

Marina le regarda, avec cet étonnement que seules les créatures innocentes ont. Celles qui n'ont pas d'arrière-pensées, pas conscience de vivre dans un monde sans pitié. Et quand elles s'en rendent compte, elles croient – comme les enfants – qu'elles seront plus fortes. Andrea croisa son regard alors qu'il rangeait son portefeuille dans sa poche, et se sentit un salaud. Mais tant pis, sa décision était prise.

« Tu me raccompagnes à ma voiture, s'il te plaît ? »

Marina passa en moins d'une seconde de l'étonnement à la colère. Elle se leva en faisant tomber sa chaise et marcha d'un pas vif entre les tables, heurtant les gens exprès, sans demander pardon à personne, furieuse et humiliée.

Andrea n'oublierait jamais cette course hystérique à travers le hall restauration du centre commercial des Orsi. Quelqu'un s'était même retourné pour lui dire : « C'est quoi ces manières ? », et sans daigner tourner la tête, elle avait répondu : « Qu'est-ce que tu veux, connard ? »

Tout le monde la regardait, ce n'était pas difficile à comprendre : elle était attifée comme une strip-teaseuse qui a fini son boulot. Grande, élancée et belle à couper le souffle, mais totalement infantile. Et il ressentait une grande tristesse en la suivant. Ce sentiment d'embarras, cette conscience qui avait surgi en lui tout à l'heure, quand il fumait dehors, que ce n'était pas de l'amour. Que ce n'était rien.

Ils traversèrent l'esplanade où elle devait chanter le 6 octobre, puis le parking sombre et à moitié désert.

Il était neuf heures et demie du soir.

« Tu sais ce que tu es ? lui cria-t-elle une fois arrivés à sa voiture. Un connard. T'es le digne fils de ton père. Tu fais le rebelle, l'intellectuel, tu te crois supérieur… En attendant, tu es pareil que lui. »

Andrea ne dit rien. Il attendit qu'elle ouvre la fermeture centralisée et monta dans la Peugeot. Il n'avait plus envie d'elle. Il se dit ça : qu'il n'avait plus envie d'elle. Et qu'il avait hâte d'être seul dans sa voiture, et ensuite chez lui. Il appellerait Sebastiano, les rejoindrait quelque part, puis se réveillerait tôt et il prendrait son destin en main. Vraiment. Comme il avait décidé.

Mais elle ne montait pas.

Elle faisait le tour de la voiture, ouvrait sa portière.

« Tu sais quoi ? Je vais te donner une *news* : t'iras à pied, à la Burcina ! »

Il voyait ses jambes. Il voyait le haut des bas et la peau nue.

« Allez, descends ! »

Andrea descendit de la voiture. Il s'éloigna d'une dizaine de mètres. Il se sentait lâche, dégueulasse. Et en même temps léger, presque euphorique. Il l'entendit démarrer et partir. Pour finir, il n'avait rien fait pour la retenir. Poursuivant sa route, il laissa le parking derrière lui. D'ici jusqu'à la Burcina, il y avait sept kilomètres. Peu importait. Il avait envie de marcher. Il respirait à pleins poumons, en se félicitant. Voilà, il se sentait libre : libéré d'une obsession qui l'avait bloqué pendant des années. Jamais il ne s'était senti aussi bien.

Il arriva au carrefour avec le corso Europa. S'arrêta au feu et attendit que le signal passe au vert. Il traversa la route, la température avait baissé d'une dizaine de degrés. Mais le froid le stimulait. Puis il fut de l'autre côté et se sentit perdu.

L'euphorie avait duré cinq, peut-être dix minutes.

Il s'arrêta net. Regarda autour de lui comme un homme en fuite.

La circulation était plutôt rare, dans les deux sens de la nationale, la ville brillait autour de lui, les enseignes au néon de McDonald's et du Mercatone Uno flottaient dans l'humidité de la nuit. Il l'avait perdue. Une nouvelle fois. C'était ce qu'il voulait ? Oui, bien sûr. En finir avec le passé, trouver le courage de repartir à zéro. Oui.

Alors bouge-toi, se dit-il, pourquoi tu t'es arrêté ? Monte sur le trottoir et avance. Mais il n'eut pas le temps de se le dire une seconde fois qu'une auto faillit le renverser avant de stopper juste devant lui, en travers du trottoir.

Une Peugeot 206 cabriolet verte.

Marina descendit comme une furie. Elle se planta devant lui. Lui cria au visage : « Tu crois que tu peux revenir dans ma vie du jour au lendemain sans que personne te l'ait demandé ? Et ensuite me larguer, comme ça ? Putain de salaud de connard. »

Il ne lui laissa pas le temps de continuer. Il l'embrassa tout de suite, en tenant fermement son visage entre ses mains. En la poussant contre le grillage d'un chantier englouti dans l'obscurité. Ils se donnaient des coups de poing. S'agrippaient l'un à l'autre sur ce trottoir au croisement de la nationale et du corso Europa, au milieu des hangars, des centres commerciaux, des engins arrêtés depuis des années, dans la nuit profonde éclairée par quelques réverbères.

Ils en étaient presque à se déshabiller dans ce coin de banlieue poussiéreuse, sans logique, sans raison. Marina éclata de rire, le regarda dans les yeux, et, sans cesser de rire, lui dit : « Je t'aime. »

Elle le lui dit du ton des vainqueurs, des prétentieux, des écervelés, comme elle aurait pu dire : *Allons-y*, ou : *Il y a du soleil*, ou : *J'ai filé mon bas.*

« Qu'est-ce qu'on fait ? »

Andrea la fixait, pâle, transpirant, inconscient : « Viens chez moi. » Il avait envie d'elle. Maintenant. Il la voulait toute, et tout de suite.

« Mais qu'est-ce que tu crois ? Une fille comme moi ça se mérite. »

Elle monta dans la voiture en riant, comme une gamine qui s'amuserait follement. Et il monta à côté d'elle.

Ils commencèrent à rouler sans but, sans la plus petite idée de l'endroit où ils allaient. La nuit était humide et pleine, elle était leur frontière à conquérir. Ils étaient Bonnie et Clyde, ils étaient la Brute et le Truand, le Cow-boy et le Peau-Rouge, et il lui touchait les genoux pendant qu'elle conduisait, remontait le long de la cuisse jusqu'à l'élastique de sa culotte, et elle riait. « Range tes mains, Caucino, je ne suis pas gratis... *Nada es free*, en ce monde. »

Elle passait les vitesses, appuyait sur l'accélérateur. Andrea ne comprenait pas s'ils allaient vers le nord ou vers le sud, à l'est ou à l'ouest, il ne reconnaissait pas les rues, il ne comprenait plus rien.

« Tu dois me payer. Mon tarif augmente toutes les dix minutes et on est déjà à cinquante euros. Tu dois m'offrir à boire, m'emmener à l'hôtel, un cinq étoiles, pas une de moins. Et demain matin, tu me laisses un chèque sur la table de nuit. Un chèque au porteur, avec tout l'argent que tu as à la banque.

– Tout ce que tu veux, *tout*.

– Alors, voilà le pacte. Pas de règles cette nuit, anarchie totale. Et à partir de demain on efface tout, et on ne se reverra plus jamais. D'accord ?

– D'accord. »

Leur premier arrêt fut au Golden Globe Loundge Bar, au bord de la nationale 230. Pas plus de cinq ou six autos garées dehors, toutes des grosses cylindrées : Mercedes, BMW, et même une Jaguar. C'était Marina qui avait voulu s'y arrêter. « On va leur montrer, à ces industriels de merde, à ces fils à papa. » Sa soif de vengeance était toujours implacable, même quand ce n'était pas nécessaire. « Ah, c'est vrai, ajouta-t-elle après un silence. Je suis déjà avec le fils du maire... » sur le seuil elle lui sourit en le détaillant de haut en bas, « sauf que tu serais plutôt la version ratée du *fils de*...

– Arrête, entre », dit Andrea, en la poussant à l'intérieur.

C'était un bar à thème, avec des posters de stars d'Hollywood accrochés partout. Marilyn, James Dean, Henry Fonda. Lumières tamisées. Hommes en costume-cravate, le nœud desserré. Ils la regardèrent tous. Puis le regardèrent lui, comme on regarde le type qui vient de lever le coup de sa vie.

Ils commandèrent trois verres de Lagavulin chacun, du seize ans d'âge, sans glace. Ils les burent cul sec, l'un après l'autre, assis sur les tabourets du bar, en s'embrassant comme deux adolescents. Marina, comme d'habitude, jouait les exhibitionnistes. On aurait dit qu'elle avait toujours besoin d'un public. Elle laissait voir le haut de ses bas et sa culotte, mais Andrea ne pouvait pas se mettre en colère, pas maintenant.

C'était leur nuit sans règles, tel était le pacte.

Ils sortirent et recommencèrent à rouler. L'effet de l'alcool peu à peu les assommait. Marina conduisait au milieu des rizières, dans la nuit liquide et vide, vers Carisio, la plaine, l'autoroute.

« Ramène-moi dans la montagne, dit Andrea, c'est tout ce que je te demande. »

Elle braqua brusquement, fit demi-tour au milieu de la route et repartit dans l'autre sens.

« T'es quand même un drôle de type, Andrea Caucino. T'as le monde entier à ta disposition, et dès que tu t'éloignes d'un kilomètre du Mucrone, tu te sens mal.

– Tu m'as emmené dîner dans un centre commercial, et après dans un bar horrible… Accorde-moi ça, au moins. »

De loin, les lumières de la ville tremblaient comme un banc de poissons-lanternes évoluant dans les abysses. Ils retournèrent en ville, la traversèrent de nouveau. À dix heures du soir, dans ces coins-là, les rues sont déjà désertes. Marina prit la départementale pour Graglia. La clarté de la lune dessinait à peine la silhouette rectiligne de la Serra, de l'autre côté du pare-brise, façade nocturne infranchissable.

« La seule chose que j'aimais bien à l'école, c'était quand on nous emmenait chercher de l'or dans la Bessa, avec des tamis et des bottes en caoutchouc. »

C'était le cordon morainique le plus grand d'Europe, le plus ancien, le moins exploré. C'était leur Eldorado à portée de main. Des générations entières de pouilleux avaient afflué là, dans ce qui était aujourd'hui une réserve naturelle, avec l'illusion de devenir riches. Marina lui ressemblait : une étendue pierreuse et aride, qui engendre des mirages. Parsemée de paillettes, rarement de pépites de plus d'un gramme. Quelque chose à conserver dans l'eau douce, dans un petit flacon, à garder dans un tiroir.

« Tu habites toute seule à Piedicavallo ?

– Non, j'ai un genre de colocataire.»

Andrea se mit de biais sur le siège pour mieux la regarder.

« Raconte, ça m'intéresse.

– Il n'y a rien à raconter, répondit Marina en soupirant. Je l'ai rencontrée à l'agence immobilière, par hasard, un après-midi. On cherchait la même chose, alors on a décidé de partager le loyer et les dépenses.

– Comme ça, sans vous connaître ? Vous avez du courage… Surtout elle !

– Calme-toi, Caucino. On voit que tu ne la connais pas… » Elle regarda l'heure, sourit. « Si ça se trouve, elle m'attend encore pour le dîner. »

Ils s'arrêtèrent du côté de Graglia, dans la Valle dell'Elvo, dans le minuscule hameau de Salvei. L'enseigne de la trattoria Le Tre Stelle, sous la pancarte *Café-buvette*, émergeait à grand-peine de l'obscurité environnante

Ils se garèrent devant – l'humidité des bois dans cette zone était si dense que l'air devenait liquide, la nuit épaisse et noire, le silence traversé de dizaines de ruisseaux, chenaux, petites cascades encastrées dans les rochers au creux des pentes – et ils entrèrent.

C'était une salle aux parois revêtues de bois, style chalet, où une dizaine de tables vides étaient dressées avec des nappes en papier à carreaux rouges et blancs.

« Nous ne voulons pas manger, dit Andrea en s'asseyant, juste la carte des vins. » Une vieille dame, maigre et droite comme un fuseau, leur apporta la liste puis un Barbera et deux verres ébréchés et se retira derrière la caisse. Alors elle se plongea dans un livre.

À partir de là, les souvenirs d'Andrea deviendraient confus, sa mémoire s'embrouillerait. La bouteille fut vite finie. La vieille continuait à lire. Andrea lui demanda quel livre. Balzac, peut-être *La Cousine Bette*. Elle dit qu'elle s'était mise à la lecture quand elle s'était retrouvée veuve. Puis Marina avait éclaté de rire, d'une manière vulgaire et en même temps pleine de grâce. Ils avaient parlé de choses idiotes, et il l'avait interrogée sur cette mystérieuse colocataire sans réussir à lui tirer les vers du nez.

« C'est une philosophe.

– Une philosophe ? Nooon ! Dis-moi qui c'est, s'il te plaît ! Peut-être que je la connais.

– Je suis jalouse. » plaisanta Marina.

Ils n'arrêtaient pas de s'embrasser. Avachis sur cette table, et personne d'autre autour. La vieille comme témoin unique et discret.

Salvei, hameau de Graglia. À un moment donné, Marina s'était levée, avait commencé à tituber entre les tables puis s'était tournée vers lui, le visage bouleversé, les cheveux en désordre. « Accompagne-moi. »

Il l'avait prise par le bras, il l'avait accompagnée jusqu'aux toilettes, les mêmes pour les hommes et pour les femmes. Il était resté appuyé contre le rebord du lavabo pendant qu'elle entrait dans les WC en laissant la porte ouverte, relevait sa robe, baissait sa culotte et, se tenant des mains aux murs, les bras ouverts comme les ailes d'un oiseau, essayait de faire pipi, comme dix ans plus tôt dans le petit bois de bouleaux derrière un arbre abattu, à la fête de Camandona. « Ça vient pas », disait-elle, la tête en arrière.

Il était là, les bras croisés.

« Grouille-toi, j'ai pas envie que la vieille vienne vérifier ce qu'on fait.

– Mais enfin, de quoi tu t'inquiètes… »

Ça lui faisait un drôle d'effet de la voir comme ça, les jambes écartées, sa robe toute froissée, moitié saoule, avec son rouge à lèvres qui avait bavé. On aurait dit une clandestine, une fille qui vient de traverser la mer sur le pont d'un bateau de pêche, et que la vie, le vent ont giflée.

Un effet puissant.

« Y a pas de papier. »

Andrea alla prendre une feuille dans le distributeur près du lavabo et la lui tendit.

« Tu es un vrai gentleman, dit-elle d'un ton moqueur.

– Je veux un enfant, Mari. Je veux qu'on rentre, maintenant. Je m'occuperai de tout, à partir de demain. Je vous ferai vivre, toi et lui. On aura une maison, ou plutôt deux. Une pour l'été, une pour l'hiver. » Il était saoul, et ils étaient dans les chiottes du café-buvette des Tre Stelle. Ermanno et Sarah avaient déjà choisi le nom pour son neveu à naître : Aaron. « Une famille, Maria, une famille à nous. Si tu veux qu'on se marie, on se mariera. À la mairie, à l'église, où tu veux. Mais je veux un enfant de toi. Tout de suite. Il faut pas qu'on perde de temps. »

Marina le regarda, et haussa les sourcils.

« Des enfants ? Moi ? » Elle s'essuya, tira la chasse. « T'es complètement fou, Caucino. Officiel, t'as pété un plomb. »

Elle se pencha au-dessus du lavabo, rassembla ses cheveux d'un seul côté de son visage, ouvrit le robinet et s'aspergea d'eau glacée.

« Voilà, maintenant je peux conduire. »

Andrea la bloqua à la hauteur de la porte.

« Pense à ce que je t'ai dit.

– Oui, fit-elle en riant, on verra. En attendant je veux aller danser. Je suis sûre que le Zanzibar est ouvert le mercredi soir. »

Andrea n'attendait rien de plus, pourtant il avait été sincère. Excessif, stupide, pathétique ; mais sincère. Et voilà qu'il se sentait seul à mourir.

La vieille était toujours là plongée dans sa lecture. Andrea paya et rejoignit Marina à la voiture. Il avait vingt-sept ans, il était un homme. Mais à ce moment-là il pensa à Sebastiano et Luca.

« Mes copains vont s'imaginer que je me suis perdu », dit-il en cherchant dans sa poche intérieure le portable éteint.

« Appelle-les, dit Marina en démarrant, on passe les prendre et on les emmène avec nous. Comme ça, tu me les présenteras. »

Andrea avait toujours caché Marina à tout le monde. Toujours évité même de parler d'elle aux autres.

« Putain mais où t'étais passé, espèce de monstre ! lui hurla Sebastiano dans l'oreille dès la première sonnerie. Ça fait trois heures qu'on t'attend, putain de merde. Mirella m'a posé un lapin, je te dis pas…

– On passe vous prendre, dit Andrea, vous êtes chez toi ?

– Qui ça on ?

– Eh, fit Marina en riant, dis-leur que tu es avec ta fiancée !

– Moi et une amie », répondit Andrea. La voix rauque, plus rauque que ça tu meurs.

« Oui, on est chez moi.

– Ok, on est là dans un quart d'heure. »

Il coupa la conversation et dit à Marina d'aller à Pralungo. Elle jouait les offensées, faisait la petite fille : « Pourquoi tu leur a pas dit que je suis ta copine ? Parce que finalement, c'est vrai. Même si c'est seulement jusqu'à demain. »

Andrea s'était tourné de l'autre côté et regardait par la vitre : la nuit parsemée de villages fantômes, la désolation des montagnes qu'il aimait. Il avait été con de lui dire tout ça, pour lui demain comptait bien plus qu'aujourd'hui, c'était comme ça. Ils arrivèrent en bas de chez Sebastiano. Andrea sortit de la voiture, lui dit par l'interphone de descendre. Marina s'était assise sur le capot et attendait, tête à claques et regard de défi des gens qui seront toujours en guerre et jamais ne baisseront les armes. Quand Luca et Sebastiano la virent, ils s'arrêtèrent, le souffle coupé. Andrea secoua la tête, contrarié. Il la montra du doigt : « Marina. » Puis : « Sebastiano, Luca. » Les autres hochèrent la tête.

« Elle veut aller au Zanzibar », dit Andrea.

Ils montèrent tous dans la voiture de Marina, et la tension fut palpable aussitôt qu'ils furent dans le même habitacle. Une tension qu'elle avait créée : gratuite, méchante. Ce qu'ils se dirent pendant le voyage, ce qui se passa ensuite au Zanzibar, Andrea éviterait de se le rappeler pendant le reste de sa vie.

Ils arrivèrent à Cerrione, payèrent les vingt euros d'entrée. Marina se jeta immédiatement dans la mêlée, une vingtaine de personnes en tout, ignorant Andrea et les deux autres. C'était la soirée années quatre-vingt. Le DJ passait un disque de Madonna. *La Isla Bonita* et *Like a Virgin.* Andrea et ses copains se dirigèrent droit vers le bar, commandèrent trois mojitos.

« Écoute, dit tout de suite Sebastiano, je la connais cette fille, laisse tomber. »

Ils la regardaient se démener au milieu de la piste. Andrea était saoul et pourtant continuait à boire, l'œil de plus en plus sombre. Ils étaient restés une bonne demi-heure collés au bar, à la regarder de temps en temps. Elle dansait avec n'importe qui, euphorique. Et eux comme trois ours immobiles et muets dans une discothèque pour vieux, à moitié vide le mercredi soir, à Cerrione.

« Elle était avec un type que je connais, lança Sebastiano après un moment. Je suis pratiquement sûr qu'elle est allée avec Bianchi, d'Occhieppo, y a même pas deux mois. Je te jure. »

Luca se taisait et acquiesçait. Elle continuait à se démener au centre de la piste. Il était évident que Sebastiano avait raison.

« Elle a couché pratiquement avec la moitié de la vallée. C'est la chanteuse, non ? La fille de Bellezza. Je l'ai reconnue. Une vraie pute. »

Andrea regardait Marina, un peu plus loin, accrochée au bras d'un homme qui avait plus de quarante ans, et c'était évident que Sebastiano avait raison. Tellement raison qu'il sentit d'un seul coup sa vue se brouiller, et un désespoir si grand monta en lui qu'il en devenait aveugle et sourd. Un début de rébellion impossible à contenir, qui se déchaîna, d'abord dans son ventre, puis explosa dans sa cage thoracique et, sans qu'il puisse le contrôler, sans qu'il puisse se rendre compte de ce qu'il faisait, il lança un coup de poing à Sebastiano. Son meilleur ami. Une rafale de coups de poing, en pleine gueule.

Beaucoup de gens arrêtèrent de danser, y compris Marina. Le videur arrivait pour demander des explications. Luca était bouleversé, parce qu'il n'avait jamais vu Andrea frapper quelqu'un. Sebastiano avait encaissé les coups sans même se défendre, une stupeur ahurie sur son visage gonflé et livide, avec le sang qui coulait du nez.

« Tout va bien », avait dit Sebastiano au videur. Calme, presque imperturbable. Puis il avait fixé Andrea sans dire un mot – un regard impuissant, incrédule mais sans l'ombre d'un reproche, comme le cerf qu'ils avaient tué – et il était parti.

Luca l'avait suivi. Andrea était resté là, seul, affolé par sa propre violence. Il n'apprendrait que deux jours plus tard comment ses deux amis, les seuls qui ne l'avaient jamais trahi, étaient rentrés cette nuit-là chez eux.

Il s'était senti lâche d'être incapable même de bouger. Un sentiment de culpabilité gigantesque l'avait saisi, comme un lierre étouffant, et il avait eu la certitude que Marina était un précipice, une malédiction.

Il était allé au centre de la piste la récupérer : « Ça suffit, on rentre », avait-il crié par-dessus la musique, en la tirant par le bras.

« Qu'est-ce qui s'est passé ? avait-elle demandé. Pourquoi tu l'as tabassé ? »

Elle souriait. On aurait dit qu'elle savait déjà tout.

« Parce qu'il a dit la vérité. »

Ils sortirent de la piste.

« Allez, protesta-t-elle, danse avec moi ! »

Il la tira derrière lui, jusqu'à la porte.

« Ça ne me plaît pas comment tu te comportes, je n'aime pas ce que tu es devenue.

– D'abord tu veux m'épouser, après tu dis que je ne te plais pas… Faudrait savoir ! »

Il la saisit par les deux bras, l'empêcha de bouger. Il avait un air mauvais, et sérieux : « Je ne plaisante plus. Je t'ai attendue pendant trois ans, j'étais sûr que tu reviendrais, je m'étais fait des idées. Tu n'es pas quelqu'un de bien, Marina, tu es quelqu'un qui a des problèmes. Voilà ce que tu es. Et moi j'en veux pas, de tes paranos. J'ai pas aimé comment tu as traité mes amis. Je n'aime pas ce que tu veux faire de ta vie. Et en tant que personne, tu ne me plais pas. T'as compris ? »

Il n'avait pas crié. Il avait parlé d'une voix calme et claire, à la sortie du Zanzibar, la discothèque minable de Cerrione, province de Biella, au milieu de deux rangées étincelantes de machines à sous. Il ne mentait pas, bien au contraire. Il lui avait dit exactement la vérité. La seule possible.

Marina avait tressailli. Elle était devenue livide. Avait perdu toute son effronterie, toute sa frime.

« C'est parce que je suis... avait-elle commencé à se défendre.

– Je m'en fiche de ce que tu es. C'est toi qui as dit que tu voulais connaître mes amis. Et tu les traites comme des merdes. Par ta faute je les ai cognés... Imagine ! Je te parlais sérieusement, tout à l'heure, et toi tu t'es foutue de ma gueule. Je veux rentrer. Et je ne veux plus te voir. »

C'était définitif, cette fois. Pas question de se rétracter ou de perdre encore son temps. Il voulait monter dans cette voiture, aller se coucher et essayer de tout effacer de sa tête. Dans sa tête il n'y avait que Sebastiano, pour le moment, le regard qu'il lui avait jeté avant de partir. Pas de colère, mais de déception. De pitié, presque. Andrea avait touché le fond.

Marina dut lire dans ses pensées car elle ne pipa mot. Elle se dirigea vers la voiture, trébuchant sur ses talons. Puis elle s'arrêta net, comme si la foudre l'avait frappée. À une vingtaine de mètres devant elle descendaient d'une Maserati – non plus noire cette fois mais rouge – deux femmes, un homme qu'elle n'avait jamais vu et, du siège du conducteur, cigare au bec, Raimondo Bellezza.

Marina le regarda traverser le parking. Puis, dès qu'il fut entré, elle se mit à courir pour le suivre à l'intérieur. Andrea était resté dehors, furieux. Ça non, c'était trop.

Il attendit dehors une vingtaine de minutes avant de la voir, enfin, ressortir de la discothèque. Elle passa près de lui sans le regarder, les yeux pleins de larmes. Ils montèrent en voiture. Andrea était immobile sur son siège, raide. Elle pleurait en silence. Elle conduisait en pleurant, et il s'efforçait de détourner les yeux. Il aurait voulu la haïr, mais elle, elle pleurait.

Ils traversèrent Biella pour la quatrième fois.

Puis l'esplanade en ciment de la Burcina apparut. Andrea reconnut sa voiture. Marina se gara à côté et éteignit le moteur. C'était le moment le pire. Parce qu'il ne savait pas comment lui dire au revoir.

« Je voulais te dire quelque chose », lui dit-elle en se tournant vers lui pour le regarder en face.

Elle avait cette expression des veaux enfermés dans le camion, qui ne peuvent savoir qu'ils vont à l'abattoir et qui pourtant le savent, et le savaient déjà avant que les abattoirs existent.

« Je voulais te dire que toi, tu as toujours été là pour moi. Et j'ai jamais pensé que c'était évident, crois-moi.

– Arrête, Mari, dit Andrea en détachant sa ceinture. S'il te plaît.

– Non, je veux te dire la vérité. Tu as toujours été là, et même si j'avais l'air de trouver ça évident, c'était pas vrai. Voilà, je voulais que tu saches ça, juste ça. »

Elle renifla.

Andrea ouvrit la portière. « Ok, dit-il en sortant.

– Ok », dit Marina.

Une fois dans sa voiture, il démarra aussitôt.

Sans réfléchir une minute. Il avait bien trop réfléchi ces derniers temps, et il s'était conduit comme un con : avec elle, avec ses copains, avec tout le monde. Quand un truc ne marche pas, inutile d'insister. Pour Ermanno, tout s'était bien combiné, en revanche. À la sortie du lycée, il avait été admis à Cambridge. Puis, avant même d'être diplômé, il avait été recruté par le laboratoire expérimental d'astrophysique de la Nasa à l'université de Tucson. Et une fois à Tucson, il avait fait tout de suite la connaissance d'une collègue. Une fille sérieuse, instruite, une certaine Sarah pleine de taches de rousseur qu'Andrea avait toujours refusé de connaître. Ils étaient tombés amoureux et neuf mois plus tard ils s'étaient mariés. Puis elle était tombée enceinte, et maintenant elle allait accoucher.

Ça baignait dans l'huile, comme écrit d'avance. Ça existe vraiment, des vies aussi parfaites ? Il faut croire que oui. À dix-neuf heures d'avion, dans le quartier résidentiel où habitait Ermanno, la vie pouvait se dérouler comme il se doit, sans contretemps, sans mensonges. Tandis qu'ici, où Andrea s'obstinait à rester, la vie était un désastre.

Elle avait vu son père. Elle l'avait suivi sans se faire voir, jusqu'au salon privé où ils avaient, ses amis et lui, une table réservée. Il était rentré de Monte-Carlo et il ne lui avait rien dit. Lui passer un coup de fil, c'était bien le cadet de ses soucis.

Elle était restée vingt minutes cachée derrière une banquette à le regarder trinquer de loin, à le regarder plaisanter et rire en compagnie de ces gens distingués, bien habillés, à l'aise. Et il y avait aussi la pétasse de l'autre soir, cette Nadia qui devait avoir le même âge qu'elle. Le gérant de la discothèque continuait à leur demander si tout allait bien, les traitait avec des égards, faisait apporter d'autres bouteilles de mousseux dans des seaux à glace, comme s'ils étaient des cheiks arabes ou Abramovitch.

Marina ne s'était pas demandé ce que faisait son père, à Cerrione, un mercredi soir, dans une discothèque de banlieue à moitié vide où la plupart des hommes et des femmes, au lieu de danser, étaient scotchés aux boutons des machines à sous. Elle s'était seulement demandé ce qu'elle avait fait elle, quelle avait été sa faute, pour être ainsi exclue de la vie de son père. Une vie qui, de cette distance, lue à travers ses yeux, était la plus désirable, la plus éblouissante des vies.

Au bout de vingt minutes, après avoir écarté une à une toutes les stratégies d'approche – surgir à découvert, le saluer, l'embrasser, lui lancer à la figure qu'il était un salaud –, elle avait rebroussé chemin pour rejoindre Andrea. Andrea qui lui avait dit ces choses terribles, qui n'avait jamais manqué un de ses concerts, qui l'avait toujours applaudie, encouragée. Et elle, elle avait tout gâché. Il avait raison, sur tous les points. Marina voulait sa mère, à présent. Elle avait désespérément besoin de Paola.

Aussi, après avoir raccompagné Andrea à la Burcina, après l'avoir vu monter dans sa voiture et partir comme une flèche sans hésitation et sans pitié, en reprenant la départementale 100, la Route de la Vallée du Cerf, elle s'était arrêtée à Andorno au Bar Sirena, au lieu de rentrer chez elle. Espérant la trouver là.

À deux heures du matin, elle était entrée dans ce bar qu'elle haïssait de toute son âme. Mais c'était chez elle.

Paola n'était pas là. Giangi non plus n'y était pas. Elle n'arriverait pas à dormir, cette nuit. Quand on a envoyé promener toutes les règles, on en revient toujours au même point, si libre qu'on ne peut pas en sortir, qu'on ne peut pas bouger. On est un point immobile, comme l'œil du cyclone. Marina deviendrait célèbre, un jour. Mais pour l'instant, elle ne savait où se poser. Elle remporterait *Cenerentola Rock*, dans trois mois, une autre vie. Mais dans celle-ci, qui puait la fumée et l'alcool, elle était seule comme un chien, épuisée et perdue.

Elle s'assit et commanda un jus d'abricot.

« Qu'est-ce que tu fabriques ? lui demanda Ivano, le patron du bar.

– Rien, répondit Marina.

– Ta mère était encore là il y a une demi-heure.

– Tant mieux si je ne l'ai pas croisée, ça m'aurait fichue en rogne. – Faut que tu lui parles.

– Je sais.

– Ce soir, j'ai refusé de la servir.

– T'as bien fait.

– Faut que tu t'occupes d'elle.

– Je sais. Maintenant, s'il te plaît, donne-moi mon jus d'abricot. »

Les quelques clients présents dans le bar à cette heure tardive levèrent la tête de leur partie de poker ou de black jack et la regardèrent. Ils la connaissaient, cette fille. Ils savaient comment va le monde, et que la faute des parents retombe toujours sur les enfants, depuis la nuit des temps. Ils baissèrent les yeux sur leurs cartes.

Andrea arriva à Andorno, se gara en bas de chez lui.

Voilà, tout était fini.

Il grimpa les escaliers, ouvrit la porte et s'arrêta sur le paillasson écoutant le silence, la profondeur sourde et abyssale du silence qui provenait de sa mansarde.

Il regretta de lui avoir dit toutes ces choses, là-haut, à Salvei. Regretta tout ce qu'il avait dit et fait ce soir-là. Il se laissa tomber sur le divan, la tête contre le dossier, et alluma la télévision.

Le lendemain il appellerait l'agence immobilière, et plus personne ne l'arrêterait, même pas son père. Demain. Mais en attendant il était là, dans le reflet de lumière bleutée de la télé, sans rien à quoi s'accrocher. Jamais il ne s'endormirait. Personne ne devrait être encore éveillé à cette heure de la nuit. Son grand-père s'était toujours couché à sept heures du soir et réveillé à cinq heures du matin, trois cent soixante-cinq jours par an, pendant toute sa vie, sans jamais déroger, sans jamais transgresser les lois de la rotation de la terre sur son axe, de la révolution de la terre autour du soleil. Il n'arriverait jamais à dormir. Alors il se leva, éteignit la télévision et sortit dans la nuit noire.

Il fit un tour en voiture, pour rien, pour brûler de l'essence. Puis il se gara devant le Sirena, il n'y avait pas d'autre endroit où se réfugier une nuit comme celle-ci. Il entra, les yeux baissés, comme s'il avait honte, se planta au bout du bar et commanda un Jack Daniel's. Il espérait en levant la tête voir Sebastiano et Luca assis à une table, et pouvoir leur demander pardon. « Ce qui est sûr, c'est qu'on s'en rappellera », avait dit Sebastiano quand ils avaient mis le cerf dans le coffre. Andrea se tourna vers la gauche, leva la tête et la vit.

Ils s'observèrent pendant quelques instants, muets, morts de fatigue. Et, comme si leurs visages étaient des miroirs, et que le reflet qu'ils y reconnurent ne leur plaisait pas, ils détournèrent leur regard, ils plongèrent à nouveau dans leur verre.

Devenir adulte, c'est savoir distinguer la réalité du désir, se dit Andrea ; savoir renoncer, s'il le faut, au désir. Savoir le nommer, lui donner une autre dimension. Du fond de la salle une voix d'homme se détacha par-dessus le brouhaha : « C'est sûr que t'as une paire de jambes, ma fille, je saurais bien quoi en faire. »

Le désir fait partie de la vie, au même titre que la violence. Devenir adulte, c'est gérer le désir et la violence.

Mais la violence est innée, comme quand ils avaient cogné plusieurs fois la tête du cerf contre le capot du coffre, ou qu'il avait essayé de noyer son frère à neuf ans dans le torrent Cervo. La violence est une force naturelle, illégitime et primordiale. Leurs parents les avaient séparés, après cet incident. Andrea s'était fait virer de la chambre qu'ils partageaient jusque-là, Ermanno et lui.

Je saurais bien quoi en faire, de cette paire de jambes. La phrase résonna dans son cerveau comme une sorte de petite musique, comme *Eye of the Tiger* quand on appuyait sur le bouton caché dans le ventre du koala, celui qu'il avait gagné au stand de tir à Camandona, sa seule victoire sur Ermanno.

Marina ne s'était même pas retournée. Elle savait que ça s'adressait à elle, mais elle était trop fatiguée pour tourner la tête.

Andrea fut tout à coup aveugle et sourd, comme quelques heures plus tôt au comptoir du Zanzibar. Avec cette différence qu'à présent il se sentait dans son droit.

Aucune règle, avait dit Marina au début de la soirée. Bon.

Il quitta son tabouret, alla droit au fond de la salle jusqu'à l'origine de cette voix et, pour la seconde fois en une nuit, déchargea sur le corps d'un autre toute la violence qui était en lui.

Sauf que l'autre cette fois cogna plus fort, et il fallut l'intervention d'Ivano pour les séparer. Marina se précipita. Elle se pencha sur le carrelage où il était tombé, dans le coin poussiéreux plein de tickets de Gratta e Vinci où l'autre l'avait envoyé bouler. Elle caressa ses yeux gonflés. Quelqu'un dit qu'il ne fallait pas appeler les carabiniers, *on est entre nous, on est tous copains.* Elle continuait de le caresser, lui répétant qu'il n'aurait pas dû, que de toute façon ça ne servait à rien.

« T'as une bouteille de champagne, Ivano ? » dit Andrea avec les dernières forces qui lui restaient, une fois que l'endroit se fut vidé.

« Qu'est-ce que tu crois, Caucino ? fit le patron. Bien sûr que j'ai du Dom Pérignon, et comment. Et je te dirai même plus : c'est moi qui offre. Mais tu dois faire promettre à ton père qu'il ne sera plus jamais candidat. »

Andrea se mit à rire. « Je te le jure. »

Marina riait aussi.

« Tiens, regardez. Je vais sortir les coupes en cristal, même si vous les méritez pas. »

Andrea et Marina ne se dirent plus rien. Ils finirent la bouteille ensemble. Ils attendirent la fermeture, puis partirent dans la nuit déserte. C'était comme s'ils avaient traversé la Manche à la nage, ou escaladé le Monte Rosa. Andrea grimpa dans sa Punto, ouvrit la portière passager.

« Viens, maintenant on rentre. »

Marina ne fit pas d'histoire, elle n'en avait pas la force.

Ils arrivèrent chez Andrea via Pezzia. Elle le suivit dans les escaliers qui montaient jusqu'à la mansarde. Elle n'était jamais venue. Elle entra dans le deux-pièces d'Andrea en regardant avec étonnement autour d'elle, presque sur la pointe des pieds.

« Par ici », dit-il.

Il n'y avait pas beaucoup d'endroits où aller, en réalité. La cuisine servait aussi de salon. Derrière une porte entrouverte, on devinait le carrelage d'une salle de bains. Et une porte donnait sur la chambre à coucher. Partout, dans la pénombre, des piles de livres par terre, des vêtements accrochés aux chaises, des bouteilles vides abandonnées dans les coins.

Ils se laissèrent tomber sur le lit, un matelas posé sur un sommier métallique. Ils fixèrent le plafond un moment, en silence. Puis ils éclatèrent de rire, en même temps. Un fou rire incontrôlable, comme ceux des enfants à la maternelle, qui se tiennent le ventre pour ne pas pleurer, juste parce que quelqu'un a dit « nichons » ou « cul » ou s'est fait pipi dessus.

Ils cessèrent brusquement, ils n'étaient plus des enfants depuis longtemps.

Andrea se mit sur le côté, lui caressa les cheveux.

« Tu sais ce que je veux ? »

Marina se tourna vers lui.

« Tu es la première personne à qui je le dis, je te préviens. »

Ils étaient étendus au milieu du lit, les coudes pliés et la tête dans la paume de la main.

« Je veux acheter quinze vaches, des pies rouges d'Oropa, pour les élever dans les pâturages là-haut à Riabella, dans la ferme d'alpage de mon grand-père. »

Il parlait tout bas, pour que personne ne l'entende.

Un sourire magnifique gagnait peu à peu son visage.

« Il y a assez de pâturage là-haut pour ne pas avoir à louer. Pour l'été, évidemment. Mais il faut que je trouve une ferme dans la plaine pour l'hiver, et j'en ai peut-être une. Quinze vaches, c'est pas beaucoup mais petit à petit j'agrandirai le troupeau. Je voudrais arriver à cinquante. Et je ferai du fromage. De la tome, du maccagno, de la ricotta. Je les vendrai directement au consommateur, sans passer par une laiterie. Il faut juste que je remplisse la demande d'installation pour les jeunes agriculteurs et que je demande les quarante mille euros de l'Union européenne. Après, il me faudra un autre prêt de la banque, parce que quarante mille c'est pas suffisant. Mais je peux y arriver. Maintenant, je sais que je peux y arriver. »

Marina le fixait d'un regard lumineux, presque émue.

« Tu veux venir avec moi, Marina Bellezza ? Tu veux te réveiller tous les matins à cinq heures pour traire une à une les quinze vaches ? Et n'avoir jamais un seul jour de vacances, et pelleter le fumier, et couper les foins ? Tu veux voir comment naissent les veaux ? Tu veux faire ça, avec moi ? »

Marina le poussa sur le matelas, grimpa sur lui puis se coucha et posa la joue contre sa poitrine.

« J'ai pensé à tout, tu sais ? L'endroit que j'ai repéré pour l'hiver, en bas à Massazza, il y a pas mal de terrain autour, ils me le loueraient pour pas cher. »

Elle souriait, s'asseyait sur lui. Commençait à le déshabiller.

« La pie rouge d'Oropa, c'est une race protégée, l'Union européenne me donnera deux cents euros par tête. Ça sera dur, surtout au début. »

Elle ôtait sa chemise, puis ses chaussures, puis son jean.

« Tu te rappelles le pré des narcisses sur le Monte Cucco ? »

Marina fit signe que oui et commença à se déshabiller à son tour, à genoux sur le lit, déplaçant ses cheveux d'un seul côté de son visage. Le silence, dehors, était si vaste et si parfait, la nuit si dépouillée.

« Je suis prêt à t'épouser à l'église, mais il faut que ce soit celle de Piedicavallo. »

Il était cinq heures du matin, à présent. Elle se pencha sur lui, commença à travailler chaque partie de son corps comme font les petits animaux sauvages quand ils construisent imperturbablement leur nid ou leur terrier, en enfonçant les pattes dans la terre, en la pétrissant avec la bouche et la salive. Ils étaient épuisés, leurs corps lourds, familiers et inconnus comme les anfractuosités de la vallée, comme les sapins et les châtaigniers, comme les troncs et les écorces, précipités dans un sous-bois obscur, fait d'instincts, de périls, d'alarmes.

Ils s'endormirent, à bout de force, enlacés, dans la chaleur humide aux senteurs de paille que leurs corps avaient produite en faisant l'amour.

11

Là où la départementale 100 se terminait en chemin de terre, derrière une poignée de petites maisons en pierres et de jardins clos, non loin de Riabella, hameau de San Paolo Cervo, commençait un sentier ombragé, où régnait un silence épais à peine dérangé par le vent, impénétrable aux bruits de la circulation.

Franchir cette frontière, c'était comme entrer dans un cercle magique. La lumière avait du mal à traverser les feuillages, les pas faisaient craquer des branches mortes. Les bois étaient un royaume que gouvernaient des lois absolues; les mots y perdaient leur sens, et le temps n'y était plus défini que par l'inclinaison du soleil par rapport à la terre.

À mesure qu'il remontait la dorsale est du Monte Cucco, le sentier s'amenuisait, se perdait dans les fougères et le sous-bois. Par moments, une clairière déchirait la pénombre, laissant entrevoir un petit bout de ciel: tout proche, propre comme un miroir. On n'entendait que des froissements d'ailes dans les branches, l'appel amoureux des pics noirs, sa propre respiration mêlée au vent, rien d'autre.

Andrea calculait l'heure en mesurant la lumière, et la distance parcourue aux dénivelés du terrain. Le bâton de marche était nécessaire, au cas où il rencontrerait un chien de troupeau : ce genre de chien qui ne répond à rien ni à personne, si ce n'est à la voix du plus fort. Il avait déjà fait cinq kilomètres à pied, laissant derrière lui Andorno, Sagliano, la civilisation. Dans son sac il avait mis de l'eau, deux paires de pantalons, deux pulls, une corde, une fronde et le couteau suisse indispensable à ces hauteurs. Il avançait vite sur le sentier muletier qui menait au sommet du Monte Cucco, sans regarder en arrière. Personne n'aurait pu le faire changer d'idée. Il était chez lui dans les bois. Les renards, les chamois, les lièvres étaient ses amis. On était le 20 juin 1993, et il s'était enfui de chez lui pour toujours.

À huit ans, un petit garçon peut déjà être un homme. Et il l'était. Il trouverait des pierres à feu n'importe où dans la hêtraie, il en était convaincu, et il saurait s'allumer une belle flambée pour la nuit, si besoin était. Et surtout, il était convaincu que sa mère ne l'avait jamais aimé. Heureusement qu'il était un homme, sinon il en aurait souffert.

Aujourd'hui, c'était le jour de *leur* anniversaire.

Par une cruelle coïncidence, qui deviendrait de plus en plus cruelle au fil du temps, ils étaient nés le même jour, comme des jumeaux ; mais à une année de distance. Et l'aîné avait été voulu et désiré, tandis que le second était vraiment *la dernière chose à laquelle je me serais attendue, trois mois après mon accouchement, alors que j'allaitais... Bref, la dernière chose qu'il nous fallait.*

Mais le héros naît toujours désavantagé, sinon quelle sorte de héros serait-il ? Andrea savait cela. Sa mère soutenait qu'elle n'avait pas pu profiter d'être une jeune mère à cause de cette seconde grossesse. Voilà ce qu'elle confiait à ses amies quand elles venaient lui rendre visite, croyant qu'il ne pouvait ni entendre ni comprendre. Mais Andrea avait compris avant même d'apprendre à parler, et n'avait pas abdiqué pour autant. Il avait tenu bon, et lutté – pour elle.

Comme font les chats, vers six, sept ans, il apportait à sa mère tout ce qu'il réussissait à trouver ou à tuer dans le jardin. Des lézards, des araignées transpercées d'un coup d'épingle et même, une fois, un pigeon visé avec sa fronde.

Il aurait voulu être sa fierté. Mais en vain.

Sa mère établissait des différences. Elle s'en cachait, refusait de le reconnaître. Mais Ermanno recevait plus de caresses, était toujours félicité en public et pour n'importe quoi – ses notes à l'école, son comportement *mature*–, et cet après-midi-là, ça avait explosé.

La lumière était vive et claire, les écorces noires, l'eau bondissait entre les pierres, irradiant des vapeurs d'humidité argentée. Il remontait seul le sentier, le bâton bien en main frappant le sol, traversait le sous-bois crépitant d'insectes. Il comptait arriver à destination avant le soir, répétait dans sa tête ce qu'il dirait une fois là-haut.

Il ne regrettait pas, au contraire. Mais il avait quand même parfois envie de pleurer.

Il se disait : il y a des pierres à feu partout, il suffit de les ramasser et de les frotter l'une contre l'autre.

Et aussi : le héros peut commettre des injustices, mais c'est parce qu'il n'a pas le choix.

La seule image qui continuait de le tourmenter était celle de sa mère au moment où, une heure et demie plus tôt, elle avait dû ouvrir la porte du tambour de la machine. Pour le reste, rien ni personne n'avait d'importance, ni son père ni son frère, encore moins Clint. C'est pas des chiens ça, se disait-il, c'est des pantins. Un vrai chien, c'est un bâtard qui traverse les montagnes à l'instinct, grognant au premier étranger de passage, lui déchirant le mollet à coups de dents s'il le faut, et qui veille infatigablement sur le troupeau de l'aube au coucher du soleil.

Un héros ne revient jamais sur ses pas.

Le Monte Cucco était docile ce jour-là, débordant de végétation, peuplé de fouines, de belettes et de lièvres en chaleur. Il aurait dû se sentir plus heureux : il avait projeté cette fugue depuis des semaines, sinon des mois. Au lieu de cela, il marchait vite pour ne pas penser, et parfois même courait. La vérité, c'était qu'il détestait son anniversaire. Parce que c'était aussi l'anniversaire de l'autre, parce qu'il devait éteindre ces mêmes bougies que l'autre venait de souffler. Et parce qu'on lui avait offert un masque, des palmes et un tuba, tandis que l'autre avait eu un petit chien, un golden retriever – vivant, qui remuait la queue.

Et même si maman avait dit qu'ils s'en occuperaient tous les deux, c'était le cadeau d'Ermanno, il était à lui, c'était lui qui avait choisi son nom : Clint, comme Clint Eastwood. Andrea avait senti son cœur se briser. Il regardait son frère, heureux comme tout, qui caressait le chiot et jouait avec lui puis le lui tendait : « Regarde comme il est beau Clint. » Et Andrea avait répondu : « Il est moche ce chien. »

Évidemment, il mourait d'envie de le caresser, ce chiot de trois mois, doux et blond comme les blés. Mais il se l'était interdit. Retenant sa morve et ses pleurs, il avait regardé le petit Clint avec colère, le haïssant de tout son cœur, pendant qu'Ermanno jouait avec lui dans la cuisine et riait, radieux. Ensuite, la vue d'Andrea s'était brouillée. Il avait lancé au loin masque, palmes et tuba – il ne s'en servirait jamais – et s'était assis par terre dans un coin en attendant le bon moment.

Il avait même refusé de déjeuner.

« Oh, doux Jésus, Andrea ! Ce que tu peux être ennuyeux !

– S'il ne veut pas manger, qu'il jeûne. »

Sa mère et son père s'étaient mis à table sans rien soupçonner. Pas plus que son frère. Le petit chien trottait autour des chaises et des pieds de table, maladroit, innocent. Andrea ne le quittait pas des yeux.

Il refusa de souffler les bougies et de manger le gâteau.

« Qu'est-ce que tu as maintenant ? » Sa mère était en colère. « Puisque j'ai dit que vous vous en occuperiez tous les deux !

– Le jour où tu rapporteras toi aussi un carnet de notes satisfaisant, tu pourras avoir un chien à toi », dit maître Caucino en mordillant un cure-dents.

Ermanno le regardait du haut de sa chaise, un peu perdu, comme d'une autre planète. Pendant qu'il restait là, pelotonné entre le frigo et la machine à laver, jambes croisées sur le carrelage, à fixer le golden retriever, comme s'il était la cause de tous les maux sur terre.

On lui laissa une assiette d'*agnolotti* sur la table, avec une autre assiette par-dessus, une part de gâteau et les bougies *pour quand tu voudras les allumer.* Un quart d'heure passa, puis une demi-heure. Papa monta faire un somme. Maman s'enferma dans la salle de bains. Ermanno mit une cassette vidéo dans le magnétoscope du salon et lui demanda s'il voulait regarder un film. Andrea fit non de la tête. Il restait là, aux aguets. Le golden retriever furetait dans la maison, sans méfiance ; bête comme tous les chiots de race, comme tous les pantins.

Quand la maison eut plongé dans le silence et qu'on n'entendait plus que la musique d'Ennio Morricone monter du salon, à l'instant précis où le petit chien s'approcha d'Andrea pour le renifler et leva le museau pour le regarder de ses yeux limpides et confiants, Andrea n'hésita pas. Il le saisit par le museau, en serrant fort les mâchoires pour qu'il se taise. La souffrance des animaux – mais il ne l'apprendrait qu'en grandissant – est une des plus déchirantes qui soient. Parce que les animaux ne parlent pas, ils ne peuvent exprimer par le langage ce qu'ils ressentent. S'ils pouvaient dire quelque chose, n'importe quoi, leur douleur aurait un nom, et donc pourrait se mesurer.

Le chiot le regardait, étonné, comme s'il savait déjà, tandis qu'il l'immobilisait de ses deux mains. Pourtant, il n'était ni effrayé ni contrarié. Il se contentait de le regarder. Andrea ouvrit le tambour de la machine à laver, le fourra dedans. Il le vit poser une patte contre la vitre du hublot. Il le fixa encore sans ciller. Puis lança le programme de blanc à quatre-vingt-dix degrés. Il monta dans sa chambre, prépara son sac et s'enfuit de la maison.

Il ne vit jamais la tête de sa mère, l'horreur dans ses yeux quand elle ouvrit le tambour de la machine, trouva le cadavre du chien et hurla. Pourtant, il se l'imagina si bien que son expression devint réelle. Tandis qu'il courait au milieu des bois en frappant la terre de son bâton et qu'il essayait de chasser cette vision, elle devint un souvenir, un morceau de sa vie : l'image même de la faute et de la déception.

Quand il arriva à la ferme, il faisait presque nuit. Son grand-père avait fini de traire et, avec sa grande moustache et sa barbe jusqu'à la poitrine, il se tenait assis devant une assiette de polenta au lait, qu'il piochait dans une casserole en cuivre.

« Qu'est-ce que tu fais donc là, à c't'heure ? Ils sont où, les autres ? »

Andrea s'assit sur une chaise, posa son sac et son bâton par terre.

« Grand-père, je suis venu habiter avec toi. »

Le vieux n'exprima rien. Il continua de manger.

Andrea avait préparé un discours mais l'avait oublié.

« Je veux rester ici, je veux apprendre à traire et mener les vaches au pré. Je ne te gênerai pas. »

Son grand-père l'écouta sans rien dire. Il termina sa polenta. C'était un homme grand et large, la peau brûlée par le froid et le soleil. Il était comme un escarpement de roche exposé depuis des siècles aux intempéries. Il prit une autre assiette dans le cellier, la remplit du reste de polenta et la posa devant Andrea.

Puis il se leva, enfila sa veste et sortit.

Andrea ne toucha pas la nourriture. Il avait l'estomac noué et son chagrin était plus grand que lui. Pas de téléphone là-haut, pas d'électricité non plus. Une lampe à pétrole éclairait faiblement la pièce unique, qui servait à la fois de chambre et de cuisine. À côté, l'étable où cinquante vaches, des grises des Alpes, reposaient dans le silence étoilé.

Son grand-père vivait seul, et parlait peu.

Il n'y avait pas d'autre moyen de descendre au village qu'à pied. Et c'est ce que fit le grand-père ce soir-là. Andrea l'avait compris avant même de le voir revenir tard dans la nuit, accompagné de sa mère, son père et son frère Ermanno, qui avait voulu venir à tout prix.

Ils le trouvèrent dans l'étable, assis sur un tabouret, observant les génisses endormies. Ils étaient épuisés tous les trois. Le grand-père était resté dehors à fumer sa pipe. Sa mère était dans tous ses états. Son père furieux, incapable de dire un mot. Seul Ermanno s'était approché, à petits pas, les lunettes embuées. Ils s'étaient planté devant lui, l'avait regardé.

« Si c'est pour Clint, c'est pas important. »

Andrea avait refusé de lever les yeux vers son frère.

Il savait déjà la volée de coups qu'il allait prendre. Il savait qu'il n'aurait pas le droit de parler, que ce ne serait pas comme au cinéma, où l'avocat commis d'office vient défendre le détenu.

Son père avait du mal à se contenir, ses mains le démangeaient. Sa mère était sortie de l'étable les larmes aux yeux. Des larmes d'énervement, de colère, de fatigue. Pas des larmes de chagrin pour lui : il en était sûr. Puis Ermanno avait tendu le bras jusqu'à lui toucher l'épaule du bout des doigts.

« Il faut que tu reviennes à la maison. Vraiment, le chien c'est pas important. Mais il faut que tu reviennes, sinon je fais comment, moi ? »

Alors ils s'étaient regardés dans les yeux, Ermanno et lui.

Un long regard silencieux qui voulait dire tant de choses qu'ils ne se rediraicnt plus jamais, de toute leur vie. Des choses qu'en grandissant ils dissimuleraient, nieraient, cacheraient même à leurs propres yeux. Mais cette nuit-là, la nuit de 93 où Andrea s'était sauvé de la maison, là-haut, dans la ferme du grand-père, au milieu des vaches, avec ce regard muet – les adultes ne savent plus se regarder ainsi –, Andrea et Ermanno s'étaient dit l'essentiel, à visage découvert, la main d'Ermanno posée sur l'épaule d'Andrea, dans ce contact physique si élémentaire et si simple, aussi difficile pourtant à maintenir qu'à dénouer.

Ensuite, son père avait perdu patience. Il avait fondu sur lui et l'avait attrapé par l'oreille puis l'avait tiré sur le sentier muletier éclairé par les torches, lui criant dessus et le maudissant, sans jamais lâcher prise, sans dire au revoir au grand-père, sans pitié aucune, jusqu'à la voiture garée à Riabella.

12

Ils ne devaient plus se revoir, c'était le pacte. Mais la première chose qu'Andrea vit en ouvrant les yeux le jeudi matin, quand son réveil sonna à huit heures et demie, ce fut le visage endormi de Marina.

Elle s'était pelotonnée contre lui. Au moment où l'aube se levait, il l'avait sentie s'agiter de l'autre côté du lit et le chercher. Se rapprocher, lancer les jambes, frotter ses pieds contre les siens, s'agripper à son épaule. Et maintenant, réveillé mais encore étourdi par des rêves confus, sans beaucoup d'heures de sommeil, il s'aperçut qu'il la tenait dans ses bras.

Ce fut comme s'il se retrouvait tout à coup, sans avoir jamais osé l'espérer vraiment, à l'endroit exact où il voulait être depuis toujours. *Dans le juste de la vie*, comme disait la poésie, *dans l'œuvre du monde*. Et cette œuvre était fragile et froissée, elle sentait le sommeil et la sueur, et elle ronflait doucement, avec même un peu de salive au coin des lèvres.

La lumière du jour filtrait à travers les volets tirés. Andrea sentait un cercle tourner dans sa tête et sa bouche était pâteuse. Il avait déjà la terreur de la perdre. Il craignait qu'aussitôt après avoir ouvert les yeux et réalisé où elle était, elle se rhabille en un éclair et disparaisse à jamais de sa vie.

Aussi faisait-il tout son possible pour rester immobile et ne pas la réveiller. Pour prolonger ce moment suspendu. Avant que les souvenirs ne remontent : tout ce qu'ils s'étaient dit cette nuit-là et qu'ils n'auraient jamais dû se dire ; tout ce qu'ils avaient fait, y compris dormir ensemble, l'un qui s'enfonçait dans le corps de l'autre de toutes ses forces sans défense et sans armes, pour y chercher refuge.

Il la regardait respirer, il la regardait exister, tout simplement, là, dans son lit, dans cette chambre noyée sous la poussière et le désordre. Qui aurait pu réveiller une créature pareille ? Les infos lancées par le radio-réveil avaient fait un boucan infernal, et elle n'avait pas bougé. C'était la première fois qu'il pouvait rester ainsi à la regarder dormir. Il avait l'intuition, maintenant, de ce que voulait dire un amour adulte. À voir son visage doux et détendu, il était presque impossible d'imaginer que sous le sommeil s'agitaient toutes ces contradictions, ces incertitudes, cette colere. C'était un lieu de paix, celui où ils étaient, de perfection. Il n'aurait rien voulu changer, pas même cette pièce qui ressemblait à un débarras. De la rue en bas ne montaient que des bruits légers : une boîte de conserve qui roule, le chat des voisins qui crache au nez d'un autre chat. Le matin que tout le monde voudrait vivre. Sauf que dans une demi-heure il devait partir au travail.

« Mari, dit-il à mi-voix, je dois aller ouvrir la bibliothèque. »

Elle grogna quelque chose, enfonça le visage dans son aisselle.

« Je dois me lever. »

Andrea voulut ôter son bras, mais elle l'en empêcha, se serrant encore plus fort contre lui.

« Mari, ajouta-t-il avec tendresse, ta voiture est restée devant le Sirena. Mais tu peux rester dormir ici, si tu veux.

– Tu reviens quand ? lui demanda-t-elle, d'une voix étouffée par les draps.

– À deux heures. »

Marina s'étira puis ouvrit lentement les yeux. Elle le regarda, mi-égarée mi-surprise : « Quelle heure il est ?

– Il est neuf heures moins le quart, et je dois encore prendre une douche. »

Andrea sortit de la pièce. Il entra dans la salle de bains et se glissa sous l'eau ; il puait, comme à l'école, après les Jeux de la Jeunesse.

Marina aussi s'était levée et avait ouvert les volets pour faire entrer l'air et la lumière. Puis elle avait regardé autour d'elle et s'était mise à rire : « Mon Dieu, dans quel endroit tu vis… » Elle avait ramassé par terre un T-shirt d'Andrea et l'avait enfilé, histoire de mettre quelque chose. Puis, pieds nus, en faisant attention à ne pas marcher sur les bouteilles et les briquets par terre, elle s'était aventurée dans les trente mètres carrés de la mansarde en observant le chaos primitif qui régnait, de plus en plus amusée.

Elle entendit le bruit de l'eau dans la douche, si bien qu'elle se sentit libre de fouiller un peu. Une boîte de café, du sucre. Un paquet de biscuits ouvert on ne savait quand, et une bouteille de lait, frais, une chance. La cafetière était dans l'évier, à côté d'une pile d'assiettes à laver. Tasses et cuillères aussi, sales et grasses à faire peur.

Quand il sortit de la salle de bains, habillé et propre, prêt à partir au travail, il trouva la table mise et sur la nappe le petit déjeuner préparé. Sa réaction, sur le moment, frisa l'embarras.

Il regardait la table, regardait Marina, souriante, vêtue d'un T-shirt à lui sûrement sale, et il n'en croyait pas ses yeux.

« Ça me fait plaisir…, dit Marina en lançant un regard autour d'elle. Parce que ça veut dire que tu n'as pas amené d'autre femme ici. »

Elle lui remplit une tasse de café. Andrea, maladroit et lourd comme un ours, s'assit à table. Il sucra son café. Il redoutait que tout cela soit réel, que cela ne puisse pas durer.

« Comment tu vas faire pour ta voiture ? » lui demanda-t-il.

Marina mordit dans un biscuit, le cracha tout de suite. « C'est moisi ! »

Elle se versa du café. « Qu'est-ce qu'il y a ? Tu es pressé que je m'en aille ? J'irai à pied, le Sirena est juste là derrière... Ce n'est pas ça le problème. »

Andrea finit son café et alluma une Lucky Strike.

« Tu aurais pu dormir un peu plus, si tu n'avais rien à faire...

– Le problème, c'est qu'ici c'est un vrai désastre... » elle se mit à rire, « qui nécessite l'intervention urgente de Marina Bellezza. »

Il restait sur sa chaise, l'air sombre, fixant le coin de la table. Elle se leva et alla s'asseoir sur ses genoux, à califourchon ; elle prit son visage entre ses mains et l'obligea à la regarder.

« Je n'ai rien à faire aujourd'hui. »

Elle lui caressa les cheveux.

« Ce n'est pas la peine, balbutia-t-il.

– Si, justement. »

Il s'obligeait à la regarder dans les yeux, il était fatigué et incrédule, effrayé. « Mari, vraiment, je ne veux pas que...

– Qu'est-ce que tu ne veux pas ? Que je reste ici ? » et elle continuait de le caresser, et toujours cette voix douce, presque maternelle. « Que je fasse les courses ? Que je mette de l'ordre dans ce taudis ? Qu'est-ce que tu ne veux pas, je t'écoute. »

Andrea se frotta les yeux.

« Je ne veux pas que tu t'en ailles, reconnut-il.

– Et moi, je ne m'en vais pas.

– Je suis sérieux.

– Moi aussi.

– Non, tu n'es pas sérieuse, Marina. Tu ne l'as jamais été, avec moi. Bon, ce n'est pas le moment… » Il lança un regard à sa montre. « Écoute, tu peux aussi juste claquer la porte, quand tu pars. »

Marina cessa de le caresser. Elle se leva, commença à débarrasser.

« Avant d'aller à Piedicavallo se marier, tu ne crois pas qu'il vaudrait mieux faire un essai, non ? Tu dis une chose, et puis tu fais le contraire.

– Tu peux parler ! » Andrea se mit à rire et partit dans la chambre récupérer sa veste et ses clés de voiture.

« Laisse-moi un peu d'argent que je te fasse des courses », l'entendit-il lui crier.

Andrea revint dans la cuisine, la prit par les hanches, l'assit sur la table et l'embrassa. Il laissa près de la cafetière un billet de cinquante euros.

« J'y vais.

– Va. »

Il arriva à la porte. L'ouvrit. Revint. L'embrassa encore une fois. Se souvint des clés. Les lui donna.

« Si tu prends une douche, sache que ça inonde.

– Ok.

– On se retrouve à deux heures, dit-il en s'attardant sur le seuil.

– Ok. »

Marina le regarda partir. Puis elle courut se mettre à la fenêtre et vit la Punto disparaître au bout de la rue. Ça ne leur était jamais arrivé jusqu'ici, pendant les six années où ils avaient été ensemble par le passé, d'avoir un lieu à disposition, rien que pour eux.

Elle alla chercher son portable qu'elle avait laissé parmi ses vêtements de la veille, l'alluma. Elle écrivit un texto : *J'ai de la fièvre, on se verra lundi pour les répétitions*, l'envoya à la production de *Cenerentola Rock* et éteignit l'appareil, en évitant de regarder les messages et les appels reçus.

On fait comme ça quand on est une star non ? On fait exactement ce qu'on veut. Et ce que voulait Marina, à ce moment-là, c'était tout révolutionner chez Andrea, que tout soit si propre et parfait qu'il en resterait le souffle coupé ; elle voulait jouer à se sentir sa femme, l'être pour de bon même si c'était un jeu, avant que sa carrière, sa vie, sa notoriété ne décollent toutes ensemble vers Milan ou vers Rome.

Pour commencer, il fallait de grands sacs-poubelle noirs. Se débarrasser de toutes ces bouteilles de bière vides éparpillées dans la maison. Secundo, il fallait ramasser les vêtements, les draps, les nappes, et tout fourrer dans une machine. Tertio, laver la vaisselle, récurer les vitres et les sols. Après, on pourrait commencer à y voir clair.

Elle prit sur la table le billet de cinquante euros. Et ça, j'en fais quoi ? se demanda-t-elle.

Si elle avait rallumé son portable et écouté attentivement les messages sur son répondeur, elle en aurait trouvé un d'un certain Bianchi, d'Occhieppo, datant de la veille : « Putain mais où t'es passée, Bellezza ? » ; un de sa mère, toujours de la veille au soir, où l'on entendait des pas marchant le long d'une route très fréquentée ; et un de BiellaTv 2000, datant du matin même à huit heures et demie, sur un ton urgent : « Marina, bonjour, ta promo a été vue dix mille fois sur YouTube en quarante-huit heures… Là, on a plein de demandes, c'est impressionnant ! Le service de presse te cherche pour fixer des interviews, rappelle-nous dès que tu peux. »

« Ok, il est neuf heures et quart, se dit-elle tout haut. J'ai cinq heures devant moi pour transformer cette horreur en une vraie maison. »

Les défis extrêmes, voilà ce qu'il fallait à Marina. Elle inspecterait tout : chaque placard, chaque tiroir. Quelle que soit la femme qui par mégarde serait passée ici, elle en effacerait toutes les traces. Andrea était à elle, depuis toujours. Cette idée l'amusait, la remplissait d'allégresse, comme si elle était redevenue une enfant.

Elle noua ses cheveux, enfila une paire de chaussettes propres d'Andrea. D'aspirateur, il n'y en avait pas. Il fallait se contenter d'un balai de paille et d'un balai-brosse au manche rouillé. Marina se mit aussitôt à l'ouvrage. Elle commença par la chambre, rassembla dans un coin les saletés balayées, défit le lit, ouvrit les armoires pour aérer les vêtements. Pas un qui soit correctement accroché sur les cintres. Elle plia l'un après l'autre les pantalons, les suspendit, sélectionna les chemises à repasser et les mit de côté, trouva dans la table de nuit un paquet de préservatifs qu'elle jeta : « Ça, à partir de maintenant, tu n'en auras plus besoin. »

Elle vida un flacon entier d'anticalcaire et frotta en long et en large le lavabo, le bidet, chaque interstice entre les carreaux de la salle de bains. Le rideau de douche était tout taché : à jeter. Elle dut faire deux machines de suite, étendre tout le linge aux fils accrochés aux fenêtres qui donnaient sur l'arrière. Quand elle s'y pencha, elle s'aperçut qu'il y avait un jardin derrière la maison, abandonné mais débordant d'hortensias en fleurs, et qu'au milieu des débris et des restes d'un vieux poulailler poussaient tranquillement des chrysanthèmes.

L'espace d'un instant, elle pensa que c'était une vie parfaite. Au fond, c'était ici qu'elle était née et qu'elle avait grandi, c'est ici que naîtraient et grandiraient ses enfants. Petite déjà, quand elle voyait les transhumances passer devant chez elle, il lui venait spontanément l'envie d'applaudir au spectacle des troupeaux qui bloquaient le trafic au milieu de la route et faisaient accourir les gens aux fenêtres. C'était absurde, mais c'était lié à son enfance.

Elle passa à la cuisine. Elle y fit un nettoyage radical. Désinfecta à l'alcool jusqu'à l'intérieur des placards. Lava la vaisselle sale et mêmes les casseroles qui semblaient propres. Gratta le four. Il faut des rideaux et des tapis, décida-t-elle. Elle ramassa tous les livres posés par terre, les rangea sur les étagères vides au-dessus du canapé. Puis elle alluma la télévision, laissa les émissions du matin lui tenir compagnie pendant qu'elle arrangeait les coussins, ôtait la poussière.

Il n'y avait pas un meuble qui ne soit vétuste ou mangé par les vers. Dans tous les coins, des livres, des chaussettes et des paquets de cigarettes froissés.

À un moment donné, en nage, elle leva la tête et regarda dans le vide.

Est-ce vraiment ça qu'il veut, avoir quinze vaches et faire du fromage ?

Comment pouvaient se concilier la carrière à la télévision et à la radio, les tournées dans toute l'Italie d'une chanteuse à succès, et la vie d'un homme qui pue le fumier du matin jusqu'au soir ? Ils écriraient quoi, les journaux ? Marina Bellezza, le talent le plus prometteur parmi les espoirs italiens, vit avec un éleveur de vaches ? Soyons sérieux... Une histoire originale, certes : elle pouvait marquer quelques esprits, mais ses fans n'y croiraient pas.

Ça ne tenait pas debout.

Combien ça coûte, une vache ?

Andrea souriait en regardant les mises à prix des dernières ventes de bétail sur Internet. Il était épuisé, mort de fatigue, et pourtant si plein d'énergie qu'il aurait pu conquérir le monde. La bibliothèque était à moitié déserte et il pouvait noter tranquillement les prix dans son carnet, réfléchir aux décisions à prendre.

Une frisonne produit de quarante à cinquante litres de lait par jour, son prix varie entre mille quatre cents et deux mille euros. Mais sa durée de vie est relativement courte, et elle ne met bas que trois fois au maximum. Autant de paramètres à prendre en compte. La frisonne est, de toutes, la vache la plus productive, mais c'est une bête de plaine, d'élevage intensif, qui ne convient pas à l'alpage. La grise alpine, en revanche, est originaire du Trentin, la montagne est dans son ADN. Elle ne donne que vingt litres de lait par jour, mais peut vivre jusqu'à seize, dix-sept ans, et sa fertilité est excellente. En plus, elle coûte moins cher, beaucoup moins cher.

Enfin, avec la pie rouge d'Oropa, non seulement le prix baisse – trois, quatre cents euros pour une génisse –, mais on reçoit aussi des subventions de l'Europe. Même si ensuite, avec quinze litres de lait par jour, on est obligé de limiter considérablement la production de fromages.

Andrea réfléchissait, calculait et recalculait. L'idée d'élever une race locale en voie d'extinction le séduisait, mais sur le plan pratique il valait mieux opter pour la grise alpine et marcher sur les traces du grand-père, qui avait toujours vanté les mérites – robustesse, longévité, bonne santé – de cette race.

Il demeurait indécis. Il fallait mettre noir sur blanc le budget. Lister les rubriques, du moins les principales : 1) Loyer ferme de plaine + terrain pour l'hiver ; 2) Achat ferme Riabella + pâturage pour l'été ; 3) Quinze grises alpines primipares ; 4) Trayeuse ; 5) Chaudron en cuivre ; 6) Tracteur + faucheuse ; 7) Ces putains de quotas de production.

De temps en temps, quelqu'un venait rendre des livres ou en emprunter, et ce matin-là Andrea était plus gentil et plus souriant que d'habitude. Dans deux semaines, un mois maximum, il donnerait sa démission. Il s'y voyait, sentait déjà le goût de la liberté retrouvée. Certains le prendraient pour un fou, c'était sûr. Il le savait, d'ailleurs : ses parents le déshériteraient, ses compatriotes riraient de lui – *marcaire c'est un métier pour les marcaires, le fils du maire il tiendra une semaine, pas plus, à faire cette vie-là.* Et Marina avait peut-être pensé la même chose, la veille, parce qu'elle s'était contentée de sourire et de le regarder sans rien dire. Mais il n'était pas fou, non : bien au contraire.

Ça commençait déjà à se dire ici et là, dans les journaux et à la télévision : l'avenir, c'est le retour. La crise avait tout remis en question, fini la vie de cocagne. Andrea l'avait compris depuis longtemps, et son raisonnement était inattaquable.

Le maccagno est un fromage d'alpage. Il ne peut être produit qu'à une certaine altitude, et sans vacances, ni l'été ni à Noël, avec un style de vie qui exclut catégoriquement le cinéma, les pizzerias, les boîtes, la carrière. Mais c'est aussi un fromage AOP, et l'un des rares produits capables de percer sur le marché.

Pour lancer son entreprise, il fallait un site Internet bien conçu, une histoire à raconter. Il fallait devenir des héros, des rêveurs, des fous.

Certains processus ne peuvent pas être mécanisés : la transhumance du fond de la vallée jusqu'à l'alpage et vice versa, les heures au pâturage à surveiller les vaches. Il faut avoir de la patience, des bras et des couilles.

Azienda agricola Caucino-Bellezza : voilà comment il l'appellerait. Entreprise agricole Caucino-Bellezza, que Marina accepte ou qu'elle soit déjà partie quand il rentrerait.

Cet après-midi, si elle était là, il lui parlerait. Marina, écoute-moi, c'est sérieux. Personne ne dit que tu dois arrêter de chanter. Tu es très douée, tu es étonnante, tu as un talent incroyable et je suis le premier à le savoir. Mais écoute-moi : ce monde dont tu veux faire partie, il est vieux. Il représente un pays auquel les gens pouvaient croire dans les années quatre-vingt, quatre-vingt-dix, mais plus maintenant. Ce monde-là, qui te plaît tellement, il se servira de toi et il te jettera au bout de deux mois. Il te décevra, il t'ennuiera, et toi, à Rome ou à Milan, où que tu veuilles aller, tu ne tiendras pas longtemps. Mais créer une unité d'élevage pour produire des fromages AOP, ici, dans la Valle Cervo, et le faire dans les règles, crois-moi c'est une idée magnifique. Mieux : c'est un choix de vie *rationnel.* C'est vrai que l'argent, moi, je m'en fiche et toi non, mais je te le promets : on s'en sortira. Tu t'occuperas du marketing, de la publicité, du site Internet. Et l'été, quand nous serons là-haut à Riabella, tu pourras descendre dans la vallée quand tu voudras. Tu t'occuperas des foires : régionales, nationales, internationales. Tu seras le visage et la voix de notre entreprise. Moi, je m'occuperai des bêtes et des fromages. C'est moi qui nettoierai les étables. J'ai toujours voulu faire ça, depuis que j'ai cinq ans. Mais il ne s'agit pas seulement de moi, de ce que j'ai dans le sang. Je sais que c'est la bonne direction. Que c'est ça l'avenir. Le monde autour pourra s'écrouler, mais nous, je te le jure, on s'en sortira.

Ça ne faisait pas un pli : Andrea était le champion pour broder sur des hypothèses, dans le silence de sa tête. *Azienda agricola Caucino-Bellezza.* Ce n'était pas un rêve, c'était un projet concret. Son avenir. Sa vie. Et il savait ce qui l'attendait : un océan de bureaucratie, autorisations, formulaires, dossiers, problèmes. Il savait qu'il faudrait s'engueuler avec les autres éleveurs, et ces gens-là ne te font pas de procès si l'une de tes vaches empiète sur leur terrain : ils t'envoient directement à l'hôpital. Il savait que les agences sanitaires viennent te casser les couilles, à tort ou à raison, même sur le type de produit que tu emploies pour nettoyer le sol de ta ferme. Il savait qu'avant d'obtenir la bonne température et le bon taux d'humidité dans les caves, il faudrait jeter du maccagno et de la tome par quintaux.

Mais lui, de toute façon, il était comme son grand-père. Dur comme le roc de ces montagnes. Il le prouverait à tout le monde, et aussi à son père, et à son frère, que lui, Andrea, dans la période la plus dure que le pays ait traversée depuis soixante ans, l'année où cent mille boîtes avaient fermé, il était capable de mettre sur pied une entreprise compétitive. Et il n'aurait pas besoin pour ça, contrairement à d'autres, de vendre son âme, de troquer sa liberté contre sa carrière.

À mille cinq cents mètres, il n'y a plus de carrière.

Il saurait toujours, lui, où commence le ciel, où finit la terre, et comment s'amenuise à certaines heures de l'aube, au-dessus du plan des narcisses sur le Monte Cucco, la ligne de frontière entre ces deux mondes.

À la fin de l'Histoire, il y a le saut dans l'obscurité.

On est bien obligé de sauter.

Andrea se leva de son bureau. Il était treize heures cinquante-cinq, à présent.

Il rangea les livres rendus le matin, aligna les boîtes à fiches, et comprit tout à coup qu'il avait peur. Une peur démesurée, désespérée, de ne pas la trouver à son retour. Il éteignit les lumières, ferma la bibliothèque à clé puis se dirigea vers sa voiture.

Il fit un tour pour rien dans la ville, pour rallonger le temps. Il aurait aimé faire un saut à Pralungo, sonner à l'interphone de Sebastiano. Ou bien aller au garage et présenter ses excuses à Luca en premier. Descendre à Biella, attendre l'ouverture de la Mucrone Immobiliare, passer à la préfecture prendre le formulaire pour la demande de subvention européenne. Mais il y avait Marina.

Marina et son maudit *Cenerentola Rock, tous les samedis à partir du 13 octobre,* qui pesait sur sa tête comme l'épée de Damoclès. Elle, ses talons vertigineux et son décolleté de strip-teaseuse.

Elle était forcément déjà partie.

Et il ne pouvait faire autrement que de conduire sans but dans les rues d'Andorno, cherchant à rassembler son courage, à se convaincre que même s'il ouvrait la porte et trouvait la mansarde vide il serait content. Il resterait cette dernière nuit, et la façon dont ils avaient fait l'amour, comme deux êtres nés ensemble et qui mourront ensemble, qui ne trouveront jamais la paix éloignés l'un de l'autre.

Elle ne serait pas là. Il la connaissait. Marina, c'était ça : un piège, une illusion.

Il prit la via Pezzia et commença à ralentir, entra sur le parking et fit une quinzaine de manœuvres totalement superflues. Puis il trouva la force d'éteindre le moteur, d'ouvrir la portière et de descendre sur la chaussée.

Alors, il leva la tête et reconnut le vacarme d'une musique de discothèque, une musique idiote comme elle les aimait tant, et qui venait de la fenêtre grande ouverte de la mansarde au dernier étage.

« Je peux pas le croire. » Tel fut son premier commentaire quand il poussa la porte.

Il fut envahi par une vague de bonheur si intense qu'il eut envie de faire le pitre. Lui qui ne le faisait presque jamais.

« Attends, se dit-il tout haut. Je recommence. »

Il referma la porte. Attendit quelques secondes. L'ouvrit de nouveau.

Même scène. Les dalles du carrelage, de gris indéfini, étaient devenues vert brillant, et le tapis aussi avait changé de couleur, même la lumière. Le garde-manger dans la cuisine semblait neuf. La table était dressée pour deux, avec une nappe rouge qu'il n'avait jamais vue. Devant le canapé, les mégots de cigarettes et les journaux pliés n'importe comment avaient disparu. Et au milieu de tout cela : il y avait Marina. En lingerie de dentelle blanche, avec ses talons hauts, les cheveux défaits. Propre, souriante, en train de repasser une chemise.

« Alors, qu'est-ce que t'en dis ? »

Andrea fit quelques pas dans la pièce ressuscitée. Il remarqua les livres rangés sur les étagères, la marmite remplie d'eau sur le feu. « J'ai l'impression d'être dans une publicité pour Barilla. Je ne sais pas quoi dire.

– Va voir la salle de bains, je parie que tu la reconnaîtras pas. »

Les serviettes étaient propres et bien pliées, l'émail du lavabo resplendissait.

« Il faudrait des lunettes de soleil ici ! »

Marina riait. À la télévision, allumée sur Mtv, un rappeur sud-coréen s'époumonait pendant qu'elle repassait en faisant souffler la vapeur.

Andrea alla voir la chambre à coucher.

« Ouvre les armoires ! » lui cria Marina.

Les jeans étaient suspendus, les pulls bien pliés et empilés dans les tiroirs.

Elle avait créé un lieu où vivre. Il n'aurait jamais imaginé qu'un tel geste puisse l'émouvoir autant. Il revint vers elle, glissant sur la façon dont elle était habillée.

« Épargne-moi tes mercis, et tâche de ne pas t'y habituer. »

Andrea continuait à regarder autour de lui, toucher les objets qui avaient été les siens et qui aujourd'hui lui semblaient neufs, nouveaux. L'eau bouillait. Marina dansait en repassant. Andrea était étourdi d'être si heureux, et en même temps embarrassé. Il s'approcha d'elle, lui ôta le fer des mains.

« Ah, tu me dois quatre-vingts euros, dit Marina. Je t'ai fait des courses, je suis allée à la quincaillerie, à la mercerie. Et tant qu'à faire, je me suis acheté ça. » Elle caressa sa brassière en dentelle blanche. « Je t'ai mis tous les tickets là.

– Des euros, je t'en donne autant que tu veux.

– Je veux aller à Brico, aujourd'hui, je veux réparer les volets de la chambre qui ne ferment pas, et installer un nouveau rideau de douche.

– Et y aller en soutien-gorge ? »

Ils jouaient à la famille parfaite. Ils avaient envie d'y croire.

« Il va falloir que je fasse un saut chez moi prendre quelques affaires.

– Tu as l'intention de rester ?

– Peut-être. »

Andrea ne se contint plus. Il tourna le bouton du gaz, arracha la prise du fer à repasser. Ôta sa veste, éteignit la télévision, prit Marina par le bras et l'entraîna dans la chambre. Il était lucide maintenant, il se sentait fort, son projet allait démarrer, il était un homme promis à une femme superbe et à moitié nue.

Marina se mit à rire, s'étendit sur le lit.

« C'est vrai que je te dois trois ans d'arriérés.

– Tais-toi, s'il te plaît, dit Andrea en la prenant dans ses bras.

– À propos, j'ai jeté ta boîte de préservatifs.

– Quoi ?

– Ça te servira plus. » Marina continuait à rire et à se rouler sur le lit. « C'est pour les aventures extraconjugales… Et de toute façon, tu n'aurais jamais dû me tromper.

– Tu parles ! Je n'ose pas imaginer toi, ce que tu as fait…

– J'ai été une sainte, je le jure ! »

Elle mentait comme le ciel de mars. Andrea était perdu, désarmé. Deux enfants qui jouent à se taquiner mais qui sont trop grands pour le faire sérieusement.

« Tu sais que demain je ne travaille pas ? Je t'emmène à la Bessa chercher de l'or.

– Arrête, on a des tas de choses à faire demain, après-demain et encore après... Moi, je ne veux plus sortir de ce lit. »

L'idylle, par définition, ne peut pas durer. Mais elle advient.

Andrea ôta sa brassière, fit glisser le string qu'il lui avait offert sans le savoir et qu'il n'aurait jamais choisi. Elle lui enleva ses vêtements. Ils se réfugièrent sous les couvertures, puis les chassèrent au pied du lit.

Plus tard ils déjeuneraient, Marina ferait un saut chez elle pour prendre des affaires, sa trousse de maquillage au moins. Ensuite ils descendraient à Biella, s'arrêteraient chez Brico pour acheter du silicone, des vis, des équerres, des pots de peinture, lui poussant le chariot et elle escaladant les rayons. Puis ils rentreraient, dîneraient devant les infos et iraient se coucher, épuisés, et dormiraient jusqu'au lendemain midi.

Mais pour le moment, ils voulaient seulement être ensemble, sans se préoccuper de l'avant ni de l'après. Et ce qu'il y avait d'extraordinaire en Marina c'était qu'elle cessait de feindre et de provoquer aussitôt qu'elle se déshabillait et commençait à faire l'amour. Elle devenait malléable, docile, sereine. Et parfois, en particulier l'après-midi à la lumière du soleil, elle se faisait créative, elle aimait changer de position, changer de place, elle aimait rire en faisant l'amour, elle aimait parler. Alors qu'Andrea était sombre, possessif et brusque. C'était comme si elle lui ouvrait le monde, comme si elle le nettoyait de toutes les scories, de tous les maux. Elle n'était ainsi qu'avec lui, voulait penser Andrea ; elle perdait toute sa vulgarité, ces côtés obscurs disparaissaient, elle devenait généreuse, limpide, jouissait facilement, et puis voulait jouir encore, elle était comme un homme voudrait que soit la mère de ses enfants, une créature conçue exprès pour allaiter, bercer, réchauffer et protéger un autre corps.

L'idylle dura jusqu'au dimanche. Puis le monde s'écroula.

DEUXIÈME PARTIE

Cow-boy vs Cendrillon

1

Au fond du studio, Elsa gardait le sac à main et les affaires de Marina.

Mal à l'aise, elle faisait attention à ne pas heurter les techniciens, ne pas marcher sur les câbles qui jonchaient le sol et surtout ne pas tousser, ne pas faire de bruit, maintenant que l'émission allait commencer. Elle se demandait comment Marina pouvait rester aussi calme, aussi détendue, au milieu de toute cette lumière; et se confier avec une telle désinvolture aux mains de la maquilleuse.

Quelqu'un dit: *Cinq minutes!*

Le journaliste qui allait l'interviewer entra à ce moment-là, saluant ses collègues avec quelques blagues. Puis il s'approcha de Marina, lui serra la main et prit place face à elle. Elsa pouvait voir sur un écran les essais des opérateurs: premier plan du journaliste qui revoit son découpage, plan moyen, silhouette entière. Même chose sur Marina: un zoom vertigineux comme celui du satellite de Google Earth la capturait puis s'éloignait aussi vite pour revenir s'arrêter sur un avant-bras, une main ou un ongle verni de bleu-noir.

On lui avait dit qu'elle pouvait s'asseoir, si elle voulait, mais Elsa n'en avait pas envie. C'était la première fois qu'elle entrait dans un studio de télévision, qu'elle voyait les coulisses, les dimensions réelles : tout était plus petit qu'on ne l'imaginait de chez soi. C'était comme être dans un cagibi où régnait le chaos, avec des plafonds très hauts, plongé dans une obscurité poussiéreuse emplie de projecteurs, de câbles électriques, d'objectifs numérotés, et qui s'ouvrait sur un îlot de lumière.

Quand il était devenu clair que la mère de Marina ne viendrait pas, Elsa avait décidé de l'accompagner. Un geste irréfléchi, elle s'en rendait compte ; il avait d'ailleurs fallu insister pour que Marina la laisse conduire. Elles n'étaient pas ce qu'on pouvait appeler des « amies », et Elsa n'avait aucune raison d'être là, à lui garder son sac. D'ailleurs, quelque chose dans cette situation la mettait mal à l'aise, comme si elle était l'intruse dans l'intimité d'une autre.

Il est vrai que Marina lui avait fait de la peine après le déjeuner quand elle l'avait vue, déjà prête et ses clés à la main, appeler pour la énième fois sa mère sans réponse.

Et puis ces derniers jours il s'était passé pas mal de choses bizarres : d'abord son absence la nuit de mercredi et son retour hors d'haleine le jeudi en fin d'après-midi, avec une expression rêveuse qu'Elsa ne lui avait jamais vue ; Marina s'était précipitée à l'étage, où elle était restée en tout une vingtaine de minutes, avant de redescendre lui dire au revoir, un sac à dos à l'épaule, ajoutant qu'elle ne savait pas quand elle reviendrait. Ensuite sa seconde absence, plus longue cette fois, au point qu'elle s'était inquiétée. Marina avait été injoignable pendant quatre jours entiers. Et soudain, le lundi, elle était revenue, vers une heure du matin, refermant la porte d'entrée si fort qu'elle l'avait réveillée ; puis elle avait crié au téléphone avec une telle violence qu'Elsa, couchée dans son lit, en avait eu le cœur qui battait la chamade.

Enfin, depuis le lundi après-midi, leur maison était devenue un va-et-vient continu de photographes et de journalistes de l'*Eco di Biella*, du *Biellese*, de la *Nuova Provincia*, installés tour à tour à la table de la cuisine, magnétophone allumé. Un martèlement incessant de coups de fil. Et quand Elsa avait compris que personne ne viendrait épauler sa colocataire, lui redonner courage dans cette tempête, elle n'avait pas voulu la laisser seule.

À présent, dans le noir, elle l'observait, essayant de comprendre ce que cela fait d'être projeté ainsi au centre de l'attention, de passer de rien à tout, sans étapes intermédiaires. Elle s'inquiétait pour elle, à cause de l'interview, et de ce qui arriverait ensuite.

Mais elle avait bien tort.

Marina n'était nullement inquiète.

Assise jambes croisées dans un fauteuil transparent au centre de la scène, elle semblait n'avoir besoin ni d'être accompagnée ni d'être soutenue.

À des années-lumière de toute préoccupation terrestre, elle inspectait ses ongles et rongeait une petite peau. Resplendissante sous la vapeur incandescente des projecteurs, découpée dans sa solitude absolue.

C'était elle, et personne d'autre, qui était le cœur, le centre de gravité, l'axe autour duquel la Terre à cet instant tournait. Il y a eu dans l'Histoire des époques où le but était de connaître le monde, l'explorer, éprouver son immensité, son mystère. Dans celle-ci, en revanche, en cette seconde décennie du XXIe, il ne s'agissait plus de se perdre dans le monde mais d'*être* le monde, prendre sa place, le résumer tout entier en soi. La guerre opposait les pionniers de la visibilité aux partisans de l'anonymat. On ne luttait plus à mort pour occuper des terres, mais une place dans les médias.

Un Far West virtuel, tout aussi féroce. Marina était une fille de son temps, celui de *Ok, il prezzo è giusto !* ou *TV Sorrisi e Canzoni*. Mais elle avait aussi ce principe barbare, cette capacité violente à la compétition, cette ignorance colossale et impérieuse des Huns, des Attila, des Xerxès.

Une faim impitoyable, hors du temps.

« Bonsoir, bienvenue à notre rendez-vous hebdomadaire avec *Speciale BiellaTv 2000*, l'émission où l'on revient sur les thèmes qui passionnent notre public. Nous allons parler d'un programme totalement novateur, et même révolutionnaire, qui sera diffusé sur cette chaîne en prime time à partir du samedi 13 octobre. »

Alberto Serra, journaliste connu, la cinquantaine fringante, en lunettes à monture orange, pointa l'index vers l'œil de la caméra. « Un programme qui a déjà suscité un énorme intérêt sur Internet et dans la presse, quelque chose de tellement nouveau qu'à quinze jours de sa diffusion notre site a été littéralement pris d'assaut. » Prise de vue de trois quarts. Serra ordonna ses notes sur ses genoux et ôta ses lunettes. « Nous parlons de *Cenerentola Rock*, le télé-crochet féminin made in Biella qui a pour but de découvrir le nouvel espoir, la nouvelle Cendrillon de la chanson italienne. Restez avec nous. Une page de publicité, et ensuite générique. »

Dans le studio, le silence tomba. Un silence où chacun semblait à l'aise, sauf Elsa. Sur les écrans, au milieu des câbles électriques et des grues supportant les caméras vidéo, des images de la charcuterie Bianchi, « le meilleur saucisson de chèvre du Biellois », de la librairie-papeterie Elfo Felice et du restaurant L'Incontro, ouvert également le dimanche pour le déjeuner, se succédaient sans que personne ne les regarde. L'attention de chacun se concentrait sur le minuteur qui égrenait les secondes.

On lança le générique, la diffusion reprit. Elsa restait figée dans son coin, en apnée. Pendant que Marina, là-bas, continuait à inspecter ses ongles comme si elle pensait à autre chose, seule dans sa salle de bains.

« Bienvenue à toutes et à tous. »

Dans cette pièce étouffante, le temps semblait avoir perdu toute mesure, c'était un animal sauvage, qu'il fallait tenir d'une main ferme. Serra se donnait des faux airs de journaliste insolent. Il expliqua comment *Cenerentola Rock* se déroulerait : dix épisodes, douze concurrentes, un jury composé de personnalités de la région – des professeurs du conservatoire, le directeur d'un célèbre centre commercial, des collègues journalistes, des professeurs de danse et de chant des meilleures écoles bielloises. « Et puis VOUS : notre public, le premier des jurys ! C'est VOUS qui allez voter ! Un euro pour faire gagner votre concurrente préférée ! Chaque épisode sera parrainé par un invité de prestige – de grands noms, je ne peux rien vous révéler de plus pour l'instant... – et se terminera par l'élimination d'une de nos concurrentes. Et enfin, notre grande finale du 15 décembre, où seront nommées la troisième, puis la seconde et enfin notre grande gagnante !

« Le moment est venu de vous révéler l'identité de la concurrente présente aujourd'hui dans nos studios... » Serra haussa le ton, étira un large sourire. « Beaucoup d'entre vous la connaissent depuis longtemps, d'autres depuis quelques heures seulement... Ce qu'on peut dire, c'est que sa vidéo a battu tous les records sur le net, puisqu'en moins de quatre jours elle a été vue vingt-deux mille fois. Bref, elle vient de Biella, elle est très jeune, elle est déjà un phénomène. Et elle porte un nom qui ne s'oublie pas... »

Une seconde de suspense.

Tension palpable dans le studio.

« Marinaaa Bellezzaaa ! »

Au même instant partit un remix d'une vieille mélodie de bastringue. La caméra se déplaça vers Marina, remonta de la pointe de ses chaussures jusqu'à la boucle d'oreille en or à son lobe gauche. Puis recula pour la cadrer tout entière. Elsa était immobile devant le moniteur, les nerfs tendus, les yeux écarquillés. C'était Marina, bien sûr. Mais par le biais de l'écran, comme par une illusion d'optique, elle devenait une autre.

Ce qu'Elsa vit alors, et que virent les téléspectateurs qui regardaient Biella Tv 2000 à 19 heures ce mardi 25 septembre, ce fut une fille blonde, assise les jambes croisées, le coude posé sur l'accoudoir, les cheveux tombant sur les épaules, une Grace Kelly qui aurait eu la malice de Belen Rodriguez. Une madone éthérée, avec des airs de petite fille. Elle portait des bottes noires jusqu'aux genoux, un jean troué décoloré, un petit haut en lamé or et argent. Un maquillage lourd, uniquement sur les yeux, bistrés de noir. Elle souriait à la caméra, comme la gentille petite fiancée idéale, et comme une tigresse.

« Alors, Marina, comment te sens-tu ? On se tutoie, ok ?

– D'accord, vas-y…

– Fantastique », dit Serra.

Il fallait encore briser la glace. La tension grandissait, animateur et invitée s'étudiaient l'un l'autre. Un technicien entra et tendit à Serra le nouveau conducteur, il y jeta un coup d'œil puis lança la feuille par terre.

« Je ne sais pas si tu es au courant, mais cette émission spéciale sur BiellaTv 2000 est une émission polémique. Ça veut dire que mes questions ne sont pas toujours très gentilles… Il faut bien s'amuser, non ? »

Marina, sans se départir de son terrible sourire, s'était tournée vers son interlocuteur et le défiait du regard. La caméra les cadrait tous les deux, à présent. Serra remit ses lunettes, replia ses feuilles de notes.

« Alors, quel effet cela te fait, cette soudaine notoriété ? De participer à la première édition d'un programme attendu par tous les téléspectateurs, qui te voient déjà comme la grande gagnante ? Il y a de quoi avoir la grosse tête, non ?... »

Marina inspecta une fois encore ses ongles, balaya ses cheveux en arrière.

« C'est à la fin de la bataille qu'on compte les morts, dit-cllc, et je n'ai pas encore gagné. »

Serra leva les yeux et la fixa avec intérêt.

« La seule chose que je tienne à dire, ajouta Marina, c'est que je remercie tous ceux qui m'ont écrit sur Facebook pour m'encourager. Et je peux vous assurer que je donnerai le meilleur de moi-même.

– Bien, je te sens plutôt déterminée. Et il le faudra, car tes adversaires, que nous rencontrerons lors des prochaines émissions, sont aguerries et talentueuses... Vous avez pu devenir amies ? »

Marina se mit à rire. « Bien sûr que non ! Il n'y a pas de place pour l'amitié dans une compétition... Je serais hypocrite si je disais le contraire. » Puis, d'un ton de petite peste : « Quand tout sera fini, je ne dis pas...

– Bon, fit Alberto Serra, je sens qu'aujourd'hui ce ne sera pas langue de bois... Marina », il se tourna de nouveau vers elle, « certains critiques ont écrit que de nos jours les chanteurs ne sont plus lancés que par les émissions comme celles-ci, et que c'est dommage... Qu'en penses-tu, toi ? »

La question était délicate. « Les temps changent, dit Marina pour s'en sortir. Ça ne sert à rien de se demander si c'était mieux avant ou après. » Elle réfléchit encore un instant. « J'avais besoin qu'on me donne ma chance, et la télévision me la donne. À moi comme à beaucoup d'autres gens. C'est la *démocratie.* » Un geste ample « Quoi de mal à ça ?

– Rien, en effet, absolument rien. Tout à fait d'accord avec toi, Marina. Mais tu sais, les critiques viendront tôt ou tard et, à ce propos... Certes, le nombre de tes fans sur Facebook a augmenté de façon impressionnante, mais il y a aussi de nombreux commentaires négatifs. Tes anciens camarades de classe disent que, contrairement à ce que tu as raconté dans ta promo, tu n'étais pas grosse quand tu étais petite…

– La jalousie est une sale bête, le coupa vivement Marina. S'il y a une chose que je ne suis vraiment pas, c'est menteuse, au contraire même… J'ai eu une enfance difficile à cause de mon apparence physique, et je n'ai de comptes à rendre à personne. Ceux qui ont vécu les mêmes souffrances comprennent de quoi je parle. Et ceux qui ne comprennent pas, tant pis pour eux. »

Serra semblait de plus en plus intéressé par cette fille, il penchait le buste vers elle, ôtait pour la énième fois ses lunettes.

« J'aime la franchise chez les gens, dit-il en s'adressant de nouveau aux téléspectateurs. Il y a quelque chose de vrai chez Marina. Mais la régie me communique qu'on est maintenant en mesure de diffuser la fameuse promo dont nous parlions… Pour ceux qui ne l'auraient pas encore vue. »

Elsa, justement, ne l'avait pas vue. Cette vidéo où Marina parlait de son enfance de marginale, et de son père qui, avant de partir aux États-Unis, lui disait de croire en sa propre voix. Elle n'avait pas vu non plus les reprises de ses prestations, qui défilaient à présent sur l'écran : Marina chantant à une fête de village, dans une discothèque, dans un petit palais des sports, et pour finir dans ce qui ressemblait à un film amateur, où elle émergeait d'une baignoire pleine de mousse.

Sur le moment, elle resta fascinée. Elle devait bien le reconnaître : en plus de sa voix, Marina possédait le rare pouvoir de savoir s'imposer, de savoir communiquer. Elsa alla même jusqu'à la croire sincère, et prit pour argent comptant toute l'histoire du père et des kilos en trop.

« Ok, maintenant, reprit Serra quand la promo se termina, nous avons pu te voir dans toute ta splendeur. » Il sourit. « Tu as peut-être été vilaine dans le passé, mais à présent... »

Rires étouffés des techniciens.

« Tu vois, même ici dans le studio ça les fait rire ! Bon, revenons aux choses sérieuses. De un à dix, combien dirais-tu que compte la beauté pour faire carrière ? »

Marina croisa les jambes de l'autre côté, lentement. « Parlons clair », son ton était ferme, « la beauté, ça compte. Si une femme est belle, tout le monde la veut... Mais quand je chante, moi, je ne suis ni femme ni homme. À la fin, le public ne t'aime que si tu as du talent et si tu as bossé comme une dingue pour tout donner, ta sueur et tes larmes. Si tu ne donnes pas tout, ça ne dure pas, tu te fais descendre avant.

– Eh bien, Bellezza... Et ton petit ami, il en dit quoi, d'un caractère aussi déterminé ?

– Je n'ai pas de petit ami. Le travail avant tout. »

Dans le studio la température avait monté. La rédaction suivait à l'écran, électrisée, échangeant des coups d'œil rapides et enthousiastes, courant ici et là. Elsa restait à l'écart et continuait de se demander à quel jeu jouait Marina, si elle avait conscience de l'effet qu'elle produisait.

« Nous avons encore quelques instants, mais ensuite *nous voulons t'entendre chanter.* » Serra dit cela sur un ton qui sous-entendait : on va te mettre à l'épreuve, qu'est-ce que tu crois ? « Pour les dernières questions, j'aimerais que tu me répondes du tac au tac... Je commence : que penses-tu de la politique ? »

Marina n'avait pas la moindre idée de qui était au gouvernement.

« Rien.

– Et la religion ?

– Je vais à la messe tous les dimanches à Oropa, je suis très croyante. »

Elsa haussa les sourcils : Ah bon ? Première nouvelle.

Le minuteur galopait, on approchait des vingt minutes.

« Jusqu'à quel point es-tu liée à ta terre natale ?

– Énormément, j'espère ne jamais en partir.

– Et la famille, ça compte pour toi ?

– La famille, c'est plus important que tout.

– Enfin, comment te vois-tu dans le futur ?

– Recevant un disque de platine.

– Bien, prouve-le-nous. »

Serra se tourna et indiqua le micro qu'un technicien installait derrière eux, au centre du studio. Une caméra le cadra rapidement.

« Prouve-nous que tu le mérites, ce disque de platine ! »

Marina n'hésita pas. Elle se leva, se dirigea vers le micro, le fixa à sa hauteur d'un geste professionnel. Les lumières autour d'elle s'éteignirent, il n'en resta plus qu'une : sa préférée, celle qui explosait devant ses yeux en l'aveuglant, et la plaçait au centre du monde. La bande de *I Will Always Love You* partit. La chanson la plus célèbre et la plus difficile de Whitney Houston : elle l'avait choisie exprès, pour faire taire ceux qui, comme Serra, avaient encore des réserves. Elle leur clouerait le bec à tous, se dit-elle. Elle allait les scotcher, les laminer, les anéantir. C'était sous pression qu'elle donnait le meilleur d'elle-même. Elle avait travaillé dur, elle avait du talent. Et son talent était une déclaration de guerre. Il avait été poli et discipliné par des années d'interminables exercices vocaux, et il était le poinçon qu'elle enfoncerait dans les flancs de ceux qui la critiquaient et la malmenaient. Enviez-moi, semblait-elle dire en levant la tête et en plantant ses yeux droit dans l'objectif. Enviez-moi à en crever.

Elle chanta divinement, hypnotisant Serra, les techniciens, Elsa oubliée parmi les câbles électriques et les grues des caméras. Elle chanta comme si c'était la chose la plus naturelle au monde, ne cédant rien dans les notes hautes, qu'elle tint aussi longtemps que Whitney, souriant aux téléspectateurs : aux grands-mères et aux tantines qui la regardaient de chez elles, et à tous ceux qui l'avaient insultée sur Facebook. Dans les dernières notes, les yeux fermés, elle effleura à peine le micro, en une caresse suspendue qui disait le pardon, la compréhension, mais aussi la ténacité.

Quand elle eut fini, dans le studio on en aurait presque fait sauter les bouchons de mousseux. Serra salua le public avec émotion et l'invita au rendez-vous du lendemain, même heure, même chaîne. Ôtant ses lunettes, il ajouta : « Nous avons assisté à un miracle, les amis. »

La retransmission achevée, tous coururent lui parler, la féliciter, la toucher : *Tu es née pour la télévision, ma petite. Tu m'as collé des frissons. Tu as la voix absolue.* Et Marina qui esquivait, faisait la modeste. Pour elle, c'était une évidence.

Elsa, une bouteille d'eau à la main, la regardait abasourdie. Elle percevait sa puissance, sa beauté, sa cruauté.

Alors Marina vint vers elle et lui prit le bras.

« Partons d'ici, vite, sinon ils ne vont pas me lâcher. »

Elsa la suivit dans les toilettes.

« T'as pas une cigarette ? »

Elle lui en donna une et la regarda fumer.

« Alors, comment j'ai été ?

– Bien, je crois, lui répondit Elsa, tu étais vraiment à l'aise...

– Dis donc, c'était quand même pas Canale 5[1]. » Marina aspira lentement la fumée. « Et puis », elle la souffla par le nez et s'examina dans le miroir, « Serra, c'est pas Bonolis. »

1. L'une des cinq grandes chaînes nationales de télévision italienne, dont Paolo Bonolis est le plus célèbre présentateur.

Elsa ne comprenait pas si elle parlait sérieusement. Elle la vit éteindre sa cigarette sous l'eau du robinet, se démaquiller puis entrer dans une des cabines pour se changer. Tranquille, l'air de rien. Comme si donner des interviews et chanter *I Will Always Love You* à la télévision était une chose normale.

Pendant que Marina se changeait, Elsa se retrouva seule. Seule avec sa petite bouteille d'eau à la main.

2

La photographie accrochée au mur de son bureau, sous le diplôme, représentait ses deux fils dans un cadre en bois.

Ils étaient enfants, sur cette photo, en uniforme de boy-scouts, assis l'un à côté de l'autre sur un rocher en surplomb du torrent Cervo. L'un fixait droit l'objectif derrière ses lunettes et souriait tranquillement dans la claire lumière d'été ; l'autre ne souriait pas, affichait même une moue agacée et regardait ailleurs. Qu'avait-il fait de si grave, lui, Maurizio Caucino, pour que ses propres enfants soient si différents ?

Le regard de l'avocat quitta la photographie et tomba sur le dossier encore fermé posé au centre exact de son bureau. Il resta ainsi de longues minutes, incapable de l'ouvrir, alors qu'il avait une audience au tribunal le lendemain matin. Par moments il lançait un regard au téléphone, touchait le combiné du bout des doigts puis se ravisait, et de nouveau fixait le dossier sans se décider à le parcourir.

Il était dans une sorte de limbe. Depuis une semaine, l'esprit torturé, il négligeait son travail. Très exactement depuis que son fils Andrea avait débarqué chez lui sans prévenir et lui avait sorti cette histoire absurde de la ferme de Riabella.

Dieu qu'elle lui avait coûté, cette gifle.

Lever la main sur ses propres enfants est un geste dont on devrait avoir honte, encore plus s'ils sont adultes. Mais Andrea ne l'était pas, loin s'en fallait. Quand on se comporte de cette façon, qu'on laisse en plan ses études pour courir après les projets les plus farfelus, c'est qu'on est immature, irresponsable. Il était toujours cet enfant qui avait tué le chien d'Ermanno en le mettant dans le tambour de la machine à laver. L'avocat criait en silence, pour se persuader qu'il avait raison.

Il regardait le téléphone, la photo, le dossier, les branches du sapin dans le jardin qui arrivaient jusqu'aux vitres, et quelque chose continuait à le ronger. La gifle, bien sûr, il n'aurait pas dû. Mais ce qui le torturait plus que tout, ce qui l'empêchait de dormir, c'était la phrase qu'Andrea avait dite au moment de partir en claquant la porte. Son fils serait-il capable de braquer une banque ? Ou de commettre n'importe quelle autre action désespérée ?

À ce qu'il en savait, autrement dit pas grand-chose, il l'était. Son cadet, à la différence de l'aîné, avait toujours été un mystère pour lui, et un tourment.

Et les gens, que diraient-ils ? Le fils de l'avocat, le fils de l'ancien maire de Biella, qui ne manque pas d'argent, tourne mal et braque un bureau de poste comme un quelconque délinquant, un toxico, un voyou…

Maurizio ne pouvait y penser sans avoir un haut-le-cœur. Son nom, le nom de sa famille, traîné dans la boue par un fils qu'il avait élevé comme l'autre, de la même façon. Comment se pouvait-il qu'Ermanno à vingt-huit ans travaille pour la Nasa à l'université d'Arizona, tandis que l'autre, à vingt-sept, n'était encore arrivé à rien ?

Il ouvrit le dossier et commença à lire. Bien sûr qu'il l'aimait, c'était son fils. Mais que croyait-il pouvoir faire d'une ferme d'alpage ?

La veille, il avait reçu un coup de fil sceptique de l'agent immobilier en charge de la vente : « Un jeune homme qui dit qu'il vous connaît vient de passer. Il offre vingt mille euros non négociables… »

Bon Dieu, il avait pris l'affaire au sérieux !

Il jeta avec force son stylo sur son bureau. Éloigna le dossier. Quand il lui avait dit de s'adresser à l'agence, c'était simplement pour lui faire peur, le dissuader de ce qui était à l'évidence une idée fumeuse. Que faire, maintenant ? Fallait-il aller jusqu'au bout, et vendre cette ferme, un bien de famille, à son propre fils, qui n'avait pas d'argent ?

Maurizio était comme tous les Biellois, des gens durs, de ceux à qui rien n'a jamais été donné. Il s'en était sorti à la force du poignet, grâce à sa colère et son entêtement : diplômé en droit, carrière juridique, carrière politique, une position respectable.

Parti de rien. Moins que rien, même. Une enfance au milieu des vaches, les odeurs d'étable, les gens qui t'appellent « le fils du *margaro* », être ridiculisé chaque jour par ses camarades de classe, ce ne sont pas des choses qui font plaisir à un enfant. Voir que son père ne se lave pas, ne connaît tout au plus qu'une centaine de mots d'italien, ça n'est pas facile.

À la mort de sa mère il avait à peine douze ans, et son père s'était retranché derrière un silence impénétrable que Maurizio ne lui avait toujours pas pardonné. Il l'entendait parler avec ses bêtes, le voyait les caresser, vivre comme elles, mais tout ce qu'il lui donnait, à lui, c'était de l'argent.

Il le lui mettait dans la main, en espèces, et disait : « Apprends bien tes leçons. »

De son père il ne se rappelait rien d'autre. Jamais une conversation, jamais une promenade ensemble. Il y avait six ans, quand il était mort, ça ne lui avait rien fait. Il lui avait payé un bel enterrement – qu'on n'aille pas dire en ville que le maire était près de ses sous – et il avait réglé en quelques jours les questions administratives. La seule chose qui lui tenait vraiment à cœur, c'était de se débarrasser de ces maudites bêtes : immédiatement. Ces vaches stupides et puantes qui avaient empoisonné son enfance. Les vendre, toutes, ou les envoyer à l'abattoir, ne plus jamais les voir.

Sauf la ferme. Dieu sait pourquoi, il n'avait pas eu le courage de la mettre en vente. Mais ce n'était pas le problème. Quelle importance, au fond, cette ruine ? L'important, c'était qu'il ne pouvait pas répéter avec ses enfants l'erreur que son père avait faite avec lui. Il ne pouvait pas leur imposer à son tour *ce silence*. Il vieillissait, sa main n'était plus aussi ferme. Mais il ne voulait surtout pas ressembler à cet homme dont il n'était jamais allé fleurir la tombe.

Il devait faire un effort pour ouvrir le dialogue. Avec Ermanno, c'était facile de parler : il écoutait, toujours gai, cordial, respirant le calme et la diplomatie même dans les moments de tension. Tandis qu'Andrea – nom de Dieu de merde ! –, on avait envie de l'étrangler avant même qu'il ouvre la bouche. Déjà sa façon de dire « Salut ! » vous mettait les nerfs en boule.

Mais lui aussi était son fils.

L'avocat se fit une raison, prit le combiné du téléphone et tapa le numéro. Après une dizaine de sonneries dans le vide, Andrea répondit, la voix à des centaines de kilomètres, comme toujours : « Papa. »

L'avocat déglutit : « Andrea. »

Il reprit son stylo, commença à gribouiller sur une feuille. « Écoute, j'ai réfléchi. »

À l'autre bout du fil, rien d'autre qu'un silence profond.

« Pour Riabella, je veux dire… » Pause, soupir. « J'ai bien réfléchi. Je sais que tu es allé à l'agence hier. Alors, voilà, je suis arrivé à cette conclusion : tu la veux, cette ferme ?

– Oui.

– D'accord. » Il déglutit de nouveau, posa son stylo. « Si tu ne fais pas de conneries, si tu ne te mets pas de drôles d'idées en tête, je te la laisse en prêt à usage. À condition que tu viennes me voir… », il ouvrit son agenda, le feuilleta rapidement, « disons samedi. Je n'ai rien ce samedi. On en parlera.

– Ok.

– Viens déjeuner, ta mère sera contente.

– À samedi. »

Voilà, c'était fait. Pour une fois ils étaient d'accord et il n'y avait aucun motif de récrimination. Pourtant Maurizio hésitait à raccrocher.

« Tu vas bien ?

– Oui.

– … Écoute, ajouta-t-il, je voulais te dire… Repenses-y, à cette affaire de Tucson. Si c'est trop pour toi, dix jours, je peux changer ton billet, pour que tu rentres plus tôt…

– J'y réfléchirai.

– Alors je dis à ta mère que tu viens samedi. »

Avant qu'il ait eu le temps de reposer le combiné en poussant un petit soupir de soulagement sans d'ailleurs imaginer un seul instant quels pouvaient être les projets d'Andrea – il supposait qu'il voulait y habiter ou bien ouvrir un gîte rural, pas forcément une mauvaise idée –, Maurizio l'entendit dire, très vite, comme si le mot lui avait échappé : « Merci. »

Alors il sentit dans sa poitrine une minuscule fracture, comme se fendille la coquille d'un œuf. Il vieillissait, il n'arrivait plus à gérer ses émotions. Surtout quand il se retrouvait seul, comme là, assis à son bureau avec une page de gribouillages devant lui, face à la photo d'Andrea et Ermanno habillés en scouts sur les pentes du Cervo. L'un qui souriait et fixait l'objectif derrière les verres de ses lunettes, l'autre qui ne souriait pas et regardait ailleurs. La moue, les cheveux dépeignés, le regard sombre. Comme un enfant qui n'est pas heureux.

Andrea se laissa aller contre le dossier de la chaise, poussa les pieds contre le bureau et roula jusqu'à heurter un rayon de la bibliothèque. Ça alors, s'il s'y était attendu !

La manne qui tombait du ciel !

En économisant l'argent de Riabella, il pouvait investir la totalité du prêt à fonds perdu dans son étable d'hiver et la location d'une terre dans la plaine, sans avoir besoin de s'adresser à une banque.

Une libération. Et même si ça lui cassait les pieds que son père lui rende un service, l'orgueil en ce moment était bien le moindre de ses soucis.

La ferme appartenait à son grand-père, tout compte fait, et c'était juste qu'elle lui revienne, à lui. Il pouvait utiliser les presque cinq mille euros qu'il avait mis de côté pour s'acheter un tracteur d'occasion, ou une faucheuse. Il pouvait démissionner de son boulot dès demain, et renoncer à passer les examens qui lui restaient à l'université de Turin. Une révolution totale, les choses étaient lancées. Andrea avait le cœur qui battait fort : Agamemnon partant pour la guerre de Troie.

Deux heures passées, déjà. Il se hâta de fermer la bibliothèque.

Il avait bien fait de marquer le coup hier, à la Mucrone Immobiliare. Le vieux avait pris peur, il avait compris que c'était du sérieux. Et ça l'était. Il n'avait jamais été aussi déterminé de toute sa vie.

Après la furieuse dispute du dimanche soir avec Marina, il s'était réveillé comme un soldat en première ligne. Lundi il avait travaillé à un rythme soutenu, rassemblant toute sorte d'informations sur Internet, comme s'il ne s'était rien passé la nuit d'avant. Sans faire de pause pour y repenser. Il n'y avait plus dans sa tête que les pâturages du Monte Cucco et les grises alpines à sept cents euros l'une. Et aujourd'hui, mardi, il était encore plus aguerri. Souvent la douleur ne se fait pas sentir sur le moment, et ne se manifeste que plusieurs jours après. Notre corps peut même la transformer au contraire en insouciance, en euphorie.

Et c'était ainsi qu'Andrea se sentait en cet instant : euphorique.

Il avait réussi à faire plier son père, et samedi il le mettrait carrément au tapis. Il voyait déjà la scène.

Il ferma la grande porte de la bibliothèque, se dirigea vers sa voiture, mis les clés dans le contact.

Et là, l'euphorie s'évanouit d'un coup.

Avant tout, il avait quelque chose à faire. Un poids sur la conscience dont il devait se débarrasser. Impossible de renvoyer une nouvelle fois à plus tard.

Quel sens cela aurait-il de fêter le début de son entreprise tout seul, sans personne, sans *eux* ? Il leur devait des excuses, et tout de suite.

Il partit comme un bolide vers Pralungo. En cinq minutes, il y était déjà. Il portait les mêmes vêtements depuis trois jours et ne s'était pas rasé depuis une semaine. Mais il n'y pensait même pas, il était comme en transe. Il descendit, fit le dernier bout à pied et appuya sur la sonnette sur laquelle était scotché un nom écrit à la main : *S. Trivellato.*

« C'est moi. »

Un long silence de l'autre côté de l'interphone.

« S'il te plaît, dit-il, laisse-moi monter. »

Le silence continua une petite minute. Enfin la porte s'ouvrit et il se précipita à l'intérieur. Il monta les trois étages au pas de course dans l'escalier obscur, arriva sur le palier. Sebastiano était sur le seuil, visage fermé et regard de pierre.

Andrea ne savait pas quoi dire, par où commencer. Mais il était là, c'était l'essentiel. Ils se tenaient debout, face à face, comme deux ennemis au moment de régler leurs comptes. Sauf qu'un des deux, les pieds plantés sur son paillasson, était armé jusqu'aux dents tandis que l'autre, sans munitions, hésitait sur la dernière marche.

La porte s'ouvrit un peu plus et Luca apparut. L'expression à peine plus humaine que celle de Sebastiano. Normal, Andrea l'avait bien mérité. C'était sa punition pour les avoir trahis.

Il les regarda longuement, impuissant, mortifié. Il gardait les mains dans ses poches, reculait d'un pas, avançait de nouveau, et il était si sincère, si désespéré qu'un bourreau se serait laissé attendrir.

« Entre », finit par dire Sebastiano.

Andrea, lentement, pesant ses gestes, franchit le seuil, referma la porte et alla s'asseoir sur une chaise tandis qu'eux prenaient place sur le canapé.

Sebastiano alluma une cigarette et commença à fumer en silence. Luca l'imita. Alors Andrea aussi sortit une Lucky de son paquet et l'alluma d'une main qui tremblait.

Ce silence le tuait. Andrea priait pour qu'ils l'insultent, disent quelque chose, n'importe quoi, mais qu'ils fassent vite.

Une ou deux minutes s'écoulèrent ainsi. Ils allumèrent une deuxième cigarette, la fumèrent, l'éteignirent. Puis Sebastiano allongea les jambes sur le tapis, replia ses bras sous sa tête et s'enfonça dans le canapé, prenant ses aises.

« Pour dire les choses concrètement, commença-t-il, on a fait du stop devant cette boîte de merde et on a été pris par deux sexagénaires bourrés avec un berger allemand dans le coffre qui aboyait comme un malade. » Pause, Sebastiano se gratta la tête. « Après quoi ces deux connards nous ont balancés à Biella, devant la gare, comme deux merdes. Et il a fallu finir à pied. »

Andrea gardait les yeux baissés.

« Le lendemain, mon nez me faisait tellement mal que j'ai dû aller aux urgences. En plus, ils m'ont demandé de payer. C'est comme ça qu'on a découvert que toi, avec tes petits poings, tu m'avais cassé la cloison nasale. »

Andrea se passa la main devant le visage, comme s'il voulait le nettoyer ou le faire disparaître. Luca, silencieux, jouait avec son portable.

« Comme tu peux voir, rien de grave. Je suis déjà guéri… Pas facile d'avoir ma peau, hein ? » Il éclata de rire, un rire amer.

« Et aujourd'hui quel jour on est ? Mardi, hein Luca ? »

Luca fit oui de la tête.

« C'est ça, mardi. Et depuis mercredi jusqu'à aujourd'hui, fit-il en se tournant vers Luca, ce fils de pute, il t'a donné des nouvelles, à toi ?

– Non.

– Tu l'as vu au Sirena ou à Andorno, depuis ? Macache. Donc, pour conclure, je te fais le topo : le mec, il te casse la gueule, il te largue en pleine nuit au milieu des rizières, et après ça il disparaît. »

Il se leva, alla vers le frigo, prit trois bières et les posa sur la table basse au milieu de la pièce. Qu'il en ait pris trois, et pas deux, fit qu'Andrea se sentit encore plus coupable.

Ils ouvrirent les bouteilles, Andréa hésitait, la main de moins en moins assurée. Ils burent une gorgée.

« Et tout ça pour quoi ? » demanda Sebastiano comme se parlant à lui-même, l'air de faire un numéro de cabaret, alors qu'il tremblait de colère.

« Pourquoi un ami, qui est comme un frère, te laisse attendre une heure au bord de la nationale à lever le pouce comme un con en espérant qu'un chien va les ramasser, lui et son copain, à une heure du mat, avec le nez cassé et un œil au beurre noir ? »

Andrea se frottait le visage des deux mains.

« À cause d'une pouffiasse ! cria Sebastiano. Parce que tu t'es pris une biture mémorable, à cause de cette pouffiasse, hein ? Et t'es resté avec elle tout ce temps-là, en te fichant pas mal de ce qu'ils devenaient, les deux couillons, c'est-à-dire nous... Après quoi elle t'a plaqué, elle a tiré sa révérence, elle t'a laissé à poil comme un con, si bien que te revoilà comme avant, à venir pleurer chez tes vieux potes. J'ai pas raison ? »

Dans un filet de voix, la tête toujours entre les mains, Andrea reconnut : « T'as raison.

– Moi j'ai une ex-femme, mon gars, et pour une demi-corne que je lui ai faite, et une demi-condamnation pour trafic alors que cette fois-là j'y étais pour rien, elle m'a explosé. Elle m'a pris mon salaire, elle m'a pris mon boulot, elle m'a pris mon fils. Tu vois ? Alors tu penses si je connais ça... Regarde-toi ! Mais regarde dans quel état tu es.

– Hé oh, l'interrompit Luca, arrête. Il a compris.

– Non, dit Sebastiano en se levant. Moi je veux qu'il se l'imprime bien dans la cervelle comment elles sont certaines meufs... des putains de bombasses, oui, mais en fait c'est des vipères, inventées tout exprès pour bousiller la vie des mecs ! »

Andrea se leva d'un bond et vint le prendre dans ses bras.

Sebastiano le repoussa sur le moment, puis le serra contre lui, fit mine de le cogner, l'insulta avec tendresse. Luca souriait.

Ils se rassirent.

« Les gars, j'ai un truc à vous dire. Un truc important », dit Andrea tout à coup.

Sebastiano et Luca le regardèrent, alarmés.

« Non, vous inquiétez pas. Rien à voir avec… » Son prénom, il n'arrivait pas à le prononcer. « C'est la ferme de Riabella. Tenez-vous bien… Mon père a cédé ! Il me la laisse ! »

Explosion de joie. Sebastiano courut chercher un pack de six Meñabrea[1].

« Ça s'arrose !

– À la mémoire de Kadhafi ! dit Luca, en portant le premier toast. Paix à son âme ! Il nous a porté chance. »

Quand ils eurent fini de trinquer, Andrea les regarda tous les deux, l'air sérieux : « Je n'ai plus envie de perdre du temps, j'en ai déjà trop perdu. » Il reposa sa bouteille, se leva. « Vous m'accompagnez à la préfecture ? Les bureaux ferment à quatre heures. »

Ils plantèrent là les bières, les cigarettes et le reste, et grimpèrent en voiture.

Franchir le seuil de la préfecture, au 12 de la via Quintina à Biella, dans l'imposant édifice du XVIIIe siècle qui fut autrefois l'Hospice de Charité, fit à Andrea le même effet qu'à d'Artagnan son entrée à la cour du roi Louis XIII. Prendre un numéro, se mettre dans la file devant le bureau des Politiques agricoles : des gestes si extraordinaires, si courageux qu'ils lui coupaient le souffle.

2012 : la pire année de l'après-guerre.

Des mains de la secrétaire, Andrea reçut les formulaires à remplir. Une nouvelle fois, par acquit de conscience, il se fit expliquer le PSR, le programme de développement rural.

Au début de tout, il y a la terre. Celle qui est faite de mottes, celle qui est sous nos pieds. Impossible d'avoir une étable, du bétail, ta propre affaire, si tu n'as pas d'abord la terre. Ça vaut

1. Bière produite à Biella.

pour l'Union européenne comme pour ta propre existence. Tu dois toujours pouvoir retomber quelque part.

« Alors, je calcule les hectares en fonction des vaches ?

– C'est ça.

– Et si pour l'alpage j'utilise des pâturages de montagne de la Valle Cervo, je peux bénéficier de la mesure compensatoire ?

– Exactement.

– Bien. Répétez-moi encore une fois la procédure, s'il vous plaît.

– Alors, pour commencer, vous devez vous inscrire à la chambre de commerce, le plus vite possible. Ensuite, ouvrir un compte Iva[1] et vous inscrire à une association catégorielle. Puis remplir la demande d'installation que je vous ai fournie, attendre la réponse vous donnant droit à la subvention, et enfin acheter ou louer une étable qui respecte les normes figurant ici, à la dernière page. » L'employée désigna les feuilles qu'Andrea tenait entre ses mains. « C'est très important : économies d'énergie, bien-être animal... N'allez pas me prendre une ruine qui n'est pas aux normes, sinon ils vous feraient fermer avant même d'avoir commencé. »

Une montagne de bureaucratie, on pouvait le dire. Un Everest épuisant de paperasses, d'attentes, d'autorisations, de contrôles, de taxes. À décourager n'importe qui, mais pas Andrea. Ému comme un gamin. Sans peur. Ses copains étaient avec lui, à lui taper sur l'épaule, et il pouvait compter sur leur soutien. Il était déterminé. Fier de lui. Dès demain, il irait à Massazza, dans la plaine, négocier le loyer de la ferme d'hiver. Il allait bouffer le monde entier.

Pendant qu'ils sortaient des bureaux de la préfecture, pendant qu'ils remontaient en voiture et avalaient la départementale 100 vers le Sirena ou n'importe quel autre bar pour

1. Équivalent de la TVA.

fêter ça, Andrea, dans sa tête, silencieusement, s'adressait à Marina.

Tu m'as traité de con, d'utopiste, de raté ? Ok. Tu m'as dit que je vivrais comme un marginal. Très bien. Tu ne sais qu'une chose, tout casser et crier. Et après, tu te barres. Mais je ne suis pas comme toi, moi. Vas-y, vends-leur ton âme. Vends-leur tout ce que tu as pour un peu de célébrité à deux balles, cogne-toi la tête contre les murs, fais-toi mal, raconte des conneries aux gens. Ils t'oublieront, les gens, ils en ont rien à foutre de toi. Ils achèteront tes disques, ils t'applaudiront, et puis ils applaudiront quelqu'un d'autre. Et tu passeras, parce que tout passe. Et tu me perdras, tu m'as déjà perdu.

Adieu, Marina, tu auras été la plus grande illusion, la plus grande arnaque de toute ma vie.

Le lendemain, Marina était dans tous les journaux.

Andrea se rendit au kiosque à sept heures du matin. Il acheta un exemplaire de chaque édition locale, espérant que rien n'était sorti. Mais tout était là, comme il aurait dû s'y attendre.

Avant d'aller travailler et poser ensuite sa démission, il roula jusqu'à Riabella, jusqu'aux maisons et aux jardins qui jouxtaient les bois : c'était là qu'il avait cherché refuge quand il s'était sauvé de chez lui, dix-neuf ans plus tôt, là qu'il reviendrait un jour – l'été prochain, il l'espérait – mener ses grises alpines dans les alpages comme son grand-père l'avait toujours fait.

La douleur, il la sentait maintenant. Dès son réveil elle avait explosé, quand il avait compris que le jour était arrivé. L'euphorie n'avait pas duré plus de quarante-huit heures.

Il repensa à Ermanno. Et Marina qui l'avait presque convaincu de faire le voyage à Tucson. Quatre jours plus tôt : dans une autre vie.

Il s'installa sur un banc. Lut posément tous les journaux, l'un après l'autre : le *Biellese*, l'*Eco di Biella*, la *Nuova Provincia*, le *Gazzettino del Cervo*.

Chaque article consacrait au moins deux colonnes à Marina Bellezza, « la trempe d'un soldat en mission, la voix d'un ange », et une demi-colonne à peine aux onze autres concurrentes. Il les lut chacun deux fois. Replia soigneusement les journaux et alluma une cigarette. Les rouvrit, les lut encore une fois. Puis il les laissa là, sur le banc, à prendre le vent. Il se leva, fit quelques pas vers sa voiture. Et à ce moment-là se mit à pleurer.

3

C'est ça Milan ? On se croirait à Carisio.

Une magnifique matinée de fin septembre. La lumière venue de l'est enflammait la plaine. La nationale 230 filait en taillant dans les rizières, limpide et rectiligne comme la Route 66, transformant cette portion de monde entre Biella et Carisio, parsemée de silos rouillés, de hangars en vente et d'énormes panneaux publicitaires, en un paysage épique ; l'Amérique, ou presque.

Marina conduisait en chantant. Elle laissait les montagnes derrière elle. Elle se sentait invulnérable, heureuse. Elle ne voyait pas autour d'elle sa région sombrer, elle ne voyait rien. La pile de journaux qui citaient son nom lui tenait compagnie sur le siège passager.

Elle conduisait à la marge du monde, qu'elle croyait tenir dans son poing.

Squelettes de filatures, entrepôts qui n'avaient jamais été finis de construire, magasins de discount, petites habitations, fabriques de meubles fermées pour cause de faillite, tout cela, au pied des Alpes, s'engloutissait peu à peu, à la dérive, abandonné à la lumière et au vent. Et Marina sifflotait, une main sur le volant et l'autre qui tapait un texto. À l'horizon se dessinait la silhouette d'un continent nouveau. Dans la brume légère, plus proche maintenant, l'auréole du rêve italien flottait sur la pellicule dorée de la plaine.

Devenir visible, devenir célèbre.

Quand à midi passé, en blouson de cuir et lunettes de soleil, elle entra avec quarante minutes de retard dans les studios de BiellaTv 2000, elle n'était plus une inconnue. On venait à sa rencontre, on lui demandait si elle voulait un café, si elle avait besoin de quelque chose. Et elle dispensait des sourires à droite et à gauche en traversant d'un pas assuré le long couloir qui menait au studio B, grand comme une petite salle de théâtre. Il était évident que c'était elle qui rapportait le plus gros budget publicité à l'émission. Elle et ses vidéos amateur, ses tenues excessives, sa tête à claques.

Elle le savait, et elle en était fière. Il faut toujours être créditeur, dans la vie. Accumuler les succès jusqu'à atteindre la position que tous convoitent : celle de la grande gagnante, qui tient tout le monde par les couilles.

Dans le studio B on en était encore aux répétitions. Marina s'arrêta sur le seuil. Un professionnel d'Ivrea installait le décor en déplaçant des panneaux lumineux fuchsia et rose, l'inscription géante CENERENTOLA se composait lettre après lettre au-dessus du plateau. Et Claudia de Reggio Emilia s'efforçait d'atteindre la note haute de *Almeno tu nell'universo*.

Marina se tenait sur le seuil. Elle entendit la concurrente faire un couac, une voix près de la scène crier *Non, non, non !* Elle sourit, satisfaite.

Alors elle fit son entrée dans la pénombre de la salle. Longeant une rangée de fauteuils, elle rejoignit le directeur de production.

« Ah, bonjour ! lui dit-il. Tu étais passée où ? On s'amuse pas ici, on travaille. Et au travail on arrive à l'heure. »

Marina se mordit la lèvre pour ne pas lui rire au nez, ôta calmement ses lunettes de soleil puis son blouson.

« Tu as décidé de ce que tu chanteras au concert ? Tu es la dernière qui manque à l'appel.

– Trois secondes… » fit Marina en soupirant. Elle s'assit confortablement au premier rang et répondit à un message qui venait d'arriver.

À quelques mètres de là, ses adversaires la regardaient de travers, agacement et curiosité mêlés. Les concepteurs et le metteur en scène la regardaient également. En particulier un jeune homme, très grand, au fond de la salle, qui ne la quittait pas des yeux.

« J'ai trois options, dit Marina au directeur, je te les fais écouter. Mais je veux répéter *maintenant.*

– Maintenant ? Mais bien sûr… Tu ne vois pas qu'en ce moment c'est Claudia ? »

S'il y avait bien une qualité que Marina n'avait pas, c'était la patience. Et elle détestait qu'on lui fasse la leçon. Elle dut supporter sa collègue qui tentait en vain, pour la seconde fois, d'imiter Mia Martini. Pendant que l'autre chantait, elle jouait des pouces sur son portable et riait toute seule. Au fond du studio, l'homme mystérieux restait dans la pénombre. Comme quelqu'un qui s'incruste à une fête, ou comme un professionnel sérieux qui se prépare avant d'agir.

Il l'étudiait attentivement, à distance. La regardait sourire, jouer les gamines mal élevées avec le directeur de production. Il nota son goût pour l'insubordination, sa théâtralité, son insolence. Il la vit se faire apporter un café puis se lever pour aller aux toilettes et revenir s'asseoir, se passer du gloss sur les lèvres.

« Ok ! cria le directeur quand Claudia eut fini. Maintenant on fait répéter Marina, puisqu'elle a daigné arriver. »

Chuchotements et remarques acides s'élevèrent dans la zone des concurrentes. *Celle-là, faut toujours qu'elle s'arrange pour se faire remarquer…* Marina les foudroya du regard. Puis elle monta sur la scène, dont le décor était à moitié terminé. Elle fit quelques signes à la cabine de régie. Ouvrit le micro : « Un, deux… réglage micro. Je commence avec *Umbrella*, donnez-moi la bande-son. »

Elle était à l'aise, cette petite. Sûrement pas facile à gérer. Il fallait juste savoir si elle en valait la peine : voilà ce que pensait le grand échalas. Il quitta le dernier rang et s'approcha à quelques mètres de la scène. Il portait un pantalon noir de chez Tom Ford volontairement froissé, un cardigan en cachemire beige, un polo au col déboutonné et une Rolex en acier – originale – au poignet.

Il observait Marina, sans se faire remarquer. Se demandait jusqu'où cette fille voulait aller, si elle avait suffisamment de détermination. Il était prêt à parier sur elle, mais voulait d'abord l'entendre chanter en direct.

Pas si naïf, Donatello Ferrari. Dans son milieu et à sa façon, c'était un pro.

Les cheveux mi-longs, dépeignés avec soin. Les yeux verts. Une ombre de barbe. S'il n'avait pas mesuré deux mètres, ce qui l'obligeait à se courber, il aurait été *réellement* beau. À la rédaction, dès qu'ils l'avaient vu au studio, ils avaient compris pourquoi il était là.

Pendant ce temps, sur scène, Marina faisait des caprices. C'était le micro qui ne marchait pas. Le pied qui était trop court. Les lumières qu'on n'orientait pas comme il fallait… Les autres concurrentes ricanaient, envieuses. Le directeur perdait peu à peu patience. Mais le reste de la troupe et de la rédaction obtempérait sans protester. Ce que Donatello Ferrari devait comprendre, c'était si elle avait du potentiel. Si elle jouait les stars, ou si elle avait vraiment ce qu'il faut pour en être une.

Des bimbos qui voulaient travailler à la télé, des chanteuses, des actrices, il en avait croisé des dizaines dans sa carrière : il savait comment ça se terminait pour elles – *toutes* – au bout d'un an ou deux. Et il n'avait pas envie de perdre son temps.

On changea le micro, le pied, les lumières. Elle semblait satisfaite. Essaya à nouveau le son. Nous y voilà, se dit Donatello.

Sauf qu'avant de commencer, au milieu du silence épais descendu dans le studio, Marina parvint à capter, comme chuchotée à son oreille, une phrase échangée en fond de salle par deux de ses adversaires : *Elle a couché avec Alberto Serra, c'est pour ça qu'elle a eu l'interview.*

Donatello, qui avait entendu, leva les yeux vers Marina.

Il la vit changer de visage : d'abord s'assombrir, ensuite arborer du haut de la scène un sourire terrible.

Il n'eut pas le temps de se demander comment elle allait réagir que Marina pointait le doigt vers l'obscurité, exactement dans la direction d'où la phrase était venue. Elle tapota le micro pour s'assurer que le son était bien réglé.

« Vous deux », dit-elle.

L'acoustique était parfaite : amplifiée et propre, comme au sommet des Dolomites.

« Vous deux qui racontez n'importe quoi. »

Donatello s'arrêta de respirer.

« Écoutez-moi bien et écrivez-le sur votre page Facebook. Je baise avec qui je veux, quand je veux. Et s'il y a quelque chose dont je n'ai vraiment pas besoin, *moi*, c'est de demander des faveurs et de m'abaisser à faire du lèche-bottes. Je n'en ai pas besoin, parce que je suis la meilleure. Ça vous emmerde ? Tant pis pour vous. »

Donatello était pétrifié.

Du fond du studio partirent des applaudissements et des cris enthousiastes. La production, les techniciens, les opérateurs, tous étaient de son côté. Seul le directeur, un gâteux de la vieille garde, secouait la tête. Elle resplendissait, imperturbable, victorieuse, sous les projecteurs.

« Maintenant on peut commencer. »

Mais Donatello n'avait plus besoin de l'entendre. En ce qui le concernait, elle pouvait chanter faux du début à la fin, il avait pris sa décision. Il savait ce qui fait s'envoler les taux d'écoute, pleuvoir les sponsors, ce qui déclenche le bouche-à-oreille.

Marina enchaîna *Umbrella* de Rihanna, *Poker Face* de Lady Gaga, et *You Drive Me Crazy* de Britney Spears. Presque tout le monde venait à ses répétitions : ceux qui travaillaient à *Cenerentola Rock* mais aussi ceux d'*A tutto sport*, et ceux de *Biellese in diretta.* Donatello avait compris : cette fille avait quelque chose.

Quand elle eut fini, Marina n'écouta ni les suggestions des techniciens du son ni les idées du metteur en scène ni les compliments de la production. Elle descendit de scène et fonça droit dans le couloir vers le distributeur de boissons. Elle prit un paquet de chips, appuya sur *Chocolat chaud.*

Puis elle leva les yeux et se retrouva face à Donatello.

Un parfait inconnu. Mais la façon dont il était habillé ne pouvait pas la laisser indifférente. Il avait l'air sorti d'un restaurant chic d'une station balnéaire à la mode. Il lui souriait, à la fois aimable et distant, sa Rolex en acier bien visible quand il se passait la main dans les cheveux.

Pourtant Marina ne répondit pas à son sourire. Elle le fixait, impassible. Il se pencha pour lui parler, dans cette posture un peu ridicule des gens trop grands qui tentent de se mettre au niveau de leur interlocuteur. Il lui demanda si elle avait cinq minutes à lui consacrer.

Marina se pencha pour prendre son chocolat dans le distributeur. Elle en but une gorgée bouillante qui lui laissa deux moustaches de chaque côté de la bouche. Elle les essuya du dos de la main. Le regarda à nouveau.

« Est-ce qu'on peut aller dehors ? » demanda-t-il.

Elle réfléchit un peu, puis, d'un air ennuyé : « Attends, je vais chercher mes affaires. »

Dehors, le soleil était à la moitié du ciel et le vent soufflait avec force des montagnes, faisant rouler sur le goudron du parking des feuilles sèches, des papiers gras, un sac en plastique. Les panneaux publicitaires de *Cenerentola Rock* tapaient contre les parois du bâtiment, les antennes des voitures garées vibraient en produisant des sons étranges. Un climat de fin du monde. Sur la départementale un tracteur passait. Marina, son blouson noué à la taille, lunettes de soleil sur le nez, mangeait ses chips et le regardait.

« Je me présente, dit-il. Donatello Ferrari, je travaille dans le spectacle et je suis agent. Je t'ai remarquée hier chez Serra et tu m'as plu. »

Elle lui tendit sa main, grasse de chips.

« J'aimerais parler un peu avec toi, voir si on a un bon feeling. Ce que tu veux faire, quels sont tes objectifs... Bref, voir si on peut éventuellement travailler ensemble. »

Marina continuait à le fixer, avec morgue et indifférence. Comme si des files d'agents et d'impresarios faisaient chaque jour le pied de grue devant sa porte. En réalité, elle ne se sentait plus. Mais pas question de le montrer.

« Avec qui tu travailles d'habitude ?

– Ben, fit Donatello en feignant de se gratter la tête, Telecupole, Sky, Mediaset, ça dépend... Je m'occupe aussi bien de comédiennes que d'artistes du music-hall, mais ce qui m'intéresse surtout, ce sont les chanteuses.

– Par exemple ?...

– Par exemple toi. »

Marina froissa le paquet vide de chips et le jeta par terre.

« On pourrait prendre un café, pour que je t'explique, ou manger quelque chose, puisque c'est l'heure du déjeuner. » Donatello se tourna pour regarder vers le fond du parking. « Ma voiture est là... À moins que tu aies peur ? » fit-il pour plaisanter.

Marina jeta un coup d'œil au seul SUV garé de ce côté. Blanc lumineux, avec des jantes en acier et des vitres teintées. En fait, c'était un modèle Renault, un Koleos, acheté en leasing.

Elle le suivit vers la voiture, avec prudence.

« Je n'ai pas beaucoup de temps, dit-elle, où tu veux aller prendre un café ? »

Donatello déclencha à distance l'ouverture des portières en continuant de sourire. Il s'apprêtait à jouer sa carte maîtresse et tenait à la jouer dans les règles. Aussi mit-il ses lunettes : des Ray-Ban à verre miroir.

« Je pensais au Santa Fé à Milan », fit-il d'un air vague.

Marina éclata de rire : « Tu plaisantes ?

– Le temps d'un aller-retour... dans deux heures tu seras ici. »

Marina, il faut le dire, n'y était jamais allée, à Milan. Et ce Donatello lui était totalement inconnu. Elle monta pourtant dans le Koleos, et quelques minutes plus tard franchissait la frontière symbolique de Carisio.

La maison semblait parfaite, telle que Marina l'avait laissée. Les rideaux neufs, les chemises repassées dans les armoires. Ça sentait encore le propre, et le sol reflétait la silhouette des meubles. Mais à bien y regarder, la vérité était tout autre.

Il y avait des morceaux d'assiette dans le coin entre le buffet et le frigo : celle qu'elle avait cassée le dimanche précédent. Et les assiettes de leur dernier dîner ensemble, sales, entassées dans l'évier depuis trois jours. Un pot de Nivea à moitié vide sur l'étagère de la salle de bains, que dans sa hâte de partir elle avait oublié.

Et puis la poussière, imperceptible, qui recommençait à se déposer ; des chaussettes jetées sur une chaise, les cendriers pleins, le chaos et la solitude qui reprenaient leurs droits pour achever leur travail de corrosion.

Andrea aurait pu rester tout l'après-midi sur ce canapé, en silence, comme un chat abandonné attendant depuis des années le retour de son maître, à regarder le désordre amoncelé autour de lui.

Ils étaient allés à la Bessa, le samedi d'avant, chercher de l'or. Avant, ils étaient passés au Caccia&Pesca s'acheter des bottes en caoutchouc et un tamis ; après, ils avaient traversé l'Elvo à gué. Elle riait et faisait l'idiote, comme dans une sortie scolaire. À un moment ils avaient laissé tomber le tamis – fatigués de ne récolter que des cailloux – et s'étaient fait la guerre à coup d'éclaboussures. Les vêtements trempés, ils avaient plongé dans le torrent. Il lui avait promis l'Eldorado, comme les chercheurs d'or du vieux West. Ils avaient fait l'amour là, en plein air, dans les rochers. Puis ils étaient rentrés et avaient fait la cuisine ensemble. Ils avaient regardé une cassette louée, un film de Brian De Palma. Andrea n'arrivait pas à croire que tout cela avait existé, et que c'était déjà fini.

Il n'arrivait même pas à bouger un bras. La seule chose dont il était capable, c'était de se souvenir : le jeudi, le vendredi, le samedi et le dimanche jusqu'à l'heure du dîner. Après, stop. Après, il refusait même simplement de se demander où était Marina en ce moment, et avec qui. Il était incapable de se répéter les mots qu'elle lui avait lancés au visage le dimanche soir, ni ceux qu'à son tour il avait criés après avoir vu cette vidéo minable où elle mentait si effrontément. Ils en étaient presque venus aux mains. Elle était sortie en claquant la porte, et sa dernière phrase avait été : *Je t'interdis même de prononcer le nom de mon père.*

C'est alors que le téléphone avait sonné. Andrea chassa ses souvenirs, retrouva ses esprits. Et sa première pensée – folle, complètement folle – fut que c'était *elle*. Aussitôt il se lança à la recherche de son portable, qu'il récupéra entre les coussins du canapé. Mais il vit sur l'écran que ce n'était pas le numéro de Marina qui clignotait mais un numéro quelconque, commençant par 328. Il jeta le portable sur les coussins, déçu. Puis il se dit que c'était peut-être le type de Massazza, le propriétaire pour son étable d'hiver. Il récupéra le portable et répondit, avec une immense fatigue.

« Allô.

– Allô... » Une voix féminine, une voix qui lui rappelait quelque chose, hésitait, embarrassée. « Andrea ? C'est Elsa. »

Elsa ? Qu'est-ce qu'elle venait faire là-dedans ?

Après quelques instants de perplexité, tout ce qu'il parvint à dire fut : « Salut.

– Pardon si je te dérange. Je suis passée à la bibliothèque tout à l'heure, pour rendre le Mandelstam, mais tu n'y étais pas. Ton collègue m'a dit que tu avais posé ta démission... »

Idée géniale, ça encore.

« Je leur ai demandé ton numéro, ça m'ennuyait de perdre le contact. Je voulais juste te dire au revoir.

– Ok.

– J'ai lu Mandelstam... C'est très beau.

– Ok.

– Écoute, si tu es libre un de ces jours, on pourrait prendre un café, comme ça, histoire de bavarder... »

Andrea fixait la poussière, l'assiette cassée, le vide.

Il ne pouvait pas savoir que Marina, en ce moment même, roulait avec un inconnu sur l'A4, direction Milan. Mais c'était comme s'il le savait. Au moment où il bouleversait sa propre vie, où il sautait dans le noir du haut du grand tremplin, il était seul comme un chien.

« Maintenant, répondit-il dans un filet de voix.

– Quoi ?

– Je suis libre maintenant. »

Ils se donnèrent rendez-vous au Sirena un quart d'heure plus tard. C'était évident, logique : toutes les vies brisées finissent par échouer là.

Ils entrèrent dans le bar. Elle s'était habillée mieux que d'habitude, portait des chaussures à talons, qui lui faisaient mal aux pieds, et s'était même maquillée. Andrea, pas lavé depuis trois jours, faisait pitié.

Ils s'assirent à une table dans un coin. Ivano leur demanda ce qu'ils voulaient. Ils commandèrent deux bières, et l'embarras s'installa.

Elsa regardait autour d'elle, perdue. Elle s'arrêta d'abord sur une partie de *scala quaranta*[1] deux tables plus loin, puis sur le dos d'une femme assise au bar en compagnie d'un homme à la mèche plaquée sur le crâne. Elle fut émue par cette femme, sans savoir pourquoi : peut-être ces bottes de cow-boy qu'elle portait par-dessus son jean. Andrea, lui, ne s'était pas encore aperçu de la présence de Paola.

« Alors comme ça tu as démissionné », commença Elsa.

Elle avait réfléchi de longues minutes avant de la prononcer, cette phrase. Elle voulait partir du bon pied, mais n'avait rien trouvé d'autre. Andrea leva les yeux vers elle comme quelqu'un qui a perdu la mémoire.

« Ouais.

---

1. Jeu de cartes dérivé du rami.

– Et comment ça se fait ? demanda-t-elle en se triturant les ongles sous la table. Ça ne te plaisait pas de travailler à la bibliothèque ? »

Andrea secoua la tête : « Non, c'est pas que ça me plaisait pas… » Il leva sa bouteille de bière, en but une gorgée. « Mais ça n'avait aucun sens. C'est humiliant de travailler comme ça, en contrat précaire, c'est à gerber. »

Elsa acquiesça : « Tu n'es pas le seul de cet avis. » Elle se versa un peu de bière d'une main qui tremblait, à cause de la gêne, de la tension, de l'émotion d'être là avec lui.

« Mais il n'y a pas que ça. » Andrea parlait comme s'il était seul. « Ça ne m'intéresse pas de faire carrière, de gagner du fric comme mon père. Ce monde-là, ce n'est pas le mien. Je ne supportais pas de rester derrière un bureau.

– De toute façon, hasarda Elsa, je crois que ça n'est même plus possible. C'est pour ça que je suis revenue vivre par ici. Il y a aussi Cosimi, tu sais, et Ramella, qui sont revenus vivre à Quittengo. »

Andrea finit sa bière. Il fit un signe à Ivano pour en avoir une autre. Cosimi et Ramella, il s'en souvenait à peine, il ne les avait pas vus depuis le bac.

« Les animaux sentent ça, quand une éclipse arrive, ou un tremblement de terre. Ils commencent à fuir et se cacher des jours avant. Je crois que nous sommes comme eux. Nous avons senti venir l'éclipse et nous sommes remontés vers les hauteurs. »

Andrea la regarda vraiment pour la première fois. « Tu es déjà allée en haut du Monte Cucco ? »

Non, elle n'y était jamais allée. Elle aurait voulu lui dire qu'elle se rappelait sa dissertation, celle sur les vaches qu'il avait lue en classe de terminale, mais le courage lui manqua. D'ailleurs, ce n'était pas le moment.

« Moi c'est ça que je veux voir, année après année, pendant six mois d'affilée. »

Il ouvrit deux boutons de sa chemise, passa la main dans ses cheveux sales. « Je veux voir exactement l'endroit où le ciel commence et où la terre finit. Je veux sentir la liberté autour de moi, l'odeur de l'herbe. Quand je dirai ça à mon père », il sourit, « il va en faire une attaque. »

Elsa sourit à son tour, simplement de le voir sourire.

« Ou tu t'en vas, comme a fait mon frère, qui est parti vivre aux États-Unis. Ou tu aimes ta terre, et alors tu restes et tu te bats.

– Dans ce cas, dit Elsa, on est deux. »

Andrea, peu à peu, s'apercevait qu'elle existait. Elsa avait beau ne pas être attirante ni jolie ni avoir rien de spécial, elle n'était pas vilaine pour autant, et au moins elle était là.

« Tu ne m'as pas encore dit ce que tu veux faire de ta vie à Piedicavallo. »

Elsa rougit. « Je ne sais pas, tu vas me prendre pour une folle. Pour le moment je fais mes études, il faut d'abord que je finisse mon doctorat. Ensuite j'aimerais enseigner mais je sais que c'est presque impossible à notre époque, alors j'ai réfléchi à un plan B encore plus absurde… »

C'était Andrea maintenant qui l'écoutait avec attention.

« Si la route normale n'est plus praticable, poursuivit-elle, autant se lancer dans des projets fous. »

Andrea, qui commençait à sentir les effets de l'alcool, commanda deux liqueurs amères. « Je suis d'accord, continue.

– Alors », continua Elsa, un peu aidée par la bière, « j'aimerais faire une liste citoyenne, un jour. Je sais que ça peut sembler ridicule mais c'est mon rêve secret : une liste citoyenne pour défendre la Valle Cervo. Repeupler la vallée, reprendre les filatures abandonnées, les maisons, tout ce qu'on pourra inventer là-haut…

– T'es vraiment folle », lâcha Andrea.

Les liqueurs arrivaient. Ils avaient tous les deux changé de visage, à présent.

« Mais je voterai pour toi », et il se mit à rire.

De l'extérieur on aurait dit deux carbonari, deux partisans de l'indépendance cachés dans une taverne, du temps de l'Italie préindustrielle, avant l'Unité, quand le monde était encore à construire. Mais aujourd'hui le monde était fini, les industries étaient nées, et mortes. Certains jeunes avaient envie de revenir à l'agriculture et retaper la maison du grand-père, tandis que d'autres voulaient récupérer les ruines pour y faire des crèches, des ateliers, des hôtels, de petites entreprises, avec ceux de leur génération qui n'avaient plus rien à perdre.

Andrea lui raconta son projet. Elsa réagit avec enthousiasme, lui dit que c'était la voie de l'avenir. Ils tombèrent d'accord sur toute la ligne, se convainquirent l'un l'autre de leurs idées révolutionnaires et Elsa, peu lucide à présent, en vint même à lui effleurer la main sur la table rustique du Sirena, la dernière au fond, pendant que la lumière derrière la vitre déclinait à mesure que passaient les heures.

« Je n'aurais jamais imaginé me retrouver à parler de tout ça avec toi, lui avoua Andrea au troisième verre d'amer. Vraiment, tu m'as surpris. »

Elsa était toute rouge, son cœur cognait dans sa poitrine et elle continuait à sourire ; ses yeux brillaient tant qu'elle faillit presque se trahir.

« Moi non plus, je n'aurais jamais imaginé. »

À bord du Koleos, pendant ce temps, lancés à cent quatre-vingts à l'heure sur la voie centrale de l'autoroute A4, Marina Bellezza et Donatello Ferrari dépassaient Balocco, Greggio, Biandrate, et s'approchaient à tombeau ouvert de Milan.

La radio passait *Dance Again* de Jennifer Lopez à plein volume. Marina regardait par la vitre la plaine grise, la voie du train à grande vitesse en construction depuis des années, les travaux en cours à chaque kilomètre d'autoroute : tout l'enthousiasmait.

À droite et à gauche filaient des Mercedes, une Porsche, un SUV aussi haut et féroce que celui dans lequel elle roulait.

Elle imagina son père au volant d'une de ces voitures, imagina combien il serait fier d'elle s'il la voyait. Derrière les vitres teintées elle se sentait importante, comme si elle était déjà assez célèbre pour mériter une protection, des égards et le respect de sa vie privée.

Donatello parlait de lui et des gens qu'il connaissait : il avait dîné la veille avec quelqu'un de l'équipe de *X Factor*, la présentatrice Flavia Vento était une amie, et il trouvait toujours une table pour dîner au 10 Corso Como.

Marina, pourtant, au lieu de l'écouter, fixait l'ongle du petit doigt de la main droite de Donatello : un ongle monstrueusement long et soigné, avec lequel il tapotait le volant. Elle se dit : comment faire confiance à un type si grand qui a un ongle aussi long ?

« Et d'où tu es ? » lui demanda-t-elle à brûle-pourpoint.

Il fit semblant de vouloir changer de station radio, puis de chercher le ticket de péage. « De Zubiena, finit-il par reconnaître. Mais je n'y vais que pour dormir. »

Zubiena : une commune de 1 264 âmes en haut de la Valle Elvo.

« Ah. »

Ils dépassèrent Rho et Arluno. Le nombre de voitures qui filaient sur les trois voies augmentait.

« Quel est ton objectif ? Le vrai ? »

Marina baissa le miroir de courtoisie, vérifia son maquillage.

« Aller à Sanremo.

– Excellent, dit Donatello, ça peut se faire.

– Après *Cenerentola*, poursuivit Marina, je veux lancer mon premier single et participer à Sanremo dans la section Big.

– Hum, être prise parmi les Big, ça me paraît dur. Mais on peut viser la section Jeunes. Moi, sincèrement, si tu décides de me confier ta carrière, je viserais *X Factor* en 2013. Tu as besoin de te faire connaître, que les gens te voient à la télé. »

Ils étaient presque arrivés au péage de Milan. Des rangées de guichets, et des panneaux indiquant Venise, Ancône, Bologne : toute l'Italie partait d'ici.

Un type qui a l'ongle aussi long, jamais il ne pourra me faire remporter Sanremo, pensait Marina.

« Et combien tu prends ?

– Quinze pour cent, le minimum syndical. Mais je peux te faire gagner de l'argent, beaucoup d'argent. Les télévisions locales c'est fantastique pour faire ses premières armes, mais si tu veux réaliser le grand saut il faut savoir manœuvrer. Toi, tu as le feu sacré, ça se voit tout de suite.

– Merci.

– Mais tu as besoin de quelqu'un qui sache te pousser… »

Marina ne savait pas si elle pouvait ou pas s'en remettre à lui. L'idée de donner quinze pour cent de ses gains à ce type aussi haut qu'une petite montagne, ça ne lui disait rien.

« Ouais, on verra. » Elle remit ses lunettes de soleil. « Et toi, j'aimerais comprendre, comment ça se fait que tu connaisses tous ces gens en habitant toujours à Zubiena ? »

Il freina brusquement au péage.

Il se tourna vers elle, la regarda bien en face.

« Je suis attaché à ma terre, dit-il. Vraiment. »

Marina ne pouvait s'empêcher de fixer une fois de plus cet ongle, et elle comprit instantanément qu'il mentait : effrontément, comme elle.

Alors, pour cette raison peut-être, il commença à lui être sympathique. Il était beau garçon tout compte fait, avec quinze ans de plus qu'elle. Marina allongea les jambes sur le tableau de bord, les croisa avec sa lenteur habituelle, torturante. Elle baissa le zip de son blouson, arrangea son soutien-gorge sous ses vêtements.

« Quinze pour cent c'est beaucoup... » dit-elle en souriant.

Donatello serra les mains sur le volant. Il devait faire attention : cette fille était maligne, c'était une hyène. Il s'efforça de ne pas regarder ses jambes étendues sur le tableau de bord, ni le reste.

« Marina, ordonna-t-il d'une voix claire, si on doit travailler ensemble, la première règle c'est : ne me prends pas pour un con. »

Elle pouffa de rire.

« Je ne plaisante pas. Dans ce monde-là, il y a plein de requins, de gens sans scrupules qui sont prêts à te mettre en charpie. Tu as de la chance qu'on se soit rencontrés.

– Vas-y mollo, coupa-t-elle. Je t'ai pas encore engagé. »

Donatello entra sur le périphérique, en sortit viale Certosa. Marina vit le panneau blanc indiquant Milan et se réinstalla normalement. Elle observa autour d'elle les silhouettes des immeubles, les yeux écarquillés, le nez en l'air.

« C'est ça Milan ? On se croirait à Carisio. »

Donatello se tourna vers elle, abasourdi : « C'est une plaisanterie ?

– Ben quoi ? »

Marina prit son portable, cessa de regarder les rangées d'immeubles années soixante, les stations-service, les panneaux publicitaires délavés, les passages souterrains, et se mit à chercher on ne sait quoi sur Internet.

« On est dans la capitale du show-biz, je te signale ! Attends d'entrer au Santa Fé ou au Principe di Savoia, rétorqua Donatello. Tu n'as pas le temps de te retourner que tu vois Belen Rodriguez à deux mètres de toi, ou bien ce chanteur que j'ai croisé l'autre jour, celui qui a remporté la première édition de *X Factor*... Comment il s'appelle déjà ?

– Qui ?

– Mais si ! Je l'ai sur le bout de la langue... Attends... Tu sais bien, quoi ! Ce type, là... », il claqua des doigts, « ... Mirko Sabbatini !

– Mirko qui ?

– Mais si, Sabbatini... Le pauvre, c'est vrai qu'il n'a pas duré très longtemps. Mais on arrive. Tu vas voir, c'est dingue les gens qui sont là ! »

Cause toujours, pensa Marina. En attendant, tout ce qu'elle voyait, c'était une banlieue quelconque d'une ville quelconque, et ça l'ennuyait à mort.

Donatello lui faisait faire un tour panoramique improvisé, lui indiquant au passage tel ou tel établissement célèbre. Dans la tête de Marina, Milan n'avait jamais été qu'une catégorie du désir, aussi vide qu'une piste de danse à cinq heures de l'après-midi. Et maintenant qu'elle y était, ce qu'elle voyait, c'était le Pirellone, la gare centrale et le corso Buenos Aires assiégé par les magasins en franchise et les boutiques de marque, les mêmes que dans chaque ville du monde, et elle n'en avait rien à faire.

Milan, ce n'était pas assez, pour elle. Comme Tony Montana elle voulait le monde entier, et tout ce qu'il contenait.

La visite touristique terminée, Donatello laissa le Koleos en stationnement interdit via Vittor Pisani. Un peu plus loin, une file de Ferrari, de Lamborghini et de Porsche, warnings allumés, étincelait dans le soleil. Des gens s'arrêtaient pour les photographier. Marina se secoua et immédiatement chercha dans son sac sa trousse de maquillage.

Quand ils entrèrent au Santa Fé, il était trois heures de l'après-midi et quelques oubliés du star system étaient bien juchés ici ou là, leurs yeux avides fixés l'air de rien sur telle ou telle cinquième roue du carrosse d'une quelconque émission de télé. Marina ne connaissait personne et pourtant se déplaçait déjà comme si elle était chez elle. Impossible de ne pas la remarquer : elle salua le videur comme si c'était un vieil ami, s'accouda au bar et se servit toute seule sans tenir compte de la queue, lançant aux autres femmes d'évidents regards de défi. Une bête de scène avec le culot d'une débutante : Donatello devait la contenir, lui répéter sans cesse de se calmer.

« Tu vois le type là-haut ? chuchota-t-il à son oreille. Le petit blond à la table sur ta gauche ? »

Marina se tourna effrontément dans cette direction.

« Tu as vu ? Tu le reconnais ? »

Marina se rapprocha de Donatello. Elle avait hâte qu'il la présente à quelqu'un. Et en même temps, tout ce qui lui importait, c'était de faire savoir à ses parents qu'elle était au Santa Fé de Milan, en train de siroter un mojito à une table centrale, bien en vue.

Regardez-moi bien, pensait-elle. Dans quelques mois, je vous écraserai tous.

Quand Andrea se leva et insista pour payer, Elsa était complètement saoule.

« Merci, dit-elle en traînant sur les mots. Je sors prendre l'air, et je t'attends. »

Il alla vers la caisse, se retenant au comptoir, et sortit son portefeuille. Il était content de cet après-midi, de cette rencontre inattendue, qui s'était révélée agréable tout compte fait. Puis il tourna la tête et se trouva quasiment nez à nez avec Paola.

Il resta paralysé. Sur le moment il eut du mal à se rappeler qui elle était. Pourtant, d'instinct il l'avait reconnue. Si c'était bien elle, elle avait changé de manière impressionnante. Perchée sur son tabouret, courbée sur son portable... On aurait dit qu'elle se demandait comment s'en servir. La dernière fois qu'il l'avait vue, trois ans plus tôt, elle était en savates et courait dans la rue comme un fantôme, mais au moins n'avait-elle pas ces cheveux gris à la racine et ce teint si fatigué.

Andrea resta pétrifié quelques secondes. Il espérait de tout son cœur se tromper. Mais Paola se tourna vers lui.

« Andrea », fit-elle, comme au ralenti, l'air à la fois étonné et absent. « C'est toi ? Qu'est-ce que tu as changé !

– Madame Bellezza... Bonjour.

– Oh non, ne m'appelle pas comme ça, s'il te plaît ! J'ai divorcé tu sais... Et tu peux me tutoyer. »

Elle était en compagnie d'un quinquagénaire à moitié endormi, le nez à la verticale de son verre. Elle sentait l'alcool. Andrea, cloué devant la caisse, avait du mal à respirer. Cette femme était la mère de Marina, *sa* Marina. Il n'aurait jamais imaginé la voir dans cet état.

« Qu'est-ce que tu fais de beau, maintenant ?

– Je viens de démissionner, répondit Andrea.

– T'as raison. » À l'évidence, elle ne savait pas ce qu'elle disait. « Et avec Marina, vous vous voyez toujours ? »

Le cœur d'Andrea battait si fort qu'il avait l'impression de mourir.

« Je l'ai revue il y a quelques jours... » réussit-il à bafouiller.

Paola s'illumina : « Ça alors ! Qu'est-ce que je suis contente ! Tu sais qu'elle vient de m'envoyer un message ? » Elle lui tendit le portable. « Je sais pas trop m'en servir de ces machins-là... Je l'avais vu, son message, et puis maintenant je le vois plus... Tu saurais pas le retrouver, toi ?

– Quoi ? demanda Andrea devenu pâle.

– Le message de ma fille, tu saurais le retrouver ? »

Andrea, le cœur en flamme, prit le portable des mains de Paola. Il appuya sur l'icône, et par magie apparut un texto daté de seize heures quinze qui disait : *Maman je suis à Milan ! au Santa Fe ! Il y a Mirko Sabbatini, celui qui a remporté X Factor !!!* Puis une série vertigineuse de smileys. Le smiley content, le smiley étonné, le smiley qui envoie des baisers, le smiley avec des yeux en forme de cœur.

« Voilà, madame… »

Andrea était anéanti.

« Merci, dit-elle en se penchant sur l'écran, tu es vraiment un gentil garçon. Tu sais, il y a quelques jours que Marina m'a invitée à déjeuner, et j'y suis toujours pas allée… Tu crois pas qu'il faudrait que je l'appelle ? »

Et soudain, les yeux pleins de larmes : « Je suis plus trop capable d'être une vraie mère, je crois. »

Andrea, sans la regarder, sans penser à rien, laissa sur le comptoir un billet de vingt euros et se sauva du plus vite qu'il pût.

4

« Mon trésor, c'est maman. »

Marina venait de se laver les cheveux, elle les avait enveloppés dans une serviette roulée en turban et buvait un café dans la cuisine, en pyjama, les pieds dans deux énormes pantoufles en forme de tête de chat.

« Qu'est-ce que tu veux ?

– Ça te va si on vient déjeuner aujourd'hui ? Ne prépare rien. » La voix de Paola était hésitante et affectueuse. « On fera des pâtes, quelque chose de simple, et le gâteau c'est nous qu'on s'en occupe.

– Qui ça nous ?

– Nous…

– C'était la semaine dernière, maman, que tu devais venir. Et mardi tu m'as même pas accompagnée à l'interview avec Serra. Hier je t'envoie un texto et tu me réponds même pas. Pourquoi tu crois que je te l'ai offert, ce portable qui m'a coûté les yeux de la tête ? »

Elsa, de l'autre côté de la table, devant son ordinateur, tâchait de ne pas écouter. Elle ferma les yeux pour se concentrer sur un chapitre de sa thèse.

« Ma chérie, je suis désolée… Mais aujourd'hui t'es quand même d'accord si on passe ? Même juste pour un café, qu'est-ce que t'en dis ? On te dérangera pas.

– L'autre abruti, tu le laisses au Sirena.

– Mari…

– Non, je veux pas de ce pouilleux chez moi !

– Mais mon trésor, c'est pas bien de laisser les gens tout seuls… »

Marina lança un coup de pied dans la table. Elle avait envie de voir sa mère, elle en avait besoin ; mais elle l'aurait tout aussi volontiers écorchée vive. Elle posa sa tasse, prit une lime dans sa pochette et, portable coincé entre l'oreille et l'épaule, commença à s'arranger un ongle.

« Ah ! Et puis tu sais qui j'ai vu hier ? poursuivit Paola. J'allais presque oublier…

– Qui ?

– Andrea ! Andrea Caucino ! »

Elsa la vit interrompre brusquement sa manucure.

« Il dit que vous vous êtes revus… C'était vraiment une belle surprise ! Qu'est-ce qu'il a changé ! Quel beau garçon c'est devenu ! »

Marina, la lime à la main, était devenue sérieuse.

« Où ? Où tu l'as vu ? »

Paola gagna du temps puis admit : « Au Sirena.

– Avec qui il était ?

– J'en sais rien…

– Comment ça t'en sais rien ! dit Marina en élevant la voix. Avec qui il était ? Avec ses copains ? Avec une fille ? » Le dernier mot trembla sur ses lèvres.

Elsa, malgré toute sa bonne volonté, n'arrivait pas à ne pas écouter et ne pas la guetter du coin de l'œil. Elle la vit changer de visage, se raidir, jeter la lime par terre.

« Ma chérie, je te jure que j'en sais rien. Je l'ai vu qui payait à la caisse, il avait l'air d'être seul… Qu'est-ce que je peux dire d'autre ? On a parlé deux minutes, et il s'est sauvé.

– Il s'est sauvé, répéta Marina.

– Alors, on peut venir aujourd'hui ? Genre midi et demi, ça te va ? »

Elle vit la scène : sa mère, accrochée comme une chiffe au comptoir du Sirena, et Andrea qui la reconnaissait à peine, qui avait pitié de voir ce qu'elle était devenue et qui pour finir se sauvait, gêné… Une goulée épaisse, compacte, de rancune monta à sa gorge.

« Fais ce que tu veux », conclut-elle. Et elle coupa la communication.

Alors Elsa se sentit obligée de rabattre l'écran de son ordinateur et de la regarder en face, se demandant si elle devait intervenir. Marina était restée où elle était : assise, le turban sur la tête. Elle fixait le portable d'un œil mauvais et sa main tremblait légèrement. Elle resta silencieuse pendant presque une minute puis explosa.

« Merde ! Mais pourquoi faut-il toujours qu'elle me fasse chier ! »

Elsa, inquiète, déplaçait sur la table sa trousse, un stylo, une gomme.

« Ça va ? réussit-elle à demander.

– Non ! »

Marina lança le portable quelque part sur le buffet, puis se leva. Elle pencha brusquement la tête en avant et commença à se sécher les cheveux avec la serviette. Cette cascade de cheveux dorés qu'Elsa lui avait enviée dès le premier jour.

« Je peux faire quelque chose ?

– Oui, dit l'autre la tête en bas, tu pourrais m'aider à préparer un repas correct pour ma mère et ce… peu importe. »

Elle s'arrêta un instant et ajouta : « Ah, pas de vin. »

Elsa ne comprit pas le sens de cette dernière phrase. La règle avait toujours été : si on invite quelqu'un à déjeuner ou à dîner, on le dit un jour à l'avance. Mais les règles, pour

Marina, n'avaient aucun sens. Elsa ne savait pas si elle devait se mettre en colère ou laisser tomber : après tout, c'était de sa mère qu'il s'agissait.

« À quelle heure viennent-ils ? »

Marina releva la tête d'un coup, laissa retomber la masse humide de ses cheveux sur ses épaules et son visage. Son regard s'était troublé.

« Elle a dit midi et demi », et elle jeta la serviette sur la chaise. Alla ouvrir le frigo, l'inspecta : « Il va falloir inventer quelque chose, y a rien du tout ici. »

Elsa allait perdre une matinée de travail précieuse, alors qu'elle devait remettre son troisième chapitre le lendemain.

« Mais Mari, il faut que je travaille, moi… »

Marina claqua avec force la porte du frigo.

« Eh ben travaille ! Qu'est-ce que j'en ai à foutre ! »

Elle monta directement à l'étage, avec ses énormes pantoufles en peluche. Elsa la regarda disparaître en haut des escaliers puis s'arrêta sur le curseur qui clignotait au milieu d'une phrase.

La note sur le concept de césarisme chez Gramsci était restée en plan, irrésolue : *Quand la force de progrès A lutte avec la force de régression B, il peut arriver non seulement que A l'emporte sur B, ou B l'emporte sur A, mais aussi que ni A ni B ne gagnent, et au contraire s'épuisent réciproquement…* Inutile de chercher la concentration : pour aujourd'hui, elle s'était envolée.

Elle renonça, éteignit l'ordinateur. À elle maintenant d'inventer quelque chose pour le déjeuner. Elle avait fini par bien connaître sa colocataire : elle criait, claquait les portes, mais ensuite ne levait pas le petit doigt. Elsa n'avait pas la moindre idée de qui étaient les parents de Marina, elle avait juste deviné qu'ils n'étaient plus ensemble. Elle n'arrivait pas à s'enlever Andrea de la tête, la complicité avec laquelle ils s'étaient parlé, leurs genoux qui par moments se touchaient sous la table, la surprise de se retrouver adultes et en accord sur tout. Et même si, à la fin, il était parti à toute vitesse, bouleversé, disant qu'il avait une chose urgente à faire, ils avaient conversé un après-midi entier, et les heures avaient filé comme des minutes, et il s'était même confié à elle : il lui avait parlé de son projet, comme si elle pouvait, un jour, en faire partie.

Les yeux rêveurs, Elsa se leva de table, rangea l'ordinateur et les livres. Elle se sentait généreuse, patiente.

Depuis que Marina avait commencé à être connue, Elsa éprouvait une drôle d'appréhension pour elle. Et elle se prépara à sortir, à lui rendre ce service, sans imaginer qu'elle aidait sa plus impitoyable ennemie.

Piedicavallo est à 1 035 mètres au-dessus du niveau de la mer.

C'est un village de cailloux aux limites du monde, ramassé au creux d'une boutonnière entre deux montagnes, d'où partent les « légendes de pierre » : ces chemins à demi cachés entre les rochers, parcourus par les transhumances depuis la nuit des temps.

Quand Elsa ouvrit la porte pour sortir – une petite porte en bois teintée de bleu, semblable en tous points à celle de Hansel et Gretel –, elle s'arrêta un instant sur le seuil pour regarder. Le granit, les ruisseaux, le vert sombre des sapinières et des hêtraies tout autour : les trois seuls éléments dont ce lieu était fait. Pas d'asphalte et pas de bruit, hormis le ruissellement de l'eau. Et, accrochés aux rebords des fenêtres, les « grelots des anges » tintaient dans le vent d'une musique irréelle, celle d'avant l'apocalypse.

La mairie, l'église et le clocher se dressaient au milieu des arbres, surplombant des ruelles étroites ensevelies des journées entières dans l'ombre. Les rues pavées de cailloux grimpaient à l'assaut des pentes avant de se perdre dans des fourrés épais et hostiles. Une seconde église, des évangéliques vaudois, se tenait au cœur du village ; au-dessus de sa porte une phrase peinte : *Dieu est amour*. Les maisons bâties avec les pierres du torrent s'agrippaient les unes aux autres, muettes, usées par l'humidité et les intempéries comme si elles étaient là depuis la nuit des temps ; et souvent, pas de nom sur les sonnettes. Une telle beauté qu'elle arrêtait les mots, son pouvoir les faisait taire.

En descendant par la via Marconi, une des rares rues du village, Elsa ne rencontra qu'une présence humaine : une petite fille de quatre ou cinq ans qui marchait seule, en jogging, un moulin à vent multicolore à la main.

Des chats passaient, des mousses et des fougères poussaient entre les cailloux des rues non carrossables. Les fenêtres arboraient des rideaux au crochet, des volets de bois. Et puis, sur une petite place à côté d'une statue de la Vierge, un téléphone public : le seul, et qui fonctionnait. Il avait survécu au temps ; faible lien avec le reste du monde.

Elsa entendait ses pas résonner sur la chaussée, le vent glacé lui coupait le visage. Le rideau du petit supermarché, qui faisait aussi bar, restaurant et boutique de souvenirs, était baissé ce matin-là. Le minuscule bureau de poste – une porte et une fenêtre au rez-de-chaussée d'une vieille habitation – n'ouvrait que trois jours par semaine, de dix heures à treize heures, et aujourd'hui était fermé. Chaque maison donnait sur un jardin où poussaient tant bien que mal, durant les mois sans gel, des blettes et des salades. Une petite affiche collée sur le tableau de la mairie appelait à participer à la fête du Haricot. Et du mur le plus haut, face à l'église principale, la statue altière d'un cerf veillait sur l'immobilité générale.

Elsa aimait cet endroit ; comme on aime un refuge sous la pluie, une caravane enfouie sous deux mètres de neige, une cabane réchauffée par un poêle à bois au cœur d'une forêt. La beauté avait pour elle un lien avec le caché, l'insaisissable, l'inaccessible. Elle voyait en Marina, dans ce visage anguleux mais doux, dans ces yeux sombres, l'empreinte de ces montagnes, de ces hauteurs. Elles étaient toutes les deux filles de la Valle Cervo, où les étrangers étaient rares, et c'était peut-être le lien secret qui les unissait.

L'hôtel La Rosa Bianca, à l'entrée du village, était là depuis 1856. Il ressemblait à ces auberges des contes où les héros se reposent au cours d'un long voyage, dans une terre qui ne connaît pas le temps, où la chaleur a cette hospitalité humide des racines. C'était là qu'Elsa se dirigeait, espérant y trouver quelque chose pour le déjeuner et éviter de prendre sa voiture pour descendre jusqu'à Biella. Bien que le village semblât inhabité, le restaurant de l'hôtel, qui faisait aussi tabac et journaux, était plein.

Au cœur silencieux de la vallée, la vie se recroquevillait pour continuer.

La sensation qu'Elsa éprouva, dans cette petite salle éclairée par la lumière du matin, réchauffée par les parties de cartes, tandis que les femmes cuisinaient tranquillement, était celle d'une *appartenance.* Il y avait quelque chose de souverainement juste dans le fait d'accorder sa vie au rythme du soleil et à la rotation de la terre. Elle put récupérer quelques aubergines, de la polenta et du maccagno.

Elle se demanda ce que cela pourrait signifier de vivre là-haut avec Andrea, d'être la compagne d'un marcaire. Pelleter la neige l'hiver, rester attentive près du poêle, et l'été mettre le linge à sécher dehors, étudier la philosophie dans un monde coupé de l'Histoire, regarder de près un homme qui dort.

Ils se présentèrent à une heure passée.

Marina, avec ce qu'Elsa lui avait apporté, avait inventé des aubergines à la parmesane sans parmesan mais avec du maccagno à la place. Le journal télévisé avertissait que des temps meilleurs ne viendraient pas, du moins pas tout de suite. Le gouvernement provisoire faisait tout son possible pour sauver l'Italie, mais l'Italie, de là-haut, était un lieu imaginaire, situé à des distances sidérales.

À ce moment-là, elles entendirent frapper. Marina regardait le plat dans le four. Elle dit : « Vas-y, s'il te plaît. »

Elsa alla ouvrir sans savoir à quoi s'attendre. À dire vrai, elle s'attendait à n'importe quoi, sauf à ce qu'elle vit sur le pas de la porte.

La femme lui sourit, montrant une rangée de dents pourries qui faisaient, dans ce visage encore jeune, l'effet d'un coup de poing dans l'estomac. Elsa eut l'impression de l'avoir déjà vue, sans se rappeler où. Elle avait les cheveux un peu gras, gris à la racine. Et des yeux délavés, d'une douceur infinie, qui semblaient demander pardon simplement d'exister.

« Bonjour, dit-elle. Je rencontre enfin la colocataire de ma fille. » Elle lui serra la main. « Merci pour l'invitation. »

Elsa, le visage tiré, lui sourit à son tour et la fit entrer : « Je vous en prie, tout le plaisir est pour moi. »

Derrière elle, un petit homme au teint indéfinissable, entre le jaune et le gris souris, aux cheveux filasse couleur acajou et d'une maigreur impressionnante – à l'exception d'un gonflement à la hauteur du ventre, moulé par sa chemise trop serrée –, s'avança en tenant un paquet de gâteaux. Hésitant lui aussi, honteux, mais souriant et reconnaissant de l'invitation, il serra la main d'Elsa.

« Gianfranco, mais appelle-moi Giangi. »

Ils puaient tous les deux : l'alcool, et quelque chose d'autre. Cette espèce d'arrière-goût terreux, de poussière et de sueur, que laissent derrière elles les existences qui avancent au point mort.

Marina lança un « Salut » impersonnel, sans se retourner.

Elle continuait de surveiller les aubergines, comme pour repousser encore le moment de regarder ses invités en face. Quand elle le fit, elle les vit tous deux debout à côté de la table, souriant sans oser s'asseoir. Paola vêtue de son habituelle chemise à carreaux de flanelle, lui, la boîte de pâtisseries à la main. Puis elle croisa le regard d'Elsa et y lut le sentiment ambigu, et pour elle odieux, de la pitié.

« Bon, asseyez-vous. Restez pas plantés là. »

Paola et le Giangi s'assirent.

« C'est beau ici, dit sa mère.

– Oui, on est vraiment bien », s'empressa de dire Elsa pour dissimuler l'embarras, ou simplement parce qu'un silence aurait été insupportable. « Surtout l'été, il fait très frais. »

Marina captait chacune des manœuvres des trois autres, en même temps qu'elle posait les derniers ustensiles sur la table, dressée depuis midi.

« Encore dix minutes, et on la mangeait toutes seules, la parmesane d'aubergines.

– Mari, ne cherche pas la dispute. Il est une heure : on mange à une heure, non ?

– Mmm, fit le Giangi. Ça sent bon… »

Elsa baissa le volume de la télé mais ne l'éteignit pas, pour éviter la chute dans un silence de tombe. Elle prit les gâteaux que ce pauvre homme continuait de tenir sur ses genoux et les mit dans le réfrigérateur.

Marina pendant ce temps remplissait les assiettes ; il irradiait d'elle une tension palpable. « Bon appétit », annonça-t-elle en prenant place en bout de table.

Elsa était seule d'un côté, Paola et le Giangi de l'autre, et elle n'arrivait toujours pas à les regarder en face. Chacun dit que tout était très bon et lui firent des compliments. On entendait les couverts crisser dans les assiettes. À court de sujets de conversation, Elsa énuméra les avantages de la maison et de Piedicavallo, et les deux autres acquiesçaient, mangeaient et disaient oui, oui.

« Mais non, putain, c'est pas vrai. »

Marina venait d'ouvrir la bouche, glaçant tout le monde.

« Cette baraque, c'est un *taborna*, un taudis, même un chien s'en apercevrait. L'an prochain, je m'achète un appartement, un vrai, et ça sera sûrement pas ici. »

Elsa remplit son verre d'eau.

« Tu as raison, mon trésor, dit Paola. Tu as raison de vouloir te faire une jolie maison… » Conciliante, généreuse, comme si elle n'avait pas entendu sur quel ton lui avait parlé sa fille, elle cherchait un point d'entente : « À propos, c'est quand ton émission ?

– J'en ai marre de te le répéter, maman. »

Le Giangi avait penché la tête sur son assiette et courbé l'échine, comme pour disparaître.

« Pourquoi est-ce que tu dois toujours être agressive comme ça ? C'était juste une question. Moi j'ai hâte que ça commence, et de te voir à la télévision.

– Mon cul.

– Mais c'est vrai ! » La voix de cette femme, son expression pleine de tendresse, de compréhension et de désespoir émouvait presque Elsa, qui s'était mise à couper sa parmesane en tout petits morceaux.

« Si tu savais combien je suis fière, combien *nous sommes* fiers… Hein, Giangi ? Je suis sûre que c'est toi qui vas gagner, j'en mettrais ma main à couper.

– Tu rateras tous les épisodes. Tu n'arriveras même pas à te souvenir du moment où il faut allumer la télé. » Et en l'imitant elle ajouta : « Hein, Giangi ? »

Il leva les yeux et la regarda, en se retenant. Puis se pencha à nouveau sur son assiette.

« Je suis curieuse de voir si tu viens me soutenir à l'émission, vraiment curieuse !

– Mari », fit Elsa, qui commençait à saturer, « on te suivra tous, du début à la fin. »

Marina la foudroya du regard, comme pour dire : De quoi tu te mêles ?

Paola s'essuya la bouche avec sa serviette. Elle se mit à regarder autour d'elle, égarée et inquiète.

« Qu'est-ce que tu cherches, hein ? Dis-moi ce que tu cherches ! cria Marina. Du vin ? Y en a pas ! Pas de vin dans cette maison ! »

Paola posa sa fourchette sur la table : « Tu es vraiment cruelle.

– C'est *toi* qui es cruelle ! T'en as rien à foutre de moi ! Tu sors avec ce type pour me faire honte ! Qu'est-ce qu'ils diront mes fans, s'ils l'apprennent ? Dis-moi ! Dis-moi ce qu'ils penseront quand ils découvriront que j'ai une mère alcoolique et que… » Elle lança un coup de pied dans la table. Sa voix se noya, puis explosa : « Qu'est-ce qu'ils penseront de moi, s'ils apprennent ce que tu as fait il y a trois ans ? »

Paola éclata en sanglots.

Elle croyait avoir versé toutes ses larmes. Mais il lui en restait toujours. Même aujourd'hui, où elle aurait simplement voulu être avec sa fille, juste ça, et que tout se passe bien… Elle sanglotait, le visage dans les mains, et son corps semblait tellement fragile sur cette chaise, sans défense.

Marina se leva d'un bond et courut à l'étage.

Peut-être pleurait-elle aussi, Elsa n'en était pas sûre.

Elle resta avec cette femme ravagée et cet homme muet, et alluma une cigarette, en soupirant.

Voyant que Paola sanglotait toujours, elle avança la main et lui toucha l'épaule. « Ne vous inquiétez pas, tout va s'arranger… »

Une phrase de circonstance, quand les circonstances dépassent de beaucoup le sens de toutes les phrases. Puis elle versa un verre d'eau à chacun et débarrassa les assiettes : le repas était fini. Elle l'entendit lui, qui disait tout bas : « C'est ma faute, j'aurais pas dû venir. »

Alors elle eut le cœur serré.

« Ne vous en faites pas, dit-elle en écrasant sa cigarette. Je vous jure que tout va s'arranger. »

Elle se dirigea vers l'escalier. « D'ailleurs, il y a encore les gâteaux ! »

Elle grimpa les marches quatre à quatre. Se précipita dans la chambre de Marina. Fit ce qu'elle n'avait jamais fait jusque-là : forcer la porte de quelqu'un. Elle, la fille unique, à qui l'on avait appris à ne pas envahir l'espace des autres. Mais Marina aussi était fille unique, habituée à toujours gagner.

Elle la trouva sur son lit, pelotonnée, le visage dans ses mains. Comme les enfants qui font des caprices, se dit-elle. Et elle se jeta sur elle, l'attrapa par l'oreille et dit : « Espèce de petite conne, ici c'est aussi chez moi. Et chez moi j'exige que personne ne soit traité de cette façon. Maintenant tu descends et tu viens demander pardon. »

Sa voix sortait comme un râle. Avec une violence et une détermination inimaginable chez une fille aussi timide.

Marina ôta les mains de son visage. Déconcertée, elle écarquilla ses grands yeux pleins de larmes. Elsa avait presque réussi à la surprendre, à lui faire retrouver ses esprits. Elle se leva. « Allez, dit Elsa, bouge-toi. »

Sans un mot, elle se frotta les paupières, essuya ses larmes. Et comme une petite fille qui aurait reçu une fessée, elle suivit sa colocataire, la tête basse, dans les escaliers.

La suite ne fut pas une partie de plaisir mais le pire était passé.

Ils mangèrent les gâteaux, avec de longs silences entrecoupés de quelques mots lancés à l'aveugle, pour alléger la tension. Elsa réussit à orienter la conversation sur la politique, ce qui réchauffa aussitôt le Giangi, qui se révéla assez bon orateur. On découvrit qu'il avait un passé de militant, au Parti communiste avant, aux DS, les Démocrates de gauche, après. Ensuite, il s'était senti déçu et trahi, et il avait déchiré sa carte électorale. Il avait toujours été menuisier, à la scierie en bas, à Andorno. Il coupait des planches et réparait les volets, il rabotait et sciait – quand il ne buvait pas, mais ça il ne le dit pas. Et sa vraie passion, c'était les Pooh, le groupe de musique. Paola avait retrouvé le sourire. Marina avala près de douze petits choux.

Puis ils dirent qu'il se faisait tard et qu'ils ne voulaient pas déranger plus longtemps. Elsa répondit qu'ils étaient les bienvenus et qu'ils pouvaient revenir quand ils voulaient. D'ailleurs, la prochaine fois, elle leur cuisinerait quelque chose de spécial.

À la fin, sur le pas de la porte, Marina s'élança dans les bras de sa mère, plongea le visage entre ses seins comme elle faisait quand elle était petite, et la retint de longues minutes en prononçant des mots étouffés que personne sauf Paola ne pouvait comprendre.

Plus tard, en travaillant à sa thèse, Elsa s'interrogea sur cette étreinte.

Tandis que la lumière déclinait derrière le dernier pan des Alpes et que le seul bruit venu de l'extérieur devint celui de l'érosion implacable du torrent, elle vit Marina apparaître à plusieurs reprises dans la cuisine, sous prétexte de prendre un verre d'eau ou autre chose.

Peut-être cherchait-elle seulement un contact. Peut-être ce savon qu'elle lui avait passé les avait-il rapprochées; Marina avait peut-être compris maintenant de quelle trempe était Elsa, disponible et gentille oui, mais pas stupide. Puis elle l'entendit qui passait près d'une heure au téléphone avec un certain Donatello, qu'elle appelait tantôt *Tello* tantôt *Dona*. Elle l'entendit parler d'un concert, et de coiffures et de tenues à acheter pour l'occasion.

Quand elles s'étaient rencontrées pour la première fois, par hasard, à l'agence immobilière, plantées toutes les deux devant la même annonce de location, Elsa avait été frappée par la beauté extraordinaire de cette fille en ballerines et lunettes de soleil dont l'aura la faisait paraître droit sortie d'un roman de Flaubert.

Peut-être ne s'étaient-elles donné aucune chance, ce premier jour. Elles s'étaient sous-estimées. Contentées de penser à l'avantage pour chacune: partager les factures de gaz et d'électricité, se protéger mutuellement dans une grande maison isolée. Elsa était restée frappée par la douceur de son visage, la masse blonde de ses cheveux qui lui arrivaient à la moitié du dos et son sourire léger, en harmonie avec le monde. Mais elle savait maintenant que cette beauté possédait une racine sombre et empoisonnée.

L'image éthérée avait une histoire.

5

> Photographie de l'Italie qui change [...]. D'après un sondage de la Coldiretti effectué sur un échantillon de personnes de 18 à 34 ans, 40 % pensent que vivre à la campagne est préférable à une existence morne derrière un bureau.
>
> Journal télévisé de la 2

Le samedi 29 septembre, un peu avant midi, Andrea se décida à sortir de chez lui pour affronter le repas avec ses parents.

Dans l'entrée, il s'aperçut qu'il y avait quelque chose dans sa boîte à lettres. Une facture, sans doute, pensa-t-il. Il glissa la clé dans la serrure, ouvrit la porte métallique et trouva une carte postale.

Il y avait bien quinze ans qu'il n'en avait pas reçu.

Une diligence, un cactus et, au fond, le désert.

Tombstone.

Chacun des muscles de son corps se glaça.

Il regarda longuement la photo, reconnut le désert de Sonora à la frontière avec le Mexique; celui du film *My Darling Clementine*, qu'ils avaient vu ensemble des tas de fois.

Il n'avait pas besoin de retourner la carte pour savoir qui l'avait envoyée. D'ailleurs, il n'avait pas l'intention de la lire. Il sortit, et en montant dans sa voiture la jeta sur le tableau de bord.

Andorno Micca, à cette heure-là, même sans cactus et sans diligences, était baigné d'une lumière automnale, fragile et délaissée, un peu comme celle de Tombstone. Sauf que nul n'y avait jamais tourné de film, qu'aucune fusillade épique entre cow-boys n'avait jamais eu lieu dans la Valle Cervo. Pendant qu'il conduisait, un sourire lui échappa : il fallait être gonflé pour envoyer ce genre de carte postale. Mais son frère avait toujours aimé les sous-entendus, c'était quelqu'un qui parlait peu.

Le dernier signe qu'il avait reçu d'Ermanno datait de cinq mois plus tôt. Un mail d'une ligne : *Sarah est enceinte.*

Voilà, c'était son frère. Trois mots, point.

En approchant de la villa, Andrea se remémorait l'enterrement de son grand-père, quand on avait glissé le cercueil dans la niche funéraire, fermée ensuite par des briques, et qu'il s'était écroulé, pleurant comme un enfant. C'était le seul moment, depuis l'épisode du golden retriever, où Ermanno s'était approché de lui, posant la main sur son épaule. Une tentative d'affection : gauche, hésitante.

Six ans après, Andrea comprenait : Ermanno était le seul à savoir ce qui lui passait par la tête, et en même temps le dernier à pouvoir l'aider. À la question : qu'est-ce que tu n'arrives pas à pardonner à ton frère ? Andrea aurait répondu rien, ou bien tout : il m'a pris jusqu'au jour de mon anniversaire, m'a humilié dans toutes les compétitions et pour finir il est parti en me laissant seul avec des parents vieillissants que je déteste.

À partir d'un certain moment de sa vie, Andrea avait cohabité avec des fantômes, qu'il tirait derrière lui. D'un côté son frère, de l'autre Marina. Deux absences constantes, aimées et haïes, qui peuplaient le silence, le soir avant qu'il ne s'endorme. Et pas moyen de s'en débarrasser.

Il se gara dans la petite allée où les hortensias se préparaient à leur dernière floraison annuelle. Sa mère, quand il ouvrit la porte, trouva comme d'habitude à redire sur son habillement, sa barbe de plusieurs jours et ses cheveux en désordre. C'était sa façon de lui dire « je t'aime », il était habitué. Son père les rejoignit dans la cuisine, en pantoufles. Ils avaient l'air tous deux fragiles et désarmés dans la lumière de midi qui emplissait la pièce.

Andrea prit place à table. Sa mère finissait de mélanger la *polenta e moja*[1] dans le chaudron de cuivre, le tablier noué à la taille et les cheveux laqués. Maître Caucino faisait semblant de lire le journal. La télévision était éteinte. Le seul bruit provenait du tambour de la machine à laver qui tournait.

« Eh bien, dit Maurizio en refermant son journal et en posant ses lunettes dessus, demain aussi il va faire beau toute la journée. »

Andrea grignotait un gressin, jouait avec sa fourchette et fixait le nouveau lave-linge hypertechnologique, le énième de ceux qui avaient succédé à l'autre, celui dans lequel Clint était mort.

« Et lundi, conclut son père, il commencera à pleuvoir. »

La conversation s'enlisa autour de cette parenthèse météorologique. Mais Andrea n'était pas là pour parler de la pluie et du beau temps, il était venu jouer sa vie. Il attendit quelques minutes.

Puis : « J'ai décidé de venir à Tucson. »

Sa mère se tourna aussitôt vers lui, la cuillère en bois à la main, un sourire qui virait presque aux larmes. L'expression

1. Spécialité de la Valle Cervo : boulettes de polenta servies avec une sauce à base de crème et de fromage des alpages.

de son père s'adoucit instantanément. Depuis quand lui étaient venus tous ces cheveux blancs ? Il ressemblait au grand-père, maintenant.

Andrea avait lancé sa première bombe et en savourait l'effet.

« Mon Dieu ! Mais c'est fantastique ! s'exclama Clelia.

– Bien, fit Maurizio, je suis content. » Puis il ajouta : « Rappelle-toi qu'il faut être à l'aéroport deux heures avant, et qu'il faut remplir le formulaire ESTA. Tu as vérifié si ton passeport était encore valable ? »

Comme à son habitude, il se retranchait derrière la liste des choses à faire mais il était visiblement ému.

« Mon passeport est valable », le rassura Andrea.

Sa mère remplit les assiettes, ils s'assirent et le déjeuner commença.

Ils parlèrent des États-Unis. Andrea se taisait et mangeait. Il écoutait ses parents discuter sur la marque de voiture à louer, les habitudes alimentaires en Arizona, le petit Aaron qui semblait très pressé de naître, et Sarah qui était vraiment une fille bien.

Andrea mâchait et déglutissait. *Le petit Aaron*. Sa mère à un moment lui demanda s'il n'était pas ému à l'idée de devenir oncle et il répondit la bouche pleine : « Si, bien sûr. »

Ils évitaient avec soin d'aborder la question de Riabella, s'attardant sur telle ou telle curiosité trouvée en épluchant les guides achetés en prévision de ce voyage dans l'Amérique de l'Ouest.

Après la *polenta e moja* arriva le ragoût de cerf.

« Tu savais que Tucson est sans doute le plus ancien lieu de peuplement de tous les États-Unis ? »

Andrea fit non de la tête.

« C'était un territoire apache avant même que les Espagnols n'arrivent au XVIIIe siècle, continua l'avocat, sauf qu'il est difficile de reconstituer l'histoire : dans les guides il n'y a qu'un seul petit paragraphe sur Tucson.

– Bon, fit Andrea, on ne parle pas non plus de Biella dans les guides sur l'Italie…

– Mais là-bas il y a les canyons ! intervint Clelia. Il y a tous ces décors de western, ce n'est pas comme à Biella.

– C'est comme à Biella, conclut Andrea, sauf que c'est en Amérique.

– Avec ça tu as tout dit », répliqua son père.

Oui. Mais il ne voulait pas admettre, ni à ses propres yeux ni à ceux de ses parents, qu'Ermanno vivait dans l'endroit exact de ses rêves.

Le dessert arriva : « Un *bonet*[1] que j'ai fait moi-même », dit sa mère. L'air dans la cuisine était calme et plein de lumière. Un samedi en famille avec le fils prodigue. Les vieux parents qui s'apprêtent à tirer le rideau et passer le témoin à leur descendance. Le fils présent, et le fils absent. La quatrième chaise, restée vide depuis des années, évoquait l'autre côté de l'océan et parlait américain désormais.

Quand il eut terminé son dessert, Andrea posa sa cuillère, s'essuya la bouche et dit : « J'ai démissionné. »

C'était la deuxième bombe. Au napalm. La bombe finale.

Maurizio et Clelia tressaillirent.

« Quoi ? !

– J'ai quitté mon travail à la bibliothèque et je m'apprête à en commencer un autre. Celui que j'ai toujours voulu faire. » Andrea détacha bien les mots : « J'ai décidé de m'installer à mon compte, je voulais que vous le sachiez. »

Ses parents, précipités de la paix du repas en famille dans un péril imminent, le fixaient d'un air interrogateur.

« Et l'université ? demanda Clelia d'une voix mal assurée.

---

1. Gâteau typique du Piémont.

– Ça aussi je l'ai quitté. »

Maurizio se raidit. Il baissa les yeux sur la table et plia, déplia, replia sa serviette.

« J'ai décidé », Andrea se renversa contre le dossier de la chaise et se mit à l'aise, « d'acheter quinze vaches, quinze grises alpines comme celles qu'avait grand-père, et de m'installer comme éleveur. »

Ses parents, à présent, étaient immobiles.

« J'ai déjà demandé la subvention et les autorisations. Tout est au point. L'hiver je resterai à Massazza, l'été à Riabella. Je ferai la transhumance. »

Ses parents ne respiraient plus. Leurs visages paraissaient sculptés dans la pierre.

« Je ferai des fromages. Je les vendrai directement. Je sais que quinze vaches c'est peu, mais je compte arriver à trente d'ici l'été. »

Clelia se leva de table, lui tourna le dos et s'agrippa des deux mains au plan de travail.

Maurizio demeura assis en silence, l'essorage en bruit de fond. Il ne changea pas d'expression. Il semblait rêver les yeux ouverts. Et en effet, c'était le cas. Maurizio voyait devant lui, tout près, le museau large d'une vache, les mouches qui bourdonnaient autour des narines. Mais pas n'importe quelle vache : celle qui l'avait attaqué quand il était petit ; et son père, au lieu de s'en prendre à la bête, s'en était pris à lui.

« Quinze vaches », dit l'avocat. Comme si on venait de lui injecter une dose puissante de sédatifs.

Il ne parlait pas à Andrea. Il ne parlait à personne.

« Quinze, répéta-t-il, la voix absente.

– Oui, répondit Andrea avec orgueil. Mais c'est juste pour commencer.

– Bien sûr… »

Une couche épaisse de cumulonimbus dut passer à ce moment-là au-dessus de la villa Caucino car brusquement la pièce plongea dans une semi-obscurité. La météo avait raison : lundi, ce serait la pluie. Ou la neige. Ou un incendie qui brûlerait tout, ou une tempête de sable, ou la fin du monde.

Et soudain il explosa :

« TU TE RENDS COMPTE DE CE QUE TU DIS ? »

Il s'était levé de table, le visage rouge, et criait comme un possédé : « Tu as perdu la tête ! Tu veux me tuer ! Une quinzaine de vaches ? Tu parles d'une quinzaine de vaches ? Mais tu es complètement fou ! » Il tenait la main sur son cœur, comme s'il allait faire un infarctus. Il appela sa femme : « Clelia ! Pour l'amour de Dieu ! »

Clelia restait paralysée près des fourneaux, le dos tourné, la tête dans les épaules.

« Non mais tu entends TON fils ? Tu l'as entendu, bordel de putain de merde ! Je ne peux pas le croire ! Je refuse de croire qu'aujourd'hui, en 2012, MON PROPRE FILS est capable de venir dans MA maison et de me dire... » il se rassit, le souffle court, « qu'il veut s'acheter DES VACHES ! »

Andrea restait silencieux, imperturbable. Isolé et distant. Comme quelqu'un qui goûterait le spectacle, alors qu'il saignait intérieurement.

« Tu sais ce que ça veut dire ? Tu sais comment ils sont, ces gens-là ? Ils se marient entre eux pour ne pas diviser un bout d'étable, nom de Dieu... Tu as pensé à la bouse que tu devras nettoyer ? » Il était hors de lui, hurlait à faire tomber les murs. « Et combien crois-tu que tu vas gagner, hein ? Trois, quatre euros par mois ? Parce que c'est ça qui t'attend : LA MISÈRE !

– Je ne cherche pas à être riche, dit Andrea.

– Ah non ? Mais bien sûr », et il éclata d'un rire affreux, « c'est tellement mieux de vivre comme des primitifs, sans se laver et sans lumière. Ah c'est magnifique, tu peux en être sûr. Ici l'économie s'écroule, on sombre dans un gouffre.» Il passa la main sur son front en sueur. «Et voilà qu'il veut s'acheter des vaches...»

Andrea hasarda: «Justement.

– Je t'en prie, ne plaisante pas... Ne plaisante pas, s'il te plaît! J'ai été maire de Biella, moi. J'ai une réputation. Je suis avocat!»

Clelia s'était mise à pleurer.

Maurizio était écarlate.

Andrea, pâle, tenait bon.

«Je ne veux rien savoir. Prends la ferme, mais débrouille-toi pour l'arranger. Quand tu seras dans la merde jusqu'au cou, oublie ton père. Tu veux devenir marcaire?» Maurizio leva le bras, pointa l'index vers le couloir. «La porte est par là.»

À quoi Andrea s'était-il attendu? À une réaction différente? À de la compréhension, un dialogue, un soutien? Non. Alors?

Quand son père dit «Jamais Ermanno n'aurait...» sans terminer sa phrase, Andrea se leva.

Parcourant le long couloir de marbre jusqu'à l'entrée, il se dit que ça n'avait pas d'importance, qu'il allait leur montrer... Son père continuait à hurler dans la cuisine. Andrea se dit qu'il n'avait besoin de l'approbation de personne. Pourtant, en arrivant à la porte, s'entendant appeler par la voix de sa mère en larmes, il sentit son cœur se briser. Il faillit faire demi-tour. Revenir la prendre dans ses bras.

Mais il n'en fit rien. Il sortit, monta en voiture, démarra. Il croyait avoir surmonté le plus difficile, sans savoir que ce samedi lui réservait une surprise bien pire. Dix fois de suite il fit le tour du bourg. Pas un instant il ne regarda la carte postale abandonnée sur le tableau de bord.

Il se gara dans une station-service en cours de démantèlement. Prit son portable. Il avait besoin de parler avec quelqu'un. Et un besoin désespéré de Marina. Marina qui n'était pas là. Depuis près d'une semaine maintenant ils ne s'étaient ni vus ni parlé. Les seules nouvelles qu'il avait lui parvenaient par son double en micro-jupe et bas résille qui apparaissait dans tous les journaux locaux, sur les sites Internet les plus débiles. Marina, qui lui avait crié plus ou moins la même chose que son père.

Il chercha le numéro d'Elsa parmi ses contacts, et l'appela.

Elsa vit l'écran de son portable s'éclairer, le nom apparaître, et son cœur bondit dans sa poitrine. Elle non plus ne savait pas que ce serait une des pires journées de sa vie.

« Allô... »

À l'autre bout, la voix d'Andrea paraissait altérée. Elle l'entendit commencer par une série de *salut, excuse-moi, je ne sais pas trop pourquoi je t'appelle.* Puis il se lança dans un raisonnement sans queue ni tête sur la météo, ses parents, les vaches, auquel elle ne comprit rien. Andrea ne lui laissait pas le temps de placer un mot. Il parlait sans discontinuer, comme s'il délirait ou avait bu. Enfin il s'interrompit et lui demanda ce qu'elle faisait.

« Rien.

– Autrement dit tu es libre ?

– Oui, répondit Elsa. Je suis seule à la maison *aujourd'hui...* »

Andrea ne s'arrêta pas sur ces mots. Il ne lui vint pas à l'esprit que d'habitude, Elsa n'était pas seule dans la maison de Piedicavallo. Il ne fit pas le lien avec ce que Marina lui avait dit de sa colocataire, à Piedicavallo, précisément. Une colocataire qui étudiait la philosophie.

Il avait un besoin irrépressible de parler avec quelqu'un, quelqu'un qui le comprendrait. Besoin d'une femme, et pourquoi pas de coucher avec. Il n'avait plus toute sa tête. Trois, quatre euros par mois… Son père était un monstre.

« Si tu veux passer, dit Elsa, aussi inconsciente que lui. Via Marconi, n° 23, la dernière maison tout au fond. Celle avec la porte bleue.

– J'arrive. »

Et il partit comme un bolide.

Déjà Elsa, qui ne l'attendait pas aussi vite, se précipitait dans les escaliers, filait dans la salle de bains s'arranger les cheveux. Andrea conduisait à toute vitesse dans les tournants de la départementale 100, cette route qu'il connaissait par cœur, comme s'il n'y en avait aucune autre au monde. Et Elsa mettait de l'ordre tant bien que mal, rangeait les livres, balayait les miettes sous la table, ôtait son jogging, enfilait un jean et un joli chandail.

Ils creusaient eux-mêmes leur fosse. Entraient d'un pas décidé dans la tanière du loup. Et le loup, même quand il se cache, est toujours là. Il est partout, tapi dans le feuillage, se confondant avec les sous-bois, il n'est jamais distrait et ses yeux jaunes sont sensibles comme des radars à tous les mouvements, sur ce territoire dont il est le maître.

Quand Elsa lui ouvrit la porte – frêle, pas très jolie, ses cheveux roux coupés au bol, et visiblement émue –, Andrea se heurta brutalement au réel. Et le réel, c'était qu'Elsa n'était pas Marina, que jamais il n'arriverait à coucher avec elle. Jamais il n'aurait le courage.

Il avait besoin de boire quelque chose.

« Dis-moi, t'as pas une bière ? »

Ce fut le premier mot qu'il lui dit.

« Excuse-moi, j'ai vraiment soif », ajouta-t-il avec agacement.

Il avait tant de colère et de rancune en lui qu'il exploserait s'il ne les déversait pas.

Elsa regarda dans le frigo : « J'ai du vin.

– Ça va, tout me va. »

Andrea ne remarqua rien. Il ne vit pas les boîtiers des CD de Lady Gaga éparpillés par terre à côté de la chaîne stéréo, la chaussette blanche abandonnée entre les coussins du canapé. Il ne lut pas les post-it multicolores sur le frigo : *mardi répétition générale, appeler Tello après déjeuner, acheter mascara et rouge à lèvres.* Il se contenta de jeter un coup d'œil au plafond voûté, au poêle, à la fenêtre qui donnait sur la paroi orientale du Monte Cresto.

Elsa sortit deux verres ballon du buffet, déboucha le vin. Il était trois heures de l'après-midi.

« Tu as l'air dans tous tes états.

– Je viens de m'engueuler avec mon père.

– Ah. »

Le temps d'un éclair de lucidité, Andrea se dit : Qu'est-ce que je fais ici, seul chez la Buratti ?

« J'imagine qu'il n'a pas apprécié tes projets.

– Il n'a même pas essayé. Mais je n'ai pas envie d'en parler maintenant. »

Les mots ne suffisaient pas à exprimer sa colère, parler n'aurait servi à rien. Andrea but un verre de vin, puis se leva. Il alla jusqu'à une étagère chargée de livres.

« Tu as tous les romans de Flaubert, c'est bien.

– Oui, dit Elsa en s'approchant, c'est peut-être l'écrivain que je préfère. »

Çà et là apparaissaient sur le buffet des objets qui, de toute évidence, n'appartenaient pas à Elsa, un foulard fuchsia piqué de strass pendait au portemanteau, une crème hydratante à la framboise traînait sur une chaise. Mais Andrea était aveugle, et sourd.

Elle parlait de ses lectures, de son doctorat, et il n'écoutait pas. Elle faisait tout son possible pour le distraire et susciter son intérêt. Mais Andrea paraissait absent, à des années-lumière. Elle s'était bien habillée, elle s'était maquillée, peignée avec soin. Et il ne le voyait même pas. Il buvait, feuilletait les livres, faisait oui de la tête. Pourquoi donc était-il venu ?

« Je vais avoir beaucoup de temps, dit Andrea. Quand je serai à l'estive, j'aurai tout mon temps pour lire.

– Tu es déjà allé à Massazza ?

– Pas encore.

– Si tu veux, je viendrai avec toi, je suis curieuse de voir une étable. Je crois que je n'en ai jamais vu... »

Ça n'avait aucun sens d'être ici avec la Buratti. Andrea s'en rendait compte mais il n'avait pas d'autre femme avec qui parler.

Si Marina avait été avec lui, il aurait ri au nez de son père. C'était sûr. Mais comment vivre ce genre de vie, six mois en haut d'une montagne et six mois dans les brouillards de la plaine, quand on est seul. La solitude, ça vous bousille, ça vous abrutit. Il ne gagnerait même pas de quoi payer le loyer. C'était un projet absurde, insensé.

« Elsa, dit finalement Andrea en se tournant vers elle, peut-être que je suis en train de faire une connerie. »

Il dit cela avec un regard désespéré, sur le ton de la défaite.

« Bien sûr que non, répondit-elle avec énergie.

– Tu ne te rends pas compte. » Andrea se passa la main dans les cheveux, ferma les yeux un instant. « C'est sacrément difficile, crois-moi. Il y a des millions de choses à faire, je n'y arriverai jamais tout seul... C'est pas réaliste, je suis trop con.

– Ne dis pas ça, même pour rigoler. Tu ne peux pas baisser les bras tout de suite. »

Andrea regarda autour de lui, l'air égaré. Il se demanda s'il serait capable de retrouver l'endroit où ils avaient enterré le cerf : ça devait être plus haut, quelque part dans la hêtraie qu'on apercevait par la fenêtre.

« Demain on ira à Massazza, je t'accompagne. »

Elsa était déterminée, à présent. Décidée à le conquérir. Elle parlait comme Anita Garibaldi à son patriote de mari au lendemain de la première guerre d'indépendance, comme la femme qui se tient derrière le grand homme : « Tu ne peux pas lâcher au premier obstacle. Évidemment que ton père ne va pas te soutenir. Il appartient à une génération qui a honte des paysans. Notre génération à nous, c'est d'eux qu'elle a honte. »

Andrea détourna le regard.

« D'accord, répondit-il. Tu viendras avec moi voir l'étable.

– Une bataille à la fois, c'est comme ça que les guerres se gagnent. »

Mais quelle guerre ? Andrea alla se servir un autre verre de vin. Il était trop con, voilà ce qu'il était. *Le petit Aaron.* Et comment il ferait, lui, s'il devait nourrir un petit Aaron ?

Elsa, impuissante, le voyait se tourmenter, aller et venir dans la cuisine le verre à la main. Elle avait espéré passer avec lui un après-midi comme celui de mercredi dernier, mais il était inaccessible.

Au troisième verre, Andrea se laissa tomber sur le canapé et la regarda. Non, rien à faire : elle était trop moche. Pas de seins, pas de hanches, anguleuse et sèche comme un clou avec des gestes empruntés, sans grâce. Il allait devoir se forcer pourtant, pensa-t-il.

Son coude frôla à son insu la chaussette de Marina abandonnée entre les coussins. Elsa la vit et frissonna. Elle était assise face à lui maintenant, près de la table. Elle buvait lentement, à petites gorgées, tentant d'improviser une conversation sur les taux de change, la récession, Merkel : à l'évidence elle ne savait plus à quoi se raccrocher.

Lui, pendant ce temps, n'écoutait rien, regardait le jean d'Elsa, son chandail. Sa colère se transformait peu à peu en désir pur, sans objet. Et ce désir en violence.

« T'as un copain ? demanda-t-il à brûle-pourpoint.

– Non », répondit-elle après un certain temps, déconcertée par la question et le brusque changement d'humeur.

« J'en ai rien à foutre des élections, Elsa, fit Andrea d'un ton dur. Parle-moi de toi, plutôt. Tu as un frère, une sœur ? Ils font quoi tes parents ? » Hostile, il la regardait avec impatience.

« Je suis fille unique. Mon père travaille dans les assurances, ma mère à la mairie

– Et tu n'as pas de petit ami.

– Non, à vrai dire je n'en ai jamais eu. » Puis elle corrigea le tir : « Un petit ami officiel, je veux dire. »

Bien, pensa Andrea, sa sincérité lui faisait honneur. Il se leva et alla se servir un autre verre de vin. Puis il se réinstalla sur le canapé, étendit les bras, allongea les jambes. L'air d'un bandit évadé.

« J'ai été pendant longtemps avec une belle salope. »

Pourquoi lui disait-il tout ça ?

Elsa le fixait, le cœur battant.

« Une qui m'a fait tourner en bourrique du début à la fin. Une chanteuse… »

Au mot *chanteuse*, Elsa eut comme un pressentiment.

« Je lui ai couru après pendant neuf ans, tu te rends compte ? Mais maintenant, je suis arrivé à un tournant. Je m'en fous si mes parents ne comprennent pas. Ils ont passé leur vie à accumuler du fric et encore du fric. Moi le fric j'en ai rien à foutre.

– Tes parents comprendront », dit Elsa avec élégance. Elle survola le reste, et cela aussi lui fit honneur. « Tu dois leur laisser du temps, leur prouver que c'est vraiment ce que tu veux faire. » Le ton de sa voix était adulte, diplomate, compréhensif.

Elle lui rappelait Ermanno.

« Moi je veux pas devenir riche, je veux pas devenir célèbre, je veux pas vivre avec l'obsession que je vaux plus ou moins que les autres ! » Il explosa, enfin. « Cette vie-là, c'est un enfer. Je l'ai vu quand mon père a été élu maire, et qu'il y avait tous ces journalistes à la maison… Ça m'intéresse pas. Mon frère écrit dans des revues d'ingénierie spatiale, fit-il en souriant, ses articles sont publiés avec son nom écrit aussi grand que si c'était Obama… Mais moi, je veux être invisible, tu comprends ? Je m'en fous de laisser une trace, je veux juste me réveiller le matin et me sentir bien ! » Il criait. « Et je veux pas me sentir coupable de ça. Je veux pas vendre ma vie. Mon grand-père, quand un veau mourait ou naissait, ça le faisait pleurer… Il était heureux, lui !

– Je pense la même chose, dit Elsa avec douceur.

– Je sais », répondit Andrea.

Ils se regardèrent.

« Je me rappelle une de tes dissertes en classe, celle que tu avais lue devant tout le monde… Je crois que tu étais simplement en avance. »

Andrea fut frappé par ce détail. Elsa se rappelait un de ses devoirs en classe de terminale… Il y avait donc quelque part quelqu'un qui se souvenait de lui. Quelqu'un qui le comprenait. On a beau vouloir vivre sans témoins, il en faut quand même. Il se leva du canapé. S'approcha d'elle, à quelques pas.

Elle resta clouée sur sa chaise ; elle s'était faite petite, toute petite. Elle gardait les yeux fixés dans les siens. Andrea s'approcha encore. Il se pencha avec les pires intentions.

Elsa ne pouvait pas croire que cela arrivait pour de bon. Le silence était démesuré, magnifique. Andrea avait posé une main sur le rebord de la table, et portait l'autre à son visage. Depuis quand attendait-elle ce moment? Douze ans, treize ans? Et Andrea, depuis quand attendait-il une parole, une seule, d'encouragement, de compréhension?

Ce fut à cet instant qu'une clé crissa dans la serrure. Ils l'entendirent et se retournèrent, étonnés, brusquement interrompus, vers la porte.

Le loup rentrait à temps. Tel le héros, toujours plus fort que le commun des mortels. Avec ses grands yeux, son regard froid, détaché. Ses longs cheveux blonds. Une épaule nue. Des bottes montantes. Une chemisette boutonnée le strict nécessaire.

L'expression impassible de qui, quoi qu'il arrive, même face aux scénarios les plus déconcertants, les plus improbables, les plus absurdes, détient le pouvoir de vie ou de mort sur les autres. Et qui le sait.

Marina apparut à la porte, laissa pendre ses clés quelques instants à la serrure. Elle visualisa la scène: sa colocataire muette, prise plus ou moins en flagrant délit avec son ex tout aussi muet, deux verres vides et une bouteille de vin débouchée. *Andrea* chez elle, Elsa embarrassée comme dans ces rêves où on se retrouve en petite culotte au milieu des gens.

Elle ferma la porte derrière elle. Avança doucement dans la pièce.

Et Andrea comprit ce qu'il n'avait pas encore compris. Et Elsa, en voyant le visage d'Andrea, eut la confirmation de ce qu'elle avait deviné d'instinct: la *chanteuse*, c'était Marina.

Marina lâcha son sac sur le canapé sans cesser de les regarder.

« Tiens, tiens, dit-elle, qui l'eût cru. »

Un demi-sourire. Fourbe, ironique, exprimant le plus grand mépris.

Elle ôta ses bottes et les envoya valdinguer par terre, déboutonna jusqu'aux derniers boutons cette minuscule chemisette, comme s'il faisait très chaud dans la pièce. Puis elle ouvrit le frigo, prit une canette de Fanta, chercha une paille dans un tiroir. Alla s'étendre sur le canapé. Alluma la télévision.

« Excusez-moi, dit-elle en souriant de nouveau, c'est *Teen Mom* qui commence. »

6

La poursuite infernale

Teen Mom: voilà ce qu'Andrea et Elsa regardaient dans la cuisine saturée de tension, à Piedicavallo, 1 035 mètres au-dessus du niveau de la mer. Une émission de téléréalité de MTV America qui allait chercher au fin fond du Michigan ou du Wyoming des mères adolescentes issues de familles souvent à la dérive, pour les suivre pas à pas dans le change des couches et les disputes furieuses avec le père irresponsable de l'enfant.

Pris au piège, ils fixaient les images qui défilaient sur l'écran, celles que Marina leur avait imposées.

Andrea aurait dû se lever et partir, tout de suite. Il le savait et pourtant restait là, les yeux rivés à l'écran pour éviter de croiser le regard oblique de Marina. Même regarder Elsa en face lui était impossible. Le vin était terminé. Il n'y avait qu'une façon de se sortir de là: prendre la porte. Mais parcourir ces deux mètres qui le séparaient du salut, c'était comme traverser l'océan à bord d'un canot pneumatique.

Elsa ne disait rien, elle avait compris. Sans besoin de paroles. Ces deux-là avaient été ensemble, et elle n'arrivait pas à l'accepter. En première année d'université, quand à la fin des cours elle espérait qu'Andrea lui demanderait d'aller déjeuner ensemble mais qu'il restait collé à son portable à se disputer avec sa petite amie, la petite amie en question, c'était Marina.

Trois minutes, quatre peut-être, s'étaient écoulées depuis qu'elle était entrée, apportant l'enfer avec elle. Elsa la fixait, en proie à des sentiments de haine, d'injustice, d'envie qu'elle ne se serait jamais crue capable d'éprouver avec une telle violence.

Marina les tenait dans son poing. Sur le canapé, suçotant son orangeade, absorbée par la télévision, elle semblait la créature la plus détendue qui soit. Curieuse de voir ce qu'ils allaient faire maintenant, et prête à les mordre au premier faux pas, en particulier Elsa : à partir d'aujourd'hui la demoiselle avait une dette pour l'éternité, intérêts et capital.

Elle les clouait sur leur chaise comme deux idiots, pensait Andrea, et eux l'étaient suffisamment pour jouer son jeu. Ce n'était qu'une gamine, ridicule et immature, capricieuse, gâtée, et pourtant il ne se levait toujours pas. Il en était incapable. Comme s'il avait des jambes de plomb, un cœur et des poumons de plomb. Deux femmes étaient prêtes à se déchirer pour lui, mais il n'en avait même pas conscience. Tout ce qu'il voyait, c'était, un peu floue, la femme de sa vie au comble du cynisme.

Marina affûtait ses armes. La seule pensée d'une liaison entre Andrea et sa colocataire la mettait en rage.

Mais Elsa affûtait ses armes, elle aussi. Comme toutes les âmes candides, elle n'était tranquille qu'en apparence. Elle cachait soigneusement ses griffes sous le paravent de l'éducation.

Elles étaient l'une comme l'autre des filles de la vallée, des lutteuses ancestrales, deux furets prêts à se battre.

À la cinquième minute, dans cette cuisine, c'était *Règlements de comptes à OK Corral.* Comme dans chaque combat décisif, le tout était de savoir qui dégainerait en premier.

« Je dois y aller », dit Andrea. Il esquissa le geste de se lever.

« Non, reste, dit Elsa en détachant les mots. S'il te plaît. »

Andrea, à moitié levé, hésitait. Il ne pouvait pas quitter Marina comme ça, il devait trouver le courage de l'affronter. Mais Elsa le devança. Elle se leva, ouvrit le frigo et sortit une seconde bouteille de vin.

« Marina, tu en veux ? » lui demanda-t-elle. Calme, en apparencc.

« Non, merci », répondit Marina. *Très* calme.

Les yeux collés à l'écran, elle continuait d'aspirer bruyamment le fond de sa canette de Fanta.

Elsa déboucha le vin, remplit les deux verres. Puis, toujours mesurant ses gestes, elle en tendit un à Andrea.

La sixième minute s'écoula. Elsa frémissait. Marina se gratta le genou. Andrea cherchait désespérément quoi dire. Pendant ce temps, sur l'écran, les pleurs d'un nouveau-né envahissaient l'espace. Une fille lourdement maquillée criait à gorge déployée qu'elle voulait sortir, aller voir ses copines, puis elle laissait le bébé à sa grand-mère et partait en claquant la porte.

« C'est triste », commenta Elsa en reposant son verre. Sa voix était la même qu'aux examens à l'université. « Ça doit être un enfer de quitter l'école à cet âge-là et de vivre des allocations. »

Marina posa la canette vide par terre, garda la paille pour la mordiller. « Mais quelles allocs ? » fit-elle avec un demi-sourire. Elle dégagea ses cheveux, les rassembla d'un seul côté de son visage. « Ces filles-là, elles se font un max de thunes. En Amérique c'est des stars, elles ont des managers, elles font les couvertures des magazines. On voit que t'y connais rien. »

Elles discutaient sur un ton qui allait de la douceur au papier de verre. Des phrases à double sens, comme dans ces films où l'on sait que sous un paquet de hardes se cache un revolver. Elsa raide sur sa chaise, l'autre sur le canapé comme une vacancière qui prendrait le soleil.

« Non, je n'y connais rien. C'est toi qui regardes ça, pas moi. »

Marina allongea les jambes sur l'accoudoir, s'étira le dos.

« Cette fille-là, Maci, dit-elle, elle a un million et demi d'abonnés sur Twitter. » Elle se tourna sur le côté, couchée sur la hanche, et les regarda. « Pas mal, non ? » et elle sourit.

On entrevoyait un soutien-gorge en dentelle bleu marine sous sa chemise, le nombril découvert au-dessus de son jean taille basse, si déchiré qu'elle aurait aussi bien pu ne rien porter. Ses cheveux retombaient sur la moitié de son visage. Elle était d'une beauté à faire peur. Andrea, à l'instant, l'aurait brûlée vive.

Elsa voyait bien comment il la regardait. Comment ils se regardaient l'un et l'autre. Avec une complicité muette, qui l'excluait. Elle serra la main autour de son verre, comme pour s'y accrocher. La beauté de Marina, son insolence faisaient taire peu à peu en elle toute inhibition. L'intelligence, pensait-elle, et la beauté sont deux choses qui n'ont rien à voir. Qu'importe si la beauté est éphémère et de courte durée, douteuse et injuste. C'est même pour cette raison-là – parce qu'elle appartient à la nature, à un état primitif du pouvoir et des sens – qu'elle attire plus que ne le peuvent la pensée et les mots.

« Faire un enfant pour devenir célèbre, dit-elle avec une expression butée, c'est la misère ultime. »

Elle aurait voulu ajouter: Toi, tu en serais capable. Mais elle se retint.

« Si ça te dégoûte à ce point-là, dit Marina avec candeur, pourquoi tu regardes, alors ? »

La lutte était inégale, mais Elsa n'avait aucune intention de lâcher prise. Elle l'avait si souvent laissée gagner. Elle l'avait même accompagnée aux studios de BiellaTv 2000. Elle s'était laissé attendrir par cette hyène. Mais c'était fini, maintenant.

Elle faillit ouvrir la bouche, dire quelque chose de définitif, quand brusquement explosa dans la pièce la sonnerie du portable de Marina imitant la voix d'un robot.

« Tello, dit-elle enjouée, tu as découvert quand ils commencent les auditions pour *X Factor* ? »

Elle parlait devant eux comme s'ils n'existaient pas.

« Et pour Sanremo ? Tu as des nouvelles ? »

Andrea et Elsa retenaient leur souffle. À un moment ils se regardèrent, se reconnurent pour ce qu'ils étaient: deux otages.

« Ok, conclut Marina. Alors à mardi, *mon trésor.* »

Marina fixa Andrea dans les yeux en disant ce mot. Puis elle laissa tomber son portable parmi les coussins.

« Qu'est-ce qu'on disait ? Ah oui, pourquoi vous n'allez pas là-haut si vous ne voulez pas regarder la télé ? Dans la chambre d'Elsa, le lit est très confortable. »

Andrea se leva d'un bond, chercha ses clés de voiture dans sa poche.

Elsa sentit le sol se dérober sous ses pieds.

« Les émissions minables, tu connais ça, toi, dit-elle à Marina.

– Ouh, attention ! La philosophe a parlé !

– Tu n'as aucun respect, pour rien ni pour personne ! » Elsa criait maintenant toute la rancune accumulée. « Toi oui, tu serais capable de vendre ton fils pour faire la une.

– C'est des mères avec leurs enfants, qu'est-ce qu'il y a de minable à ça ? » Marina éleva la voix. « Qu'est-ce que tu connais toi, hein ? Elles sont seules contre le monde entier, elles se font un peu de fric, quoi de mal à ça ? Ma mère m'a eue à dix-sept ans, je sais ce qu'elle a vécu ! C'est des mères avec leurs enfants, répéta-t-elle. Elles sont célèbres, et alors ? Vas-y toi, à la téléréalité, si tu as le cran ! »

Andrea fit mine de sortir.

« Un jour, ces enfants seront des adultes », dit Elsa. Elle voyait Andrea la main sur la poignée de la porte, et sa voix montait. « Ce jour-là, ils se rendront compte qu'on s'est servi d'eux pour un peu de célébrité, qui durera le temps que ça dure… Et ils leur en voudront, ça tu peux en être sûre. Mais réveille-toi, Marina, regarde-toi dans une glace. »

Andrea, glacé, se tenait près de la porte, qu'il aurait dû ouvrir. Immédiatement.

« Putain mais qu'est-ce que t'en sais, toi, de tout ça ? Hein ? Réponds ! siffla Marina. J'ai jamais utilisé personne.

– Ah non ? s'écria Elsa, exaspérée. Tu pratiques la politique de la terre brûlée autour de toi. J'ai bien vu comment tu traitais ta mère ! Et après tu regardes *Teen Mom*… Tu es vraiment ridicule. Je comprends qu'elle soit devenue alcoolo ! »

Dans la cuisine, un silence de glace tomba.

Marina changea de visage. Elle perdit toute son effronterie, sa méchanceté magnifique. Prit la télécommande, éteignit la télévision.

Andrea lâcha la poignée et se tourna vers Elsa, incrédule. Comment peux-tu dire des choses pareilles ? disaient ses yeux.

Ç'avait été un coup bas, une parade mesquine. Elsa le comprit, mais trop tard. En voyant le regard plein de dégoût d'Andrea, et celui de Marina, indéchiffrable, elle se sentit défaillir. Le silence était lourd comme un bloc de pierre. Elle avait gagné, mais à quel prix.

« Excuse-moi, je ne voulais pas », dit Elsa. Son menton tremblait. « Vraiment, je n'avais pas l'intention… »

Marina se leva d'un bond. Andrea, qui la connaissait trop bien, voulut la retenir. Mais elle le repoussa avec violence, fonça droit sur Elsa, souleva les deux pieds de la table qui les séparait et la lança vers elle de toutes ses forces. De frayeur, Elsa poussa un cri et recula. La table était renversée, avec les verres, la bouteille de vin et le reste. Elle répétait, mortifiée : « Je ne voulais pas. »

Marina la fixait avec haine. « Tu me dégoûtes.

– Je te jure, dit Elsa les larmes aux yeux, je te demande pardon. Oublie ce que j'ai dit. Je ne le pensais pas, je te jure. »

Andrea s'approcha de Marina, posa la main sur sa tête. Et Marina cette fois ne le repoussa pas. Elle le laissa lui caresser les cheveux, debout au milieu de la pièce, devant Elsa et la table renversée. Andrea connaissait ce sentiment d'impuissance, de capitulation, face à une famille qui t'a peut-être mis au monde mais qui a bousillé ta vie. Rien n'est de ta faute, mais tu te sens coupable quand même.

Il prit son visage entre ses mains. Sans dire un mot il lui baisa le front. Un geste si plein d'amour, de compréhension, riche des années de vie partagées, qu'Elsa se sentit encore plus stupide, petite, mesquine. Andrea embrassait Marina, et Marina se laissait faire.

« Ça suffit, dit Marina. Il ne s'est rien passé. »

Elle s'écarta de lui. Ne regarda rien ni personne. Attrapa ses clés de voiture et sortit dans la rue en courant.

Avant de se précipiter pour la rejoindre, Andrea se tourna une dernière fois vers Elsa. Il la fixa avec un mépris infini, ou bien était-ce de la pitié. Il semblait dire : *Comment as-tu pu croire que j'allais être de ton côté, et non du sien ?*

Puis Elsa le vit disparaître.

Andrea courut dans la ruelle : la Peugeot de Marina était là, garée sous une tonnelle de lierre. Il descendit jusqu'à l'église. Jeta un coup d'œil vers l'hôtel, à l'autre bout du village, mais tout bien réfléchi prit la direction inverse.

Il ne pouvait pas supporter que quelqu'un essaie, même par maladresse, de la blesser. Il allait la défendre contre tous. Il ne la quitterait plus, pas un jour. Et il courait, comme un désespéré, regardait dans chaque ruelle, chaque jardin. Se jurait qu'il allait prendre soin d'elle, se rappelait Paola saoule au comptoir du Sirena, et toutes les fois où Raimondo Bellezza n'était pas venu l'entendre chanter. À partir de maintenant, il serait sa famille. Il le jura devant Dieu. Elle et lui contre le monde entier, comme depuis toujours.

Il l'emmènerait à Riabella, loin de tout. Dans leur paradis, leur Eldorado.

Il laissa derrière lui les maisons, les enclos, les jardins. Emprunta le sentier qui conduisait au Colle et au Lago della Vecchia. Un chemin muletier à pic au-dessus du torrent, difficile à parcourir, entre les rochers et les fougères. Il n'avait pas les bonnes chaussures et glissa plusieurs fois sur les pierres humides. Il avait de plus en plus froid. À cette hauteur-là, loin de toute habitation, l'air devenait glacé, le silence immense. Andrea remontait la pente à toute vitesse. C'était ici qu'ils avaient enterré le cerf, il s'en souvenait.

À un demi-kilomètre environ du village, une silhouette blonde apparut soudain entre les arbres. Marina était assise sur un rocher, frêle dans le vent fort, regardant fixement le torrent en dessous. Il n'y avait pas de témoins là-haut. Juste les arbres et les pierres.

Andrea s'approcha, à bout de souffle. Se planta face à elle, qui ne voulait pas le regarder. Les sapins, les hêtres, les châtaigniers bruissaient dans le petit vent glacé. Elle tenait sa chemise serrée contre elle, le torrent dégringolait vers la vallée en ravinant ses bords.

« Qu'est-ce que tu faisais avec elle ? demanda-t-elle d'une voix distante.

– Rien, qu'est-ce que j'aurais pu faire…

– Je ne sais pas. À toi de me le dire. »

Andrea se pencha vers le sol pour ramasser une branche, la brisa.

« Tu dois arrêter cette émission », lui dit-il.

Marina continuait à ne pas le regarder, impassible. « Tu as vu ma mère, non ?

– Oui, je l'ai vue.

– Et qu'est-ce que tu as pensé ?

– Je n'ai rien pensé », dit Andrea, les mains enfoncées dans ses poches. « J'ai pensé que c'était ta mère, c'est tout. »

Au-dessus de la cime du Cresto des nuages sombres s'amoncelaient. La pluie allait les surprendre sur cette pente, aux limites du monde habité.

Andrea s'assit près d'elle, écarta les cheveux de son visage avec toute la délicatesse dont il était capable. Elle ne bougeait pas. Ils étaient seuls au monde, ils l'avaient toujours été. Et ce n'était pas n'importe quel monde mais une frontière escarpée et désertique, où il n'y avait aucune certitude, où le futur était impossible à imaginer. Andrea la prit par les épaules et l'obligea à se tourner.

Ils se regardèrent. Se reconnurent pour ce qu'ils étaient, ce qu'ils avaient été. À la fête de Camandona. Sur le Prato delle Oche enneigé. Dans le parc de la Burcina. Sur la Bessa à chercher de l'or. Elle était tout ce qu'il avait.

« Marina, je t'aime. Et ça ne changera jamais. » Sa voix était ferme, adulte. « Ce que je te demande, c'est de m'épouser. Pas dans un an ou deux… Mais aujourd'hui, sans rien savoir de ce qui nous attend. Je te demande de vivre avec moi, à n'importe quel prix, n'importe quelle condition. Je te dis de quitter cette émission, de ne plus chanter, et je n'ai pas peur de te le dire, parce qu'en échange je te donnerai tout. » Sa voix ne flanchait pas, son visage ne trahissait aucune hésitation. « On le mérite, Marina. »

Marina le fixait en silence. Impossible de deviner ce à quoi elle pensait.

« Épouse-moi, lui dit Andrea. Allons à la mairie *maintenant.* »

Marina regardait ailleurs, comme absente. Le ciel s'assombrissait encore. Des nuages gonflés et lourds survolaient les bois de la Valle Cervo.

Elle était tout ce qu'il avait. Elle était ce point de lumière au balcon de l'autre côté de la rue qu'à dix-huit ans il regardait chanter à gorge déployée comme Britney Spears, défiant les passants et le monde entier, s'entraînant pour devenir célèbre, dans le désert de la province où ils avaient grandi.

Elle était le salut, la possibilité d'une vie nouvelle.

Andrea vit défiler toutes les années qu'ils avaient partagées, toutes les fois où ils avaient échappé aux disputes des parents pour partir en voiture se garer sur un belvédère, ou dans un repli isolé de la vallée. Il les vit toutes défiler, comme on dit qu'il arrive aux gens qui vont mourir. Sauf qu'en cet instant, attendant sa réponse, il désirait tout sauf mourir.

« D'accord. »

Andrea oublia brusquement sa résolution.

« Ok », confirma Marina comme si elle émergeait d'un rêve. Elle éclata d'un rire aussi soudain qu'une averse.

Andrea mit un peu de temps à réaliser. Il se redressa, regarda autour de lui. Fit quelques pas jusqu'au bord du vide. Et cria, de toutes ses forces. Un cri de libération qui alla se cogner contre les roches. Et l'écho lui répondit par un coup de tonnerre et le bruit de l'orage qui arrivait depuis les Alpes.

« Tu es complètement dingue ! » Marina continuait à rire.
« Toi aussi ! »

Ils riaient tous les deux, à présent, comme des enfants qui s'apprêtent à faire un bon coup, comme si les conséquences de ce qu'ils venaient de dire ne pouvaient pas les atteindre, et qu'aucune peur ne pouvait les empêcher de faire ce qu'ils voulaient. Car ce qu'ils voulaient était juste.

Puis Andrea cessa de rire et prit Marina dans ses bras. Il l'emporta encore plus haut, sur le sentier muletier escarpé et raide, avec cette même force prodigieuse qu'il avait eue pour transporter la carcasse du cerf. Il l'installa sous la coupole d'un châtaignier. La pluie commençait à tomber.

« Maintenant, tu ne peux plus t'échapper, sache-le. »

Il lui enleva sa chemise, son jean, son soutien-gorge, tout. Les bois semblaient vouloir s'écrouler sur eux au rythme constant de la pluie. Il faisait froid, mais ils ne sentaient rien. L'eau tombait sur les feuilles, gonflait le torrent, glissait le long de l'herbe et des pierres. Ils étaient enlacés et nus, parfaitement imbriqués. À l'abri sous les branches, sur une île de terre et d'eau.

Sauvés.

Une fois rhabillés, ils se mirent à courir. Ils atteignirent Piedicavallo et la voiture d'Andrea. Il démarra et s'élança à vive allure sur la départementale. À Biella, ils entrèrent au pas de course dans le bureau de l'état civil dix minutes avant la fermeture. Demandèrent le formulaire. Le remplirent.

Biella, 29-09-2012. À l'officier d'état civil de la commune de Biella.

OBJET : publication de mariage. Les soussignés, ÉPOUX : Andrea Caucino, né à Biella le 20-06-1985, résidant à Andorno Micca, célibataire, nationalité italienne, profession agriculteur. ÉPOUSE : Marina Bellezza, née à Biella le 15-04-90, résidant à Piedicavallo, célibataire, nationalité italienne, profession chanteuse,

DÉCLARENT par la présente vouloir procéder à la publication de mariage et autorisent ce bureau d'état civil à requérir les documents nécessaires, conformément à l'art. 18, alinéa II de la loi 241/1990.

Déclarent en outre qu'aucun enfant n'est né de leur union.

Le mariage est fixé au…

« Quand ? Quand est-ce qu'on se marie ? » demanda Andrea à Marina.

L'employée leva les yeux à travers son guichet : « Pour le moment, il suffit que vous écriviez le mois. Vous avez six mois à partir de la publication des bans.

– Et c'est quand, la publication ?

– Dès que nous aurons l'autorisation de vos communes de résidence. »

Andrea avait l'impression qu'il allait tout perdre s'il laissait passer une minute de plus : « Andorno c'est juste là derrière, et Piedicavallo aussi. Elles devraient arriver tout de suite, les autorisations ! »

Marina fixait la feuille, le stylo entre les doigts. Elle l'avait remplie à la vitesse de l'éclair et la regardait maintenant, incertaine.

Elle leva la tête. « Andrea, dit-elle, soyons un peu *responsables,* s'il te plaît. On n'a pas d'endroit où habiter, on n'a rien. Et l'émission se termine en décembre, pas avant.

– Merde, Mari ! cria Andrea. On avait dit tout de suite ! »

L'employée les regardait à travers la vitre, perplexe.

Marina avait la chemise boutonnée de travers et suçotait le stylo de la mairie.

« Andre, soyons sérieux. Je ne vais pas te quitter pour l'émission, c'est évident. Laisse-moi la faire, écoute… » Elle n'avait jamais été aussi diplomate de toute sa vie, elle voulait le convaincre. « On ne peut pas écrire novembre… Réfléchis ! »

Andrea la regardait, mi-raisonnable mi-fou.

« Et quand alors ?

– Ben… janvier.

– D'accord, dit Andrea résigné. Janvier.

– Sauf qu'en janvier il neige, c'est moche !

– Mari, s'il te plaît ! Qu'est-ce que ça change ? !

– Je vais pas mettre un manteau par-dessus ma robe de mariée !

– Mari, tu m'énerves.

– En mars ! s'écria Marina. En mars le printemps commence ! »

Andrea la regardait en face, déçu. Mars, la limite extrême après publication des bans. D'ici là, une éternité.

« D'accord, finit-il par dire.

– N'oubliez pas qu'une fois que vous avez signé, intervint l'employée, les choses deviennent sérieuses. La procédure est lancée, vous ne pouvez plus revenir en arrière. »

Ils se tournèrent vers elle. La regardèrent comme si elle était une Martienne. Que pourrait bien expliquer la bureaucratie italienne à deux jeunes qui ont perdu la tête ?

Sur la ligne restée vide, ils inscrivirent : *mars 2013.*

« C'est pas suffisant, dit Andrea, je veux la date.

– Alors regarde le premier samedi de mars, je veux que ce soit un samedi. »

Andrea se fit donner un calendrier.

« Le 2, dit-il.

– Ok. »

Ils écrivirent : *2 mars 2013.*

Puis ils signèrent : vite, les mains moites, d'une écriture bancale.

L'employée fit deux photocopies, qu'ils plièrent et mirent dans leurs poches.

L'original resterait aux archives.

7

Ce même soir, à dix-neuf heures trente, sous une pluie battante fouettée par un vent glacé, Elsa prit le train pour Turin.

Dans la petite gare ocre jaune de la piazza San Paolo, elle avait fumé, les larmes aux yeux, traînant en long et en large sa valise noire sur le quai désert. À cette heure-là, plus personne ne partait de Biella, sauf ceux qui s'étaient trompés ou ceux qui s'enfuyaient.

Pendant tout le voyage elle garda les yeux collés à la fenêtre, perdus dans la plaine grise qui défilait à cent kilomètres heure ; elle évita de croiser le regard des prostituées nigérianes qui montaient à Santhià ou Chivasso, leurs sacs à provisions remplis de vêtements. Dans les wagons à moitié vides du soir, le seul sentiment possible était la mélancolie.

Elle descendit à Porta Nuova, rassembla son courage et se lança dans la grande ville, dans la circulation à laquelle elle n'était plus habituée ; les montagnes lointaines et invisibles à l'horizon.

Elle y resta presque une semaine entière, hébergée par une connaissance.

La plupart du temps elle restait enfermée à la Bibliothèque nationale pour écrire sa thèse. Le matin, elle allait à l'université, suivre le cycle des séminaires sur Gramsci. À midi et le soir elle mangeait un kebab ou une part de pizza, debout dans un boui-boui humide du centre-ville.

Elle s'efforça de penser le moins possible à Andrea, à Marina et à la maison de Piedicavallo. Elle restait concentrée pendant des heures sur son ordinateur, dans le silence de la salle de lecture, puis elle levait les yeux, regardait autour d'elle – les têtes penchées de ses collègues soulignant des phrases, prenant des notes, feuilletant de grands volumes jaunis – et les souvenirs revenaient.

Dire qu'elles s'étaient disputées pour une malheureuse émission de télévision. Elsa n'arrivait pas à se le pardonner. Plus encore qu'à Andrea, c'était à Marina qu'elle pensait pendant ces longs après-midi. Aux phrases qu'elle lui avait jetées à la figure, allant jusqu'à parler de sa mère, et à l'expression que Marina avait eue, transfigurée par la stupeur et la haine, avant de renverser la table sur elle.

Elle se rappela son insolence, quand elle était étendue sur le canapé, infantile et naïve ; et aussi la façon dont elle s'était sauvée, en claquant la porte, comme toujours. Elle repensa aux jours de cohabitation qui avaient précédé ce samedi. Celui de leur emménagement, quand elles ne se connaissaient pas encore. Leur premier dîner ensemble, méfiantes l'une et l'autre. À présent, ces moments lui semblaient précieux, inestimables – même leurs disputes pour savoir à qui il revenait de faire le ménage. Ils lui manqueraient, plus qu'Andrea et cette fixation stupide sur lui. Même les remarques de Marina regardant *Beautiful*, *Centovetrine* ou *Teen Mom* lui manqueraient.

Oui, même *Teen Mom*.

Elle allait devoir faire face à bien des changements, qu'elle ne se représentait pas encore. Effrayée par l'idée que Marina n'y serait plus, elle repoussait le plus possible son retour à

Piedicavallo. Marina chanterait le 6 octobre au centre commercial des Orsi, mais ce serait folie d'y aller.

Elle s'en rendait compte maintenant, Marina était quelqu'un de spécial. Insupportable, égoïste et irritante, mais elle était spéciale. On finissait par l'avoir dans la peau. Elle était ce genre de personne qu'Elsa, secrètement, aurait voulu être.

Avant de partir, elle lui avait écrit une longue lettre dans laquelle elle reconnaissait s'être trompée. Une lettre à cœur ouvert, où elle lui disait tout, même le plus douloureux ; qu'elle l'avait enviée, qu'elle tenait à elle. Elsa avait laissé la lettre au milieu de la table, après avoir rangé la cuisine et ramassé les bouts de verre. Elle craignait que Marina ne la lise pas.

Et elle avait raison.

Le samedi soir, en rentrant avec Andrea, euphorique après la bravade de la signature des bans à la mairie, quand elle avait vu sur la table l'enveloppe où était écrit *Pour Marina, de la part d'Elsa,* Marina avait éclaté de rire.

« Regarde-la, cette hyène… Quel culot, hein ! »

Elle l'avait jetée sans l'ouvrir.

Plus tard, quand Andrea lui avait demandé s'ils ne feraient pas mieux d'aller dormir chez lui, Marina avait répondu : « Elle ne risque pas de revenir pour le moment. Et quand bien même, je l'attends. Comme ça je pourrai l'étrangler de mes propres mains. »

Andrea chercha d'abord à calmer les choses : « Arrête, la pauvre, elle n'est pas méchante… Faut dire que tu serais capable de mettre en boule n'importe qui. Elle t'a demandé pardon, elle doit se sentir mal. Qu'est-ce que t'en as à fiche ?

– J'en ai à fiche que je veux la tuer », répondit-elle.

Et ils cessèrent d'en parler.

Temporairement, ils s'installèrent à Piedicavallo. Ils passèrent le dimanche à faire l'amour et discuter du mariage.

« Il faut que tu invites ton frère, tu sais ?

– Alors là pas question ! Je ne veux inviter personne.

– Et quel mariage ce serait, alors ?

– Mari, réfléchis : qui on devrait inviter ?

– Personne, c'est vrai.

– À part Luca et Sebastiano, qui seront nos témoins. D'ailleurs il faut que tu te fasses pardonner. Sebastiano te déteste.

– Alors je veux aussi mon père !

– Pas le mien, en tout cas...

– Et aussi ma mère, à condition qu'elle ne boive pas.

– La mienne, si elle le savait, elle en ferait une crise cardiaque... »

Ils se dirent tout cela, couchés dans le lit de Marina, dans la petite chambre tapissée de posters, d'agrandissements de photos d'elle, d'affiches de spectacles. *Marina Bellezza, Fête de Bioglio, 27 juillet 2009.*

« Ces photos, tu ne les mettras pas chez nous, hein ? Cette photo-là, en maillot de bain, je la brûle, t'as compris ? »

Et elle riait, elle se mettait debout sur le lit, commençait à chanter *Baby One More Time*, un soutien-gorge en guise de micro. Et Andrea adorait ces petits spectacles réservés à lui seul. Il faisait le clown, il l'applaudissait, criait « Bis ! Bis ! » avant de la prendre dans ses bras et de recommencer à lui faire l'amour.

Lundi 1er octobre, ce fut Marina, contre toute attente, qui l'accompagna à Massazza signer le bail de la ferme d'hiver. Andrea était heureux comme un gamin.

Massazza, petite commune en marge de la plaine, minuscule bourgade, avait sa boulangerie, sa supérette, son marchand de journaux et, tout autour, des rizières, des champs de blé, des bâtiments, des silos. La ferme était à quatre kilomètres du village, on y accédait par un chemin de terre plein de trous et de flaques.

Marina descendit de la voiture avec des talons vertigineux et un décolleté plus vertigineux encore, au point que le propriétaire, un vieux paysan du coin, resta planté une bonne minute à la regarder.

« C'est ma fiancée », dit Andrea. Puis, tout fier : « On va se marier le 2 mars. »

C'était la première fois qu'il le disait à quelqu'un et cela lui fit un effet extraordinaire.

Le paysan répondit avec un sourire édenté, sans quitter des yeux Marina, habillée de cuir noir, des dizaines de chaînes autour du cou. « La dame sera bien ici », dit-il en indiquant l'aire où picoraient quelques poules. « Mais je vous ai déjà vue quelque part, vous… »

Marina, attentive à ne pas salir ses bottes et fixant les poules d'un air dubitatif, répondit avec nonchalance : « Vous avez dû me voir sur BiellaTv 2000. »

L'homme s'illumina d'un coup : « Oui ! C'est ça ! Ma femme regarde toujours avant le dîner. »

Ils firent le tour de la ferme : une maison d'un étage, collée à une étable proprement dite qui donnait sur les terres à fourrage. Le néant ou presque.

« Comme vous voyez, c'est en excellent état », continua le propriétaire en ouvrant grand la porte.

Andrea tenait sa fiancée par la main, lui montrait la cuisine, la cheminée, les poutres apparentes dans la chambre. Le laboratoire où il installerait la fromagerie. Marina semblait amusée, comme si c'était un jeu.

« Ça te plaît ? lui demanda Andrea à un moment donné, une lumière dans les yeux.

– Ouuuh ! À mourir ! fit Marina, en riant. On dirait la petite maison dans la prairie… Mais la salle de bains, pardon, c'est où ? »

La salle de bains était une cellule construite récemment, juste à l'aplomb de la mangeoire pour les vaches. Marina y entra sur la pointe des pieds, mit ses lunettes de soleil : « Il vaut mieux que j'y voie pas trop… »

Ils passèrent dans l'étable : il y avait de la place pour trente, quarante vaches même. La réserve à foin était gigantesque.

« Et là, expliqua le propriétaire, vous pouvez faire l'affinage. » Il ouvrit une petite porte en bois qui donnait sur une sorte de cave, ou plutôt de grotte. « La température est idéale pour le maccagno. »

Marina, avec ses lunettes de soleil, regardait autour d'elle, mi-euphorique mi-dégoûtée. Andrea était au comble de la joie. Il la saisit par les épaules, l'obligea à prendre la mesure de l'immensité des champs qui se perdaient dans la brume au loin, là où on tentait aussi de résister à ces temps de crise.

« Tu vois comme c'est grand ?

– Et tout ça, ça sera à nous de le labourer, je suppose…

– Non, je ne vais pas te faire monter sur un tracteur, ne t'en fais pas. Je m'occuperai de tout. »

C'était trop beau pour être vrai, et pourtant c'était vrai. Au rez-de-chaussée il y avait aussi une salle avec un plafond voûté, où ils pourraient installer le magasin pour la vente au détail.

« Et puis regarde la cour : elle est immense, continuait Andrea au comble de l'émerveillement et de la satisfaction.

– Il y aurait la place de faire une piscine », dit-elle.

Des tracteurs traversaient lentement l'horizon.

« C'est quand que vous voulez vous installer ? » les interrompit le vieux.

Andrea, sans lâcher la main de Marina, répondit : « Le temps de faire nos cartons. Je pourrais commencer à apporter quelque chose demain, déjà.

– Bien sûr, quand vous voulez. Et quelles vaches t'as décidé de prendre, pour finir ? »

Alors Andrea se mit à discuter avec l'homme de grises alpines, de quotas laitiers et d'affinage. Le vieux s'étonna que le fils de l'ancien maire en sache autant ; il lui demanda comment ça se faisait, vu que les marcaires sont plutôt réticents à révéler les secrets du métier. Alors Andrea lui raconta avec fierté que son grand-père avait eu une ferme d'alpage, et qu'il voulait suivre ses traces.

« Bravo, dit le vieux, il en est pas resté beaucoup pour faire la transhumance. Et puis, c'est vrai… avec la crise, faut bien s'arranger.

– Non, c'est pas la crise, répondit Andrea. C'est ma passion. »

Marina les suivait en silence sans les écouter. En réalité, la seule chose qui l'intéressait à ce moment-là, c'était de savoir si l'endroit pouvait ou non servir de décor pour un clip. Un décor insolite, nouveau, provocateur, pour la vidéo d'une chanson inédite qu'on lancerait à Sanremo.

L'après-midi même, Andrea commença à remplir des cartons pour libérer la mansarde d'Andorno, plein d'une fureur aveugle, comme si la fin du monde était au coin de la rue. Une semaine sans répit l'attendait : le marché aux bestiaux, l'achat du matériel pour cailler le lait et le bouillir. En attendant que la subvention soit versée sur son compte, il utiliserait les quelques centaines d'euros qu'il avait mis de côté.

Marina l'aida à emballer les assiettes et plier les vêtements. Jouer à l'épouse lui plaisait à la folie. Enveloppant les verres dans du papier journal, elle écoutait Andrea et ses projets démesurés : « Demain, je prends le tracteur, c'est la première chose à faire. Et j'essaierai aussi de trouver une faucheuse d'occasion.

– Demain, j'ai les répétitions du concert, l'interrompit-elle, brisant d'un coup les illusions d'Andrea. Je suis obligée d'y être. »

Il s'assit sur une caisse. Resta à la regarder dans les yeux.

« J'ai répète tous les jours jusqu'à samedi, je peux pas t'aider. Et la semaine prochaine l'émission commence… Mais tu dois pas t'inquiéter.

– Je ne m'inquiète pas.

– Pour finir, je reste avec toi. Rien ne changera.

– Je sais.

– Ne me le rappelle pas, s'il te plaît. C'est ma vie. Et de toute façon on a signé, ça sera le 2 mars, c'est décidé.

– Je te fais confiance », dit Andrea en appuyant sur les mots.

Ils décidèrent tous deux que dans les mois à venir, pendant qu'il s'occuperait du déménagement et de monter l'entreprise, Marina resterait à Piedicavallo. C'était la meilleure solution ; ils commenceraient à vivre ensemble en décembre, une fois l'émission terminée. C'était le plus rationnel.

Andrea s'en persuada, il y croyait désespérément.

Le mardi, Marina lui dit au revoir et partit aux répétitions de *Cenerentola Rock.*

Elle arriva rayonnante aux studios. Elle venait de découvrir à la radio la nouvelle chanson de Bruno Mars, *Locked Out Of Heaven,* et avait décidé qu'elle la chanterait au concert du

6 octobre. Elle ne se laissa pas raisonner, bouleversant les plannings de la production et de la régie, se disputant une fois de plus avec le directeur, que ses exigences rendaient fou de rage. Elle déplaça des montagnes pour trouver la bande-son, changer les horaires des répétitions. Aux dires de tous, travailler avec elle était un enfer. Mais tous l'adoraient, parce que la rédaction recevait continuellement des demandes d'interviews, que les messages des fans sur le site se multipliaient, comme les recettes publicitaires.

Pendant qu'Andrea retrouvait Luca et Sebastiano pour aller acheter les quinze grises alpines dont il rêvait, Marina déjeunait avec Donatello, discutait avec lui des castings de *X Factor* en 2013 et des interviews prévues le samedi suivant, jour du concert, qu'il lui avait décrochées en passant par-dessus le service de presse de BiellaTv 2000.

« Et Sanremo ? T'en parles plus.

– Sanremo, c'est infaisable pour le moment. On en reparlera quand tu auras passé les sélections de *X Factor*.

– Et pourquoi faut-il attendre tout ce temps ?

– Parce que tu ne peux pas prétendre passer de Biella à Sanremo en trois mois ! Je te trouve vraiment stupide, quelquefois. Merde, écoute-moi quand je te parle ! »

Marina, comme d'habitude, pianotait sur son portable.

« On doit modifier ta page Facebook et la faire gérer par quelqu'un de sérieux. Et puis on doit appeler un réalisateur digne de ce nom pour nous concocter un clip qui déchire.

– D'accord.

– Marina, pose ce portable, s'il te plaît, pour l'instant tu n'es personne ! »

Marina leva les yeux au ciel, souffla avec exaspération.

« Tu sais que je vais me marier ? »

Donatello blêmit.

« Quoi ? ! »

Ils déjeunaient dans un restaurant à la mode dans le centre de Biella, un de ces endroits prétentieux fréquentés par des jeunes en cravate.

« Oui, en mars.

– Et avec qui ?

– Ça n'a pas d'importance…

– Marina, ne fais pas l'idiote », lui intima Donatello d'une voix dure. Tellement dure que des clients aux tables voisines se retournèrent. « Je commence à investir du fric sur toi, je suis en train de monter ta carrière. Qui va le payer, d'après toi, le type qui gérera ta page Facebook ? Et le réalisateur pour le clip ? »

Il devait se retenir pour ne pas hurler.

« *Cenerentola Rock* commence le 13, et tu ne peux pas te permettre de perdre. Sinon tu oublies *X Factor* et je te plante là à jouer les starlettes dans les fêtes de village. Je t'ai fixé un dîner à Milan le 18 octobre, avec un ami à moi qui travaille à Sky, un type important. Ne fais pas de conneries, compris ?

– T'en fais pas, répondit Marina en souriant, tout est sous contrôle. »

8

La « Teen Mom » d'Andorno

Quatre heures du matin. Le couloir de l'hôpital était désert. Les hurlements s'entendaient dans tout le bâtiment, malgré la porte fermée. La dernière décennie du XXe siècle venait de commencer, le groupe des Pooh avait remporté le Festival de Sanremo avec sa chanson *Uomini soli*.

La fille aux jambes écartées, maquillage barbouillé par les larmes, qui criait, morte de frayeur, « Je peux pas ! J'ai trop mal ! » n'avait même pas dix-huit ans. Et le garçon en jogging vert avec un sac marqué du logo de l'Andorno Calcio, assis dans le couloir la tête entre ses mains, n'en avait pas vingt et un.

Au troisième étage de l'hôpital de Biella il fut impossible de dormir, cette nuit-là. Pendant des heures, personne ne vit les traits du garçon qui continuait de cacher sa figure dans ses mains, jusqu'au moment où, plus tard, un médecin lui secoua l'épaule : « Oh, tu sais qu'elle est née, ta gamine ? »

Ils n'étaient pas mariés, ils n'étaient pas adultes, et pas prêts à devenir parents.

Elle dans la chambre, poussant et hurlant. Lui dans le couloir, terrifié par l'avenir. À un moment, il lança un coup de pied dans son sac de sport, comprit qu'il n'était pas amoureux d'elle, et qu'il avait fait une connerie gigantesque, alors que tout ce qu'il voulait c'était continuer de jouer au foot, au poker dans les salles clandestines, et travailler de temps en temps comme garçon boulanger quand l'argent manquait.

Vivre comme n'importe quel jeune de vingt ans, voilà. Sortir avec ses copains, changer de fille tous les six mois. Et ça allait devenir impossible parce que là, dans cette salle d'accouchement, une créature faisait de son mieux pour venir au monde.

On était en avril 1990. Paola et Raimondo se connaissaient depuis un an. Trois mois après leur premier rendez-vous, elle était enceinte. Quand il l'avait appris, il s'était mis à rire : « C'est une plaisanterie ? »

Il avait refusé de l'accompagner acheter des affaires pour le bébé. Avec ses copains, il blaguait : « Les mômes, c'est aux femmes de s'en occuper ! » Quand le ventre de Paola était devenu rond comme un ballon, il se moquait d'elle : « T'as l'air d'une montgolfière ! » Mais l'envie de plaisanter venait de lui passer d'un coup. Il réalisait la vérité. Et la vérité faisait peur.

Affalé sur une chaise, sous la lumière des néons, encore vêtu de son jogging de l'Andorno Calcio qui puait la transpiration, il devait se retenir pour ne pas pleurer. Paola, de l'autre côté du mur, criait « J'y arrive pas ! » et « Je veux ma maman ! ». Mais sa mère n'était pas là, ni son père, ni aucun autre membre de sa famille. Paola et Raimondo étaient seuls dans cet hôpital, comme deux chiens errants. Aussi épuisés l'un que l'autre ; des gosses, plus que des parents. Deux enfants jetés dans un océan de responsabilités qui les dépassaient. Pourtant, Marina n'était pas une erreur ou une distraction ; elle était le résultat d'une fugue amoureuse calculée.

C'était Paola qui l'avait voulue. Sans demander l'avis de personne, un après-midi, enfermée en punition dans sa petite chambre, elle avait décidé de leur avenir à tous les trois. Et en ce moment, un bout de serviette éponge entre les dents, poussant de toutes ses forces pour faire sortir le bébé, elle le regrettait autant qu'elle était heureuse. Cette créature dont elle ne savait pas si c'était un garçon ou une fille, elle l'avait choisie.

Plus elle la sentait naître, plus elle s'en fichait d'être toute seule, à cinq heures du matin. Et que Raimondo reste dans le couloir, et que ses parents ne lui aient plus adressé la parole depuis des mois. Elle faisait tout ce qui était en son pouvoir pour surmonter la douleur infernale que le bébé lui infligeait. Elle voulait tellement l'entendre pleurer, voir son visage.

Paola Caneparo, dix-sept ans. Une gamine anonyme d'Andorno Micca, de celles qui grandissent sur la place du village, vont péniblement jusqu'en troisième et n'auront jamais un avenir devant elles. Cette fille-là, pourtant, dans la salle d'accouchement, avait su être héroïque.

« Vous avez été courageuse, dirent à la fin les médecins réunis dans la pièce, très courageuse. »

Paola, une adolescente comme des centaines d'autres, fille d'ouvriers du textile, avait toujours vécu dans cette bourgade de province aux confins de l'Italie. Une fille qu'on ne remarquait pas, qui ne s'intéressait à rien en particulier, et qui passait ses journées à traîner entre le bar et le patronage.

Le grand événement de sa vie avait été un après-midi de la fin du mois de mars 1989, quand *le* Bellezza, l'unique, la copie crachée de Paul Newman, s'était arrêté devant elle, à cheval sur sa Gilera, et sans raison, ou peut-être seulement par caprice, en ôtant son casque avait dit : « Tu veux faire un tour ? »

Elle était montée sur la selle, s'était agrippée à lui et laissé emmener jusqu'à la Balma par la départementale 100. À partir de ce moment-là, elle eut un but.

Ils étaient tout de suite sortis ensemble : un cornet de glace sur la place du bourg et un tour de moto jusqu'à Piedicavallo. Elle n'avait qu'une chose à offrir, et elle la lui donna quelques jours plus tard, dans les fougères du torrent Cervo. À son retour chez ses parents, son père venait de découvrir ce qu'il était maintenant le seul à ignorer : sa fille sortait avec ce vaurien de Bellezza. Il avait hurlé pendant trois quarts d'heure, lui avait balancé une chaise à la figure avant de l'enfermer à clé dans sa chambre. Et sa décision, Paola l'avait prise à ce moment-là. Le jour où elle avait perdu sa virginité et compris que ce sacrifice ne suffirait pas, Paola s'était donné un but : pour fuir sa famille et l'ennui d'une existence vide, et pour garder Raimondo, elle n'avait qu'une seule chose à faire : le piéger.

La plus vieille méthode du monde mais la plus risquée aussi. Cette gamine de seize ans, fluette et sans expérience, savait à quoi elle s'exposerait : l'opprobre général, la violence de son père. Il y avait une chance sur cent que Raimondo reste avec elle, et elle voulait la courir.

Trois mois plus tard, le test de grossesse rendait son verdict. *Enceinte.*

Le mois suivant, son père et sa mère, horrifiés, lui imposaient de choisir : « Ou tu romps avec lui, ou tu t'en vas. »

Deux heures plus tard, Paola était dans la rue avec sa valise et disait à Raimondo : « J'attends un enfant. »

Sa voix ne trembla pas. C'était le gouffre, elle était prête à y tomber. Et même si Raimondo se sauvait, elle était prête à descendre seule en enfer.

Personne n'aurait parié un centime sur leur histoire, dans le bourg. Mais le Bellezza étonna tout le monde en installant Paola chez ses parents.

Les premiers temps, ils vécurent dans sa chambre sous le toit. Il lui avait promis de l'épouser et d'être présent comme père, même s'il sortait tous les soirs et continuait sa vie d'avant. Paola tournait en rond dans la maison, sur la pointe des pieds, les parents de Raimondo lui reprochaient jusqu'au pain qu'elle mangeait. Les disputes furieuses étaient leur lot commun, mais Paola avait décidé de placer son destin entre les mains de la créature à naître.

Au sixième mois de grossesse, Raimondo se bagarra avec son père, qui les mit à la porte. Il dut trouver un vrai travail et se fit embaucher à la chapellerie Cervo, pendant que Paola l'attendait dans une sorte de chalet de vingt-cinq mètres carrés à la sortie d'Andorno. Elle y restait seule du matin au soir puisqu'elle avait tout perdu, sa famille et ses copines.

Elle se rappellerait pourtant toujours avec tendresse cette période où Raimondo faisait des blagues sur elle et n'était jamais à la maison ; car quand il était là, ils s'aimaient, à leur manière, s'amusant d'un rien, des œufs au plat carbonisés, d'un gecko collé au plafond.

La sage-femme annonça que c'était une fille, et on coupa le cordon ombilical : Paola avait gagné cette bataille. Elle était devenue en même temps femme et mère. Pendant qu'on lavait la petite et la lui mettait dans les bras, elle était plus heureuse que jamais. Sûre d'avoir fait ce qu'il fallait, la chose la plus belle, la plus juste et la plus grande.

Mère et fille restèrent seules quelques instants, et Paola dit : « Toi, tu es Marina. »

Et quand Raimondo, tremblant et pâle à faire peur, entra et s'approcha du lit, Paola souriait déjà, la petite dans les bras, si fascinée qu'elle le vit à peine. Raimondo se pencha, et le bébé se mit à pleurer.

Paola lui dit qu'elle lui avait choisi un prénom. Il trouva seulement la force d'acquiescer, bouleversé par cette minuscule créature qui était aussi la sienne, et rien d'autre au monde ne pouvait l'être autant.

Il resta assis à côté du lit jusqu'à l'aube. Paola ne voulait pas dormir. Il la regarda allaiter, vision si extraordinaire qu'il décida sur-le-champ que c'était sa famille qu'il avait sous les yeux. Et qu'il ferait tout, n'importe quoi pour la protéger.

Ils se marièrent un an plus tard. Pour les faire vivre, Raimondo avait un double travail : ouvrier à la chapellerie le jour, garçon boulanger la nuit. À Andorno, chacun dut changer d'avis : c'était un homme nouveau, et Paola était une mère attentive, responsable, adulte.

Ce fut la plus belle époque de leur vie. Raimondo n'en pouvait plus de fatigue. Paola dormait peu et occupait ses journées à faire le ménage et nourrir la petite. Les quelques heures qu'ils passaient ensemble, Paola et Raimondo les vivaient dans les bras l'un de l'autre, sur le lit, à jouer avec Marina.

Ils n'avaient pas d'argent, pas de vacances. Ils vivaient comme ils pouvaient dans cette petite baraque, ignorés du monde, heureux comme ils ne l'avaient jamais été et ne le seraient jamais plus. L'idylle dura quatre ans.

Nul événement marquant, aucun geste ni mot déplacé.

Simplement, un après-midi de l'été 1994, Raimondo quitta son travail à la boulangerie et retourna le soir même au bar, jouer aux cartes. Qui est né rond ne mourra pas carré, disaient les gens. Et petit à petit, sans raison, Raimondo redevint tel qu'il avait toujours été.

Il fréquenta à nouveau les tripots clandestins, misa de l'argent. Pendant que sa fille tournait la célèbre publicité d'Aiazzone, il passait son temps au bar, à bluffer au poker. À nouveau, on le surprit rentrant à l'aube des boîtes de nuit de la plaine. Il changea de travail plusieurs fois, se fit renvoyer. Puis on le vit en compagnie de femmes qui n'étaient pas la sienne. Pendant ce temps Marina grandissait, devenait cette magnifique petite fille que tout le monde remarquait dans la rue. Paola continuait à tenir la maison, supportant en silence les absences de son mari et les rumeurs. Son rêve s'écroulait mais elle ne voulait pas le voir.

Quand Marina eut cinq ans, ils s'installèrent dans la maison en face des Caucino. Aux yeux de Paola, ce petit appartement était un palais, et cette nouveauté lui occupa l'esprit quelques années encore. Elles s'habituèrent, toutes les deux, à vivre seules. Devinrent complices, indispensables l'une à l'autre. Et pendant que Raimondo fréquentait les restaurants chics de Biella, Paola comptait les sous pour les courses.

Puis, quand Marina entra au collège, Paola se mit à boire. Elle avait tenu bon onze ans, faisant preuve d'une infatigable résistance ; maintenant elle lâchait prise à son tour, comme l'aurait fait quiconque.

À la maison, c'était devenu l'enfer. Ils ne cessaient de se disputer. Paola déversait les pires insultes sur Raimondo, avant d'aller s'écrouler au comptoir du Sirena. Elle rentrait saoule, lui téléphonait en pleurant et le suppliait de revenir. Mais elle arrivait encore, malgré cela, à être une bonne mère. « Les enfants, c'est les enfants, disait-elle, et y a rien de plus important que les enfants. »

Tous la connaissaient pour ce qu'elle était : une femme simple, une mère détruite mais responsable ; quelqu'un qui n'aurait jamais fait de mal à une mouche. Aussi, en 2009, l'année où Marina quitta le lycée avant le bac – et Andrea, et Andorno –, tous furent étonnés de ce qu'ils lurent, à la page 6 de l'*Eco di Biella*, le matin du 15 novembre.

Les gens avaient beau dire *pauvre femme, c'était à prévoir*, personne ne se serait attendu à une chose pareille. Même Paola Caneparo, la petite godiche d'Andorno, cachait un mystère.

Marina fut la principale victime de cette affreuse histoire : les faits-divers ne laissent qu'une trace dans les journaux mais creusent un fossé dans la vie des gens.

Sa mère et elle s'enfuirent d'Andorno, s'installèrent à Biella. Elles y vécurent près de trois années ; jusqu'au moment où Marina trouva le courage de partir. Ou plutôt, de revenir sur cette frontière ultime de la Valle Cervo.

Elle était lasse de subir les amnésies continuelles de sa mère, d'être toujours celle qui nettoyait et faisait la cuisine, de devoir se mordre les lèvres pour ne pas crier ou ne pas pleurer ou même ne pas éclater de rire quand elle retrouvait Paola endormie dans la baignoire.

Bien sûr, rien ne suffit à expliquer Marina Bellezza, la prodigieuse gamine de la publicité Aiazzone, la star de *Cenerentola Rock* devenue célèbre en quelques vidéos postées sur Internet. Il ne sert à rien de chercher un lien entre son histoire familiale et sa détermination à réussir. Ni de vouloir, comme Andrea, lui offrir en guise de réparation un amour inconditionnel.

Marina Bellezza est ailleurs.

Comme le cerf qui se cache dans le feuillage, comme le profil immobile du Monte Cresto et comme le désert de Sonora à la frontière du Mexique.

Elle est le ruban rose sur la couveuse le 15 avril 1990, la serviette de Titi et Grosminet avec son nom brodé en grosses lettres à la maternelle, l'imitatrice d'Ambra Angiolini qui chante pour sa mère dans la cuisine. Et la meilleure au cours de chant.

9

> Alors, tu veux prendre cette louve, dit le vieux. Tu veux peut-être sa peau pour te faire un peu de fric. Peut-être pour t'acheter une paire de bottes ou un truc comme ça. Tu peux le faire. Mais elle est où la louve ? La louve, c'est comme *un copo de nieve.* Un flocon de neige.
>
> Cormac McCarthy, *Le Grand Passage*

Quand le SUV blanc aux vitres fumées pénétra sur le parking et fut directement escorté par la sécurité jusqu'à l'entrée des invités, il devint clair que c'était *elle* à l'intérieur.

Le groupe de photographes et de journalistes qui stationnait là depuis plus d'une demi-heure se ressaisit d'un coup. Toutes armes dégainées – objectifs, micros, magnétophones, caméras, portables –, ils se mirent en ordre de bataille. Une clameur se leva à l'entrée secondaire, entre Euronics et Calzedonia, et se répandit à la vitesse de l'éclair dans tout le centre commercial : à l'intérieur des boutiques, sur les places adjacentes et plus encore sur la place principale, où près de mille personnes s'étaient rassemblées dès deux heures de l'après-midi.

Une bande de gamines habillées et maquillées comme des adultes se déversa contre les barrières en poussant, hurlant et tendant leurs cahiers de textes ouverts à la page du jour. La tension grandit dans la minute qui suivit, le va-et-vient des cameramen et des envoyés spéciaux s'intensifia, les gens accoururent en masse, jouant des coudes pour la voir. Et comme toute star qui se respecte, elle prenait son temps derrière les vitres teintées du Koleos, exaspérant leur impatience.

Donatello sortit le premier, salua quelques journalistes et lança des regards implicites. Puis il lui ouvrit la portière. Un pied chaussé d'une All Star fuchsia cloutée au bout d'une jambe gainée dans un jean apparut. La clameur augmenta. Toutes ses concurrentes étaient arrivées depuis longtemps et s'étaient installées derrière la scène sans que personne ou presque s'en aperçoive, alors que pour elle un ouragan se déchaînait dans les coulisses.

La portière s'ouvrit entièrement. Elle émergea en lunettes de soleil, écoutant de la musique sur son iPod comme Mario Balotelli avant un match de la Ligue des champions. Concentrée, sérieuse, distante. Elle semblait ne regarder nulle part mais voyait tout.

Les photographes s'affolèrent, les gens étaient aux anges. Samedi 6 octobre 2012, le jour du grand événement, Marina Bellezza comptait déjà deux fan-clubs et quatre pages Facebook.

Donatello l'escorta en la protégeant de son bras, deux types de la sécurité lui ouvrirent le passage en écartant les photographes qui la noyaient sous les flashes et les *Marina ! Marina !* Mais ce n'était pas encore le moment de leur accorder un regard. Les journalistes tendaient leur micro : *Qu'est-ce que tu vas chanter ? Tu es émue ? Tu penses que tu vas gagner ?* Marina ne répondait pas, ne se tournait même pas.

Elle avançait dans l'allée délimitée par les barrières, escortée comme le président de la République. Elle portait un sweat gris à capuche avec une tête de Mickey sur le devant, sans maquillage, les cheveux rassemblés en queue-de-cheval, un gros sac sur l'épaule : elle ressemblait à une grande fille toute simple, jolie et sportive, évoluant dans les coulisses des concerts comme dans la vie de tous les jours.

C'est ce que veut le public : quelqu'un qui lui ressemble.

Un message clair : *Aimez-moi ! Je suis comme vous.*

Elle écoutait en boucle le morceau qu'elle allait chanter, cherchait la concentration. Donatello gardait un bras autour de ses épaules. La foule prenait des photos en rafales sur les portables, tandis qu'elle continuait d'avancer. À pas lents, pour bien se laisser regarder.

Soudain, à mi-chemin, quand nul ne s'y attendait, elle s'arrêta. Fit tomber par terre son grand sac. Se tourna vers la gauche. Sans ôter ses écouteurs, elle concéda un sourire magnifique, merveilleux, qui émut ceux qui le virent. Elle s'approcha des barrières, à l'endroit où se tenaient les gamines qui tendaient leurs cahiers de textes. Elle caressa même la tête de l'une d'elles, la plus menue, comme le ferait un papa. Elle se pencha sur les pages ouvertes et patiemment traça sur chacune, en lettres gigantesques, sa signature ronde et biscornue.

« Ça suffit maintenant, les filles », intervint Donatello.

Marina, en s'écartant, les regarda avec une infinie tendresse. *Elle sait y faire,* commentèrent les journalistes, *c'est sûr qu'elle sait y faire.* Elle semblait née pour cette foule, brevetée pour les entrées triomphales.

Quand elle vit les centaines de personnes qui se pressaient sous la majestueuse scène, ce fut comme si elle franchissait le seuil du paradis. Elle s'arrêta encore une fois, leva la main en guise de salut. Puis le pouce, pour dire ok, comme autrefois Guido Angeli dans les publicités Aiazzone.

Le voir pour le croire! disait Angeli. Et elle disait à tous, par ce seul et même geste : *Regardez-moi, je suis la preuve vivante que vos rêves peuvent se réaliser.*

Elle disparut dans les coulisses, une grande tente installée derrière la scène. Des centaines d'images d'elle en jean et sweat à tête de Mickey circulaient dès cet instant sur Internet, partagées en temps réel, avec une pluie torrentielle de « J'aime ». Et ça aussi c'était voulu, ça aussi c'était prévu.

Rien chez Marina Bellezza n'était le fruit du hasard. Elle passait des nuits entières à calculer ses moindres gestes. Et ce n'était pas par hasard qu'elle avait choisi ce sweat-shirt de Mickey : c'était le même, ou presque, qu'elle portait à quatre ans pour sa première apparition télévisée.

Un tiède soleil d'automne brillait sur la banlieue de Biella. Les enseignes de la Coop, d'Euronics, de Scarpe&Scarpe se découpaient contre les montagnes, dans le ciel limpide. Et plus haut, si haut qu'on la voyait de loin, se déployait, fouettée par le vent, l'énorme banderole publicitaire de *Cenerentola Rock* – LE RÊVE SE RÉALISE.

Il restait une heure avant le début du concert et les gens continuaient d'affluer. Dans les haut-parleurs un message enregistré répétait : *À partir du 13 octobre en prime time. Une exclusivité BiellaTv 2000!* Jamais encore on n'avait ressenti dans cette petite ville du Piémont une telle ferveur, un tel enthousiasme. Comme si en un seul jour la télévision pouvait transporter tous ces gens de la réalité à l'écran, de la réalité au conte de fées d'une fille qui jusque-là n'était rien et allait bientôt devenir ce qu'ils rêvaient tous d'être.

À Massazza, pendant ce temps, à dix kilomètres du centre commercial, dans un avant-poste perdu au milieu des champs et dans la solitude la plus absolue, la scène était tout autre.

L'accès à Internet était difficile, le portable ne donnait pas plus d'une barre de réseau, et encore, à certains endroits seulement. Les poules picoraient sur l'aire, l'étable encore vide languissait dans le silence de l'après-midi. On se serait cru revenu deux ou trois siècles en arrière.

Dans le petit laboratoire artisanal, Andrea tournait le lait en jurant tout seul, au milieu des empilements de caisses et d'emballages qui constituaient sa vie nouvelle. Il avait acheté une baratte électrique sur eBay, un genre de centrifugeuse destinée à épaissir le lait et en tirer du beurre, et il n'arrivait pas à la faire fonctionner. La vérité, c'était qu'il n'avait jamais fabriqué de beurre de sa vie. Et il ne restait qu'une demi-heure avant le début du concert. Que croyait-il donc ? Fabriquer du beurre, de la tome, du maccagno du premier coup ? Personne n'a la science infuse, il aurait dû le savoir. Pourtant, avec toute la bonne volonté et l'humilité du monde, jamais il n'aurait cru que séparer le gras du lait de sa partie maigre était une opération aussi difficile.

L'arrivée des bêtes était prévue pour la fin du mois. Il avait trois semaines devant lui pour installer le laboratoire, l'étable et le fenil. Le chaudron en cuivre lui aussi avait été acheté sur eBay, et Andrea avait peur de s'être fait avoir, là encore. La cour était un chantier à ciel ouvert, le laboratoire un dépôt d'objets de seconde main. Il était loin du compte.

En fait, il ne voulait pas y aller, à ce concert.

Ce n'était pas rien de planter là une ferme en pleine installation, comme ça, de but en blanc ; sans compter que l'idée de voir à nouveau Marina sur scène, à moitié nue, chantant face à la foule dans ce centre commercial, l'angoissait.

Il ne l'acceptait pas, il ne pouvait pas accepter que Marina ait préféré continuer l'émission, pendant que lui, il était là, au beau milieu d'un chaos primordial qui serait peut-être un jour une entreprise agricole, à moins que tout ça ne débouche sur une faillite totale.

Il pressentait une catastrophe, et il avait raison. Sauf qu'il se trompait sur la date. Et il avait raison sur un autre point: une signature au bas d'un document à la mairie ne suffirait pas à piéger Marina. On ne peut pas chasser les cerfs, les loups, les renards en croyant les vaincre pour toujours. On peut les tuer, si on veut, les mettre dans une cage, mais leur nature est ailleurs, elle vous échappe.

Soudain le chien se mit à aboyer comme un fou.

Manquait plus que ça. Andrea, exaspéré, déchiré par le doute sur ce qu'il devait faire dans la demi-heure qui suivait, sortit du laboratoire: « Clint ! Clint ! Laisse les poules tranquilles ! »

C'était une boule de poils de cinq mois, blanche comme un flocon de neige. Un berger des Abruzzes croisé avec un bâtard inconnu qui, un jour, là-haut, sur les alpages du Monte Cucco, deviendrait son bras droit. Mais pour le moment, c'était un désastre. Andrea se pencha pour le caresser pendant que le chien, tout content, remuait la queue à ses pieds.

Rien à voir avec l'autre Clint, celui qui était mort dix-neuf ans plus tôt dans le tambour d'une machine. Celui-ci était éveillé, dans son sang courait un savoir millénaire sur la garde des troupeaux. Jeudi matin, quand il était allé au chenil à la recherche de celui qui serait à l'avenir sa seule compagnie indéfectible, il l'avait reconnu tout de suite, au milieu de dizaines d'autres chiens. Ce petit berger avait son vrai nom écrit dans le regard: Clint, comme Clint Eastwood.

Quand il l'avait libéré sur l'aire au retour du chenil, en le voyant bondir partout, il n'avait pas réfléchi. Il avait pris une photo avec son portable et cherché le numéro d'Ermanno dans le répertoire. Il commençait à écrire: *Voici Clint,* sans rien d'autre. Puis il se rendit compte de ce qu'il faisait et effaça tout.

Le départ pour Tucson était fixé dans seize jours, et il évitait d'y penser. L'idée de laisser la ferme en garde à Sebastiano et Luca ne l'emballait pas, celle de revoir ses parents à l'aéroport de Malpensa après la dispute furieuse de samedi encore moins. Et puis, le 30 octobre, les vaches allaient arriver…

Mais pour le moment c'était l'idée de Marina se démenant à moitié nue sur une scène qui lui donnait des sueurs froides. Ils s'étaient à peine vus ces derniers jours, avec ce maudit *Cenerentola.* Pouvait-il vraiment ne pas y aller ? Pouvait-il la décevoir à ce point ? Il fit quelques pas sur l'aire puis s'arrêta, descendit son chapeau sur ses yeux et alluma une cigarette.

« L'émotion est toujours là, c'est évident, avant de monter sur une scène comme celle-ci », disait Marina aux caméras du JT régional, dans le va-et-vient continuel qui régnait sous la grande tente blanche des coulisses. « Mais ce que je fais, je le fais pour les autres, pas pour moi. Ce sont tous ces gens, là, dehors, qui me le demandent… Moi, je veux divertir, je veux surprendre. Ces gens, là, dehors, ils ont envie de savoir que cette ville est vivante, qu'elle peut encore rêver… Et c'est pour eux que je suis là. » Même si elle s'en cachait et se comportait comme si elle était pressée et avait des choses plus importantes à faire, elle adorait donner des interviews, être cernée par les micros, et amener la conversation là où elle voulait, avant de la clore par cette phrase fatidique : *Excusez-moi, maintenant, je dois y aller.*

Les autres concurrentes attendaient, agacées : elles étaient prêtes depuis deux heures, les pieds douloureux dans leurs chaussures à talons, leur fond de teint qui brillait. Marina, fraîche comme une rose, les salua d'un sourire.

Elles l'observaient, parlaient dans son dos sans même se donner la peine de dissimuler. Mais Marina gardait dans son sac l'arme fatale qu'elle ne brandirait qu'au dernier moment, sous leur nez.

« Marina, laisse-moi te dire à quel point on est fiers de toi, dit en lui tendant la main le directeur d'elle ne savait plus quel journal. On veut faire un reportage spécial dans le supplément du dimanche, où on présenterait ta journée-type, on montrerait qui est *vraiment* Marina Bellezza… Qu'est-ce que tu en penses ? »

Elle remerciait en hochant la tête, remuant sa queue-de-cheval. Donatello ne la quittait pas d'une semelle, avec ses Ray-Ban à verres miroir, une cravate dénouée sur une chemise de sport, et il notait sur son iPad les numéros de téléphone, les rendez-vous. « Eh, attendez ! criait-il aux journalistes moins experts qui tentaient d'approcher sa protégée. Vous devez parler avec moi d'abord. Je suis son manager ! »

Le directeur de production de *Cenerentola Rock* surveillait les coulisses, les traits tirés, découragé. L'inverse du metteur en scène, qui continuait tout excité à donner des ordres et effectuait les ultimes réglages pour les prises de vue.

Certaines concurrentes commençaient à ressentir la tension et téléphonaient à maman ou papa. Claudia de Reggio Emilia fut prise d'une crise d'angoisse et se mit à pleurer devant tout le monde.

Marina la regardait, souriante.

« Toi, tu es une sorcière », lâcha le directeur en passant près d'elle.

L'excitation grandissait. Certains criaient déjà au miracle : « On se croirait à *X Factor* ! Il doit y avoir trois mille personnes ! »

En effet, la place était comble. Il n'y avait plus un emplacement libre sur le parking des Orsi, et la route nationale n'était qu'une double file interminable de voitures.

Le staff de BiellaTv 2000 avait du mal à cacher sa satisfaction. Les directeurs des boutiques du centre commercial exultaient : on n'avait jamais vu pareille affluence, même les veilles de Noël avant la crise.

La foule attendait, mangeait, achetait – peu, à vrai dire. Les enfants couraient entre les jambes des grandes personnes, trébuchaient, brandissaient des ballons de couleur portant le nom de l'émission ; des jeunes assis par terre se passaient des grandes bouteilles de bière Peroni.

Pour arriver au premier rang, le maire et d'autres notables s'ouvraient un chemin dans la foule des chômeurs, des retraités anticipés, des sans travail et des sous-payés qui les auraient volontiers, en toute autre circonstance, lynchés sur place. Mais pas aujourd'hui : hors de cette enceinte, la crise frappait comme une épidémie, mais ici on pouvait encore faire comme si la vie, au fond, n'était qu'une fête.

À y regarder de près, d'ailleurs, on pouvait reconnaître dans cette foule bigarrée quelques silhouettes plus sombres, aux profils incertains. Derrière une plante verte, Paola et le Giangi se tenaient à l'écart, comme les parents indésirables dans les repas de famille. Ils fumaient une cigarette à deux, mal à l'aise, et la main de Paola tremblait en époussetant la cendre sur elle. Un peu plus loin, dans un état émotionnel comparable, Elsa, qui arrivait de Turin avec sa valise, regardait autour d'elle, inquiète à l'idée de rencontrer Andrea. Elle restait pourtant là, immobile, décidée à assister au concert pour se faire pardonner par Marina. Même Sebastiano et Luca étaient venus, finalement. Surtout parce qu'il y aurait des filles à draguer, et pas tellement pour regarder la fiancée de leur copain – quand ils l'avaient appris, ils avaient failli lui foutre une claque. À présent, ils sirotaient des Red Bull et se frayaient un chemin dans la foule, en nage et éreintés après une matinée entière passée à la ferme.

Ivano avait fermé le Sirena pour être là. Les grands-parents maternels de Marina attendaient, intimidés mais fiers : leur petite-fille qui conquiert les feux de la rampe, c'était un spectacle à ne pas manquer. Ils n'avaient pas été là à sa naissance, ils ne lui avaient pas envoyé une seule carte d'anniversaire, mais elle était de leur sang. Et si elle devenait célèbre, ils le deviendraient aussi.

Les Caucino avaient été invités personnellement par le maire – ils ne se seraient pas déplacés d'eux-mêmes pour une pitrerie pareille. Ignorant ce que faisait leur fils cadet, ils pouvaient sourire et s'entretenir aimablement avec l'équipe municipale actuelle. Enfin, il y avait presque tous les anciens camarades de classe de Marina: ceux qui l'avaient toujours détestée mais tout à coup l'aimaient beaucoup.

À l'arrière-scène, glissant l'œil par une fente derrière les coulisses, elle passait la foule au crible et reconnaissait chaque visage. Elle remarqua Elsa, derrière un panneau publicitaire. Puis sa mère et le Giangi, une canette à la main, qui chancelait par moments en fermant les yeux. Elle reconnut même, à l'autre bout de la place, ces deux vieux salauds qui n'avaient jamais voulu la rencontrer, ne lui avaient jamais fait un seul cadeau et qui avaient chassé sa mère. Ils étaient là, mais c'était trop tard. Ils étaient venus en espérant ramasser les miettes… Ah, comme elle allait se venger, pensa-t-elle.

Pourtant, la seule chose qu'elle voyait de cette foule et qui lui faisait mal, presque honte, c'était l'absence de son père. Et celle d'Andrea, aussi. Même s'il restait une demi-heure avant le début du concert, ces deux trahisons formaient déjà un gouffre dans son cœur. Elles engendraient la colère, la rancune et la sensation d'une féroce injustice.

Quand elle revint dans les coulisses, son visage était dur et ses yeux lançaient des éclairs. On avait fait partir les journalistes et il n'y avait plus que le staff et les concurrentes, qui s'échauffaient la voix en repassant les textes des chansons, protestant que ce n'était pas du tout la même chose de se produire dans un studio sans public et de chanter en plein air, avec la lumière du soleil.

Marina passa au milieu d'elles et se réfugia dans un coin. Dans ce chaos, elle voulait appeler son père. Elle tomba sur la messagerie. Elle recommença aussitôt, même résultat. Alors elle envoya un texto à Andrea : *OU T MERDE!!!*, suivi d'un smiley en colère.

Quand il lut ce message, Andrea, rongé par l'indécision jusqu'à la moelle, installait le chaudron en cuivre dans le laboratoire. La rudesse de Marina l'exaspéra encore plus, si c'était possible. Et Clint qui continuait d'aboyer comme un forcené, et cette baratte électrique qui était clairement une arnaque : aller au centre commercial des Orsi écouter le concert de *Cenerentola Rock*, c'était bien le dernier de ses soucis. Il poussa un juron et éteignit son portable. Il sortit, portant la baratte à bout de bras, et la balança sur l'aire.

« Clint ! cria-t-il. Ta gueule ! »

Et pendant ce temps, Marina tentait de le joindre.

« Allez tous vous faire foutre ! » cria-t-elle en jetant son portable.

Puis elle appela Donatello : « Tello ! Aide-moi à m'habiller ! »

Elle l'obligea à entrer avec elle dans sa loge – en réalité, un container – et, vêtue seulement d'un string, l'air buté, lui ordonna de lui passer le reste.

« Mari, excuse-moi. C'est pas un peu excessif ? » demanda Donatello, très embarrassé, désignant la tenue qu'elle avait l'intention de porter.

« Rien n'est excessif, répondit Marina. Tais-toi et passe-moi la ceinture. »

Il aurait été intéressant, en ce samedi après-midi d'octobre à la température printanière, de se promener en centre-ville devant tous ces magasins fermés, pour prendre la mesure du désert, de la désolation d'une époque proche de sa fin. Le plaisir de flâner en ville n'était qu'un lointain souvenir. Les épiceries et les salons de thé du début du XXe siècle, également. L'abondance de ces temps où Biella était à la pointe de l'industrie textile nationale et voyait naître la première télévision privée de l'histoire italienne, avec Aiazzone en pionnier de la cuisine intégrée – aggloméré, plastique, placoplâtre vendus tel de l'or pour que les pauvres aient eux aussi la cuisine de leur rêves –, était révolue.

La ville qui avait vu naître des grandes figures comme Pietro Micca, les frères La Marmora, Quintino Sella et Giacomo Benedetti[1] flottait maintenant à la surface du temps, muette et abandonnée, pendant qu'à quelques kilomètres de là, dans le nouveau centre commercial des Orsi, on s'employait à masquer la fin du vieux monde.

Bien peu étaient capables de sentir vers quoi tout cela menait, même sans le comprendre. L'une de ces personnes était Paola, mal à l'aise dans la foule au bras du Giangi. Elle qui aurait dû marcher la tête haute – puisqu'elle était la mère de la star – regardait où elle posait le pied, timide et apeurée, comme si elle avait consciente que pour elle, cela ne suffirait pas. Que même ce cadeau d'avoir une fille qui devient célèbre ne l'empêcherait pas de tomber.

Et une autre était Elsa, fière de son sacrifice, pour prouver à Marina qu'elle était de son côté, malgré tout. Et que Piedicavallo était l'endroit où se réfugier, ensemble, une fois le concert terminé. Faire comme l'avaient déjà fait quelques-uns : se retirer dans les montagnes, dans les vallées oubliées,

1. Pietro Micca, héros de la défense de Turin assiégée par les Français en 1706 ; les frères La Marmora jouèrent tous les quatre un rôle important dans le *Risorgimento* italien ; Quintino Sella fut ministre des Finances sous Victor-Emmanuel II ; Giacomo Benedetti (1901-1967), critique et écrivain, traducteur de Proust.

fonder un monde différent dont on ne savait rien, sinon qu'il constituait la possibilité d'un nouveau commencement.

La crise flottait cependant sur la foule, creusant les visages attristés par de maigres butins : dix euros de torchons, quinze de bain moussant. Les caméras de télévision sévissaient dans tous les coins, capturant dans leur œil noir et vigilant la réalité en ruine. Enfin, du quartier général de BiellaTv 2000, le top départ fut lancé.

À Massazza, Andrea regarda sa montre : il fallait y aller. Il en était arrivé à se servir d'un banal mixer pour tenter de faire du beurre. Il sentait la sueur et l'étable. Les muscles de ses bras étaient douloureux et ses mains couvertes d'ampoules. Mais il n'avait pas le choix.

Il mit Clint en laisse, abandonna tout tel quel. C'est quoi, le commencement de quelque chose ? Ça ressemble à la fin. C'est la même douleur, la même ignorance, c'est être à la merci de forces qui dépassent de très loin votre imagination. Et dans tout cela, Andrea n'avait qu'une certitude, une seule.

Marina.

Alberto Serra bondit sur la scène : « Nous y sommes ! »

Il était seize heures quarante-cinq. Quand la première concurrente, timide, embarrassée, le rejoignit, le public l'encouragea par de longs applaudissements. Dans l'air se perdaient des dizaines de ballons colorés, poussés vers la campagne par le vent.

Giada Bianchi, de Cuneo – son nom apparut en lettres capitales sur l'écran fixé sur le côté de la scène –, chanta *Fiumi di parole* des Jalisse en perdant souvent le tempo et en ratant quelques notes. Mais nul ne semblait s'en soucier.

Le découpage prévoyait onze chansons rigoureusement italiennes, pour la joie du public traditionaliste, mais le grand final était inédit. Le bouquet final, c'était Marina, qui chanterait la douzième chanson : le single américain qui grimpait dans les hit-parades du monde entier, chanté en anglais, et qui plus est par un homme. La régie, la rédaction et la production étaient à la fois excitées et inquiètes de ce coup de poker.

Pendant que les concurrentes défilaient l'une après l'autre sur la scène, introduites par les gags irrésistibles d'Alberto Serra, Marina s'était enfermée dans sa loge et criait qu'on la laisse tranquille à quiconque frappait à sa porte.

Le concert se poursuivait. Rosaria Mannuzzo, de Crotone, glissa sur la scène et tomba de tout son long : le public, généreux, l'encouragea à continuer. Monica, de Chieti, oublia un vers de *Gocce di memoria*, s'emberlificota cinq secondes pendant que la bande-son défilait, indifférente, et que le public chantait à sa place. Le directeur de production hochait la tête, accablé. Mais la régie était satisfaite : *On est au début, c'est normal qu'elles se trompent. Les gens aiment ça quand elles se trompent !*

Marina, toujours enfermée dans sa loge, ne laissa entrer que la coiffeuse qui, en la voyant, resta abasourdie.

« Les cheveux lâchés et bien lisses », ordonna-t-elle, le regard chargé de haine.

Donatello, assis au fond du container, n'arrêtait pas de téléphoner.

« Elles font toutes des fausses notes, dit-il en remettant son portable dans sa poche. Tu n'en feras qu'une bouchée.

– Je sais.

– Telecupole, Radio Piemonte : ils sont tous là pour toi. Tout marche à merveille. »

Mais Marina ne jubilait pas, ne souriait pas, ne s'agitait pas à l'idée de monter sur scène. Elle se demandait seulement où était son père, et ce qu'Andrea fabriquait, se jurant que s'ils ne venaient pas elle les effacerait de sa vie.

Son père l'avait toujours déçue, au bout du compte, mais Andrea jamais. Et ce papier, elle l'avait rempli et signé, en inscrivant la date en bas : *2 mars 2013*. Il ne pouvait pas la trahir.

Elle ralluma son portable. Quelques sonneries, et cette fois il répondit.

« Je suis en voiture, j'arrive.

– Andrea, martela-t-elle, si tu ne viens pas tout de suite, tout est fini. »

Un instant de silence douloureux s'écoula. Il rassembla son courage : « Je t'ai dit que j'arrivais. Tu dois comprendre que moi aussi j'ai un travail, et une ferme à installer.

– J'en ai rien à faire de ce que tu dois installer, siffla-t-elle. T'as deux heures de retard. Si tu ne viens pas tout de suite, tu peux aller te faire foutre. » Et elle coupa la communication.

Andrea jeta le portable sur le tableau de bord, tapa du poing sur le volant. Il n'avait même pas eu le temps de se changer. Mais de quoi avait-il si peur ?

Ce concert, c'était comme si on la lui enlevait. Comme si on la lui arrachait. Il avait dit adieu au monde. Et ne voulait pas y retourner. Mais il roulait vers lui. C'est la dernière fois, se promit-il.

Quand il atteignit tant bien que mal la place remplie de monde, Alberto Serra l'annonçait. Il était arrivé à temps. Marina Bellezza. Ces deux mots terribles qui avaient le pouvoir de rendre les gens fous.

À ce moment-là, à quelques mètres de lui, près d'un panneau publicitaire, quelqu'un se tourna pour le regarder. Andrea se tourna aussi. Elsa. Sa pâleur, ses taches de rousseur. Ses yeux pleins de mélancolie et de compréhension. Sans le savoir, ils pensaient la même chose : que tout cela n'avait rien à voir avec leurs idéaux. Ils ne se saluèrent pas, ne se dirent rien, restèrent chacun à la même place. La bande-son partit.

Les applaudissements éclatèrent. Une silhouette fit irruption sur la scène en bondissant, les bras grands ouverts.

Une vapeur de fumée blanche et rouge l'enveloppait, ne laissant voir qu'une masse de cheveux très blonds et une nuée de paillettes scintillantes. Mais dès que les fumées se dispersèrent, dès qu'elle fut entièrement visible, une partie de la foule devint muette, tandis que l'autre perdait la tête.

Marina Bellezza était en maillot de bain. En bikini, le 6 octobre, au centre de la scène.

Andrea perdit le peu d'espoir qui lui restait. Il serra les poings, tira sur la laisse de Clint et regarda devant lui sans rien voir, les yeux écarquillés.

Le maillot de Marina était fait d'une étrange matière métallique, comme les écailles d'un serpent, qui reflétait la lumière. Sur ses hanches pendait une ceinture de fausses munitions et elle portait des bottes argentées montant jusqu'au genou.

La production était atterrée.

« C'est trop, dit quelqu'un.

– Non, c'est *génial.* »

Une base de reggae animait le public, surtout les plus jeunes. Marina continuait à sauter en criant *Oh yeah yeah,* et incitait tout le monde à la suivre, à danser et chanter avec elle. Puis le rythme augmenta, les jeunes hurlèrent, les parents levèrent les bras en tapant dans leurs mains. Toutes les familles, même les plus réticentes, oubliaient peu à peu leur perplexité pour se laisser emporter par l'effet choc de ce costume.

« Merde, laissa échapper un des membres du staff, c'est vrai qu'elle est douée ! »

Ses concurrentes aussi devaient l'admettre : oui, elle était douée. Elle connaissait son métier, elle avait de la technique et de la voix. Une vraie furie.

Un vent d'Amérique soufflait entre les montagnes du Biellois. Marina agitait son corps à demi-nu dans la lumière du soleil. Le bikini était si mince qu'il ne laissait rien à l'imagination, et les caméras s'en nourrissaient avidement. Les jeunes étaient déchaînés, les gamines en adoration. La mère de Marina avait le souffle coupé. Les Caucino étaient horrifiés. Le Giangi s'était endormi contre la vitrine de la pizzeria Fratelli La Bufala. Andrea, pétrifié, serrait la laisse de Clint. Elsa fut tentée de s'approcher de lui mais ne bougea pas.

Alors Marina commença à chanter, et soudain il n'y avait plus de concurrence possible. Comme si elle disait : *Vous ne pouvez pas gagner face à moi. Oubliez ce que vous avez entendu jusque-là, je joue dans une autre division.*

Le staff de BiellaTv 2000 suivait sur l'écran, bouche ouverte, yeux écarquillés. *Une voix qui n'est pas de ce monde, La Bellezza casse tous les codes et chante en anglais,* notèrent quelques chroniqueurs. D'autres écrivirent : *18 h 00 : une présence scénique digne de Sanremo, un coup de poing dans l'estomac des bien-pensants.* Et encore : *Bellezza est un ouragan dans les mers calmes de notre province.*

Andrea serrait de toutes ses forces la laisse de Clint et fixait sa future épouse qui dansait en bikini devant des milliers de personnes, sur la scène gigantesque d'un centre commercial. Ce corps était à lui : il l'avait aimé, apprivoisé, caressé, embrassé, tenu des nuits entières dans ses bras. Et maintenant il était là, livré en pâture, immortalisé par des centaines de téléphones, d'appareils photo, de caméras, posté en temps réel sur les blogs, sali, disséqué vivant par un nombre infini d'inconnus qui n'auraient jamais dû le voir ni rien savoir de lui.

Et Marina chantait, rayonnante et belliqueuse comme une divinité aztèque : *Cause you make me feel like I've been locked out of heaven for too long, for too long.* Et lui se sentait en effet *enfermé hors du paradis.* Exclu, chassé de force. Brutalement. Il la haïssait, et le pire était qu'en même temps il l'aimait. Parce que la beauté de son visage, la beauté de sa voix étaient un point de lumière quand le monde entier faisait naufrage. Il le reconnaissait, comme les autres. Mais ne l'acceptait pas.

On lui touchait le bras. Elsa, timidement, s'était approchée. Ils se regardèrent sans rien dire, parce qu'il n'y avait rien à dire.

Cause your sex takes me to paradise, continuait à chanter Marina. *Yeah your sex takes me to paradise.* Elle transfigurait ce lieu. *And it shows, yeah, yeah, yeah.* Elle touchait littéralement le ciel.

Quand elle termina, le mot « ovation » n'aurait pas suffi à rendre compte de l'enthousiasme du public. Les enfants applaudissaient, et les vieux aussi. Et même ses grands-parents : ces deux criminels lâches et séniles hurlaient son nom en agitant les bras pour qu'elle les reconnaisse.

Elle les ignora ostensiblement. C'était sa vengeance.

Marina Bellezza salua. Puis, de toutes ses forces, elle cria : « Je vous aime ! »

Les applaudissements se prolongèrent près de quatre minutes. Quelqu'un hurla un Bis ! Bis ! qui gagna peu à peu toute l'assistance.

La régie donna son accord. Marina chanta une seconde fois *Locked Out Of Heaven* dans l'euphorie générale.

Donatello jubilait. Les télévisions, les radios, la presse également. Paola pleurait. Le Giangi aussi, qui s'était réveillé. Sebastiano hocha la tête : « Jamais elle se mariera avec lui, je te le garantis. »

Elsa et Andrea se tenaient muets au fond de la place.

Après le bis, les applaudissements continuèrent. Marina regarda la foule longuement, pleine d'émotion et de gratitude, même si son père n'était pas là, ce qu'elle ne pourrait jamais lui pardonner. Elle se reprit, fixa un point en particulier : loin, loin. Un sourire radieux s'épanouit sur son visage. Elle le désigna du doigt. Le micro ouvert, elle cria devant la ville entière de Biella : « Andrea, c'est pour toi. »

Il resta foudroyé. Poignardé. Anéanti.

Tout le monde se retourna pour voir qui était Andrea. Les photographes braquèrent aussitôt leurs Nikon. Les journalistes se perdaient en conjectures.

« Je crois que tu dois aller la rejoindre », lui dit Elsa.

Andrea, qui aurait voulu disparaître, avança dans la foule. Au ralenti, comme un automate.

On le fit passer par-dessus les barrières. Marina descendit de la scène d'un bond. Elle s'élança, lui passa les bras autour du cou. Un peloton de photographes s'empressa d'immortaliser l'instant : la star en maillot de bain et le marcaire couvert de terre, chapeau sur la tête, mal rasé, un drôle de chien au bout d'une laisse.

Au premier rang, parmi tout l'aréopage des institutionnels, Maître Caucino et sa femme reconnurent avec horreur leur fils en pantalon large et chemise à carreaux, enlacé à cette moins-que-rien. Clelia porta la main à sa bouche et cessa de respirer.

« Partons, ordonna l'avocat. J'en ai assez vu. »

Andrea se détacha de Marina. Il sentait dans chaque parcelle de son corps l'instinct irrépressible de la fuite. Mais elle le tint fermement, le tira dans la grande tente puis dans la loge. « Merci d'être venu », lui dit-elle, pleine de reconnaissance, une fois qu'ils furent seuls. Il ne savait que répondre.

Puis elle se pencha sur Clint : « Et c'est qui, lui ? Qu'il est mignon !

– Je m'en vais, je t'attends à la maison, réussit à articuler Andrea, bouleversé.

– Non, reste ! Tiens-moi compagnie encore une minute ! »

Mais pendant cette minute arriva Donatello, qui ouvrit brutalement la porte. « C'est un triomphe, criait-il, comme fou. Un triomphe ! Géant ! On a seize interviews, SEIZE ! »

Marina le fixa sévèrement: «Pour le moment j'ai pas envie. Je veux rester avec mon fiancé.» Et elle lui ferma la porte au nez.

Pendant ces quelques instants qu'ils passèrent à l'intérieur du container, avec le pandémonium qui se déchaînait au-dehors et les continuelles tentatives d'incursion de la part d'étrangers, Andrea comprit clairement, avec une impitoyable lucidité, qu'il ne pourrait jamais se plier à ça, jamais l'accepter. Et cependant, pour elle, il aurait vendu son âme.

«Je te laisse à ce que tu dois faire et je t'attends à la maison.

– D'accord», répondit Marina en l'embrassant sur les lèvres.

Andrea ouvrit la porte, aussitôt assailli par la mêlée. Il parvint à s'échapper.

Sur le parking, il lui sembla reconnaître ses parents au loin. Il resta un instant planté là, encore étourdi par le vacarme, par tout ce qui s'était passé.

«Maman!» cria-t-il de toute la voix qui lui restait.

Au fond du parking, Clelia se retourna. Andrea lui fit un signe de la main. Il vit sa mère lui répondre de la même façon et son père l'entraîner inexorablement. Alors il rabattit son chapeau sur ses yeux et marcha à grandes foulées vers sa voiture. Vers la ferme, vers l'étable où dans un mois à peine les vaches arriveraient. Leurs larges yeux bruns, image d'un autre paradis: le seul possible. Avec le temps, il arriverait à oublier cet après-midi.

À traire ses vaches, à les mener paître, à brasser le foin, il oublierait ce chaos, retrouverait la vérité des choses, accepterait que les loups, les cerfs, les renards ne puissent pas être capturés.

Même si, pour le moment, il croyait encore que Marina viendrait vivre avec lui.

10

Les catastrophes n'arrivent jamais quand on les attend, mais le lendemain, quand on est rassuré et tranquille, et que l'on n'envisage pas que le monde va nous tomber sur la tête.

Le samedi soir, Marina n'avait pas manqué à sa promesse. À minuit passé, elle était allée retrouver Andrea à Massazza et ils avaient dormi ensemble sur le matelas posé à même le sol.

Ils n'avaient pas reparlé du concert ni du mariage ni de quoi que ce soit. Ils s'étaient contentés de se serrer l'un contre l'autre et de dormir ; à leur réveil, une splendide matinée de dimanche, plus ensoleillée que la précédente, les avait surpris derrière les carreaux.

Ils avaient déjeuné ensemble, s'étaient jetés à tour de rôle sous la douche glacée et détendus quelques heures dans les champs en jouant avec le chien.

Ils étaient simplement Andrea et Marina, un garçon et une fille comme tant d'autres, sans passé et sans futur, savourant la légèreté du présent. Ils lançaient un bout de bois à Clint, qui courait le ramasser et revenait en remuant la queue. La température était douce, l'air limpide laissait entrevoir les Alpes au loin. Les parenthèses sont parfois les seuls moments de la vie où il nous est possible d'apprécier le monde qui nous entoure.

Après le repas, Marina fut rappelée à l'ordre par Donatello : cinq interviews radio, quatre avec la presse, une autre en direct à BiellaTv 2000. Elle devait y aller.

Elle finirait sans doute tard, elle irait dormir chez elle, à Piedicavallo. Andrea ne fit pas d'histoires : ils se reverraient demain. Demain : le mot le plus fragile et le plus trompeur de tout le dictionnaire.

Andrea retourna à ses expériences dans le laboratoire, Marina partit vers les studios de télévision. Une union improbable, oui ; mais peut-être pas si étrange, à l'épreuve des faits. Au fond, elle avait un travail, et lui – croisons les doigts – également. Et tout se passerait bien, se persuada Andrea ce jour-là. Pourquoi pas ? Même Marina, en se garant sur la strada Trossi devant l'entrée des studios, s'en persuada. Après tout, ils le méritaient. Pourquoi les choses auraient-elles dû mal tourner ?

Parce que ce n'est pas si simple. Et que la vie n'est pas en notre pouvoir.

Et surtout parce que les fautes des autres, et des parents, retombent toujours sur les enfants.

Vers onze heures du soir, Marina rentra à Piedicavallo.

Dans le ciel, la surface opaque de la lune était large comme un bouton. La lumière des réverbères n'éclairait qu'un seul côté de la route. Derrière la vitre embuée se dessinait son profil fatigué.

Marina conduisait doucement, épuisée par le concert, les interviews. Après le pont de Riva, le peu d'éclairage qui tombait sur les silhouettes des filatures disparut, la route entama la montée et devint sombre comme un tunnel de catacombes.

La route grimpait, et Marina avait pourtant l'impression de descendre dans un gouffre. L'autoradio était éteint. Sur l'écran de son portable posé sur le siège passager clignotait un appel manqué d'Andrea. Mais elle n'avait pas la force de le rappeler maintenant. Elle ne voulait qu'une chose, s'écrouler sur son lit et dormir. Elle aurait dû le rappeler tout de suite, ne pas remettre au lendemain. Au lieu de cela, elle continuait de rouler doucement dans le silence de la nuit, les paupières qui se fermaient presque.

La vallée aussi se fermait, se faisait plus noire, comme un souterrain, comme une grotte. La départementale serpentait au milieu des bois. Aucune maison, aucune enseigne. Un lieu impénétrable à l'histoire.

Marina ne s'était jamais sentie aussi fatiguée. Pourtant, elle était en paix avec elle-même : elle avait commencé à réaliser tout ce qu'elle s'était fixé, elle n'avait rien à se reprocher. Sa seule pensée était d'arriver chez elle et de tout oublier. Aussi, quand son téléphone sonna de nouveau, elle ne le regarda même pas. C'était sûrement Donatello qui annonçait d'autres rendez-vous pour le lendemain.

Son maquillage avait coulé, son regard était rivé sur la route qui faisait un coude vers Andorno. Dès qu'elle était seule, loin des spectateurs et des applaudissements, le visage de Marina s'assombrissait. Elle devenait semblable à ces escarpements autour d'elle, ces combes hérissées de broussailles, à la blessure des roches en surplomb.

Le téléphone continuait de sonner. Il cessa, pour recommencer aussitôt. Elle ne put s'empêcher de jeter un coup d'œil.

C'était son père.

Elle freina brusquement. Se rangea contre la glissière de sécurité. Mit les warnings et répondit, en proie à quelque chose d'aussi soudain et dévastateur qu'un incendie.

« Allô.

– Eh, ma chérie… C'est tard ?

– Le concert, c'était hier. C'est tout ce que je peux te dire.

– Je sais, comment j'aurais pu oublier », il mentait effrontément, « j'ai tout fait pour me libérer, je te jure ! Mais tu sais ce que c'est, non ? Allez, m'en veux pas. »

Les warnings éclairaient par intermittence le panneau signalant par un cerf stylisé le passage d'animaux sauvages, et cette partie inhabitée et sombre de la départementale à flanc de rocher. Pas une voiture, pas un scooter ne passaient à cette heure-là.

« Un coup de fil au moins tu aurais pu, pour me souhaiter bonne chance.

– Mais ma chérie ! J'étais à Zurich ! Dans un endroit où il n'y avait pas de réseau ! Mais j'ai pensé à toi, crois-moi, j'ai beaucoup pensé à toi et ce matin des tas de gens m'ont appelé pour me dire que c'était fantastique, qu'ils t'ont vue à la télé. Tu ne peux pas imaginer comme je suis fier de toi. »

Les mots ne glissèrent pas sur Marina, non. Ils s'arrêtèrent juste là, contre son cœur.

« Pardonne-moi mon trésor. J'avais une chose à faire que je ne pouvais absolument pas remettre.

– Et c'était quoi cette chose à faire ? fit Marina d'un ton sarcastique. Tu devais aller au Zanzibar avec tes copains ? »

Le Zanzibar, cette boîte de nuit de Cerrione où elle l'avait surpris la nuit du 19 septembre en joyeuse compagnie, et l'avait espionné, cachée derrière une banquette.

Raimondo sembla perdre tout à coup la parole, hésita et pour gagner du temps accumula les excuses, tourna autour du pot, changea de sujet.

« Mais non, qu'est-ce que tu racontes. Écoute, dit-il soudain en changeant radicalement de voix. Où es-tu ? Pourquoi on ne se verrait pas ? Maintenant, par exemple. Hein ?

– Maintenant ?

– Oui, je suis à Biella, à la gare On prend un verre et on se voit. Qu'est-ce que tu en dis ? »

Marina, raide sur son siège, dans la colossale solitude de ce repli de la vallée, aurait voulu répondre : Non, je suis crevée, il faut que j'aille dormir. Ou plutôt aurait dû répondre : Non, tu ne le mérites pas.

« Allez, une petite demi-heure, l'implorait Raimondo, il faut que je te parle.

– Et pourquoi ? Qu'est-ce que tu as de si urgent à me dire à cette heure-ci ?

– Quelque chose d'important, vraiment.

– Pourquoi tu me le dis pas au téléphone ? » s'énerva Marina.

Raimondo prit à nouveau du temps, commença des phrases sans les finir. Puis : « Rien, j'avais envie de te voir. »

Depuis leur dernière rencontre au motel Nevada, il n'avait pas daigné l'appeler une seule fois. Mais c'était son père. Son père, le quadragénaire magnifique qui roulait en Maserati, sans horaires ni soucis, à Monte-Carlo, à Zurich, beau et blond comme un acteur d'Hollywood, et qui se disait fier de sa fille.

Ce fut plus fort qu'elle.

« Bon, dit-elle avec agacement, je serai là dans un quart d'heure.

– Fantastique ! s'exclama Raimondo. Je suis au bar de la gare, à l'intérieur. »

Marina raccrocha, fit un demi-tour complet et repartit dans l'autre sens.

Biella était un petit lac de lumières blanches et orange au fond de la plaine. Elle était en colère contre elle-même et elle accélérait, mais en même temps elle était contente. Elle courait vers son père, une fois de plus. Des sentiments contrastés se bousculaient dans son cœur, mais au bout du compte elle était prête à lui pardonner.

Elle ne se demanda pas pour quelle raison, tout à coup, il avait tellement envie de la voir. Elle ne se demanda pas pourquoi cette envie lui venait tous les trois mois, à des heures absurdes, et jamais pour déjeuner ou dîner comme il aurait été normal. Andrea venait de lui envoyer un message, mais elle ne le lut pas.

Quand elle entra dans le bar, elle le trouva assis à une table du fond, près des machines à sous, et se demanda un instant si c'était bien lui.

Raimondo paraissait avoir vieilli de dix ans. Le visage pâle, les traits tirés, les yeux qui fixaient obstinément quelque chose sur le sol. Une âme en peine. Mais dès qu'il entendit ses pas et leva les yeux, il changea aussitôt de visage et redevint l'homme qu'il avait toujours été.

« Marina ! » s'écria-t-il en souriant.

Il se leva et la serra dans ses bras, répétant combien elle était chaque jour plus belle.

Ils étaient seuls, avec le barman qui faisait des mots croisés derrière sa caisse. Marina se laissa serrer avec méfiance pendant quelques secondes, puis s'écarta. Sur la table, trois téléphones portables, des clés non plus de Maserati mais de BMW, et un verre à whisky vide.

« Assieds-toi, fit son père affectueusement. Qu'est-ce que tu prends ?

– Un jus d'ananas. »

Raimondo alla au comptoir passer commande et revint s'asseoir en face d'elle.

« Alors, ce concert, raconte-moi tout. Je me le suis fait enregistrer, et dès que j'arrive à l'hôtel je le regarde. Il paraît que c'était un triomphe ! »

Marina l'observa avec attention. Il y avait des choses qu'elle voyait, et d'autres qu'elle ne voulait pas voir. Elle s'arrêta sur la veste de bonne coupe, la Rolex – fausse ? –, les boutons de manchette en or. Mais pas sur la barbe un peu négligée, les rides qui s'étaient formées autour des yeux.

C'était un homme massif, grand, élégant. Et être ici avec lui, dans ce bar, lui donnait la sensation pas désagréable d'être dans un film.

«J'ai chanté une chanson qui vient de sortir, de Bruno Mars, un chanteur américain. Mais j'ai vraiment été triste que tu ne sois pas là.

– Mon trésor, tu sais bien que j'étais triste moi aussi, et encore plus que toi. Même à présent, je me sens… Je me sens brisé, je te jure.»

Elle aurait dû le comprendre que quelque chose n'allait pas dans cette façon qu'avait son père de bouger tout le temps les mains, de prendre le verre puis de le reposer, puis ses portables, puis ses clés de voiture. Elle aurait dû le deviner à l'excitation dans sa voix.

Pourtant, comme toujours, elle fit comme si de rien n'était. Comme quand elle surprenait sa mère qui pleurait parce qu'il lui avait raccroché au nez, ou comme toutes les fois où il n'était pas rentré dormir.

Parce que son père n'était pas un homme comme les autres. C'était un homme d'affaires, un type qui s'en était sorti dans la vie, et elle aussi commençait à s'en sortir, et elle était fière de pouvoir le lui montrer.

«On y est, maintenant! continua-t-il, enthousiaste. Je suis encore plus ému que toi!» Et il riait. «Je n'arrive pas à le croire, que *ma petite fille* va devenir célèbre! J'ai pris les journaux…» Il se reprit: «Enfin, je me les suis fait envoyer par un ami puisque je n'étais pas là, mais on m'en a parlé, tu sais. Je suis fier de toi, tu peux pas imaginer à quel point.»

Marina se taisait, sirotait le jus d'ananas que le barman lui avait apporté et laissait chacune de ces phrases décanter dans sa tête.

«Mais tu sais ce que tu dois faire maintenant, hein? Il te faut un agent, quelqu'un qui te suivra. J'en connais deux ou trois qui…

– J'ai déjà un agent, l'interrompit-elle avec orgueil. Il s'appelle Donatello Ferrari.

– Mmm, fit son père en se grattant le menton. Je crois que j'en ai entendu parler, en effet. » Il n'avait pas la moindre idée de qui ça pouvait être, mais mentir était sans conteste ce qu'il faisait le mieux. « Donatello Ferrari… Mais oui, je le connais. Si c'est celui auquel je pense, alors tu es en de bonnes mains. Dis donc, BiellaTv 2000, c'est devenu important, non ? On ne la regarde plus seulement dans le Piémont ?

– En Lombardie et en Ligurie, fit Marina, de plus en plus fière. Un peu partout dans le Nord, je crois.

– Ah, fantastique ! Je connais quelques personnes à Milan, qui travaillent à Mediaset. Je peux les contacter, si tu veux.

– Non », répondit-elle.

Elle continuait de le regarder avec des yeux pleins de lumière mais restait malgré tout sur la défensive : elle devait encore lui faire payer toutes ses absences, les concerts qu'il avait ratés, la messagerie sur laquelle elle tombait chaque fois qu'elle voulait le joindre.

« Pas besoin. Je peux me débrouiller toute seule.

– Bravo, c'est comme ça que je t'aime, dit Raimondo d'un ton solennel. Déterminée, couillue ! Le monde est un nœud de vipères. Et toi, tu dois te défendre. C'est toi qui dois dicter les règles. *Des couilles*, voilà ce qu'il faut, toujours. N'oublie pas ça. »

Marina l'écoutait en silence. Elle était très fatiguée ; lundi, sans doute, une autre journée chargée l'attendait.

« Je suis là, je serai toujours là pour toi, lui disait son père. Si tu veux que je te donne un conseil, aussitôt l'émission terminée tu dois partir à Milan. Tu dois viser le niveau national, Canale 5. Tu peux y arriver : *moi, je crois en toi.* »

Ses paroles continuaient d'agir, de s'insinuer en elle. Et Marina peu à peu s'adoucissait, baissait la garde.

« Je crois que je vais participer à *X Factor* l'an prochain, annonça-t-elle, radieuse.

– Oh, alors ça, c'est une nouvelle ! C'est une nouvelle fantastique ! Je t'approuve à cent pour cent. »

Marina oubliait tout reste de rancune. Cet homme avait un pouvoir sur elle, un pouvoir prodigieux. Et pas seulement parce qu'il était son père. Mais parce qu'il était attirant, élégant, et si jeune : le père que tout le monde voudrait avoir.

« J'ai envie d'un prosecco, dit-elle, tu m'en commandes un ? »

Elle voulait qu'il la gâte.

Son père se leva. « Oui, fêtons ça ! »

Ils étaient dans le bar désert de la gare, les machines à sous continuaient de clignoter, appelant les pauvres à venir se ruiner. Des quotidiens de la veille étaient abandonnés sur les banquettes, des coupons de Gratta e Vinci éparpillés ici et là.

« Dis-moi, cette émission… Comment elle s'appelle ? continua Raimondo qui revenait, deux flûtes à la main. *Cenerentola* quelque chose, c'est ça ? Allez tchin tchin ! » Ils trinquèrent. « À *X Factor* et à ton succès !

– *Cenerentola Rock*, ça s'appelle. Pas mal, non ?

– Original, oui. Et comment ça se passe avec eux ? Et les autres concurrentes ? Il doit y avoir pas mal de compétition, je veux dire. »

Marina se mit à rire. « En effet, on se déteste. »

Elle souriait désormais, comme une petite fille heureuse devant un père qui rayonnait d'autorité et de prestige. Et lui aussi, il souriait. Il lui donnait des chiquenaudes sur la joue. Marina était contente qu'il n'y ait pas cette Nadia ni aucune autre intruse. Ils étaient ensemble comme cela n'était pas arrivé depuis longtemps. Tous les deux, c'est tout.

Puis Raimondo reprit la parole, d'un ton sérieux soudain. « Écoute », commença-t-il, et sa voix se brisa un peu.

« Maintenant que tu dois faire toutes ces soirées, jusqu'en décembre, c'est ça ? » Il tournait autour du pot. « Ça va faire pas mal d'épisodes… Ils ont déjà commencé à te *payer* ? »

C'est quand tu baisses ta garde, exactement là, qu'on te frappe. La règle est immuable, inflexible comme les lois de la physique : dès que tu es désarmé, on te chope à la nuque.

Marina, cependant, n'avait pas encore compris. Il y eut une sonnette d'alarme, mais elle n'en tint pas compte : « Je crois qu'ils commenceront à me payer après le premier épisode. »

Elle entrait dans la tanière du loup. Un loup qui avait les traits de son père.

« Mais ils te payent *plutôt bien,* non ? » insistait Raimondo. Qui en même temps changeait d'expression, se penchait par-dessus la table, abaissait encore le ton de sa voix. Et Marina sur la chaise en face, détendue, morte de fatigue, reconnaissante même de cette demi-heure en sa compagnie, n'entendait rien. Souriait bêtement, fière de pouvoir gagner sa vie, de pouvoir montrer qu'elle aussi valait quelque chose.

« Si je gagne, alors c'est le jackpot, dit-elle, le prix final est de vingt-cinq mille euros. Je pense que je m'installerai à Milan. Donatello est déjà en train de me préparer des rendez-vous avec des gens de Sky.

– Marina », l'interrompit brusquement son père. Comme s'il ne pouvait plus attendre. Comme si la foudre s'apprêtait à sortir de sa bouche. Le visage complètement changé. Pâle, tendu, presque monstrueux.

« Marina, j'ai besoin de trois mille cinq cents euros. »

La foudre qui s'abat sur un arbre et en une fraction de seconde le réduit en cendres. Un tremblement de terre qui ouvre une fissure dans le sol et engloutit les maisons, les voitures, les écoles, les crèches, les cantines. Un ouragan plus puissant que Sandy et Katrina qui saisit son père par les cheveux, le soulève du piédestal sur lequel il avait toujours trôné et violemment le jette à terre, le roule dans la boue, l'anéantit.

Marina resta sans voix.

« J'en ai besoin tout de suite. Je suis désespéré. Si je ne trouve pas cet argent, c'est la catastrophe. » Il se prit la tête dans les mains, comme un misérable. « J'ai pas le choix, je te le jure. »

Marina, vide, sentait son cœur battre la chamade et son corps se glacer.

« Tu as trois mille cinq cents euros, Mari ? » Il pleurait presque. « Tu peux me les prêter ? Je te les rends ! Dans une semaine maximum ! »

Alors c'était pour ça, réalisa Marina dans un éclair de lucidité. C'était pour ça – *trois mille cinq cents euros* – que son père avait voulu la voir tout de suite, en pleine nuit, au bar de la gare.

Pour le fric.

« Si je ne les trouve pas, ils vont me tuer. Ils vont me descendre. Tu ne sais pas, toi. Il y a tellement de choses que tu ne sais pas, mais fais-moi confiance, *fais confiance à ton père !* »

Son père. Eh, oui. Son père.

Marina se leva de table. Raimondo voulut l'arrêter. Il avait l'air d'un chien, la bave à la bouche, ou d'un animal qu'on s'apprête à abattre.

« Je t'en supplie, implora-t-il encore une fois. Je n'ai personne d'autre que toi. »

Ah. Et Marina, qui avait-elle ? Sur qui pouvait-elle compter, Marina ?

Personne, le désert total, Ground Zero. Parce que c'était bien un attentat qui s'était produit en elle. Quelque chose d'irrémédiable, irréparable, irréversible.

Elle remit son blouson, attrapa son sac. Ce n'était pas lui qu'elle détestait, c'était elle-même. Jamais elle ne s'était autant détestée. Ce type n'était pas son père, ce n'était personne. Elle ne le connaissait pas. Elle ne savait pas qui il était. Un imposteur.

Elle arriva à la porte du bar.

« Marina ! » Il l'appela une dernière fois.

Et Marina, au lieu de partir, revint sur ses pas.

Ce fut un mouvement involontaire. Si quelqu'un avait vu son expression, il aurait pris peur.

Elle arriva près de la table, sans s'asseoir. Sortit de son sac son portefeuille Hello Kitty, puis son carnet de chèques. En détacha un.

Immédiatement, le visage de son père reprit des couleurs, s'ouvrit comme celui du condamné à mort gracié in extremis. Marina n'avait jamais rempli un chèque, elle emportait toujours son carnet en attendant la grande occasion : une nouvelle voiture, un bijou. Et elle était là, *l'occasion*. Elle en remplit un pour la première fois, à minuit passé, dans ce désert de banlieue. Elle le jeta sur la table.

« Je veux pas t'avoir sur la conscience », dit-elle.

Sa voix n'avait plus rien d'humain. Ni son visage. Ni son regard.

« Merci ! » fit Raimondo, heureux comme un enfant.

Il se moquait bien de ce qu'elle pensait à le voir si rayonnant, maintenant qu'il avait touché le fric.

« Je te les rendrai !

– Non ! dit Marina. Me les rends pas. »

Puis elle se retourna et partit pour de bon. N'écouta pas ses excuses, ses remerciements ni ses justifications. Remonta dans sa voiture et conduisit jusque chez elle, dans cette grande maison de Piedicavallo où Elsa dormait tranquille après avoir tout nettoyé et rangé, pour montrer à Marina combien elle l'aimait.

Mais Marina ne vit rien. Ne s'aperçut même pas que sa colocataire était revenue d'exil. Elle monta droit dans sa chambre, sans passer par la salle de bains se déshabiller. C'était son prix : trois mille cinq cents euros.

Elle alluma la télévision, puis un vieux magnétoscope poussiéreux. Fit une chose qu'elle n'avait encore jamais faite : elle alla chercher au fond de son armoire la cassette vidéo de sa première apparition télévisée.

Elle se mit au lit, prit la télécommande et appuya sur *play*.

La raison de ce geste, elle l'ignorait, si tant est qu'il y en ait une.

La chambre était étroite et sombre comme une cave, des bouffées humides entraient par la fenêtre entrouverte.

L'écran devint gris, puis blanc ; ensuite, lentement, les petits points lumineux dessinèrent au premier plan l'image d'une petite fille de quatre ans. Une date tremblait en bas à gauche : *17 sept. 1994.*

Marina fixait le visage de la petite fille qu'elle avait été, la voyait sourire, avec ses cheveux noués en couettes, du fard sur ses joues et du gloss sur ses lèvres comme une grande. Elle ne se posait pas de questions, elle regardait, c'est tout.

La musique démarre et la petite fille commence à chanter. À l'arrière-plan une cuisine en aggloméré blanc et noir, avec frigo et congélateur.

Venez, venez, venez chez Aiazzone, tous les meubles sont exposés ! Venez, venez, venez chez Aiazzone, et vous les emporterez !

La petite fille regarde en plein la caméra et sourit. Elle chante par cœur ce qui devait lui paraître une comptine amusante. Elle ne se trompe pas une seule fois, ne fait pas une fausse note.

Venez, venez, venez chez Aiazzone, venez pour ne pas l'regretter ! Venez en moto, à cheval, en brancard mais venez, venez à Biella, venez, venez à Biella ! Venez dîner ou déjeuner, on vous attend chez Aiazzone ! On vous attend chez Aiazzone !

Puis le cadrage change. De l'intérieur de la cuisine en aggloméré on passe sur le parking de la fabrique de meubles qui donne sur le corso Europa, où se trouve maintenant le Mercatone Uno. Cela ressemble à une banlieue quelconque, mais derrière l'enseigne se dressent les montagnes: Le Mucrone, le Cresto, les Mologne. La petite fille a cessé de chanter mais pas de sourire. Elle lève le pouce en signe de ok, comme le fait Guido Angeli, comme Marina hier au concert. En surimpression apparaît l'inscription: EXPÉDITIONS DANS TOUTE L'ITALIE, ÎLES COMPRISES. La petite fille en sweat Walt Disney, avec ses couettes blondes et son gloss rose, crie avec enthousiasme: *Aiazzone, la plus belle usine du monde!*

Fin.

Trente-deux secondes en tout et pour tout.

Marina éteignit la télé, sortit du magnétoscope la cassette qu'elle avait refusé de voir pendant dix-huit ans. Descendit dans la cuisine et la jeta dans la poubelle. Puis elle revint dans sa chambre, chercha son portable pour l'éteindre. Dans l'intervalle, les appels d'Andrea étaient maintenant au nombre de trois. De son père, en revanche, aucune trace.

Ça sert à quoi une famille?

Il était deux heures du matin. Elle était si fatiguée qu'elle en avait presque la fièvre. Elle se glissa sous les couvertures, des restes de mascara sur les cils, les lèvres closes et les dents serrées. Cette petite fille, elle ne la connaissait pas, elle ne voulait pas la connaître. La petite fille qui chantait cette chanson idiote, elle la détestait. Mais ce n'était pas ça l'important. Elle sanglota, la bouche contre l'oreiller. Rien n'avait d'importance.

11

Vol AZ 7618 de 9.50 pour Atlanta Hartsfield. Les passagers sont priés de se rendre à la porte d'embarquement.

Le mot *boarding* clignotait avec insistance sur le panneau, les assistantes de vol commençaient à contrôler les billets, une longue file de voyageurs se préparait à embarquer en traînant leurs bagages.

Maurizio et Clelia, pâles, angoissés, ne cessaient de se retourner, priant pour qu'apparaisse parmi ces visages de passagers courant à toute vitesse vers la porte 21 celui d'Andrea.

Maurizio serrait sous son bras une pile de journaux. Clelia avait emporté un roman qui dépassait de son sac. Ils laissèrent des voyageurs passer devant eux. Ils cherchaient en vain à ralentir le temps, à le freiner. La dernière fois qu'il leur avait téléphoné, Andrea leur avait dit : « Oui, on se verra directement à l'aéroport lundi matin. »

Et on était lundi matin, 22 octobre, à l'aéroport de Milan Malpensa. Il était neuf heures vingt-cinq : tard, très tard. Clelia continuait pourtant à regarder l'heure, puis son portable, sans vouloir renoncer.

Elle fit un pas de côté, remonta la file et se mit à la fin. Maurizio, en soufflant, alla s'asseoir. Il ouvrit *Il Sole 24 Ore* et entreprit de le feuilleter nerveusement. Deux silhouettes perdues dans le chaos froid du grand aéroport.

À cet âge-là, on commence à sentir le besoin d'avoir ses enfants près de soi, surtout pour un voyage de vingt heures au-dessus de l'océan. Mais les enfants quelquefois vous lâchent.

La naissance de leur premier petit-fils était annoncée pour le jeudi ou le vendredi de cette même semaine. Dans les bagages qu'ils avaient enregistrés, des barboteuses, des petits chaussons, des jouets entassés sous leurs propres vêtements. Mais en ce moment, ce n'était pas à Aaron qu'ils pensaient. Maurizio posait *Il Sole 24 Ore* et ouvrait *Il Giornale*. Clelia alla s'asseoir à côté de lui.

« Qu'est-ce que je fais ? J'essaie de l'appeler ?

– Essaie.

– Si ça se trouve, il est aux contrôles et il va arriver.

– Si ça se trouve rien du tout. Il est à Massazza, je te le dis, moi. »

Clelia tomba sur la messagerie. Elle ne laissa pas de message mais un silence où l'on entendait en arrière-fond des conversations et des annonces pour les passagers retardataires.

Les époux Caucino étaient assis, visages sombres, regardant la file de voyageurs qui s'amenuisait inexorablement sous la pression des derniers appels. Clelia avec son portable à la main, Maurizio son quotidien ouvert sur les genoux n'osaient même plus lever les yeux pour regarder.

Garder la famille unie : une entreprise impossible. Une question taraudait Clelia : Où est-ce que je me suis trompée ? Je n'aurais peut-être pas dû les séparer après l'incident de la Balma. J'aurais peut-être dû les laisser continuer à partager la même chambre. Mais Andrea avait voulu noyer Ermanno, et il y serait arrivé, si Maurizio n'était pas intervenu. Trop tard maintenant pour le regretter.

Pourtant, Clelia, ce matin-là, à l'aéroport, regretta de les avoir éloignés l'un de l'autre, d'avoir offert un golden retriever à Ermanno et un masque avec tuba à Andrea quand ils avaient eu neuf et huit ans.

«Je ne le connais pas, dit-elle tout haut, comme parlant pour elle-même. Je ne sais pas qui est mon fils.»

En effet. Elle ne savait pas comment il vivait, ni où se trouvait exactement la ferme de Massazza qu'il avait louée. Les quelques informations qu'elle avait pu extraire de leurs rares conversations téléphoniques ou de certaines personnes qu'elle avait rencontrées ne suffisaient pas à dessiner la trame d'une histoire.

Clelia ignorait totalement comment Andrea pouvait se sentir aujourd'hui, à deux semaines de ce dimanche fatidique où Marina lui avait dit au revoir après le déjeuner, souriant comme si de rien n'était, de son habituel baiser distrait, avec son habituelle légèreté. Avant de disparaître.

Clelia ne savait rien de leur second fils. Maurizio non plus. Mais c'était sûr maintenant, ils allaient embarquer sans lui, le laisser derrière eux, comme toujours.

Et soudain le portable de Clelia sonna.

Elle sursauta. Espéra de toutes ses forces que ce soit lui. Regarda l'écran et vit que non.

« Maurizio, dit-elle, désespérée, c'est Ermanno qui appelle. Qu'est-ce que je lui dis ?

– La vérité, répondit l'avocat en se levant. Que son frère nous a fait faux bond, une fois de plus. »

Clelia se leva à son tour et emboîta le pas à Maurizio qui se dirigeait vers la porte d'embarquement. D'une main elle tirait son bagage et de l'autre s'apprêtait à répondre, rassemblant son courage.

« Ermanno, dit-elle. Bonjour. On est en train de monter dans l'avion, tout va bien. Ah, il y a du soleil ? Tant mieux. »

Elle s'efforçait de ne pas trahir l'angoisse qui l'habitait. « Et Sarah, comment va-t-elle ?… Tu sais, avant l'accouchement c'est normal, dis-lui de ne pas s'inquiéter. »

Elle espérait qu'il ne lui parlerait pas d'Andrea, mais ce fut inutile.

« Comment ? Pardon, je ne t'entends pas bien. » La voix de Clelia tremblait et arrivait décalée sur la ligne intercontinentale entre l'aéroport de Malpensa et Tucson. « Andrea, tu dis ? Euh… » Clelia tendit son billet et son passeport au contrôle. « Ermanno, excuse-moi… » Elle ne savait pas comment le lui dire, comment trouver le courage. « Il n'est pas venu. Il n'est pas là. On l'a attendu jusqu'au dernier moment. »

À l'autre bout du fil, un long silence, presque éternel, comme s'il devait parcourir toute cette distance océanique.

« Je ne sais pas quoi te dire, il nous avait promis, Ermanno, je suis désolée. Je suis tellement désolée. Mais tu ne dois pas le prendre mal, s'il te plaît. N'y pense pas, pense à ta femme, à ton fils. Tu sais bien comment il est. »

À Tucson, c'était la nuit.

Ermanno Caucino, cet inconnu, cet Italien de vingt-huit ans émigré aux États-Unis, resté debout jusqu'à cette heure tardive pour s'assurer que tous étaient sur le départ et qu'il n'y avait pas de problèmes avec l'avion, mit fin à la conversation en souhaitant bon voyage à sa mère, promettant qu'il viendrait les chercher à l'aéroport à vingt heures, heure américaine.

Puis il alla se coucher à côté de sa femme, qui dormait tranquillement, le souffle lent et régulier. Il se coucha contre elle, les yeux grands ouverts dans le noir. Se demanda où était Andrea, ce qu'il faisait. Et encore une fois se demanda pourquoi : pourquoi ils en étaient arrivés là. La tentative de la carte postale avait été maladroite, c'est vrai. Il ne savait même pas si Andrea l'avait reçue. Peut-être aurait-il dû être plus explicite, lui téléphoner, lui parler directement. En tout cas, il avait fait le premier pas.

Il y avait vraiment cru, qu'ils se reverraient dans un peu moins d'un jour, à l'aéroport de Tucson. Ignorant ce qu'ils pourraient se dire en se retrouvant face à face, au bout de trois ans. S'ils s'embrasseraient, ou se contenteraient d'échanger un sourire, une poignée de main embarrassée.

Quoi qu'il en soit, ça n'avait plus d'importance.

Ermanno, cette nuit-là, n'essaya même pas de dormir.

Qui sait pourquoi, à un moment donné, en vérifiant l'heure sur l'écran du réveil, il se mit à penser à Marina Bellezza, leur voisine, cette fille extraordinairement belle et insolente dont Andrea jadis était fou. Il se demanda ce qu'elle était devenue, s'ils étaient encore ensemble. S'ils se disputaient toujours, ou bien s'étaient perdus de vue.

Elle était sympathique, se dit-il. Il se rappela la fois où il l'avait croisée dans la rue, perchée sur d'immenses chaussures compensées, avec une minijupe qui lui arrivait à l'aine. Elle avait toujours été gentille avec lui, à sa façon. Un drôle de personnage, pensa-t-il. Il lui était même arrivé de la défendre, à la maison, contre ses parents, prenant le parti d'Andrea sans qu'il le sache.

Il avait laissé sa vie italienne en suspens, cachée dans un coin de sa mémoire, soigneusement emballée pour éviter que son fragile contenu ne se brise et le blesse. Mais cette nuit-là il voulut entrouvrir la porte, le regarder, ce passé. Émergea le souvenir de son grand-père avec ses vaches, là-haut, dans les pâturages de Riabella. Le souvenir flou et lointain d'une petite amie, dont il n'avait plus aucune nouvelle depuis longtemps. Puis le souvenir net, éblouissant même, d'Andrea à la fin de la classe de cinquième, une nuit d'été, au stand de tir à la fête de Camandona, les bras grands ouverts pour recevoir l'énorme koala en peluche qui était le gros lot.

«J'ai gagné ! J'ai gagné !» hurlait-il à gorge déployée, comme si ce koala était Dieu sait quoi.

En y repensant, il se mit à rire dans la nuit vide.

Dans l'immense nuit sans fin de Tucson et de ses déserts.

TROISIÈME PARTIE

Eldorado

1

Deux mois plus tard

À présent, ses journées commençaient à quatre heures et demie, quand la sonnerie du réveil déchirait le silence glacé de la plaine. Le monde était encore à venir, comme dans le premier verset de la Genèse : pur verbe transitif, obscurité indistincte et sans forme.

Qu'on soit le premier jour de janvier n'y changeait rien. Ce genre de vie ignorait le repos, les loisirs ou les pauses.

Les rizières étaient gelées. Le vide flottait à la surface de la terre et se figeait autour du cœur d'Andrea, qui regardait, couché dans son lit, la neige s'accumuler couche après couche, annuler les formes du paysage. La lande solitaire qu'on entrevoyait par la fenêtre aurait pu se trouver dans le Michigan ou en Russie, dans le nord de l'Italie comme dans n'importe quel recoin oublié et hostile de la planète.

L'année 2013 naissait, floue, inconnue, et ça ne signifiait rien. Une année ici équivalait à un jour, une heure à un mois. Les champs étaient des étendues labourées par les nuits, géométries planes, immobiles. Le soleil ne se lèverait pas avant sept heures trente-cinq et, même quand il atteindrait son point le plus haut, ce ne serait qu'un disque blanc, plus blanc que la neige.

Andrea se leva du lit, tendit le bras jusqu'à l'interrupteur. Les deux mois qui venaient de s'écouler l'avaient rendu méconnaissable.

Visage mangé par la barbe, l'iris plus noir que la pupille ; les mains rugueuses, fendillées par le froid, et la voix depuis longtemps oubliée. Les rares témoins de cette métamorphose en avaient été troublés, mais n'avaient rien osé dire.

Personne, même ceux qui le connaissaient depuis l'enfance, n'aurait imaginé que ce garçon timide, introverti, quelque peu fragile, trouverait un jour le courage de renoncer à tout.

Il portait le même gros pull de laine et le même pantalon de velours que la veille. Dormait tout habillé, deux lourdes couvertures rugueuses l'une sur l'autre, mais le froid et l'humidité pénétraient jusqu'à ses os, engourdissaient son dos, ses membres. L'habitude était une longue lutte contre l'hostilité de ce milieu, un lent apprivoisement.

Il alla dans la cuisine, alluma le seul poêle de toute la maison, coupa une tranche de pain, la beurra, posa la cafetière sur le feu.

Il les entendait meugler depuis l'étable. Ces plaintes étaient les seuls bruits possibles, avec celui du gaz brûlant sous le café. La solitude était une terre semblable aux steppes orientales, aux grandes prairies américaines, où le vent souffle sans jamais rencontrer d'obstacles et l'horizon engendre des mirages.

La veille, comme tous les autres jours, il s'était couché vers dix-neuf heures trente. Il n'avait pas attendu l'arrivée de la nouvelle année, ne l'avait célébrée d'aucune manière, et personne ne lui avait rendu visite. À minuit seulement, le bruit des pétards lancés depuis les fermes limitrophes lui était parvenu ; il avait ouvert les yeux, et il était resté à écouter dans le noir.

Les explosions s'étaient succédé quelque temps au loin ; une ou deux secondes avant de disparaître, avalées par la nuit. Andrea s'était rappelé d'autres Nouvel An, des fêtes chez des copains où il ne s'était jamais vraiment amusé, puis avait effacé de sa mémoire ces derniers lambeaux du passé. Il s'était tourné sur le côté, et rendormi.

Assis au bout de la table, il buvait un café amer en écoutant la plainte continue des bêtes. Il avait réussi à polir ses sentiments jusqu'à les rendre inoffensifs, creux à l'intérieur, comme des coquilles. Il s'imposait toutes les formes d'abstinence, comme font les moines et les ermites. Il avait désappris à parler, à désirer.

Il alluma une cigarette, qu'il fuma lentement, sa chaise près du poêle.

La dernière fois qu'il avait pleuré, c'était ce matin de septembre, à Riabella, quand il avait abandonné au vent les journaux qu'il venait de lire. Mais c'était dans une autre vie, cet homme-là n'était plus qu'une ombre.

Il alla se laver le visage et les aisselles. L'anorak enfilé, il mit un bonnet et une écharpe. Appela le chien.

Dehors la neige tombait toujours. Il fallut s'ouvrir un passage à la pelle, en creusant un petit couloir à travers la cour. Chaque nuit effaçait le travail de la veille, les congères s'accumulaient aux abords de la ferme. Impossible que des clients viennent avec un temps pareil, les routes de terre étaient entièrement sous la neige.

Il répandit du sel. Rappela Clint. Et entra avec lui dans l'étable.

Le lieu originel de l'histoire humaine.

En y pénétrant, on comprenait la vraie différence entre le rien et le tout, on revenait au commencement du commencement: quand l'ère du nomadisme devint celle de l'agriculture et de la sédentarité. La température grimpait d'une vingtaine de degrés, l'humidité devenait tiède et accueillante. La lumière jaune qui tombait des néons au plafond illuminait cette sorte de grotte, la faisait ressembler à celle de la crèche. L'odeur de bouse, de paille et de lait y était si forte qu'elle annulait les siècles, la civilisation, le futur. Andrea s'y était habitué, il ne la sentait plus.

Les bêtes se tournèrent vers lui, ouvrant leurs larges yeux bruns. Elles levaient le museau en soufflant fort par les narines et gémissaient de la douleur des pis trop gonflés. Andrea prit la trayeuse, se pencha sous le ventre d'une grise alpine grosse de huit mois. Il lui caressa longuement le museau. Tâta son ventre pour sentir son petit lancer des ruades. Il espérait que ce ne serait pas un mâle. L'idée d'emmener une de ses bêtes à l'abattoir l'angoissait. C'était idiot de sa part: vendre un animal pour qu'il soit abattu, ça faisait partie de son métier. Mais il n'y était pas encore prêt.

Il avait appris à les distinguer entre elles, aux traits de leur museau, à leur façon de mugir. De chacune il connaissait le cycle, les jours de fécondité. Avant de commencer, il n'avait jamais eu conscience que l'élevage du bétail a quelque chose à voir avec l'intimité féminine, et au début cela l'avait troublé. À présent, il n'y pensait plus.

Si quelqu'un avait pu regarder cet homme à cinq heures du matin, sauvage et seul, vieilli d'une dizaine d'années en quelques mois, il aurait éprouvé un sentiment étrange, entre l'admiration et la tendresse. Si *elle* avait pu le voir, en ce moment, assis sur un tabouret et tournant le dos…

Il les trayait l'une après l'autre, calmement.

La plus jeune, dix-huit mois à peine, s'agitait, en proie à ses premières chaleurs et il gardait l'œil sur elle. Quelque chose se concentrait dans le regard de l'animal qui ressemblait à de la peur, un mystère qu'Andrea se contentait de surveiller.

Il était leur gardien, rien de plus.

Pour cette raison, il ne leur avait pas donné de nom : il ne voulait être le maître d'aucune d'elles.

Chacune avait son caractère, son langage. Certaines étaient douces et sociables, d'autres agressives. Et il ne pouvait pas faire de différence, accorder plus d'intérêt à celle-ci plutôt qu'à une autre. Même si, comme souvent, sa préférée était celle qui recevait le moins ses attentions. La dernière dans la rangée de droite, isolée du reste du troupeau. La plus têtue, la moins docile. Andrea l'avait choisie en premier à la foire aux bestiaux, et aujourd'hui, comme chaque jour, il la trairait en dernier, tout en sachant qu'il la faisait souffrir.

Il jeta un coup d'œil vers l'extérieur. La lumière commençait à monter de la terre, pâle et froide. Mais au moins la neige avait cessé.

Cet hiver semblait ne jamais devoir finir. Il avait commencé début novembre, quand le premier anticyclone sur la Scandinavie avait franchi la barrière des Alpes, semant la neige et la tempête sur toute la région. Il avait su qu'à Quittengo des toits s'étaient écroulés, et qu'il y avait eu un glissement de terrain sur la départementale, du côté de Camandona : la moitié de la chaussée s'était effondrée dans le ravin, plus ou moins à l'endroit où, cette fameuse nuit de septembre, il y avait de cela une éternité, ils avaient heurté le cerf.

Andrea espérait que les températures remonteraient rapidement, que la neige commencerait à fondre. Il avait hâte de les emmener paître, de les laisser libres et d'en finir une bonne fois avec l'hiver.

Ce Noël avait été difficile, pour tout le monde. Sebastiano n'avait pu voir son fils qu'une heure dans un bar de Pralungo le 26 décembre, et il était venu pleurer sur l'épaule d'Andrea.

Lui-même n'avait vu ni ses parents ni personne de sa famille. N'avait échangé ni vœux ni cadeaux. D'ailleurs il avait coupé son téléphone pendant les fêtes, jusqu'à ce que la solitude lui devienne douloureuse. Alors il avait appelé sa mère, mais il avait dû l'écouter sangloter vingt minutes au bout du fil. Il n'avait pas envie de penser à ça.

Qu'y pouvait-il, s'ils étaient incapables de comprendre qu'il ne pouvait pas abandonner ses vaches : même pas dix minutes. Du reste, eux refusaient de venir le voir.

La traite dura deux heures.

C'était l'aube quand Andrea emporta les seaux de lait dans le laboratoire, et le versa dans le chaudron en cuivre pour le laisser cailler.

Au fenil, il chargea une à une sur son dos les bottes de quinze kilos qui constituaient la ration de foin journalière pour une vache, et les répartit dans les mangeoires. C'était une des tâches les plus fatigantes de la journée. Remplir les mangeoires, et aussi nettoyer la merde.

Dans une étable, rien ne se perd, rien ne se crée. Tout fait partie d'un cycle ininterrompu : le foin devient fumier, le fumier donne du foin, le foin du lait. La vie produit la vie. C'était une des raisons qui lui faisaient aimer ce métier : ici au moins, dans cet avant-poste au milieu des champs, rien n'était irréversible. Rien ne mourait vraiment : tout se transformait en autre chose.

Les mangeoires remplies, il s'arrêta un instant et regarda ses vaches. Maintenant, sa vie dépendait d'elles autant que la leur dépendait de lui.

Quand il y pensait, il éprouvait un sentiment à la fois de frayeur et d'étonnement, comme les parents qui rentrent chez eux avec leur premier nouveau-né dans les bras.

Clint aboyait, lui rappelant ainsi qu'il n'y avait pas de pause possible. Andrea saisit sa fourche et commença à nettoyer :

il s'agissait de ramasser le fumier et de l'entasser dans une brouette. Il n'avait pas encore les moyens d'acheter une chaîne d'évacuation. Il porta le mélange d'excréments et de paille jusqu'à la fosse de maturation, en attendant le printemps qui le transformerait en engrais. L'attente c'était le secret, la seule loi à laquelle il ne pouvait échapper. L'attente d'une nouvelle naissance, de la bonne saison, de la transhumance à Riabella, dans ces montagnes dont son grand-père lui faisait répéter les noms. L'attente de quelque chose qui, il le savait, n'arriverait pas.

La matinée était bien avancée quand il sortit de l'étable, trempé de sueur. Un timide soleil tentait en vain de faire fondre la neige. C'était son Eldorado. Sa vie, son but, son gagne-pain. C'était le brouillard qui voilait les champs, où sombraient les silhouettes des fermes, des silos, parfois une rangée de bouleaux.

S'il avait un fils un jour, il lui montrerait comment prendre son élan et se jeter dans le foin : exactement comme dans une piscine. Il lui apprendrait à courir au milieu des vaches, en esquivant leurs puissants jets d'urine. Et, quand il aurait six ou sept ans, il lui permettrait de les emmener paître tout seul, parce qu'il n'y a pas de danger ni de menace dans les champs.

Et si ce fils, comme il était probable, ne voyait jamais le jour, il aimait penser que son neveu Aaron viendrait le voir. Et comme tous les enfants qui n'ont encore jamais vu de vache il commencerait par être mort de peur, avant d'éclater de rire.

À dix heures il coupa le caillé et fit cuire le lait à quarante degrés. Opération qui demandait la plus grande attention. Une fois la température atteinte, il versa le mélange dans les moules et laissa le sérum s'égoutter.

Il savait faire le maccagno, maintenant. Comme le faisait son grand-père. Le lendemain, il le descendrait à la cave et le laisserait s'affiner pendant plusieurs semaines. Quant au sérum, il le ferait bouillir en ajoutant du vinaigre, pour obtenir de la ricotta qu'il espérait vendre le jour même.

L'hiver non, parce que les vaches restent enfermées en plaine, mais au printemps puis en été, là-haut, le fromage en s'affinant retrouve sa couleur et prend même le parfum des prés.

Une sorte de miracle. Une des raisons pour lesquelles on choisit ce genre de vie. Il n'y a ni vacances ni treizième mois, et on ne devient pas riche. Le vrai gain, c'est voir les clients revenir parce que votre beurre, votre tomme, les produits que vous avez fabriqués de vos mains sont meilleurs que les autres ; attendre la naissance d'un veau ; apprendre à lire dans l'étendue du ciel même les signes les plus imperceptibles des saisons, et accorder le rythme de son corps à celui de la terre, sa liberté à la sienne.

Andrea consacrait en tout près de trois heures à la préparation des fromages : tomme, maccagno, ricotta, fromage frais. Clint était libre de gambader sur l'aire, entrer et sortir de l'étable, pendant que lui restait enfermé dans le laboratoire. Il reprenait les méthodes des marcaires de la Valle Cervo, celles qui ne sont écrites nulle part et qu'enfant son grand-père lui avait montrées.

Le défi était énorme. Parce que les fonds de l'Union européenne ne suffiraient pas et qu'il avait dû s'endetter. La bureaucratie, la banque, l'absurdité de toutes ces lois l'épuisaient. Mais c'était aussi un choix rationnel. Pendant que toute la péninsule reculait et que les informations ne parlaient que de consommation – *jamais aussi faible depuis l'après-guerre* –, de récession, du nombre d'entreprises qui fermaient – *1 sur 4, du nord au sud* –, Andrea revenait en arrière, réhabilitait le métier le plus ancien de ces vallées, celui des ancêtres, des paysans. Il devinait la direction secrète des choses.

Ici était son royaume, là où il voulait être. Et en mai, quand il monterait à l'alpage de Riabella, il lui faudrait encore renoncer à l'eau chaude, au téléphone et à la télévision.

Cette perspective ne lui pesait pas. Le seul renoncement qu'il avait dû faire était si profond qu'il annulait tout le reste. Depuis il ne désirait plus rien et il se taisait.

À midi, il entendit le bruit d'une voiture entrant dans la cour, puis Clint aboya et il sortit du laboratoire.

« Salut, dit un homme qui descendait d'un 4x4. Il a rudement neigé, hein, cette nuit ! »

Andrea acquiesça. C'était un client, le premier de l'année nouvelle, une vraie chance par ce temps.

« Tu as du maccagno un peu fait ? »

Il acquiesça de nouveau et fit entrer l'homme dans la petite salle du rez-de-chaussée. Il y avait deux chaises, un réfrigérateur, une caisse enregistreuse et des étagères si pleines de livres qu'en entrant, on se demandait si on était dans une fromagerie ou dans une bibliothèque. Seule l'odeur ne mentait pas.

« Les routes sont impraticables. Je descends de Trivero et j'ai pas vu un seul chasse-neige. »

Andrea ne faisait aucun commentaire. Il emballait le maccagno en silence et laissait le client lui raconter son réveillon en famille, et les pétards qu'ils avaient lancés dans la cour, même si les temps n'étaient guère à la fête. Il s'entendit demander ce qu'il avait fait de son côté, et répondit : « Rien, j'ai dormi », d'une voix presque inaudible.

Il ne parlait qu'en cas de stricte nécessité, et cela aussi, paradoxalement, contribuait à sa réputation et lui attirait de nouveaux clients, qui l'observaient avec curiosité. Ils tentaient en vain de lier conversation, évaluaient ses gestes et son silence.

L'homme demanda aussi de la ricotta et des œufs. Andrea alla en chercher, fit l'addition et salua le visiteur d'un geste de la main.

Pour promouvoir son entreprise – Entreprise agricole Caucino-Bellezza –, il s'était contenté d'encarts publicitaires dans la presse locale et de quelques liasses de prospectus, que Sebastiano et Luca avaient rapportés de l'imprimerie et distribués dans les bars des environs. Sebastiano avait même proposé d'ouvrir une page Facebook mais Andrea avait refusé. C'était à quelqu'un d'autre qu'il revenait de le faire, quelqu'un que personne ne pouvait remplacer.

Sur les prospectus il y avait le minimum : *Production de fromages de vache au lait cru, frais ou affinés.* Suivait la liste des fromages et l'adresse du point de vente : *Ferme de La Merla, Massazza.* Son numéro de portable et celui de ses copains, qui avaient proposé de prendre les commandes. Et au-dessus du nom de l'entreprise, ce double nom séparé par un trait d'union, *Caucino-Bellezza,* le dessin d'un cerf. Personne n'avait osé lui demander pourquoi.

Andrea ne s'était même pas posé la question. C'était venu comme ça, quand il avait enregistré l'entreprise à la chambre de commerce. Sans qu'il y ait réfléchi. Il avait juste dit ça. Et sur les prospectus, dans les journaux, sur la petite pancarte en bois à l'entrée de la ferme, le nom était resté.

Plus tard dans la matinée vinrent encore quatre clients. Malgré la neige et le jour de l'An, Andrea avait gagné sa journée.

On venait parce qu'il était devenu une légende. Caucino, le fils de l'ancien maire de Biella, un gars de vingt-sept ans qui avait fait l'université, à qui l'argent et les opportunités n'avaient sûrement jamais manqué, s'était retiré du monde. Il faisait ce que se gardaient bien de faire les fils des marcaires qui travaillaient encore dans le coin. Il avait acheté quinze vaches, et travaillait comme un chien.

Andrea savait ce qu'on racontait, et il laissait dire. Être marcaire, il en rêvait depuis l'enfance. Et il avait réussi. Il en avait payé le prix, en se fâchant avec ses parents, en renonçant à toute distraction, tout voyage, toute activité qui ne soit pas la traite, le curetage des étables et la fabrication du maccagno. Et c'était à ce prix – qui le rendait méconnaissable aux yeux de tous – qu'il avait réussi.

Il ne quittait plus sa ferme. Quand il ne pouvait faire autrement, il appelait Sebastiano et Luca pour s'occuper des vaches et prenait sa voiture. Il s'aventurait sur les routes goudronnées, au milieu des maisons, des magasins, des gens habillés normalement, et il le faisait en apnée, retenant son souffle pendant tout le trajet, pressé de revenir le plus vite possible à ses champs, aux gelées nocturnes et au silence.

Au bar Sirena, à Andorno, on disait qu'il était devenu complètement sauvage. Quelques jeunes de son âge cherchaient par curiosité sur Internet des informations sur ce fils d'un ancien maire devenu éleveur de vaches, mais ne trouvaient rien. Andrea laissait les gens se raconter des histoires, l'imaginer comme un inadapté ou comme un héros.

Ils étaient à des années-lumière, incapables de comprendre qu'il n'avait plus rien en commun avec leurs préoccupations et leurs désirs.

Quand il avait fini de travailler le lait, il déjeunait en silence. Parfois il allumait la télévision pour écouter les infos, d'autres fois la laissait éteinte. Puis il allait dormir une demi-heure, pour reprendre des forces. Vers quatre heures il retournait dans l'étable, trayait les vaches pour la seconde fois, passait dans le laboratoire et recommençait le processus du matin. À la fin de la journée, avant de dîner, il s'asseyait dans un coin de l'étable et ouvrait un livre.

Dans ces moments-là, il lisait Lucrèce, ou saint Augustin. Il aimait les lire en latin, faire résonner dans sa tête les paroles d'une langue morte, effacer la trace du temps.

Sebastiano et Luca venaient l'aider en fin de semaine et parfois dînaient avec lui. Pas ce soir-là, en tout cas. Andrea était sûr qu'après la fête du réveillon il n'allait pas les voir de si tôt.

À six heures et demie, de retour dans la cuisine, il mit le couvert. Il dîna comme d'habitude au bout de la table, pendant que Clint tournait autour en espérant des restes.

Les journées étaient si courtes, à peine une poignée d'heures. Et tout le reste n'était qu'obscurité, gel, et nuit.

Il était sûr que personne ne passerait. Pourtant, un peu après sept heures, il entendit le bruit d'une voiture entrant dans la cour.

De la fenêtre, il aperçut une Clio rouge munie de chaînes s'arrêter entre deux tas de neige.

Il l'avait reconnue avant même qu'elle ouvre la portière.

Était-il content de la voir ? Il n'en savait rien.

Depuis longtemps il n'était plus content de voir quelqu'un. Pourtant le sang se mit à battre un peu plus fort dans son corps.

Il se lava le visage dans l'évier, pour se donner du courage. Puis descendit l'escalier et alla ouvrir.

2

Elsa se frottait les mains pour les protéger du froid, soufflait dessus.

Elle aussi en fait essayait de se donner du courage.

Il apparut à la porte, amaigri, une barbe plus fournie encore que la dernière fois qu'elle était venue le voir. Il n'avait pas l'air très content qu'elle soit là. Lui dit vaguement bonjour, tout bas, et s'écarta pour la laisser entrer, les yeux baissés pour ne pas croiser les siens.

Non qu'Elsa s'attendît à autre chose. Chaque fois, la guerre recommençait à zéro. Ce soir, pourtant, elle aurait aimé un sourire ou un mot gentil.

Elle venait de rentrer de Turin, où elle avait fêté le jour de l'An avec des collègues de doctorat. Toute la soirée, elle était restée dans un coin, s'efforçant de sourire, d'aligner quelques mots sur sa thèse. Mais elle ne faisait que penser à lui : seul, perdu au milieu des rizières. Elle aurait donné n'importe quoi pour être avec Andrea à Massazza, au lieu de fêter le jour de l'An chez des inconnus. Attendre minuit avec lui, trinquer avec lui. Les fêtes servent à ça : à nous faire ressentir plus fort l'absence de ceux à qui nous tenons.

En revenant à Biella, dans l'autorail qui avançait à pas d'homme sur les rails gelés, elle avait décidé d'y aller, de l'affronter une fois pour toutes.

Elle s'était dit : Tant pis, on verra bien. Même s'il devait l'envoyer promener, elle avait besoin de le voir. De briser l'immobilité dont ils étaient prisonniers.

En franchissant le seuil, elle s'approcha de lui et, sans réfléchir, voulut l'embrasser sur la joue. Un geste instinctif, maladroit. Elle sentit son odeur d'étable, frôla la consistance rêche de sa barbe. Mais au dernier moment il recula et lui tourna le dos.

Il montait déjà à l'étage pendant qu'Elsa, toute rouge, ôtait sa parka et son écharpe. Elle le suivit dans l'escalier sans rien dire, avec ses bottes de neige qui gouttaient. Une fois dans la cuisine, Andrea s'assit à table, à sa place habituelle, et ne dit rien. Ne lui demanda pas si elle voulait boire quelque chose, ne l'invita pas à s'asseoir. Elsa prit place devant lui, jeta un coup d'œil autour d'elle : le désordre régnait partout en maître, de l'évier au buffet.

Elle fut tentée de se lever et de ranger, mais ne bougea pas, n'osant se permettre une telle familiarité. Ils évitaient que leurs regards se croisent, comme s'ils avaient honte.

Et en effet, ils avaient une raison d'être gênés. La dernière fois qu'Elsa était venue à Massazza, le jeudi précédent, elle l'avait aidé au laboratoire et, l'espace d'un instant, ils avaient baissé la garde et s'étaient détendus, comme jamais jusque-là. Un fou rire les avait saisis tous deux en voyant les fromages frais sortir tout biscornus, creux au milieu.

C'était innocent. Mais tout à coup ils avaient cessé de rire, et elle l'avait regardé d'une façon qui ne pouvait laisser aucun doute. Andrea avait soutenu ce regard. Il l'avait approchée, à la frôler. Ils auraient pu s'embrasser. Ils auraient dû. Ils étaient au bord de le faire. Mais ne l'avaient pas fait.

D'instinct, il s'était écarté, comme aujourd'hui dans l'entrée. Il avait repris ses occupations, changé de sujet. Et on aurait dit maintenant qu'il voulait la punir. Comme s'ils devaient tous les deux payer pour cet instant d'ambiguïté, cette infime, cette minuscule ouverture qu'Elsa attendait depuis toujours.

Ils se tenaient là, à côté du poêle, craignant de se parler.

Une minute entière s'écoula. Puis Andrea se leva, prit deux verres et une bouteille d'eau-de-vie. Il remplit les verres et lui en tendit un.

La télévision était éteinte. Les vaches dormaient, plongées dans l'obscurité, comme les poules, les champs, les silhouettes floues des silos au loin. La lumière allumée dans la cuisine était la seule à des kilomètres.

Il ne la regardait pas. Et elle, malgré sa peur folle, était décidée ce soir-là à le faire sortir du bois. Elle avait une dernière carte dans sa manche. Et la ferme intention de s'en servir.

« Les routes sont complètement glacées, finit-elle par dire, même la départementale de Piedicavallo est une patinoire. Tu n'imagines pas le mal que j'ai eu hier pour descendre avec les chaînes… »

Andrea l'écoutait sans dire un mot. La voix d'Elsa, pourtant timide et basse, paraissait aiguë dans ce silence abyssal.

« Je n'aurais jamais pensé que ça pouvait être aussi dur, l'hiver en montagne, poursuivit-elle. Au village, on n'est plus que six. »

Elsa espérait quelques mots. De toute son âme, elle espérait qu'il dise : C'est absurde de remonter là-haut en pleine nuit, avec ces routes impraticables. Reste dormir ici, *au moins* cette nuit.

Andrea, comme s'il lisait dans ses pensées, finit par ouvrir la bouche et s'empressa de changer de sujet : « Demain il faut que j'appelle le vétérinaire, dit-il. La génisse est en chaleur.

– Ah.

– J'espère que ça se passera bien. Comme ça, ce printemps, j'aurai quatre génisses de plus. À moins qu'elles me fassent des veaux. »

Il ne parlait de rien d'autre. Le peu qu'il arrivait à partager concernait les vaches, les fromages, la transhumance du printemps prochain.

Elsa se mordit la lèvre. Se tritura les ongles sous la table. Elle semblait vouloir absolument dire quelque chose. Andrea s'en aperçut et resta silencieux un bon moment, mal à l'aise, espérant peut-être qu'Elsa se lèverait et disparaîtrait de sa vie à jamais.

Mais en réalité, il était partagé.

Il termina son eau-de-vie, reposa le verre sur la table. Il s'apprêtait à lui dire : Je dois aller me coucher, maintenant. Mais il dit tout autre chose.

« Qu'est-ce que tu as fait hier soir ? »

La question résonna dans la cuisine.

Pourquoi lui demander ça ? Ça l'intéressait vraiment de savoir où elle était et avec qui ? Andrea regrettait presque d'avoir posé la question.

« Pas grand-chose, répondit Elsa, je suis allée à Turin, une fête avec mes collègues. J'ai toujours dit : La prochaine fois, je reste chez moi travailler, parce que j'ai toujours détesté le jour de l'An. Mais comme d'habitude, au dernier moment, je n'ai pas eu le courage. »

Le silence retomba. Andrea ne savait plus quoi dire.

Il n'avait pas touché une femme depuis le 7 octobre 2012, et sa présence le mettait mal à l'aise. Il n'était plus habitué à la complicité, à l'intimité, à rester seul avec une fille, spécialement le soir. Et ce qui s'était passé entre eux quelques jours plus tôt ne l'aidait pas à se sentir à l'aise. Il avait essayé de ne pas y penser, d'étouffer l'incident : au bout du compte, il ne s'était rien passé. Un petit moment de faiblesse, une ébauche timide. Ils ne s'étaient pas touchés, juste frôlés. Mais devant elle, maintenant, cette infime possibilité le tourmentait.

Elsa était la seule, avec Luca et Sebastiano, qui vienne le voir et l'aider au laboratoire. Il lui en était reconnaissant, mais il voulait rester seul. Il fallait que ce soit clair. Lui faire comprendre qu'il n'était pas disposé, pas capable. Voilà : il *n'était plus* capable.

« Tu as dîné ? demanda-t-il brusquement.

– À vrai dire, non. »

Andrea coupa du pain et du maccagno. Il n'y avait que ça dans cette maison, du pain, du maccagno et de la polenta, et une provision de vin et d'eau-de-vie pour six mois.

Il la regarda manger. Il voulait la tenir à distance mais ne pouvait s'empêcher de l'observer.

« Tu le fais de mieux en mieux, lui sourit-elle. Félicitations.

– Quand je serai sur le Monte Cucco, cet été, tu verras, le maccagno aura un goût complètement différent, il sera d'un jaune intense. Comme l'herbe brûlée par le soleil.

– J'ai hâte que l'été arrive, dit Elsa, de voir la ferme de ton grand-père. » Elle savait combien Andrea y tenait, et ce qui le rendait heureux la rendait heureuse aussi. « Et puis je n'en peux plus de transporter des bûches », elle se mit à rire, « et de conduire avec les chaînes.

– C'est toi qui as voulu vivre à Piedicavallo...

– Je ne retournerais à Turin pour rien au monde. »

Andrea remplit à nouveau les verres à ras bord.

À mesure que l'alcool circulait dans son sang et le réchauffait, à mesure qu'il s'habituait aux yeux d'Elsa qui l'observaient à l'autre bout de la table, Andrea se relâchait et prudemment, très prudemment, devenait presque sociable.

Il avait besoin d'une douche, c'était sûr, et aussi d'un bon rasage. Mais Elsa avait appris à aimer jusqu'à sa nouvelle odeur. Elle aimait le voir habillé en marcaire, gros pull et pantalon de velours côtelé ; même sa barbe, finalement, ne lui allait pas si mal.

Ce qui l'inquiétait était ailleurs.

« Il est passé cinq clients aujourd'hui. »

On aurait dit qu'il avait perçu le danger et voulait retarder au maximum le moment de vérité. « Je pensais pas que quelqu'un viendrait, et en fait…

– Tu es de plus en plus connu, dit Elsa entre deux bouchées, et je t'assure qu'avec l'état des routes c'est une gageure d'arriver jusqu'à toi.

– Je sais. Je me demande quand il arrêtera de neiger. C'est pas sympa pour elles qu'elles soient enfermées toute la journée. Si l'herbe n'était pas gelée, je les emmènerais au pré quand même.

– Tu sais… » l'interrompit Elsa. Elle pouvait continuer comme ça : lui laisser le champ libre, et parler toute la soirée de ses vaches. Ou bien agir tout de suite, à brûle-pourpoint.

« Je ne suis pas sûre de vouloir finir mon doctorat. J'ai réfléchi, et j'ai décidé de chercher un travail, moi aussi. Et peut-être quitter Piedicavallo pour venir dans la plaine. »

Andrea la fixa dans les yeux : « C'est quoi ton intention ? »

Son inquiétude était si évidente qu'Elsa en fut blessée. Mais elle avait commencé, elle devait continuer.

« Je ne sais pas encore, répondit-elle, mais il faut que je me bouge. Trouver un travail, m'installer dans un endroit plus facile d'accès, plus près. »

Plus près de quoi, pensa Andrea, de moi ?

« Et puis, tranquillement, me présenter aux élections à l'endroit où je déciderai d'habiter. Commencer à faire de la politique sérieusement, en partant de la base. Je ne veux plus aller à Turin. La vie que je veux, ce n'est pas à l'université.

– Réfléchis bien », fit Andrea en baissant les yeux.

Elsa aurait voulu lui demander : Pourquoi ? Ça t'embête que je reste ici ? Ça t'embête si on a l'occasion de se voir plus souvent ?

Elle se retint. Mais ce fut un effort.

Bon Dieu, ils avaient rompu depuis presque trois mois maintenant, et elle, pendant tout ce temps, elle était passée le voir deux fois par semaine, même pour dix minutes, juste pour savoir comment il allait.

De la terrible dispute du 29 septembre ils n'avaient plus jamais parlé.

Il y avait ce qu'on pouvait dire, et tout ce à quoi il était simplement interdit de faire allusion, même indirectement. Entre Elsa et Andrea au milieu de la table se dressait un fantôme grand comme l'Everest, mais qu'il ne fallait en aucune manière regarder, frôler ou affronter.

Elsa avait respecté ça, jusqu'à maintenant. Elle avait toujours eu peur de le perdre en parlant trop. Mais elle ne pouvait plus continuer ainsi, c'était absurde. Après leur rapprochement du jeudi, après cette minuscule ouverture de la part d'Andrea, elle s'était décidée à livrer bataille à ce fantôme. Et à le tuer.

« J'ai réfléchi, lui dit-elle, et j'ai décidé de rester. Peut-être même de déménager par ici.

– Je ne crois pas que ça soit une bonne idée.

– Pourquoi ? » La voix d'Elsa se brisa.

« Parce que.

– C'est pourtant toi qui dis qu'il faut se battre et rester ici, à n'importe quel prix ? »

Son expression obtuse, son regard baissé, son entêtement à se refermer comme un hérisson…

Il l'obligeait à s'arracher les mots de la bouche, à le lui dire noir sur blanc, qu'elle était seule maintenant à Piedicavallo. Et qu'elle ne voulait plus d'une maison aussi grande et aussi isolée, que ça n'avait plus de sens de rester là-haut.

Elle déglutit. Le regarda droit dans les yeux : « De quoi as-tu peur, Andrea ? »

Il se leva de table. Ne répondit pas.

Il arrivait à ne *jamais* dire son nom. Comme si elle n'existait pas. Comme si elle n'avait jamais existé.

Les jours, les semaines, les mois avaient passé et il s'était retranché derrière ce mensonge : elle n'existait pas, et malheur à qui tentait de lui ouvrir les yeux.

Elsa avait joué le jeu, sachant bien que c'était un jeu de massacre. Elle n'avait jamais rien dit, ni que l'émission avait été un grand succès ni qu'elle avait gagné, haut la main même, *Cenerentola Rock*. Elle ne lui avait montré aucun journal, n'avait pas laissé échapper la plus petite information. Elle ne lui avait pas dit non plus que Marina vivait maintenant à Milan et devait, à ce qu'on disait, participer à *X Factor*.

Même le jour de l'An, Marina continuait à les tourmenter. Elle avait tenu Andrea dans l'ignorance de tout, comme il l'exigeait. Ils avaient réussi à faire semblant. À se comporter comme si elle n'avait jamais fait partie de leur vie.

Mais elle en faisait partie, ô combien.

Elle était gravée dans le bois de son enseigne, elle existait au point de figer sa vie. Elle était en lui comme un tourment féroce qui ne cessait de le ronger, comme une prison intérieure qui lui interdisait toute tendresse, tout geste humain hormis soigner ses vaches, s'épuiser jour et nuit dans cette étable.

Elle était là, partout. Dans cette cuisine, derrière le poêle, à l'étage en bas, dans le laboratoire, dans le fenil, au milieu des champs. Et plus elle était absente, plus il refusait d'en parler, la repoussait, faisait tout pour se la cacher à lui-même, plus elle prenait de place dans sa vie.

Aussi longtemps qu'il n'aborderait pas la question, qu'il ne triompherait pas de cette obsession maladive, Elsa n'aurait aucun espoir de rester dormir avec lui, pour l'aimer, venir un jour s'installer dans sa ferme et l'aider, construire avec lui un monde nouveau, un monde infiniment plus juste que celui qui s'écroulait autour d'eux.

Elle n'en pouvait plus.

Elle était là, ce soir, pour tuer le fantôme de Marina.

« On dirait presque, trouva-t-elle le courage de dire, que tu voudrais que je reste à Turin le plus longtemps possible.

– Ce n'est pas vrai.

– On dirait que tu veux me tenir éloignée », continua-t-elle, haussant la voix.

Andrea s'obstinait à lui tourner le dos. Faisait semblant de ranger la vaisselle.

« Ça ne me regarde pas, ce que tu veux faire de ton avenir, répondit-il d'un ton neutre. Sincèrement, tu es libre. »

La phrase lui glaça le sang. Elsa ne vit plus rien et se dressa sur ses pieds.

« Ça fait trois mois, Andrea. Ça fait trois bons mois. Et je suis fatiguée d'être traitée de cette façon. Fatiguée de me battre contre tes *fantômes* ! »

Andrea cessa de manier la vaisselle, et se tourna pour la regarder. Ses yeux étaient en flammes, mais son visage était pâle, très pâle.

Il faillit dire quelque chose, et le garda pour lui, serrant les poings.

« Il est huit heures, je dois aller dormir. »

Elsa perdit jusqu'à la dernière goutte de patience qu'elle avait gardée jusque-là. Après toutes ces années, après ces derniers mois...

Marina était partie ! Elle l'avait laissé seul comme un chien, quand il avait le plus besoin d'elle. Ce n'était pas juste, se dit Elsa. C'était d'une injustice à rendre fou.

« Je suis venue ici tout le temps, Andrea, je t'ai aidé. Je ne t'ai jamais caché ce que j'éprouvais pour toi, même si je ne te l'ai jamais dit ouvertement. Mais regarde-moi ! s'écria-t-elle. C'est tellement évident ! Je suis là, moi ! J'ai toujours été là pour toi ! Et l'autre jour j'avais l'impression que toi aussi tu… »

Andrea se raidit. Son expression durcit, au point qu'Elsa prit peur.

« Ok, dit-elle en le fixant droit dans les yeux, j'en prends acte. Je prends acte du fait que tu ne veux plus me voir.

– Je n'ai pas dit ça.

– Tu ne l'as pas dit mais tu me l'as clairement fait comprendre. »

Andrea chercha le paquet de cigarettes dans sa poche, en alluma une.

« Fais ce que tu veux », conclut-il.

Alors Elsa remit son anorak et son écharpe. Elle était en colère, mais la colère lui donnait du courage.

« Tu te rends compte que tu m'obliges à rentrer chez moi par ce temps, en pleine nuit, avec les routes verglacées ? »

Andrea fumait, impassible. « Il n'y a pas de place ici pour dormir, tu le sais.

– Je me suis trompée, dit Elsa en attrapant son sac et en se dirigeant vers l'escalier, je n'aurais pas dû venir, m'imaginer que je comptais pour toi. Ne t'en fais pas, ça ne se reproduira plus. »

Elle descendit l'escalier. Andrea était partagé, déchiré au plus profond de lui-même.

Mieux valait qu'il la laisse partir. Il avait des choses à faire, appeler le vétérinaire le plus tôt possible, tout préparer pour la mise bas, installer la ferme de Riabella pour la transhumance. Il n'avait pas le temps pour ces conneries. Ça valait mieux, oui.

Mais pour finir, il descendit derrière elle, la rejoignit à la porte. La retint.

« Ne conduis pas trop vite. »

Ce fut tout ce qu'il trouva à dire.

« Oui, je conduirai doucement », lui répondit-elle en se tournant vers lui avec un sourire plein d'ironie, d'amertume et même d'une cruauté qu'il ne lui avait jamais vue jusque-là. « Mais il faut que tu saches qu'elle est partie. Elle est partie il y a deux semaines. »

Andrea lui lâcha aussitôt le bras.

Il recula, comme quelqu'un qui vient de rencontrer un loup, un ours, une silhouette mystérieuse la nuit sur une route déserte, des yeux fluorescents dans l'obscurité. Son dos se colla au mur.

« Elle se fout complètement de toi, de moi et de l'univers entier. Pendant tout ce temps elle ne m'a pas demandé une seule fois comment tu allais ! Même quand elle est partie elle ne m'a rien dit ! Il est temps que tu le saches. »

Andrea resta immobile, à regarder le vide. Désarmé, comme si le simple fait d'exister exigeait trop d'efforts.

Elsa le regarda et retint ses larmes. Elle souffrait terriblement d'avoir été aussi cruelle, mais il ne lui avait pas laissé le choix.

« Assez, Andrea, murmura-t-elle. Assez. »

Il continuait de garder les épaules collées au mur. Les lèvres scellées, les yeux vides, les bras ballants.

« C'est fini. Tu dois l'accepter. Tu dois arrêter de te torturer », tenta-t-elle, en adoucissant la voix.

Mais il explosa.

Il se jeta contre la première chose qui lui tomba sous la main : un guéridon. Il le renversa et lui balança des coups de pied de toutes ses forces, comme s'il était urgent de le réduire en miettes, comme si ce guéridon était la source de tous ses malheurs. En lui la colère montait, s'enflait comme un ouragan capable de s'abattre sur le monde entier.

Oui, pensa Elsa. En ça, ils se ressemblaient. Dans les accès de colère, dans l'immaturité, dans les excès, Marina et Andrea étaient pareils.

« Arrête ! » hurla-t-elle, effrayée.

Mais il ne cessait pas.

« Andrea, calme-toi ! Tu te rends malade. Elle…

– Ne me parle pas d'elle ! » hurla Andrea, avec une expression monstrueuse, les yeux exorbités. « J'en ai rien à foutre, t'as compris ? Je veux rien savoir, je veux pas que tu m'en parles ! » Il lança un dernier coup de pied dans le guéridon. « Et maintenant barre-toi. »

Elle ravala la pitié qu'il lui inspirait.

« D'accord, dit-elle, je m'en vais. Mais le 7 janvier, allume la télévision. Vers onze heures et demie du soir, sur Italia Uno. Regarde, ça te fera du bien. »

Et elle claqua la porte derrière elle.

Andrea leva les yeux de ce guéridon sur lequel il s'était acharné. Il fit quelques pas vers l'escalier puis s'arrêta. Il s'affala sur la première marche. Se prit la tête entre les mains. Celle qui sur le papier aurait dû devenir sa femme le 2 mars avait disparu le 8 octobre, trois mois plus tôt, sans laisser d'adresse.

Et au bout d'une semaine, sept journées d'enfer pendant lesquelles il n'avait fait que la chercher, l'appeler et la supplier de lui dire quelque chose, un texto était arrivé, disant : *Entre toi et Cenerentola, je choisis Cenerentola. Je ne veux pas me marier avec toi, n'essaie plus de me contacter.* Quatre lignes et un smiley.

Un maudit smiley jaune, avec des sourcils froncés et des yeux méchants, et c'était ça, le plus décevant, le plus humiliant. Le départ de son frère pour les États-Unis, à côté, ce n'était rien.

Il entendit Elsa démarrer, manœuvrer puis s'éloigner au fond du chemin. Il attendit qu'elle soit loin.

Alors il partit marcher dans la neige à travers champs.

La plaine était une étendue désolée de néant. Le froid si intense qu'il lui gelait les mains, les pieds, le visage. Mais il ne le sentait pas. Il ne sentait plus rien. Il se contentait de marcher, de la neige aux genoux. Marcher comme un égaré dans la nuit vide et glacée. Et la plaine ne répondait pas, ne lui parlait pas. Il y avait juste ce silence immense.

Il marcha jusqu'à deux heures du matin, avant de rentrer, complètement gelé. Il se coucha, dormit un peu. Le réveil sonna à quatre heures et demie, comme d'habitude. Alors il se leva, fit du café. Appela le chien. Et descendit dans l'étable traire les vaches.

3

Tout s'était passé très vite, presque du jour au lendemain. C'était dans sa nature, pensait Elsa, dans sa manière égoïste de faire.

Le 15 décembre, il y avait eu la retransmission de la finale de *Cenerentola Rock.* Dans les derniers instants, face à deux cent mille téléspectateurs, on avait ouvert l'enveloppe qui contenait son nom, du plafond était tombée une pluie de confettis envahissant le studio, la bande-son de *Top Gun* avait explosé dans une salve d'applaudissements. Au centre de la scène, elle avait penché la tête pour recevoir l'écharpe de *Cenerentola Rock de l'année,* et le 19 décembre, quatre jours plus tard à peine, elle était partie.

Cet après-midi-là, Elsa l'avait vue rester longuement à la fenêtre, enfermée dans un silence étrange, fixant Dieu sait quoi dehors. Puis, sans un mot, Marina avait commencé à rassembler ses chaussures, ses vêtements, ses manteaux, ses pyjamas, ses draps. En deux heures, elle avait rempli ses valises, fait disparaître toutes ses affaires des armoires et des tiroirs, ou des placards de salle de bains. À Elsa qui lui demandait « Qu'est-ce que tu fais ? », elle s'était bornée à répondre : « Je m'en vais. »

Elle avait tout empilé dans le coffre de sa voiture et avait disparu.

Puis, quelques jours plus tard, elle avait envoyé un message avec sa nouvelle adresse à Milan : pour les factures, disait-elle, et la moitié du loyer qu'elle lui devait. « Je suis pas une pouilleuse. Je paie mes dettes. »

Un peu après, Elsa avait reçu un second message : « Mes meubles tu peux les garder. » Ensuite plus rien.

Et elle, au début, avait été assez bête pour se raconter des histoires. Pour croire sérieusement qu'une fois Marina sortie de scène, les choses changeraient : qu'Andrea, en l'apprenant, tournerait la page. La fameuse goutte qui fait déborder le vase. Et qu'enfin il s'apercevrait qu'Elsa était là, elle qui ne l'avait jamais trahi, jamais abandonné.

Ce lundi 7 janvier, Elsa prenait conscience de la tournure des choses. Elle venait de lire dans l'*Eco di Biella* le énième article sur Marina Bellezza : *Notre concitoyenne, l'orgueil de notre région, sera ce soir sur Italia Uno en seconde partie de soirée.* Elle gardait pourtant son téléphone dans sa poche, à portée de main, espérant de toutes ses forces qu'il l'appellerait.

Dans cette attente, elle commença à parcourir machinalement les pièces de la grande maison isolée en haut de Piedicavallo, regardant autour d'elle et cherchant dans chaque recoin, sur chaque mur, les traces de l'absence de Marina.

Rien ne permettait de penser qu'Andrea l'appellerait. Ils ne s'étaient ni parlé ni vus depuis six jours. Mais elle avait un pressentiment, et s'y accrochait de toutes ses forces.

Marina, même loin, réussissait à tenir leurs deux vies en échec. C'était cela qu'elle ne supportait pas : qu'une petite conne gâtée, inculte et égocentrique puisse avoir un tel pouvoir, et un tel succès.

Elle s'arrêta sur le seuil de son ancienne chambre : cette petite pièce où elle avait l'habitude de se réfugier en mettant la musique à plein volume, où Elsa n'avait osé entrer qu'une seule fois, quand Paola et le Giangi étaient venus déjeuner et qu'elle s'était senti le devoir d'intervenir, comme une sœur aînée.

Quelle imbécile elle avait été.

Mais à présent elle se sentait libre de fouiller dans ce qui restait d'elle, de sa vie privée. Elle entra, s'assit sur le lit.

Elle regarda la trace des posters sur les murs, les marques de scotch. Les étagères vides et couvertes de poussière. L'armoire entrouverte et les cintres nus. La seule chose que Marina avait laissée se trouvait sur le bureau : un livre. *Les Raisins de la colère*, de Steinbeck. Si quelqu'un le lui avait offert, il devait mal la connaître. Puis elle ouvrit le tiroir, comme ça, pour s'occuper. Et elle trouva à l'intérieur, retenues par un élastique, un paquet de cartes postales.

Cinquante, peut-être plus. Elle n'aurait pas dû, mais elle en sortit quelques-unes. Des vues de Saint-Vincent, Monte-Carlo, Nice. Elle lut. Toutes commençaient par *Un bonjour à ma petite fille* et se terminaient par la signature : *Papa*.

Elsa remit le tout en place sans plus s'interroger.

Le pire, pendant qu'elle attendait qu'Andrea lui fasse ne serait-ce qu'un petit signe, et qu'elle revenait s'asseoir sur le matelas défoncé de Marina, prisonnière entre ces deux feux, c'était que celle-ci lui manquait. Et ça, ça la rendait furieuse. C'était absurde que cette petite conne lui manque, qu'elle soit là comme une âme en peine au milieu de ses meubles vides.

Ces trois mois depuis le début de l'émission avaient été un enfer. Dans la maison, il était devenu impossible non seulement de travailler mais même de dormir. Marina faisait la fête tous les soirs, invitait des gens de toute sorte. Elle et ce Donatello, qu'Elsa n'avait jamais aimé, s'étaient mis une fois à danser complètement saouls et à moitié nus sur la table de la cuisine.

Chaque samedi, le jour de l'émission, dès l'aube sonnaient à la porte des hordes de coiffeurs, d'esthéticiennes, de coursiers livrant des boîtes de chaussures et de vêtements offerts par des entreprises en mal de publicité. Elle les essayait puis les laissait traîner n'importe où dans la maison. Ce n'était que cris, coups de téléphone, braillements les seins à l'air, un œil maquillé l'autre pas.

Le succès lui avait fait perdre la tête, clairement. Elle était là, la raison de sa métamorphose. Elle sortait chaque soir avec des garçons différents, des lycéens ou des hommes adultes qui se disaient ses fans. Elle traitait les journalistes comme s'ils étaient ses meilleurs amis, ou leur faisait un doigt comme Justin Bieber à la télé.

Et puis il y avait les moments où elle chassait tout le monde et voulait rester seule. Les moments où elle se couchait sur le canapé et fixait le mur, absente. Alors elle se souvenait qu'elle avait une colocataire. Elle la regardait, parfois même lui adressait la parole. « Sur quoi tu travailles ? » demandait-elle. Ou bien : « Je l'ai jamais lue ta lettre. Elle disait quoi ? » Et : « Tu m'as fait enrager cette fois-là. Tu m'as dit des trucs que je méritais pas. » Ou encore : « Qu'est-ce que t'en as pensé de l'émission d'hier ? » Mais elle n'attendait pas la réponse et se levait avant qu'Elsa puisse même commencer à parler. Elle disparaissait à l'étage au-dessus, s'enfermait dans sa chambre.

Elle l'avait observée quand elle regardait les enregistrements de l'émission, elle avait entendu ses commentaires impitoyables sur les autres concurrentes. Elle l'avait vue passer de la toute-puissance à la dépression, de l'ennui le plus profond à l'euphorie. Elle mangeait à n'importe quelle heure, de temps en temps fumait un joint. Elle écrivait sur sa page Facebook : *Je vous aime, je vous aime tous.* Et le lendemain les envoyait, *tous,* se faire voir.

Cenerentola Rock était le pire de ce qui pouvait lui arriver, Elsa en était convaincue. À un moment donné, elle avait même été jusqu'à souhaiter qu'elle perde. Mais elle avait triomphé, de façon presque éhontée.

Elle ne savait pas si c'était cette célébrité soudaine, ou s'il y avait autre chose sous le malaise de Marina : quelque chose de plus profond, de plus douloureux. On ne décide pas un jour de se marier pour quitter son fiancé une semaine plus tard sur un simple texto. Quitter Andrea, l'homme qu'Elsa aimait.

Elle avait attendu pendant des jours, puis pendant des mois, que Marina se décide à prononcer son nom, à lui demander comment il allait – elle savait parfaitement qu'ils se voyaient. Mais rien. Pas même une allusion. Et c'était ça qu'elle n'arrivait pas à lui pardonner : pas le bordel partout dans la maison, pas l'indifférence totale qu'elle lui avait toujours réservée, mais la manière dont elle avait plaqué Andrea, la légèreté avec laquelle elle lui avait bousillé la vie.

Marina était sûre qu'Andrea ne l'oublierait jamais, alors elle le lui avait laissé : comme on laisse un os aux chiens.

Et Elsa était là maintenant, assise sur le matelas de sa rivale, dans son ancienne chambre, à regarder par la fenêtre. Piedicavallo l'hiver semblait plus petit encore, oublié entre les montagnes et enfoui sous la neige. Un désert magnifique où la voix de Marina ne résonnait plus.

Elle attendait, vérifiant de temps en temps son portable. Elle savait qu'elle avait été cruelle avec Andrea. Quand elle l'avait vu perdre tout contrôle et s'acharner sur ce guéridon, elle s'en était presque repentie. Mais là, se dit-elle, ça passe ou ça casse.

Ce soir, Marina franchirait les portes de la télévision nationale pour réaliser son rêve. Elsa n'était pas certaine de ce qu'Andrea déciderait, mais elle se raccrochait à son pressentiment et ne lâchait rien.

Dans le fond de l'étable, étendu sur une botte de foin, Andrea fumait la énième cigarette de la journée et regardait fixement ses bêtes.

Puis il baissa les yeux sur son livre et s'obligea à reprendre où il s'était arrêté : *Inde redit rabies eadem et furor ille revisit,* quand revient la même colère et la fureur les envahit, *cum sibi quod cupiant ipsi contingere quaerunt,* qu'ils ne savent pas eux-mêmes ce à quoi ils aspirent, *nec reperire malum id possunt quae machina vincat,* et ne peuvent trouver remède capable de vaincre ce mal.

Et ne peuvent trouver remède…

Andrea ferma le livre et le lança contre le mur.

… capable de vaincre ce mal.

Aussitôt en alerte, Clint bondit comme l'éclair sur le livre qu'il lui rapporta.

« Non, j'en veux pas », dit Andrea en chassant le chien.

Puis, comme Clint ne faisait pas mine de vouloir lâcher prise, Andrea céda : il lui prit dans la gueule le *De rerum natura* et le lui relança deux ou trois fois, comme une balle ou un morceau de bois.

Pendant cinq jours il s'était tué au travail pour essayer de ne pas y penser. Mercredi il avait pelleté le mètre de neige qui avait enfoui la ferme pendant la nuit, puis avait appelé le vétérinaire et le jeudi matin la génisse de dix-huit mois avait été soumise à sa première fécondation artificielle. Vendredi il avait réussi à conclure un accord sur lequel il comptait depuis longtemps : un contrat d'un an avec un magasin bio, qui lui assurerait des rentrées fixes tous les mois.

Rien d'extraordinaire, mais c'était un début.

L'étable, le laboratoire, le fenil n'avaient jamais été aussi rangés, propres et impeccables que ces cinq derniers jours.

Il avait mis toute son énergie à s'empêcher de penser à elle. Ne pas laisser revenir à sa mémoire son visage, ses gestes. Et il y était arrivé. Le soir, il était si fatigué qu'il s'écroulait sur son lit tout habillé, et ses rêves étaient heureusement aussi dépeuplés et noirs que la plaine alentour.

Mais aujourd'hui, à dix-huit heures quinze, lundi 7 janvier, toutes les digues érigées pour la maintenir au loin avaient cédé.

Une part de lui-même était restée pour toujours à Piedicavallo, ensevelie avec le cerf à l'ombre d'un grand hêtre; l'autre, implacable, ne lui avait même pas laissé ce petit bout de terre aride perdue au milieu des bois. Elle était un piège à démanteler pièce par pièce, un avant-poste à démolir, une forteresse de colons qui n'avaient plus le droit d'occuper son sol.

Elle était toujours là, pourtant. Et Andrea n'arrivait pas à accepter ça: qu'elle respire, qu'elle bouge, qu'elle s'amuse loin de lui. Essayer d'imaginer la nouvelle vie de Marina lui était impossible. Ses pensées se bloquaient aussitôt, son cœur battait la chamade et tout son corps se refusait à l'hypothèse de ce film inconnu: la vie de Marina *sans lui*.

Il regarda dehors, la neige avait repris.

Deux options possibles: se coucher à sept heures comme d'habitude, ou rester debout tard, allumer la télé et affronter une fois pour toutes *rabies* et *furor*.

Il ne savait que faire. Il ne voulait pas, non, voir sa future femme sur Italia Uno. Parce que sur le papier elle restait sa future femme. À la mairie, les bans avaient été publiés: Andrea Caucino, 1985, Biella, et Marina Bellezza, 1990, Biella. Le maire, le 2 mars, à midi, les attendrait un bon bout de temps dans la salle des mariages vide, et ce serait à ce moment-là seulement que la bureaucratie se rendrait à l'évidence.

Une salle vide.

Andrea bondit sur ses pieds. Il était lucide, malgré la demi-bouteille d'eau-de-vie qu'il s'était enfilée. Il vérifia une fois de plus le ventre de la génisse fécondée. Il espérait de toutes ses forces qu'elle allait être grosse.

Il n'avait pas vu un seul des épisodes de *Cenerentola Rock*, n'était pas allé sur Internet, n'avait pas ouvert les journaux ni allumé la radio. Et maintenant sa Marina était une starlette qui avait émigré à Milan en quête de fortune. Une comme des milliers.

C'est le moment de guérir, se dit Andrea, de devenir adulte.

Il ne s'était pas rasé depuis un mois, ne se lavait plus depuis une semaine. Mais il était un homme libre, un éleveur qui lisait du latin dans un coin perdu du nord-est de l'Italie.

Une des nombreuses choses dont il se repentait, c'était de ne pas être parti à Tucson en octobre, de ne pas savoir quelle tête avait son neveu, comment était le désert, la plaine, la nuit de l'autre côté de l'océan. Là où il devait être possible de se construire une famille, d'être heureux. Alors qu'ici il continuait de neiger.

Il monta à l'étage et se prépara à dîner. Appeler Elsa aurait été la dernière chose à laquelle il aurait pensé à ce moment-là. Il n'avait plus rien à donner : ni à elle ni à aucune autre.

Parce qu'il ne pouvait pas y en avoir *une autre*.

Il alluma la télévision. Sur le TG3, le journal télévisé, ils parlaient de la recrudescence des vols dans les supermarchés ; de gens qui, la nuit, emportaient les plaques d'égout en fonte et le cuivre des voies ferrées. Une époque était terminée. Et personne ne pouvait imaginer l'époque nouvelle qui poussait pour naître, personne n'avait les armes pour se défendre, les instruments pour la dominer. Personne, sauf lui.

Quand il eut fini de dîner, calmement, il commença à débarrasser, puis lava la vaisselle. Il prenait son temps. Il prit une douche, se rasa. Enfin il revint dans la cuisine, alluma une cigarette et s'efforça de résister.

Trois mois de silence, trois mois de sacrifices et de dur labeur n'avaient servi à rien s'il avait suffi d'une petite phrase d'Elsa pour tout faire exploser. Il déboucha une nouvelle bouteille d'eau-de-vie et commença à boire.

Il avait vécu comme une bombe enfouie de la Première Guerre mondiale, une mine oubliée depuis des décennies qu'un enfant effleure un jour par mégarde et qui explose en ouvrant un cratère.

Il y avait ses vaches, là en bas, dans l'étable. Il y avait ses poules, son chien, son monde. Andrea regarda pour la énième fois sa montre, se versa encore deux verres d'alcool, alla voir dans son laboratoire si tout allait bien. Il sortit et jeta un coup d'œil à ses bêtes. Il respira à pleins poumons dans la nuit glacée de l'hiver. Puis il remonta. La télévision allumée envahissait la pièce de sa lumière bleutée.

Andre, t'aurais pas un mouchoir en papier ?

J'ai parlé de toi dans mon journal ce matin.

L'été 2003, ils avaient dansé ensemble une mazurka. Et elle avait une robe bleu ciel. Il se souvenait, maintenant.

« Je veux pas me souvenir de toi, connasse ! » cria-t-il dans la pièce vide. Puis il se tourna et éteignit la télé.

Camandona, le bois de bouleaux, une odeur de viande grillée et de toilettes chimiques. Andrea se contint pour rester calme, ne rien casser.

Il prit son portable, commença à parcourir ses contacts, ses deux mains tremblaient. Il passa la lettre E, descendit jusqu'à M. Il voulait lui dire : *Fous-moi la paix, reviens immédiatement ici, je te déteste, tu me fais pitié, ne reviens plus jamais parce que cette fois tu m'as perdu pour toujours.*

« Écoute… », s'entendit-il dire, le téléphone en main au beau milieu de sa cuisine : c'était lui, en train d'appeler

Marina, de lui dire « s'il te plaît, reviens ». Il se vit de loin, de l'extérieur. Coupé en deux, déchiré.

Puis il raccrocha, sans même attendre la réponse.

Elsa arriva après dix heures. Elle s'était fait désirer, cette fois ; et il l'avait attendue le nez à la vitre, comme une âme en peine.

Quand il lui ouvrit, ils ne purent se saluer ni se regarder en face. Mais Elsa nota tout de suite qu'il s'était lavé, rasé, et elle commit la terrible erreur de penser que c'était pour elle.

Ils se contentèrent de monter l'escalier, comme l'autre jour, de s'asseoir facc à face dans la cuisine, seule pièce éclairée dans toute la vaste plaine bielloise. Ils étaient ensemble, au milieu des champs gelés, à la fin d'une époque, en plein cœur d'une révolution, incapables de parler.

Il faisait semblant de lire un livre, elle rangeait le buffet. On aurait dit deux vieux époux à une veillée de prière : voilà à quoi Marina les avait réduits. Mais Elsa n'avait pas l'intention de lâcher, elle voulait au contraire jouer le tout pour le tout. Elle lui ôta le livre des mains et l'obligea à la regarder.

Sous ses vêtements, elle ne portait ni culotte ni soutien-gorge. Elle n'osait pas imaginer ce qui pouvait arriver, mais elle voulait que cela arrive. Elle lui caressa les cheveux, il recula immédiatement.

« Pourquoi tu es comme ça ? »

Andrea ne savait que répondre. Ce n'était pas elle qu'il voulait appeler deux heures plus tôt, ce n'était pas elle qu'il désirait, mais il ne pouvait pas le lui dire.

Elsa s'éloigna, alla s'asseoir sur le canapé, devant le téléviseur éteint.

Il était onze heures passées. Elle resta silencieuse une dizaine de minutes, à l'observer, déchiffrant ses mouvements maladroits, son hésitation, la guerre qui le rongeait intérieurement.

Et Andrea aussi l'observait, voyait son impatience, ses tentatives pour se contenir. Ils s'étudiaient. Fumaient tous les deux, les doigts nerveux. Sauf que ce n'était pas une bataille à deux. C'était une bataille à trois, avec un fantôme.

Andrea la vit tendre la main vers la télécommande.

« Non », dit-il. Sa voix était glacée.

« Si, au contraire », répondit Elsa d'un ton ferme, mais sans le regarder.

« Je t'ai dit non, bordel ! » l'entendit-elle hurler.

Le visage congestionné, il s'était levé d'un coup et la fixait avec un sentiment qui ressemblait à la haine. Elsa n'osa pas faire le geste suivant, celui qu'elle aurait voulu. Elle lâcha la télécommande, se recroquevilla dans un coin.

Andrea fit le tour de la pièce plusieurs fois, alluma la énième Lucky Strike.

Pourquoi l'avait-il appelée s'il ne pouvait même pas la regarder en face ? Si même sa présence lui était insupportable ? Pourquoi s'était-elle maquillée ainsi, pourquoi avait-elle mis une jupe et ce chemisier décolleté, qu'est-ce qu'elle s'était imaginé ?

Il la rejoignit sur le canapé.

Les minutes filaient vite, à présent.

Ils étaient assis chacun à un bout du canapé, la télécommande au milieu.

Tous deux fixaient l'écran noir. Elsa lisait dans ses pensées. Mais Andrea avait déjà oublié sa présence. Le choc se ferait maintenant entre lui et la télé, un choc frontal, un duel.

Fallait-il allumer cette damnée télévision ? se demandait-il ? De quoi avait-il peur, d'une bimbo ? D'une gamine de vingt-deux ans débarquée de sa province en talons aiguilles, prête à traîner dans tous les endroits à la mode pour être remarquée par quelqu'un ?

Non, Andrea savait qu'elle n'était pas comme ça : trop fière pour se vendre, trop ambitieuse. Bien pire, en fait.

Ces pauvres filles sans talent à la poursuite d'un mirage faisaient pitié, et il les plaignait. Mais on ne pouvait pas plaindre Marina. On pouvait juste la détester. Et en ce moment il la détestait. Il la revoyait : arrogante, pas plus instruite qu'une chèvre, esclave du conformisme. Nourrie au biberon et à la télé, et le résultat c'était ça : il n'y aurait personne à la mairie.

Elsa savait ce qu'Andrea pensait. Elle ne le regardait pas, ne l'entendait même pas respirer mais lisait dans ses pensées comme dans un livre ouvert. Elle se disait : et voilà comment cette petite conne finit toujours par gagner ; elle rigolerait bien, si elle nous voyait…

Pendant ce temps, les minutes couraient obstinément. Et Andrea ne se hasardait pas à approcher la télécommande.

Ils restèrent là, suspendus dans le silence de la nuit, attendant que quelque chose arrive, mais il n'arrivait rien. Chacun collé à son accoudoir, à fixer le cœur noir de l'écran, et sur cet écran leur reflet.

De quoi t'as peur ? se répétait Andrea, comme un mantra. Regarde-la en face. Elle ne pourra pas te voir, mais ce sera pareil. *Entre toi et Cenerentola, je choisis Cenerentola.* Une salle de mariage vide. Une inconnue qui se balade dans Milan attifée comme une pute.

Andrea attrapa la télécommande. D'instinct, comme s'il lançait un coup de poing. Il appuya sur une touche. La télévision s'alluma.

Elsa le regarda, ébahie : il était livide. Elle se tourna à son tour pour fixer l'écran.

Tout était bleu, la couleur d'un studio de télévision. Le son envahit la pièce avec une rafale d'applaudissements. Après un lent panoramique sur le public, la caméra s'arrêta sur le visage souriant d'un présentateur d'âge mûr : « Ok, alors montre-nous ce que tu sais faire. »

La caméra recommença à se déplacer, lentement. Un instrument de torture. Plongea une fois encore au milieu du public, encadra le nom du programme puis pointa droit sur la fille blonde au premier plan.

Et cette fille était *tellement belle.* Il n'y avait aucun pouvoir, aucun au monde, qui puisse arrêter l'action dévastatrice d'un visage comme celui-là. Un visage embrassé, évoqué, observé pendant de longues heures dans la lumière du matin, quand elle dormait à demi cachée sous les draps.

Elle se leva du fauteuil où elle était assise. Elle portait un tailleur de velours noir, une paire d'escarpins rouges vernis, à la cheville gauche une chaînette brillante. Elle rejoignit le centre du studio, régla le pied du micro. Les applaudissements cessèrent.

Au fond du studio, un homme s'installa devant le piano et dans le silence attaqua une mélodie mélancolique.

Andrea et Elsa restaient immobiles, prisonniers sur ce divan. Tous deux fixaient la fille qui approchait les lèvres du micro, l'effleurait du bout des doigts, fermait les yeux et commençait à chanter *Someone Like You* d'Adele.

Elle chantait, et semblait appartenir à un autre monde.

Lointain, parfait : le monde rêvé par la province.

Cette fille ignorait les visages qui la regardaient, elle avait oublié à jamais ses origines, le petit bourg d'Andorno, les vallées, les maisons anonymes assiégées par la neige, où des milliers de gens qui n'étaient personne se serraient dans la cuisine ou au salon, en silence, dans le noir, sans témoins.

Pour les téléspectateurs, cette fille n'avait plus de passé, de famille, d'histoire. Sa famille, ses amis, ceux qui la connaissaient ne voyaient pas Marina mais une autre créature, irréelle et sans mémoire, divine car libre d'exister dans l'instant même où eux n'existaient plus.

Et cependant ils survivaient, cloués, enchaînés de l'autre côté, où la réalité est triste et vide, où les chambres sont mal rangées, les fourneaux à nettoyer, et les gens se traînent en savates, les enfants se fourrent le doigt dans le nez, et il y a les factures à payer, la vaisselle sale. De ce côté-ci : du côté sombre et muet du pays.

Sa mère, ses grands-parents, ceux de chez elle la regardaient, assommés, sans pouvoir croire que la morveuse mal élevée d'Andorno et la prodigieuse image de maintenant puissent coïncider. Parce que cette fille-là n'était plus une personne, c'était un rêve, une abstraction.

Aucun d'eux n'imaginait qu'elle puisse avoir encore une vie intérieure, des pensées ; encore moins que la seule pensée de Marina en cet instant était son père. L'être auquel elle avait toujours rêvé de dédier une chanson pareille. Pour s'apercevoir ensuite, ici, devant l'Italie tout entière, que ses rêves n'avaient servi à rien. Et la douleur et la colère explosaient dans sa voix, la rendaient plus impudique et plus céleste que jamais.

Never mind, I'll find someone like you, I wish nothing but the best for you too.

Pour Andrea, sa voix n'avait jamais été aussi douce que maintenant, capable de réduire au silence n'importe quelle ville, n'importe quelle plaine, et la Valle Cervo tout entière. Il écoutait, regardait, et voyait défiler devant ses yeux la plus belle nuit de sa vie. La seule. Quand ils avaient dîné ensemble dans ce centre commercial, puis s'étaient disputés sur le parking. Elle qui ouvrait la portière et criait : « Tu sais quoi ? T'iras à pied à la Burcina ! » Et puis ce minuscule lieu-dit à Graglia… Comment s'appelait-il ? Salvei. Cette petite trattoria où ils s'étaient saoulés, et il l'avait accompagnée aux toilettes parce qu'elle ne tenait pas debout, lui avait dit qu'il voulait un enfant. La virée au hasard sur les départementales, la lumière rare des réverbères qui bordaient les bois. Et quand il l'avait vue pleurer au retour de la boîte de nuit de Cerrione, les coups de poing qu'il avait mis dans la gueule de Sebastiano.

Il revit tout de cette nuit-là, chaque événement, limpide et parfaitement accompli dans la mélodie de cette chanson.

Et comment ils s'étaient retrouvés à la fin, au Sirena, quand il avait levé la tête et l'avait aperçue au bout du comptoir. Et quand ils étaient allés chez lui, dans sa vieille mansarde, qu'ils s'étaient écroulés sur le lit et qu'ils avaient fait l'amour.

Don't forget me, I beg, chantait Marina.

Elsa se tourna pour regarder Andrea, et vit qu'il pleurait. Il fixait l'écran, et les larmes coulaient sur son pull.

Il attendit que Marina finisse de chanter, attendit qu'elle rouvre les yeux et le regarde à travers l'écran. Quand cela arriva, il fut certain qu'elle savait qu'il était là. Il fut certain qu'elle lui souriait à lui seul.

Elle lui disait adieu, et il lui disait adieu aussi.

Son histoire, sa vie.

À ce moment-là, Andrea aurait pu casser n'importe quoi à sa portée, foutre le feu à la ferme, détruire le monde de ses propres mains.

Il empoigna la télécommande, éteignit la télévision.

Dans la cuisine de Massazza retomba le silence, le désert, le néant.

Il se tourna pour regarder Elsa. Longtemps il la fixa, immobile. Dans son regard, il y avait une telle colère, un tel désespoir qu'elle eut peur.

Mais il ne lui laissa pas le temps de s'éloigner ni de parler. Il se jeta sur elle. Sans qu'elle ait le temps de comprendre. D'un geste sec et féroce, il arracha les boutons de son chemisier. Puis il tira sur la fermeture éclair de sa jupe, qu'il lui enleva de force, déchira ses collants.

Il l'embrassait, avec fougue, les yeux écarquillés sur quelque chose qui n'était pas là et n'appartenait pas à ce monde. Il sentait qu'elle se débattait, ou alors elle essayait de serrer ses bras autour de lui. Il n'en savait rien, et ça ne l'intéressait pas. Il plaquait la main sur sa bouche parce qu'il ne voulait pas l'entendre. Écartait ses jambes, entrait en elle. Il faisait l'amour avec une autre.

Cela dura quelques minutes. Il n'aurait jamais cru pouvoir déverser dans le corps de quelqu'un d'autre autant de fureur et de rage.

Puis il s'écarta du canapé et d'Elsa, pétrifiée, les larmes aux yeux, la tête enfoncée au milieu des coussins. Arrivé à la porte, sans se retourner, il lança :

« Tu peux rester dormir là, si tu veux. »

Il ne la vit pas, incrédule et pâle, se pencher pour ramasser ses affaires. Il ne la vit pas regarder longtemps ses collants en boule. Il ne la vit pas non plus caresser sa jambe qu'il avait griffée, s'arrêter sur cette griffure : unique trace qu'il ait réussi à lui offrir.

Elsa, comme une voleuse, recueillait une à une ses dépouilles, ce qu'il avait laissé sur elle, sur le sol et au fond du canapé. Elle volait le peu qui restait, une trace de sueur, ce morceau de peau rougie qui était tout sauf de l'amour. Elle le voulait quand même. Et elle continuait de caresser la griffure, de rassembler leurs vêtements, de les tenir serrés contre elle, tétanisée.

Andrea ne vit rien de tout cela.

Il se contenta de sortir de la pièce. Se jeta sous la douche. Se laver, ôter cette horreur de sa peau. Il ouvrit le jet bouillant, ferma les yeux et ne pensa plus à rien.

4

La nuit des vols

Cette nuit-là, pendant qu'Andrea noyait son accablement sous la douche et qu'Elsa s'empressait d'emporter avec elle ces quelques résidus d'amour éparpillés dans la cuisine de Massazza, à 664 kilomètres de là, Marina, dans une douce nuit peuplée de klaxons, descendait d'une Mercedes avec chauffeur. Elle courait sur les pavés en tirant sa valise rose à roulettes, traversait la circulation et la place bruyante. Le nez en l'air, elle franchit le seuil doré du Bernini Bristol Hotel.

En apercevant la livrée bordeaux du portier de nuit, puis les grands lustres de cristal de Murano qui pendaient au plafond du hall, elle pensa : Waouh ! Elle se dirigea cependant vers la réception avec une expression agacée, lâcha sa valise entre les mains du porteur et se contenta de dire qu'elle avait faim.

« Il est minuit et demi, tenta de lui expliquer le concierge. Malheureusement, la cuisine du restaurant est fermée, nous sommes désolés. »

Marina ne se laissa pas intimider par ses manières courtoises : « Je veux être servie dans ma chambre, dans une demi-heure. Ce que vous avez, peu importe. »

Elle laissa ses papiers d'identité, retira sa clé et se fit accompagner jusqu'à la chambre 701 au septième étage. Elle attendit que le porteur, un jeune de son âge, ait installé sa valise sur le porte-bagages. Une valise chinoise à vingt-cinq euros, mais elle lui recommanda quand même de faire attention. Elle referma violemment la porte aussitôt le garçon parti, tourna deux fois le verrou de sécurité, ôta ses chaussures et, ébahi, se tourna pour regarder la chambre gigantesque : la moquette, la tapisserie rouge feu, le lit king size et l'immense miroir doré à la feuille.

Elle s'approcha du téléviseur : écran plat, quarante pouces au moins. Comme un enfant dans un parc d'attractions qui ne sait de quoi s'émerveiller le plus, elle se retourna et vit le Ferrero Rocher posé sur la table de nuit. Elle l'effleura du bout des doigts, comme si elle n'avait pas le droit de le manger.

Maintenant que personne ne pouvait la voir, qui sait pourquoi, elle faisait attention à ses gestes. Elle buta sur quelque chose au pied du lit, baissa les yeux : des mules en éponge blanche, toutes neuves, encore empaquetées. Marina écarquilla les yeux, les ramassa. Comme un voleur seul dans le caveau d'une banque, sans gardiens ni alarme, elle peinait à croire que tout cela soit vrai.

Tout ça pour elle !

Puis elle courut voir la salle de bains : une immense baignoire ! Et une dizaine de petits flacons de bain moussant et de shampoing dans un panier d'osier près du lavabo. Marina en ouvrit un pour sentir le parfum, puis un autre et un autre encore. Regarda autour d'elle. Il y avait même un sèche-cheveux avec un diffuseur ! Et des piles de serviettes de bain ! Elle n'avait aucune idée de ce qu'on pouvait en faire : chez elle, elle en utilisait deux, pas vingt. Elle les regarda, les caressa. Elles étaient si douces !

Puis, en un instant, elle reprit ses esprits. Et sa première pensée en mode lucide fut: tout prendre, tout. Avant qu'il soit trop tard, que quelqu'un vienne frapper à la porte. Tout rafler pour le fourrer dans sa valise.

Ainsi fit-elle, cinq minutes à peine après son arrivée.

Elle prit les fioles de bain moussant de toutes les couleurs, les mules sous cellophane, les serviettes en éponge – celles du bidet, elle n'avait pas la place pour les autres. Elle ouvrit la valise, ôta ses affaires, jeta son butin au fond et le recouvrit de ses vêtements. Quand retrouverait-elle une occasion pareille? Le monde est si avare, un chacal qui ne fait pas de cadeau. Il faut être rapide, ne pas laisser passer sa chance.

Elle leva la tête et regarda autour d'elle. Quoi d'autre?

En fait, elle ignorait ce qu'elle pouvait prendre ou pas. Elle n'avait jamais dormi à l'hôtel, a fortiori dans un cinq étoiles.

Elle vit un cendrier et le mit aussi dans la valise. Le peignoir, elle le laissa: trop encombrant, et puis elle n'osait pas. Il y avait un petit agenda: elle le prit. Un stylo: elle le prit aussi.

Puis elle s'arrêta pour reprendre son souffle. La petite voleuse avait soif. Elle chercha des yeux le minibar: celui qu'on ouvrait toujours dans les films. Sous la télévision quelque chose y ressemblait. Elle l'ouvrit. Il y avait là tout ce qu'on pouvait imaginer.

Elle choisit la bouteille de mousseux de 25 cl, pensant que c'était offert. Sinon, Mediaset paierait. Elle prit une flûte en verre et la remplit jusqu'au bord. Alors elle s'étendit sur le lit, au milieu des oreillers, et se porta un toast. Elle éclata de rire. Elle se prenait pour Lady Gaga. Elle ne le croyait pas, ne pouvait pas le croire.

Si quelqu'un l'avait vue boire sa flûte de mousseux, puis se rouler sur ce lit comme une petite fille, il aurait eu l'image d'une petite gourde qui découvre le succès, mais aurait aussi éprouvé une infinie tendresse.

Au bout d'une dizaine de minutes, elle cessa de faire l'idiote, se leva, alla à la fenêtre, ouvrit les volets en grand. Une fraîcheur merveilleuse, inhabituelle pour la saison, passa sur son visage et ébouriffa ses cheveux. On était en janvier, mais on se serait cru en avril. Elle se pencha, et retint son souffle.

Rome autour d'elle était comme un firmament.

Du septième étage elle pouvait la tenir tout entière sous son regard, de la coupole de Saint-Pierre aux pins maritimes de la Villa Borghèse et au Panthéon, autant de lieux qu'elle ne connaissait pas, à peine entrevus par la vitre de la Mercedes avec chauffeur venue la chercher à la gare. Des millions de lumières brillaient sur les façades des palais historiques, le long des rues animées. Le ciel était rouge, et non pas noir. La nuit immense et peuplée. Et face à elle, sous sa fenêtre, le Triton du Bernin trônait au centre de la place, éclairé comme en songe, ruisselant de lumière comme s'il n'avait été sculpté que pour elle.

Évidemment, Marina ne savait pas ce qu'était un triton, ni même qu'un sculpteur appelé Le Bernin eût jamais existé. Ce n'était pour elle qu'une fontaine avec une statue au milieu, et même si elle percevait sa beauté extraordinaire, la fonction principale de cette statue était de l'amuser et de la surprendre. De lui révéler, en cette nuit épique, que l'univers lui appartenait.

Via Veneto, la circulation ne diminuait pas, bien qu'il soit plus d'une heure du matin. Elle n'avait jamais rien vu de pareil. La Ville Éternelle lui sautait au visage, lui souhaitait la bienvenue. Marina souriait, émerveillée, les coudes sur le rebord de la fenêtre, et il lui semblait être filmée par un grand metteur en scène, et que ce film était *son* film.

Puis on frappa à la porte et elle se donna une contenance. Elle ouvrit, se trouva face à un garçon d'étage poussant un chariot. Elle se coucha sur le lit, alluma la télévision et tout en zappant, étendue à plat ventre, les jambes croisées derrière elle, elle dîna de mozzarella et de Ferrari Brut.

Elle se fichait de tout le monde, maintenant. Elle ne pensait pas à ceux laissés derrière elle dans les montagnes du Biellois, ni à la maison de Piedicavallo. Et se demandait même comment elle avait résisté vingt-deux ans là-haut, confinée dans cette préhistoire.

Le lendemain, elle visiterait la ville avec sa mère, et elle était impatiente. Elle irait la chercher à la gare, puis elles joueraient les touristes tout l'après-midi. Touristes : un mot nouveau. Sa mère non plus n'avait jamais visité la capitale. Marina riait en se représentant la tête de Paola entrant dans l'hôtel ; c'est Marina qui avait acheté les billets de train, pour lui montrer à quel point elle avait réussi.

Elle espérait juste que Donatello ne viendrait pas l'embêter avec une invitation ou une interview de dernière minute. Elle commençait à en avoir marre de toutes ces obligations. Il ne dormait pas au Bernini, mais dans un trois étoiles dans le quartier de Termini. La star, c'était elle. Lui, il n'était que l'agent, la grande bringue de Zubiena, avec cet ongle terrifiant au petit doigt de la main droite. Elle le virerait sans aucun scrupule dès qu'elle aurait remporté *X Factor*.

Voilà à quoi Marina pensait en saccageant le minibar, puis en se plongeant dans la baignoire remplie d'eau bouillante dans laquelle elle avait finalement versé tous les flacons de bain moussant ressortis de la valise.

De la salle de bains, elle entendait quand même la télévision. La meilleure compagnie possible, celle qui lui permettait de ne pas se sentir complètement seule.

Elle n'y pensait toujours pas à l'effet que son exhibition de ce soir-là avait pu provoquer chez ceux qui la connaissaient, ceux qui étaient restés dans sa province et l'avaient vue à l'écran.

Ses grands-parents, ses anciens camarades de classe, le bourg tout entier d'Andorno était resté éveillé, chacun chez soi, la télé depuis l'heure du dîner sur Italia Uno. Et en la voyant, ils en avaient perdu la parole, ils avaient ressenti quelque chose de semblable à ce qu'avaient vécu les trente-trois spectateurs du cinématographe des frères Lumière la nuit du 28 décembre 1895. Pour la première fois dans l'histoire, un train n'était pas un train et pourtant l'était. L'image était vivante sans être réelle ; la réalité était une hallucination.

Mais elle s'en fichait. Elle n'y pensait plus à sa vengeance, à quand elle tournait en voiture dans les rues d'Andorno en regardant les fenêtres des gens et qu'elle se disait : un jour, ils verront de quoi je suis capable.

Elle resta là, à barboter dans la baignoire.

Vers une heure quarante, elle entendit son téléphone bipper deux fois. Elle tendit le bras pour l'attraper. Pensant que c'était Donatello, ou sa mère qui voulait demander pour la énième fois à quelle gare elle devrait changer de train. Mais c'était Elsa.

Elsa ?! Marina écarquilla les yeux. Putain, qu'est-ce qu'elle voulait celle-là ? À une heure pareille en plus.

Elle prit appui sur le bord de la baignoire pour ne pas mouiller le téléphone et lut le message.

Chère Marina, il faut que je te parle, pas au téléphone mais en personne. Dis-moi quand je peux venir à Milan.

Jamais ! se dit Marina. Et elle s'apprêtait à le lui écrire, quand elle pensa que le mieux était de ne pas lui répondre du tout.

Bien fait pour ta gueule, se dit-elle. Qu'est-ce que tu crois ? Moi je suis ici, et pas toi. Va te faire foutre.

Elsa regretta aussitôt d'avoir envoyé ce message. Elle était dans la salle de bains d'Andrea, assise sur la cuvette des toilettes, le regard perdu dans le miroir qui lui faisait face. Étrange, se surprit-elle à penser, que dans les moments de désespoir on appelle toujours au secours les mauvaises personnes.

Elle se leva et posa les yeux sur ce qui était là : une lame de rasoir, un savon. Elle devait retenir son instinct de glisser quelque chose dans son sac. Quelque chose qui appartienne à Andrea, qui fasse partie de sa vie. Et la petite voleuse d'amour tournait et virait dans cette salle de bains humide et froide, en attendant qu'à Rome, la petite voleuse de serviettes lui réponde.

Sans cesse elle relevait sa jupe et vérifiait l'égratignure sur sa cuisse droite, la marque laissée par lui comme par un chat sauvage. Une autre à sa place aurait ramassé ses affaires et serait sortie de scène. Mais Elsa restait là, assise, attendant on ne savait quoi : qu'Andrea vienne frapper à la porte ? Qu'il s'inquiète pour elle ?

Il dormait déjà, lui. Elle l'entendait ronfler.

Elle aurait pu partir sans qu'il s'en aperçoive, et au lieu de cela se rinça le visage à l'eau glacée et vint s'étendre à côté de lui. Oui, elle sortirait de scène. Mais pas maintenant, pas encore.

Demain, à la lumière du soleil, elle recollerait les morceaux de sa fierté. Pour le moment, elle ne voulait qu'une chose, dormir là, sur cette partie du matelas qui, c'était clair maintenant, ne serait jamais la sienne. Elle voulait l'écouter respirer, elle voulait arracher encore quelques moments à leur dernière nuit.

Marina sortit de la baignoire et enfila le peignoir.

Elle s'essuya le visage avec une serviette, les cheveux avec une autre, les pieds avec une troisième. Puis elle essaya le sèche-cheveux avec diffuseur, se fit les ongles avec la petite lime du kit beauté.

Elle revint dans la chambre en peignoir – elle tenait à le garder le plus longtemps possible –, prit le dernier paquet de chips du minibar et s'étendit sur le lit.

Son passage sur une chaîne nationale, elle l'avait imaginé autrement. Elle avait imaginé une arrivée en fanfare, l'agitation, les sueurs froides. Mais lorsqu'elle s'était présentée aux studios de Mediaset à Rome à six heures du soir, franchir ce seuil ne lui avait pas fait une si grande impression. Les studios de BiellaTv 2000 l'avaient bien plus troublée, en fait.

Elle était passée par le maquillage et la coiffure sans cesser un instant d'envoyer des messages. À la maquilleuse qui lui posait des questions, elle répondait par monosyllabes en considérant les vernis à ongles Chanel, les rouges à lèvres Dior, et quelques people entrevus. Puis elle avait enregistré l'émission, chanté magnifiquement, récolté mille compliments et était allée dîner avec des gens que Donatello qualifiait d'« essentiels pour ta carrière ». Pour finir, ils étaient remontés ensemble dans la Mercedes aux vitres teintées : il était descendu à Termini, et elle piazza Barberini. Point.

À la télévision, elle tomba sur un épisode d'*Amour, gloire et beauté* que le chaos de sa nouvelle vie, toujours en voyage ou à dîner dehors, lui avait fait rater. Tout en regardant, elle jeta un coup d'œil à sa page Facebook. Quelques heures seulement après l'émission, elle avait deux mille « J'aime » de plus, et les commentaires admiratifs ne se comptaient plus. *Tu es magnifique, tu es trop bien.* Dix minutes de télé, pas plus, et ça change ta vie.

Marina lut aussi une dizaine de commentaires insultants : *Ta voix est nulle. Tu n'es qu'une arriviste comme les autres dans ce pays de merde.* Ça, c'est pas faux, se dit-elle. Elle avait compris comment ça marchait, maintenant. Les insultes ne lui faisaient ni chaud ni froid. C'était si facile de devenir célèbre, pensait-elle, *trop* facile.

Elle éteignit la télévision, enfila son pyjama et se glissa sous les couvertures.

Elle éteignit aussi la lumière, et quelque chose en elle commença à se fissurer. Sans le vouloir, elle se rappela la maison de Piedicavallo, et l'école primaire à Andorno, le torrent et le sentier muletier qui menait au Lago della Vecchia. Elle aurait voulu que sa mère soit là, près d'elle. Elle avait hâte de l'embrasser, et peut-être aussi voulait-elle se faire pardonner.

La chambre gigantesque, une fois plongée dans l'obscurité, aurait aussi bien pu être un cagibi ou une cave. Même le silence était menaçant, les bruits des autres – une chasse d'eau, un toussotement, les dialogues d'un film à bas volume – qui lui parvenaient de loin en loin lui rappelaient que ce n'était pas un vrai foyer.

Marina se tourna et se retourna plusieurs fois dans la nuit. Elle se leva souvent. S'efforça de se rendormir mais ne trouva qu'un demi-sommeil agité.

À quatre heures du matin elle ouvrit grand les yeux et le doute l'assaillit : et *lui* ? Est-ce qu'il l'avait vue, quelques heures plus tôt, est-ce qu'il l'avait entendue chanter *Someone Like You* avec une telle perfection devant l'Italie tout entière ? *Lui*, son père, évidemment. Elle ne lui avait pas reparlé depuis cette nuit dans le bar de la gare, à Biella. Peut-être qu'il ne le savait pas, que sa fille passait sur Italia Uno.

À quoi bon être à Rome, alors, avoir franchi le seuil des célèbres studios de la piazza San Giovanni e Paolo, s'il n'avait même pas allumé la télévision ? Ce *traître*, que Marina aimait pourtant, surtout au petit matin. Elle ne pouvait ni le changer, ni faire comme s'il n'existait pas. Le monde pouvait s'écrouler, il resterait à jamais son père.

Tandis qu'elle se tournait dans le lit du Bernini Bristol, Andrea sortait dans la nuit glacée et enneigée de Massazza et attrapait la pelle pour se creuser un chemin, sans trouver la paix lui non plus. Mais Marina n'y avait pas pensé, à Andrea. Pourtant, en s'endormant vers six heures du matin, dans le magma confus des pensées qui deviennent des rêves, Marina s'autorisa à céder un peu. Elle le vit remonter l'allée de gravier qui traverse le parc de la Burcina, le vit de dos qui fumait une cigarette, comme cet après-midi de septembre. Et autour d'eux ce n'était que rhododendrons et arbres en fleurs, bruissements de feuilles. Arrivé au belvédère, Andrea se retourna pour la regarder. Et son sourire voulait dire : Tout ira bien, quoi qu'il arrive. Je te promets que tout ira bien.

Et pendant qu'elle rêvait de lui, Andrea, assis sur un tabouret, deux gros pulls de laine l'un sur l'autre, trayait la vache la plus nerveuse en pensant à Marina.

Elsa était restée dormir, finalement. Il ne l'avait pas effleurée, même par mégarde. Il s'était levé sans se retourner et était allé se préparer du café comme tous les jours.

À présent, il était là, dans la tiédeur de l'étable, à remplir les seaux de lait, et s'il y avait un bonheur en ce monde, c'était celui-là. C'étaient ses vaches à lui, la liberté la plus grande dont un homme puisse être capable. Il était né en 1985, il avait quatre ans quand le mur de Berlin était tombé, il ne s'en souvenait pas. De l'Histoire il n'avait vu que la fin. Et ce moment, pour lui, était un début, un défi.

Pendant qu'il portait les seaux dans le laboratoire pour faire cailler le lait, il comprit que Marina ne reviendrait jamais. Un demi-sourire lui échappa, et il décida au plus profond de son cœur que c'était aussi bien comme ça.

5

À midi précis, Marina était debout sur le quai n° 12 à la gare de Termini et ne tenait plus en place. Le Frecciarossa avait dix minutes de retard, mais elle continuait de fixer les rails à l'horizon pour y voir apparaître le museau du train.

Toutes les mauvaises pensées de la nuit s'étaient envolées. Elle était maquillée, bien habillée, heureuse comme une gamine à l'idée que sa mère allait bientôt descendre de la voiture 7. Elles allaient enfin passer un après-midi comme elles en rêvaient depuis toujours : insouciantes dans les avenues d'une grande ville, à faire du shopping, à se prendre en photo, puis rentrer dormir dans leur hôtel de luxe. Elles s'amuseraient comme jamais elles n'avaient pu le faire, coincées sans argent entre les murs de la cuisine d'Andorno, sans même savoir ce que c'est, d'aller en vacances.

À elle seule, elle réparerait tout ça. Le passé ne serait plus qu'un mauvais souvenir.

Elles avaient deux jours pour elles : mère et fille, ensemble. Et tant pis pour l'engagement de ce soir au Sox : elle pouvait se permettre de faire faux bond. Ou alors elle l'emmènerait, pour lui montrer comment c'est d'être célèbre et de gagner deux mille euros juste pour saluer le public dans une boîte de nuit et chanter la moitié d'une chanson.

Elles traverseraient les jardins de la Villa Borghèse, puis elles feraient les vitrines de la via Condotti, et Marina lui achèterait quelque chose de fou : une écharpe chez Prada, une paire de chaussures. Elle était décidée à offrir à sa mère un peu de cette vie qu'elle méritait.

Le haut-parleur annonça l'arrivée du Frecciarossa 9516 et Marina marcha d'un pas vif le long du quai. Elle vit le train se matérialiser au fond de la voie, dans cette splendide journée romaine, et son cœur explosa de joie. Le train approchait doucement, et elle se mit à courir jusqu'à atteindre l'exacte moitié du quai, où était indiqué l'arrêt de la voiture 7.

Elle vit un flot de gens se pousser et jouer des coudes pour descendre, et dans cette marée humaine elle cherchait anxieusement sa mère. Elle l'imaginait perdue parmi la foule, désorientée dans cette grande gare. Mais elle était venue là pour ça, pour la prendre par le bras et l'emmener sur la piazza Navona et à la fontaine de Trevi, en riant comme deux vieilles copines. Recoller les morceaux de sa famille.

Il lui semblait qu'elle n'avait lutté que pour cet instant-là. Que c'était là tout ce qu'elle avait désiré. Que sa mère se sente une dame. Mais les gens continuaient à descendre, la voiture 7 s'était vidée, et pas l'ombre de Paola. Elle a dû se tromper de voiture, se dit Marina.

Quand tout le monde fut descendu et que par les vitres on ne voyait plus que des sièges vides, elle scruta le quai où les derniers voyageurs traînaient derrière eux leurs valises. Elle alla vérifier les autres voitures, monta même dans le Frecciarossa. Personne. Alors elle sortit son téléphone de son sac et vit qu'elle avait raté un appel. Un appel de Paola, arrivé dix minutes plus tôt, et qu'elle n'avait pas entendu dans le vacarme.

Et si elle avait raté la correspondance à Milan ? Si elle s'était trompée de train ? Avec les alcooliques, tout peut arriver.

Marina serra les doigts sur son téléphone. Déjà qu'elle avait tout gâché, voilà qu'elle n'était même pas capable de prendre un train. Refrénant sa colère, elle l'appela. Le téléphone sonna longtemps. Puis, enfin, la voix de sa mère émergea comme d'une autre planète.

« Maman. T'es où ? »

La voix de Paola était embrouillée, il était clair à présent qu'elle pleurait.

« Maman, je suis à la gare. Sur le quai, bordel de merde ! lui cria-t-elle. Dis-moi où tu es !

– À l'hôpital, ils ont emmené le Giangi ce matin. » Paola n'arrivait quasiment pas à parler. Elle sanglotait. « Ils disent que c'est grave, ils disent qu'il a peut-être une cirrhose. »

Marina, plantée au milieu du quai n° 12, portable collé à l'oreille, refusait d'y croire.

« Tu devais venir ici, aujourd'hui. Tu devrais être déjà là ! hurla-t-elle en balançant son sac au bout de son bras. Et moi qui t'attendais comme une conne ! On devait aller se promener dans Rome ! Mais comment tu fais pour me décevoir à chaque fois ?

– Je t'en supplie, Mari, t'y mets pas toi aussi… Je t'ai dit que j'étais à l'hôpital, que le Giangi va pas bien. »

Marina était hors d'elle. « J'en ai rien à foutre de comment il va ce connard ! Tu devais venir, c'est tout ! Je suis ta fille, moi ! Ça fait un mois qu'on s'est pas vues ! »

À l'autre bout du fil on n'entendait que des pleurs étouffés.

« Le Giangi… » commença sa mère.

Marina ne la laissa pas terminer : « Pourquoi tu trouves toujours que des pauvres mecs, hein ? Pourquoi t'es pas capable de te prendre un homme normal, tu veux m'expliquer ? »

Il n'y avait rien à expliquer. Paola était à l'hôpital de Biella angoissée à mort, et Marina à la gare de Termini furieuse et seule.

« Tout ce qui te fait plaisir, c'est de me foutre en rogne. »

À l'autre bout de la ligne, Paola l'interrompit : « Le docteur arrive, il faut que je te quitte.

– C'est ça, va retrouver ton alcoolo ! »

Mais sa mère avait déjà raccroché.

Marina resta le portable à la main. Elle pouvait remporter tous les *Cenerentola Rock*, tous les *X Factor* qu'elle voulait : sa mère aussi finirait un jour à l'hôpital. Et son père n'était pas là. N'était jamais là.

Un nouveau train était annoncé, et les voyageurs se pressaient sur le quai 12 en traînant leurs valises, passant près d'elle comme si de rien n'était, comme si elle n'existait pas.

Marina sortit de la gare en courant, monta dans le premier taxi.

Elle appela Donatello en hurlant, se fichant complètement que le conducteur l'entende : « Je veux rentrer à Milan ! Je m'en fous de ce que j'ai à faire. Je vais chercher mes bagages, prends-moi un billet de train. Je me tire. »

Donatello resta silencieux un long instant. S'il l'avait eue sous la main, nom de Dieu, s'il avait pu tendre le bras et l'attraper par les cheveux... Elle devenait ingérable. Mais pour qui elle se prenait, pour Rihanna ? Elle exigeait qu'on soit à son service, sans même se rendre compte du chemin qui lui restait à faire, ni qu'elle allait devoir rabaisser ses prétentions. Donatello se dit que ce n'était pas une star qu'il avait trouvée, mais un boulet. Qu'avec elle, au final, il allait perdre du fric.

« Tu ne vas nulle part, lui dit-il d'un ton définitif. On a une soirée à Latina, et tu vas la faire, quoi que tu t'imagines.

– Je vais rien faire du tout !

– Marina », Donatello perdit toute patience, « moi je te largue en route, t'as compris ? Je te renvoie à Piedicavallo et tu pourriras là-bas, au milieu des montagnes et des éleveurs de bétail. Tu vas me faire cette foutue soirée, et après stop, je veux plus entendre parler de rien. Je passe te prendre dans une demi-heure.

– Non !

– Non ? NON ??? » Donatello était aveuglé par la rage. « Tu le sais, ça, que t'es personne ? Que sans moi *X Factor* tu le verrais depuis ton canapé et t'en rêverais la nuit ? J'ai plus envie de te payer le train, t'entends ? Je te coupe les vivres, je te renvoie à Biella si tu continues comme ça. Je t'aurai prévenue. »

Le chauffeur du taxi regardait Marina dans le rétroviseur.

Elle avait une expression à faire peur. Il la vit jeter le téléphone contre le siège puis se recroqueviller dans un coin, se cacher derrière ses lunettes de soleil et ne plus dire un mot de toute la course.

Quand Donatello se présenta au Bernini vingt minutes plus tard, il la trouva avachie dans un canapé du hall, les pieds croisés sur sa valise.

Il s'assit en face d'elle, ôta ses Ray-Ban miroir, les posa entre eux au centre de la table et la fixa durement.

« Enlève-moi ces lunettes », d'un ton qui n'admettait pas de réplique.

« J'ai dit enlève-moi ces putains de lunettes. »

Marina, lentement, en soupirant, découvrit ses yeux.

« Regarde-moi », dit-il.

Elle leva à peine les yeux. Elle avait sa tête à claques.

« Tu la vois, ma gueule ? continua Donatello. Y a marqué couillon sur ma gueule ? Tu vois ça écrit quelque part ? »

Marina baissa de nouveau la tête et chercha des chewing-gums dans son sac.

Il était assis les jambes écartées, les coudes sur les genoux, et ce fauteuil était trop petit pour quelqu'un de sa dimension. Il semblait avoir une envie dingue de lui flanquer des baffes, et du mal à se retenir.

« Alors, je te résume brièvement la situation. Hier tu t'es barrée de Mediaset sans merci ni au revoir à personne. Un truc que même Tiziano Ferro ne ferait jamais. Si tu connaissais Tiziano, tu saurais qu'il est gentil même avec le dernier venu. Alors que toi, qui es *réellement* la dernière venue, tu ne daignes même pas serrer la main du directeur. Après on est allés dîner et il y avait Giorgio Magri, un gros bonnet, un type qui travaille à Italia Uno depuis dix ans, dix ans ! Il a le pouvoir de te prendre et te balancer en première partie de soirée, mais toi, non seulement tu n'as pas dit un mot, mais tu as même failli t'endormir. Je t'ai vue. »

Marina mâchait son chewing-gum, les jambes toujours croisées sur sa valise. Elle affichait un ennui mortel et paraissait n'avoir rien écouté. Mais le courage de le regarder en face, elle ne l'avait pas. Une morveuse. Elle n'allait pas s'en tirer comme ça, se dit Donatello, pas cette fois. Il prit ses Ray-Ban, les fit tourner au bout de ses doigts puis les reposa sur la table.

« Ma petite, rappelle-toi que tu n'es personne. T'as remporté un télé-crochet de merde à BiellaTv 2000. Il y a des gens qui ont vingt ans de métier, des gens qui se produisent à San Siro et qui remplissent la salle. Et toi, t'es qui, hein ? Explique-moi. T'arrives à Rome, t'es pas là depuis une journée que tu te prends déjà pour la reine. Mais qu'est-ce que tu crois ? Parce que t'es passée à la télé pendant vingt minutes, le monde n'attend plus que toi ? *Mariiina !* fit-il en singeant une hypothétique foule en délire. Attention, les gars ! C'est la Marina de Piedicavallo qui descend de ses montagnes ! En v'là un spectacle, dis donc !

– Arrête, siffla Marina entre ses dents.

– Non, ma poule ! Je vais pas m'arrêter comme ça. Figure-toi que je commence sérieusement à me poser des questions sur toi et à regretter d'être allé te chercher dans ce studio de merde au milieu des rizières. Moi, maintenant, ce que je veux, c'est savoir clair et net quelles sont tes intentions. Parce que je suis pas le standard des réservations de train ou je ne sais quelle agence de voyages à la con, genre t'appelles, *prends-moi un billet, je me tire !* l'imita-t-il avec cruauté. On s'est pas compris, je suis pas ton majordome. Moi, je m'appelle Donatello Ferrari, je suis agent et organisateur de spectacles. J'investis sur des artistes qui ont du talent, pas sur des dindes qui sont jamais sorties de leur province. Donc maintenant tu vas m'expliquer quelles sont tes foutues intentions, et si tu veux rentrer à Milan, tu ouvres ton joli portefeuille, tu vas aux machines automatiques et tu te prends ton joli billet de train toute seule. »

Marina ôta ses jambes de sa valise et se rassit correctement. Elle était livide.

Donatello attendait sa réponse, tapait rageusement du pied sur le sol. Dans le hall de l'hôtel passaient des clients, des garçons d'étage en livrée qui jetaient des regards en coulisse sur ces deux-là, assis à une petite table du fond, plantés sur leurs canapés, et qui n'avaient encore rien commandé.

« Ce que je veux, c'est gagner *X Factor*, finit par dire Marina, et je veux aller à Sanremo. Mais je ne veux plus faire ces soirées de merde dans des boîtes ! » Elle ajouta : « Je m'ennuie.

– Ah, tu t'ennuies.

– Oui, continua-t-elle du même ton plaintif, c'est pas juste… » Maintenant, on aurait dit un de ces mômes arrogants qui, se sachant en tort, jouent à celui qui a raison. Et jouent mal. « Et puis ces interviews que tu me fais faire, ces apparitions pour une soirée… À quoi ça sert ? Tu me fais travailler tout le temps, tous les jours, et pour ce que ça donne comme résultat… Le single que tu m'as proposé, il est à vomir.

– Ah, il est à vomir ?

– Oui, ce refrain débile : *Sei un sole infinito, sei tutta la mia vita*[1]. Mais arrête ! J'ai honte de chanter ça. Je veux travailler avec des vrais artistes, pas avec Mirko Sabbatini ! Et hier soir ok, super : il y avait Italia Uno et tout le tintouin, mais j'ai été la dernière à chanter et pour finir ils m'ont posé trois questions. »

Elle jouait même la victime.

« Bien sûr, l'interrompit Donatello, combien t'en attendais, des questions ? Des centaines ? Marina Bellezza, sortie de Biella, y a pas un chien qui la connaît, tu sais l'audience qu'il y avait hier soir sur Italia Uno… Mais qu'est-ce que t'as dans la tête ? » cria-t-il, en tapant du poing sur la table. « Tu devrais me baiser les pieds pour avoir réussi à te faire entrer dans cette émission ! Tu devrais aller à l'église mettre un cierge pour moi ! Allez, ça suffit, dit-il en se levant, j'en ai marre. » Il remit ses lunettes. « Appelle-toi un taxi et rentre donc à Biella. »

Il s'apprêta à partir. Marina croyait à une mise en scène destinée à l'impressionner. Mais il partit vraiment. Quand elle se décida à tourner la tête, il n'était plus là. Le hall était désert. Et elle était là, avec sa valise rose à roulettes pleine de serviettes de bain volées, et elle se sentit perdue. Égarée, tout à coup, au milieu de cette immense ville étrangère.

Elle se précipita dehors. Tout le monde l'abandonnait : son père, sa mère, et maintenant Donatello. Elle le chercha à la sortie, et il n'y était pas. Elle le chercha dans le bar en face, puis devant le cinéma. Enfin elle vit un point noir qui rapetissait tout au fond de la place. Une silhouette longiligne

1. « Tu es un soleil infini, tu es toute ma vie. »

qui s'éloignait en descendant la via del Tritone. Elle se jeta au milieu de la rue, en plein trafic. Traversa la place en criant : « Tellooo ! Tello ! » Mais il ne pouvait pas l'entendre.

Avec ses talons et sa valise à tirer derrière elle, impossible de courir vite. Alors elle ôta ses chaussures et se précipita pieds nus dans cette grande rue impérieuse, dont elle se moquait bien maintenant. Tout ce qu'elle voulait, c'était rattraper Donatello.

Les gens la regardaient derrière la vitre de leur voiture, depuis le seuil des boutiques. Elle cria encore : « Tellooo ! Tello, attends-moooi ! » jusqu'au moment où elle l'atteignit, et il fut obligé de se retourner.

En plein centre de Rome, sur le trottoir sale surplombé de bâtiments séculaires, à deux pas de la via Veneto et de l'Histoire tout entière, elle se jeta à son cou. Comme une amoureuse, comme dans la scène finale d'une mauvaise comédie romantique. Elle s'agrippa à ses épaules, plongea le visage dans sa veste. Le supplia de ne pas l'abandonner.

Et lui, il était là, avec cette gamine insupportable collée à lui, qui continuait de répéter *excuse-moi*, et malgré cela il ne put s'empêcher de la serrer dans ses bras. Parce qu'il était humain, ou parce que c'était elle qui était diabolique. Il n'était pas tout à fait stupide, il savait bien qu'elle mentait, mais c'était plus fort que lui.

« Assez, dit-il en s'écartant, fais pas ton cinéma.

– Ok », acquiesça Marina, tout sourire, les yeux vaguement brillants de quelqu'un qui voudrait pleurer mais n'y arrive pas.

Elle était toute gentille, toute mignonne à présent. Aussi fourbe que Judas. Donatello la prit par le bras, l'emmena dans un bar où ils déjeunèrent d'un sandwich.

« Alors, tu me promets qu'à partir de maintenant tu te calmes ?

– Oui ! Je te le promets ! » fit-elle la bouche pleine, assise sur le haut tabouret d'où elle balançait des coups de pied dans le comptoir. Elle continuait de garder la main serrée sur son bras, qu'elle caressait. « Je te le jure ! »

« C'est la dernière chance que je te donne, conclut-il, tâche de ne pas la gâcher. Sinon, tu pourras pleurer tant que tu veux, y aura pas de retour en arrière. Sache-le. »

Cet après-midi-là, ils allèrent à Latina par le train régional : Donatello tenait à faire redescendre sa protégée sur terre.

À l'arrivée, toutefois, il appela une BMW avec chauffeur pour pouvoir se présenter à la discothèque Sox dans les règles.

Ce soir-là, elle fit le spectacle et chanta bien, comme toujours, encourageant la foule, découvrant ses jambes un peu trop haut. Donatello resta dans le salon privé à la regarder en sirotant des mojitos l'un après l'autre.

Elle était très bonne, rien à dire.

Elle l'était quelle que soit la situation, même si ce soir elle exagérait un peu dans la provoc et se collait trop au DJ… Mais rien à faire, se disait Donatello : mets-la devant une caméra, mets-la devant un public, et elle se transforme.

Le patron du Sox était ravi, la boîte avait fait le plein. Marina avait tout ce qu'il fallait pour percer. Le problème, c'était le reste, se disait-il, *tout* le reste. Il se sentait un peu comme un entraîneur de foot aux prises avec un Cassano ou un Balotelli. Comment les gérer ? On était obligé d'improviser.

Mais Donatello était un homme de parole : il avait promis de lui laisser une dernière chance et il allait tenir sa promesse.

Très tard dans la nuit, ils arrivèrent à l'hôtel. Un trois étoiles tout juste correct planté au bord d'une petite route, rien à voir avec Rome. Marina était un peu survoltée, soit d'avoir bu, soit parce que les disputes lui faisaient cet effet.

Peut-être se sentait-elle en tort, ou bien voulait-elle se faire pardonner. Ils montèrent ensemble les escaliers et elle avait du mal à tenir debout. Ils arrivèrent dans le couloir des chambres et elle riait comme une idiote. Elle lui donnait des chiquenaudes, lui tendait des pièges pour ensuite lui faire des chatouilles.

« Arrête, on a un train très tôt demain matin », dit-il, sérieux. Dos tourné, il cherchait dans sa poche la clé de sa chambre. « Va donc dormir. »

Mais elle ne le lâchait pas, se serrait contre lui. Elle répétait : « Excuse-moi pour ce matin. » Lui caressait les cheveux, lui souriait, toute gentille. Et Donatello fit une connerie : il se laissa séduire.

Il se laissa convaincre d'entrer dans sa chambre, « juste une seconde ». Puis se laissa attendrir par sa déclaration innocente : « Ne m'oblige pas à dormir toute seule ! Reste avec moi, je t'en supplie. »

Elle avait tout fait toute seule, il s'était limité à mordre à l'hameçon. Il avait découvert son talon d'Achille, et elle pourrait maintenant, à sa convenance, lui renvoyer l'épisode en pleine figure : elle tenait le couteau par le manche. Mais comment lui résister ?

Elle était futée, et c'était une vraie bombe. Et puis il venait de Zubiena, et elle d'Andorno Micca. Ils étaient compatriotes, en somme. On pouvait faire une entorse à la règle.

Ils se donnèrent à fond, cette nuit-là. Donatello découvrit que Marina savait aussi être distrayante dans ces circonstances, très imaginative. Et ils s'amusèrent tous les deux. Mais après, quand ce fut fini et qu'il la vit se lever nue du lit pour aller dans la salle de bains, qu'il se retrouva seul dans cette chambre d'hôtel, dans ces draps qui sentaient l'eau de Javel, il se prit le visage entre les mains et se dit : Qu'est-ce que j'ai fait ?

Puis il la vit revenir tout tranquillement. La regarda fouiller dans sa valise.

« Tu veux voir ce que j'ai piqué ? » demanda-t-elle en souriant.

Il se releva sur un coude. Il vit les serviettes de bain, le cendrier, l'agenda qu'elle avait subtilisés au Bernini Bristol. Elle les lui montrait, contente, fière de cette misère. Alors Donatello éclata de rire, oublia l'angoisse et la culpabilité d'avoir couché avec elle, et alla se doucher. Quand il sortit de la salle de bains, la lumière était éteinte. Il se coucha de l'autre côté du lit, à une certaine distance d'elle, qui dormait déjà ou faisait semblant. Mais elle avait l'air si tranquille, si inconsciente, comme si rien ne pouvait la mettre mal à l'aise : même dormir avec un étranger, avec son agent.

Il fit attention à ne pas la toucher, avec aucune partie de son corps. Il lui était reconnaissant de ne pas l'avoir attendu, de ne lui avoir rien dit : ni bonne nuit ni à demain. Il l'entendait respirer à quelques centimètres de lui, et il mit un sacré bout de temps à s'endormir. Les yeux fermés, il écoutait ses mouvements quand elle se tournait sur le côté, éloignait l'oreiller, murmurait quelque chose d'incompréhensible. De Marina Bellezza il ne savait rien au fond, et il n'avait pas envie d'être proche d'elle de cette façon-là. Il se leva plusieurs fois pour boire, en espérant ne pas la réveiller. Vérifia de nouveau les horaires de train sur son iPad. Puis finit par s'endormir lui aussi.

Quand le réveil sonna, la nuit avait passé sans laisser de traces, comme si elle n'avait jamais existé, et il n'y eut rien à ajouter. Nul embarras entre eux : ils étaient complices et ils avaient un monde à conquérir. C'était du travail, rien que du travail.

Ils rentrèrent à Milan le matin même. Dès l'arrivée, Donatello ne lui laissa pas un instant pour se reposer ni se changer. Il l'emmena tout de suite en salle de répétition. Lui fit enregistrer son premier single : *Sole infinito.* Fixa le rendez-vous avec la maison de disques pour discuter de la promo.

Marina ne protestait pas, s'exécutait. On aurait dit qu'elle avait compris la leçon. Que l'engueulade de Rome avait servi à quelque chose. Ce dont Donatello se félicitait. Il n'y croyait pas lui-même, en lui donnant cette seconde chance. Mais contre tout pronostic, Marina avait obtempéré.

Dans les jours et les semaines qui suivirent, les résultats ne tardèrent pas. Marina se comporta bien : jamais une bouderie, jamais un caprice. Durant les dîners de travail, elle parlait et savait convaincre les personnes qu'il fallait. Aux répétitions, elle était toujours ponctuelle. Elle se plia à toutes les exhibitions dans les boîtes de nuit, à toutes les invitations par les télévisions locales. Puis Donatello réussit à arracher une apparition importante, plus d'une heure sur MTV, et la carrière de Marina commença à décoller au niveau national.

Vers la fin janvier, son single passait sur les radios et les premières critiques paraissaient – positives, négatives, quelle importance ? Tout allait bien, très bien, même. *Sei un sole infinito, sei tutta la mia vita…* Une chanson à la con, mais qui marchait du tonnerre. MTV réclama une deuxième émission, et elle conquit le public. Donatello était fier d'elle. Il voyait l'argent rentrer, et il pouvait pousser un soupir de soulagement.

Il aurait mieux fait de garder les yeux ouverts. Il aurait dû capter les premiers signes de rébellion. Mais il ne vit rien.

À Milan, on commençait à parler d'eux. Dans les milieux qui comptent, on finissait toujours par les voir arriver : souriants, chaque soir plus élégants et plus sûrs d'eux. Donatello fit refaire les sièges de son Koleos et poser des jantes dernier modèle. Marina apprenait à gérer la presse, traitait avec familiarité les photographes, et déjà des ados l'arrêtaient dans la rue. À la pause-déjeuner, quand elle le pouvait, elle se promenait via Montenapoleone et via della Spiga, repérait les people de loin et avait l'impression d'en faire partie. Elle travaillait dix heures, douze heures par jour. Et n'envoyait aucun signal d'alarme.

Janvier passa ainsi tranquillement, comme un mois de travail normal qui apporte de nombreuses satisfactions et permet de s'attendre au meilleur. Marina eut même sa page officielle sur Wikipédia, et sa page Facebook dépassa le seuil des quarante mille fans. Puis février arriva, le mois fatidique de la sortie de l'album. Un album intitulé simplement *Marina Bellezza.*

La trêve dura cinq semaines, pendant lesquelles tous furent convaincus que le pire était passé. Donatello surtout, qui croyait fermement être arrivé à un tournant de sa vie, pouvoir enfin quitter Zubiena et s'installer dans un appartement digne de ce nom à Milan. Il était sûr qu'avec le démarrage fulgurant de la carrière de Marina, une nouvelle époque commençait pour lui.

Mais c'était le début de la fin.

6

> « Restez donc où vous êtes – semblait-elle dire –, vous êtes tristes, misérables. Ce que je possède, moi, vous ne le connaîtrez jamais. »
>
> Elsa Morante, *Mensonge et sortilège*

L'alerte météo fut déclenchée le vendredi 15 février à dix-neuf heures dans la province de Biella. Tandis que la télévision s'apprêtait à retransmettre l'avant-dernière soirée du Festival de Sanremo, les villages de Piedicavallo, Quittengo et Oriomosso furent évacués.

Les petites communes de montagne de la Valsessera connurent le même sort: familles et enfants, personnes âgées et femmes isolées furent transportées en ville par la Protection civile et installées dans les gymnases des écoles.

On prévoyait jusqu'à deux mètres de neige pour la fin de la semaine, une tempête venue de Sibérie se dirigeait à cent kilomètres heure vers le nord-ouest de l'Italie. Les seuls à ne pas vouloir quitter leur habitation, et surtout leurs bêtes, furent les éleveurs de la plaine. Dont Andrea Caucino.

Ce soir-là, les infos évoquaient des chutes de neige exceptionnelles qui auraient sans doute des conséquences catastrophiques « notamment pour notre agriculture ». On craignait que d'immenses zones rurales ne soient isolées et privées d'électricité pendant plusieurs jours, et il était fortement déconseillé de prendre la route. Andrea éteignit la télévision et se prépara à affronter la tempête. Il serait peut-être bloqué vingt-quatre, quarante-huit heures, mais il avait l'intention ferme de résister.

Il avait assez de foin pour ses vaches et de vivres pour lui, assez de pellets, d'alcool et de cigarettes pour tenir le coup pendant des mois : alors, quelques jours… À la Protection civile qui lui téléphona, il répondit : « Merci, je n'ai besoin de rien. Mais lundi j'ai une livraison à faire et il faut que vous veniez me dégager le chemin. » Il ne voulut pas écouter ce qu'on lui disait, qu'aucun magasin n'ouvrirait lundi, et qu'il risquait de rester complètement bloqué. Il raccrocha.

Pour commencer, il enfila ses bottes, ses gants, noua son écharpe et sortit dans cette nuit épouvantable. Son seul souci était cette livraison. D'ailleurs, il venait de signer des contrats avec deux autres magasins de Biella et avait acheté une autre vache. Ce n'était pas *un peu de neige* qui allait lui faire peur.

Une heure plus tard, on aurait dit que le ciel tombait sur la terre. Un vent glacé, impitoyable, pliait les cimes des arbres, faisait vibrer les silos. Andrea enveloppa les tuyaux de gaz et d'eau avec des pulls en laine, des couvertures, des chiffons. Il boucha les fentes d'aération dans la cave, posa une couverture de foin sur les maccagni et les tomes. Donna à manger aux poules pour deux jours. Enfin, il transporta dans l'étable un sac de couchage, de la nourriture et de l'eau, et fit rentrer Clint. Il ferma les portes, les volets, boucha les fentes avec des planches en bois et se barricada dans l'étable avec ses bêtes.

C'était un défi entre le monde et lui, et il voulait le gagner. Le vent hurlait. Il s'assit sur une botte de foin et se jura que tout irait bien.

À neuf heures, son téléphone sonna : son père, qu'il n'avait pas vu ni entendu depuis des mois. Il ne décrocha pas. Puis ce fut le tour de sa mère : en larmes, elle le supplia de rentrer à la maison. Il répondit que sa seule maison maintenant était sa ferme, et que pour rien au monde il ne quitterait ses vaches.

Cette nuit-là, il ne ferma pas l'œil. Son esprit continuait à calculer les dommages que lui causerait la tempête, et à chercher des solutions pour les limiter. Il écoutait le vent, les planches qui grinçaient, mais il refusait de se laisser décourager.

Il se levait sans cesse pour voir les vaches, surtout celle qui était au dernier mois de gestation. « Ne me le fais pas maintenant, s'il te plaît, répétait-il en lui caressant le museau, je t'en supplie, ne me fais pas ton veau maintenant, avec toute cette neige. » Et quand il finit par s'endormir, il rêva de Riabella.

Il se vit remonter la départementale 100 à pied, fermant le cortège de ses bêtes, comme autrefois son grand-père : avec un long bâton en forme de canne, indifférent au fait de bloquer la circulation. Lentement il atteignit la dorsale est du Monte Cucco. L'or des pâturages incendiés de soleil, les alpages fleuris de narcisses : c'était pour tout cela qu'il se battait, pour cette vague et antique liberté. Il sentit l'air de la haute altitude, éclatant de lumière : son salaire, son but. Il se vit assis sur le rocher où son grand-père passait des journées entières, silencieux comme une statue, sentinelle infatigable de son troupeau – son admiration éternelle et muette de ces montagnes auxquelles il appartenait. La silhouette du sanctuaire d'Oropa se découpait au loin dans la verdure ; celle de San Giovanni au nord, à l'ombre du Cresto. Les vaches plongeaient le museau dans l'herbe, libres de brouter, leurs cloches qui sonnaient en cadence s'entendaient dans toutes les hêtraies des environs.

À cinq heures du matin, il se réveilla en sursaut, les yeux grands ouverts. Entre rêve et réalité, l'enfer s'était glissé. Le chien aboyait comme un fou, les vaches s'agitaient. Samedi 16 février, le jour de l'isolement, de la résistance, de la guerre. Andrea alla jusqu'à la porte, l'entrouvrit et regarda la fureur de l'hiver.

On aurait dit que toute la neige de la Terre s'était abattue sur la ferme. Et elle tombait, encore et encore : indifférente, implacable, en flocons gros et lourds comme des poignées de riz. Il posa la main sur son front, réalisant enfin qu'il serait impossible de livrer lundi. Le thermomètre extérieur marquait moins dix, le ciel était sans couleur, on ne le distinguait pas du sol. Tout était blanc, vide. Mais tant que les tuyaux résisteraient et que la chaudière continuerait de marcher, il tiendrait.

Sans prendre le temps de déjeuner, il commença la traite.

Sebastiano et Luca l'appelèrent plusieurs fois, inquiets, sans qu'il réponde. Les bulletins météo s'aggravaient d'heure en heure. Pour qui réussissait encore à les capter, les informations parlaient d'une tempête semblable à celle de 1985, avec des disparus et des blessés, notamment en plaine, qui finirait de mettre à genoux l'économie.

Ses parents étaient cloués devant la télévision, en proie à l'angoisse. Sans se l'avouer, ils se sentaient coupables. Ils n'étaient jamais allés le voir, ne lui avaient apporté aucune aide, et leur fils était en danger maintenant, et seul. Ils avaient même téléphoné à Ermanno, comme si celui-ci pouvait, de l'autre côté de l'océan, faire quelque chose.

Réfugiée à Turin chez une amie, Elsa non plus ne ratait aucun journal télévisé. Elle n'avait pas revu Andrea après la fameuse nuit, et la pensée qu'il pourrait lui arriver quelque chose ne la quittait pas. Même Marina, zappant ce samedi-là en fin de matinée, tomba sur les images de sa plaine natale accompagnées du bandeau : *Blessés et disparus dans la zone Biella-Vercelli.* La main devant la bouche, elle pensa à *lui*: l'homme qu'elle aurait dû épouser le 2 mars, et qu'elle avait plaqué par texto.

Deux femmes s'inquiétaient pour lui, mais Andrea ne pensait ni à l'une ni à l'autre.

Il ramassait la merde à la fourche, entassait, reversait dans la fosse à purin, ajoutait de la paille, et ruisselait de sueur. Il continua ainsi jusqu'à midi, coupé du monde. Il ne sentait plus ses bras ni ses épaules, ne distinguait plus l'odeur du fumier de l'odeur de la neige, avait les mains en sang mais ne ressentait aucune douleur. Et quand il se laissa tomber sur une botte de foin, inconscient, les jointures écorchées, il se sentit nu et vivant ; comme s'il venait de naître.

Il était fier de lui. Il affrontait seul une tempête, sans aide et sans témoins. Son grand-père aussi aurait été fier, s'il l'avait vu, barricadé dans cette étable que le gel prenait en étau. Et peut-être ému, aussi. Son grand-père l'avait toujours préféré à Ermanno.

Il se releva. Regarda dehors : la nature s'acharnait toujours. Si cette furie durait vingt-quatre heures de plus, le toit risquait de céder sous le poids de la neige. Mais il devait continuer sa guerre. Il essuya sa sueur, se rhabilla, fit un signe de croix. Sortit et s'aventura dans la cour, s'enfonçant dans la neige jusqu'aux genoux, tentant de se protéger des flocons durcis par le gel.

Il lui fallut un quart d'heure pour atteindre le laboratoire. S'il voulait réussir, il fallait continuer à travailler. En dépit de son père, de son frère, de l'Italie entière, il avait construit sa forteresse au milieu du désert, et il la défendrait au prix de sa vie.

Si tu veux l'Eldorado, tu dois le gagner à la force du poignet.

Andrea coupa le caillé. Fit cuire le lait. De toute la journée de samedi, il ne baissa pas les bras un instant. Il continua de charger les bottes de foin sur son épaule, et pour soigner ses mains les plongeait dans le caillé ; il n'imaginait pas l'inquiétude qui assaillait au même moment ses parents, ses copains, Elsa, et même Marina. Ni que pendant ces cinq dernières semaines elle était devenue si connue qu'elle faisait la couverture de *Pop Italia* et que la presse la présentait comme la « révélation musicale de l'année ».

Il ne savait pas que son single, *Sole infinito*, passait sur toutes les radios jour et nuit, et que son premier disque sortirait le lundi suivant. Il n'y pensait plus, à Marina. Il avait cessé de l'attendre, de la revoir en pensée, de la désirer.

À certains moments, quand, saisi de fatigue, il était obligé de s'arrêter, il lui arrivait de répéter son nom en silence. *Marina.* Il détachait doucement les syllabes, les faisant résonner dans sa tête. C'était tout ce qui lui restait d'elle : trois syllabes vides. Puis il regardait dehors, où la neige continuait de tomber.

Pendant ce temps, à Milan, une neige plus fine poudrait à peine les capots des voitures, et fondait avant même de toucher le sol, en marge de la perturbation qui se déchaînait sur Massazza. C'était un samedi quelconque, la circulation habituelle, les mêmes vendeurs de parapluies à la sauvette.

À dix-huit heures, Donatello se gara devant chez Marina, corso Buenos Aires. Elle monta en voiture alors qu'il était au téléphone.

« Je suis son manager, je ne suis pas son confesseur. Qu'est-ce que vous voulez que j'en sache, moi, avec qui elle flirte ? Je m'occupe d'organiser ses soirées, sa carrière. Je suis un vrai professionnel, moi », et il mit fin brutalement à la conversation.

Marina le regarda de biais : « Qui c'était ? »

La tête penchée sur son iPad sans démarrer, Donatello ne la regardait pas. Pour lui, depuis quelques semaines, une seule chose existait : le Top 100. « Tu as gagné dix places en trois jours, tu es quarante-neuvième », il continuait à faire courir ses doigts sur l'écran, « quarante-neuvième sur iTunes, c'est génial !

– Oui, mais qui c'était ?

– Un type d'*Amore&Scoop*, un con, dit-il en démarrant. Tout marche *à merveille*.

– Et qu'est-ce qu'il voulait ?

– Savoir avec qui tu couches », répondit Donatello en riant, et il s'éloigna à grande vitesse du corso Buenos Aires, hasardant même un dépassement par la droite sur l'avenue embouteillée. « Tout marche magnifiquement.

– Avec toi », le coupa Marina. Elle baissa le pare-soleil, repassa du mascara. « La dernière fois que j'ai couché, c'était avec toi, le *vrai professionnel*. »

Elle avait voulu lui clouer le bec, et avait réussi *à merveille*. C'était le premier avertissement qu'elle lui lançait.

En vérité, elle ne le supportait plus, et elle se sentait nerveuse ce soir. Peut-être à cause de la conférence de presse de lundi, ou de sa participation à la *Vita in diretta*, qui avait été confirmée. Ou d'autre chose, qu'elle ne voulait ni ne pouvait reconnaître.

Donatello ne dit pas un mot de tout le reste du trajet. Il conduisait en empruntant les voies réservées, passait au rouge, parce que cette soirée était *la sienne*, c'était *son grand moment* à lui, et même les remarques sournoises de Marina ne pouvaient entamer son humeur. Après-demain, ce serait la sortie du disque : il s'annonçait comme un succès. Quatre inédits, trois reprises. Un peu bâclé, c'est vrai, mais quelle importance ? Ce soir, il avait fait les choses en grand : il avait invité Mirko Sabbatini, Monica Salerno et une autre dizaine de people. Il avait même réservé une table au Principe di Savoia, et tout ça pour fêter l'ascension fulgurante de sa créature. Et même si en ce moment elle était assise à côté de lui, bras croisés, silencieuse et boudeuse, c'était comme si c'était fait.

« Pas de conneries, hein ? » l'avertit-il à l'arrivée en lui saisissant le bras avant qu'elle ne descende du Koleos. « T'arrête de faire la gueule, et tu tâches d'être sympathique. »

Marina se dégagea en soupirant, ouvrit la portière et s'éloigna sans l'attendre. Une lointaine, confuse prescience l'avertissait de l'imminence d'un danger. Une infinitésimale fraction de ses pensées restait accrochée là-bas, à la plaine de Massazza, à la tempête de neige, à la ferme d'Andrea.

Elle franchit le seuil du Principe di Savoia, élégantissime dans sa robe de soirée au décolleté vertigineux devant comme derrière, en talons aiguilles, un collier de faux diamants autour du cou. Elle fit une entrée triomphale, spectaculaire, alors qu'elle s'ennuyait à mourir. À la Rita Hayworth. Elle était Gilda, et la petite fille de la publicité Aiazzone. Elle lâcha négligemment son manteau entre les mains d'un garçon, sans cesser de marcher. Insolente, agacée et triste. Elle prit place sur un des fauteuils en velours à la table réservée.

Les invités étaient là depuis longtemps, on n'attendait plus qu'elle. Marina les salua à peine, sans même faire l'effort de sourire. Et Donatello, de loin, comprit tout de suite que c'était mal parti.

Un instant, il fut tenté de la prendre à part pour la sermonner. Mais il était au Principe di Savoia : le maximum auquel il pouvait aspirer ; ébloui par les plafonds, les vitraux, il refusait de voir la rébellion qui couvait. Il avait personnellement organisé ce dîner, et rien ni personne n'aurait pu lui gâcher cette soirée.

Mirko Sabbatini était venu avec son chien : un corgi cardigan, court sur pattes, avec d'énormes oreilles. Il le tenait sur ses genoux et le caressait. À côté de lui, son manager, attentif et vigilant. Monica Salerno riait et faisait de grands gestes, montrant des ongles laqués de noir. Reliques d'un monde qui n'existait plus, entourées de touristes chinois, moscovites, arabes, indiens. Les premières fois où elle s'était retrouvée dans cet endroit, Marina avait été au comble du ravissement, mais à présent les lustres, les dalles en marbre de l'entrée, les couverts en argent ne l'impressionnaient plus.

Elle se leva deux ou trois fois pour aller aux toilettes, jouant à passer d'une table à l'autre. Attrapa une dizaine de toasts qu'elle mâcha la bouche ouverte, but quelques flûtes de champagne et trinqua, se rappelant une autre flûte – en plastique celle-là – avec laquelle elle avait trinqué, en des temps lointains, presque effacés maintenant, dans une petite salle du motel Nevada.

Si son père avait pu la voir, si sa mère avait été là, la bouderie et l'ennui se seraient envolés. Mais ils n'étaient pas là. Ne l'avaient jamais été. Son père volatilisé aussitôt le chèque encaissé. Sa mère saoule ou au chevet de cet abruti de Giangi.

Donatello, pendant ce temps, exposait ses projets grandioses pour l'année à venir : une tournée pour la promotion du disque, une participation à *X Factor*... Mais tout le monde te connaît maintenant, ça ne sert plus à rien ! Marina n'écoutait pas, bâillait de temps en temps. Elle regardait d'un œil noir le Corgi haletant de Mirko Sabbatini. Autour d'elle les gens parlaient droits, clauses, argent, et elle n'en avait rien à fiche. Passé la nouveauté, passé l'amusement.

Donatello lui lançait des coups d'œil, haussait les sourcils. À la fin de chaque phrase, il se tournait vers elle : « ... hein,

Marina ? », comme pour réveiller l'attention d'une élève distraite : « N'est-ce pas que tu vas passer à la *Vita in Diretta* ? Que tu feras l'ouverture du concert des Movida ? » Elle faisait oui de la tête, l'air ailleurs. Toutes ses interviews imaginaires dans la salle de bains étaient devenues réelles, mais l'envie lui en était passée.

Les invités suivaient par intermittence les projets mirifiques de Donatello. Mirko se curait le nez. Un autre ne levait pas les yeux de son iPad. Ils sont là pour se bâfrer aux frais de la princesse, pensait Marina. Ils font tous semblant. Mais après tout, elle était là pour ça, elle aussi. Manger, boire, mentir.

Pourtant, ses pensées revenaient vers la grande maison de Piedicavallo où elle habitait avec Elsa, vers le gymnase Pettinengo Gym de Pavignano où elle allait s'entraîner, les après-midi interminables de la vallée. Peut-être pressentait-elle qu'elle n'irait jamais à la conférence de presse du lundi. Peut-être savait-elle que ce serait sa dernière soirée.

Une part d'elle-même ne pouvait se détacher des images vues à la télévision, avec le bandeau qui passait en boucle, *Blessés et disparus dans la zone Biella-Vercelli.* Elle ne savait plus rien de lui, comment se passaient ses journées, s'il était seul ou s'il avait quelqu'un, Elsa peut-être. Ils s'étaient peut-être mis ensemble… Elle se rappela son visage, sa barbe ; quand à cinq heures du matin, à la fin d'une nuit de folie, il lui avait demandé : « Tu veux voir comment naissent les petits veaux ? »

Et l'espace d'un instant, au milieu du vacarme dans lequel elle était plongée, dans le salon éclairé a giorno où la fête avait lieu pour elle, elle prononça le nom d'Andrea. À mi-voix, comme pour l'appeler à l'aide. Lui, le seul qui ne l'ait jamais trahie. Un instant, Marina lut clairement son avenir, comme les animaux qui perçoivent tout. Comme pendant ses fêtes d'anniversaire, quand elle était en primaire et que sa mère préparait des toasts, des mini-pizzas, avec du Fanta et du Coca-Cola, et ses camarades de classe arrivaient accompagnées par leurs parents, en jupe plissée et queue-de-cheval : quand tout le monde était là pour elle et qu'on lui criait de souffler les bougies, elle ressentait une tristesse infinie, la respiration lui manquait et elle n'arrivait jamais à les éteindre toutes.

Ce samedi 16 février, Marina perçut que le monde allait lui tomber sur la tête. Et elle appela Andrea en silence, lui demanda pardon pour ce qu'elle lui avait fait. Puis elle se ressaisit, posa de nouveau les yeux sur les invités. Sourit à Donatello, qui disait : « Hein, que tu vas faire Sanremo en 2014 ? » Sans la moindre hésitation, elle répondit : « Bien sûr. Et je gagnerai. »

Andrea se préparait à passer une seconde nuit de siège. La tourmente ne desserrait pas son étau, les vaches s'agitaient, le chien commençait à couiner. Andrea priait pour que le toit ne s'écroule pas sous le poids de la neige, que le gel ne fasse pas exploser les canalisations, et qu'il ne soit pas obligé de jeter des litres et des litres de lait.

Il dîna de polenta froide et de pain rassis. But presque une bouteille entière de vin pour se réchauffer. Fit une dernière expédition jusqu'à la maison, avec de la neige jusqu'à la ceinture. Il ne pouvait emporter le téléviseur mais prit son ordinateur portable et sa clé 3G, et de retour dans l'étable se connecta pour avoir des informations.

Il consulta tous les sites météo. Une amélioration partielle était annoncée comme possible pour le lendemain, et il espéra de toutes ses forces qu'elle aurait lieu. L'étable ne tiendrait pas longtemps : elle était trop vieille, le toit trop fragile. Les murs s'écrouleraient et l'enseveliraient, lui et ses bêtes. Il commença à éprouver le poids de la peur.

Mais il ne voulait pas abdiquer, donner raison à ceux qui l'avaient pris pour un fou. Quatre mois après le lancement de son entreprise, trois magasins vendaient déjà sa production : un vrai miracle. Ses parents l'avaient snobé, les autres éleveurs aussi. Ils l'avaient sous-estimé, tous. Et ils seraient bien obligés maintenant de lui donner raison. Les éleveurs installés depuis longtemps continuaient de vendre leur lait aux fromageries industrielles et n'en retiraient qu'une misère. De plus, les producteurs roumains raflaient le marché, alors que lui, dernier arrivé, le fils de l'ancien maire de Biella, il arrivait peu à peu à s'en sortir par la vente directe au consommateur dans cette Italie qui coulait à pic.

Il fallait juste passer la nuit.

Épuisé, il se glissa dans son sac de couchage. Il ferma les yeux et pensa à Clint Eastwood dans *Le Bon, la Brute et le Truand.* Pour la première fois de sa vie il se voyait comme un héros. Il se sentait pour une fois le plus fort. Ermanno pouvait bien concevoir des sondes spatiales capables d'aller sur Mars, diriger des expériences classées secret d'État : lui, il avait eu le courage de rester. Et, à la tête d'une armée de seize vaches, de résister à un froid polaire.

Il aurait voulu le lui dire. L'appeler, lui raconter ce qu'il avait construit de ses mains. Mais Ermanno était à l'autre bout du monde. Et à Tucson, en Arizona, c'était l'heure du déjeuner et le soleil brillait.

Il se demanda s'ils arriveraient jamais à se regarder dans les yeux, à déposer les armes. Ce qu'ils se diraient, ce jour-là, face à face. Et il tendit la main pour attraper sa torche, sortit du sac de couchage et ralluma son ordinateur.

Les vaches se reposaient, tranquilles, le chien aussi. La neige continuait de tomber, imperturbable, engloutissant la plaine dans un autre monde, glacé, indifférencié. L'ordinateur n'avait plus beaucoup de batterie, la 3G captait à peine. Andrea ouvrit Google Earth, tapa « Tucson » pour la énième fois. Il vit réapparaître sur l'écran « Catalina Foothills » et « Rita Ranch », avec cet arrière-plan brûlé, marron-ocre et vert doré, qu'il connaissait par cœur sans l'avoir jamais foulé.

Puis il écrivit « Riabella », vit la planète pivoter de cent quatre-vingts degrés, le satellite foncer de l'Arizona sur le Piémont, s'arrêter au-dessus d'un recoin perdu au milieu des Alpes. Il se demandait si une telle distance pouvait être comblée, si Riabella et Tucson pouvaient se rejoindre en un point invisible et secret.

À dix heures du soir, dans l'étable enfouie sous le gel, il fit une chose qu'il n'avait jamais faite : il chercha « Ermanno Caucino » sur Google.

Il y avait une adresse de l'University of Arizona, qu'il préféra ignorer, et une page Facebook, sur laquelle il cliqua. Dieu sait ce qu'il croyait y trouver, mais à son grand étonnement la page du profil de son frère donnait très peu d'informations.

35 friends, married with Sarah Walsh, lives in Tucson.

Il fut déçu. Il aurait aimé voir au moins une photo de son neveu, mais il n'y avait aucun album photos. Pas de messages, pas de commentaires, rien. Puis il lut *born in Biella (Italy).* Et ce Biella (Italy), solitaire et fugace, lui serra le cœur. Mais ce qui le fit pleurer, ce fut la petite photographie en haut à gauche, la seule, qu'il avait jusque-là évité de regarder.

Ermanno avait les cheveux gris.

Depuis la dernière fois qu'ils s'étaient vus, trois années avaient passé et son frère avait les cheveux complètement gris.

Andrea éteignit l'ordinateur. Il caressa une fois de plus le museau de la vache à son neuvième mois, la suppliant encore, les yeux rouges, de ne pas mettre bas maintenant, en pleine tempête. Il retourna se glisser dans le sac de couchage, ferma les yeux et s'efforça de dormir. Mais impossible. Une guerre se faisait en lui, plus féroce que celle qui se déchaînait au-dehors.

Il revit le cow-boy et le Peau-Rouge qui jouaient dans le jardin et se tombaient dessus à bras raccourcis. Le binoclard et le rebelle, le gagnant et le perdant. Il revit Ermanno cyanosé, inconscient, étendu sur un brancard aux urgences, et réalisa dix-huit ans après ce qu'il avait tenté de faire en lui serrant les mains autour du cou et en lui enfonçant la tête sous l'eau, dans le courant glacé du Cervo.

Ils allaient vieillir sans se reparler, il ne connaîtrait jamais son neveu Aaron. Il repensa aux cheveux gris de son frère. Un signe de fragilité, de faiblesse auquel il ne s'attendait pas. Il aurait préféré ne jamais avoir vu cette photo, ne pas savoir qu'il avait seulement *35 friends*.

Tandis qu'il s'endormait – avec la pensée que ce jour-là ce n'était pas Ermanno qu'il voulait noyer mais lui-même –, toute la neige du monde s'abattait sur Carisio, Massazza et Biella.

Quand elle se fit apporter son manteau et tapa une cigarette à quelqu'un sous prétexte d'aller fumer dehors, elle ne savait pas encore qu'elle se dirigeait vers sa fin. Elle pressentait quelque chose, sans pourtant vouloir écouter cette sensation obscure qu'on appelle prémonition. Elle s'arrêta à l'entrée de l'hôtel, près du cendrier en cuivre. Se dit qu'Elsa et Andrea étaient peut-être ensemble, qu'il était peut-être heureux avec elle. Et alors, qu'est-ce que ça pouvait lui faire ?

Elle demanda du feu au portier. La température ne dépassait pas le zéro. Elle était là, sur le tapis rouge du trottoir, à fumer et se peler de froid. De grosses cylindrées entraient et sortaient du parking, tout un va-et-vient de talons hauts, de

Rolex et de célébrités. Ce monde qu'elle avait toujours rêvé de connaître en regardant les cartes postales que lui envoyait son père, ce monde était le sien maintenant.

Tout se passait *à merveille*, voilà ce qu'il fallait se dire. Un peu plus loin stationnait une voiture de patrouille des carabiniers. Elle la remarqua à peine.

Nul n'échappe à sa propre histoire, nul ne peut prétendre s'être vraiment tiré d'affaire. Marina pourtant le prétendait. Son disque sortirait lundi : c'était la percée qu'elle attendait depuis toujours, elle l'avait méritée, ça lui revenait de droit. Tu n'arrives pas jusque-là si tu n'es pas prêt à vendre ton âme. C'est la loi du succès. Marina le savait. Elle avait puisé dans sa réserve illimitée de rancœur, et elle y était arrivée.

Ils étaient loin les temps de *Cenerentola Rock*, morts et enterrés. Maintenant elle était là, au Principe di Savoia, le plus luxueux hôtel de Milan, elle portait une robe Yves Saint Laurent à quatre mille euros et pouvait regarder d'un air supérieur les dames en fourrure de la Big City. C'était bien pour ça, non ? Pour ça, qu'elle avait mené toute cette guerre. Pour être plus célèbre, plus belle, plus forte et bientôt plus riche qu'elles. Pour prendre sa revanche sur ces femmes nées au bon endroit, qui avaient trouvé la route aplanie devant elles, ces femmes qui étaient le contraire exact de sa mère. Peu importe d'où on vient, ce qui compte c'est jusqu'où on arrive. Voilà ce que se répétait Marina, en secouant la cendre sur le tapis rouge.

Deux carabiniers descendirent de la voiture de patrouille et commencèrent à se promener le long du trottoir. L'un d'eux, de loin, avait un visage qui lui sembla familier. Mais c'était juste une impression, elle ne s'y attarda pas.

Elle secouait la cendre, tranquille, tirait une bouffée. C'était si rare qu'elle fume, aussitôt elle se sentait dans la peau d'une actrice. Meilleure que Madonna, Angelina Jolie et Kristen Stewart réunies. Regarde, se disait-elle, regarde jusqu'où t'es arrivée… Qu'est-ce qu'il peut y avoir d'autre au monde ? Elle est où, l'autre voie ? Il est où l'Eldorado ?

Elle était à la moitié de sa cigarette quand les deux carabiniers s'arrêtèrent à une dizaine de mètres d'elle.

Elle ne pensait plus à Andrea enseveli sous la neige, en danger, peut-être porté disparu. Pas plus qu'à son père, qui envoyait des cartes postales de Nice, de Saint-Vincent, de Monte-Carlo mais qui l'avait trahie. Ni à Paola, qui n'avait jamais écouté sa chanson à la radio, qui lui avait préféré cet alcoolo. Comment faisaient-ils, tous, pour ne même pas voir ce qu'elle avait réussi à faire ? Son succès, jusqu'où elle était montée ? Qu'importe d'où on vient, ce qu'on a vécu, subi, souffert. La seule chose qui compte, c'est d'être sous les projecteurs, de vivre le présent : ici et maintenant, au centre du monde… Puis elle croisa le regard d'un des carabiniers, qui au même moment la fixait.

Elle laissa tomber sa cigarette.

Ils restèrent tous deux incrédules, hésitants. Le carabinier, grand, jeune, une masse gigantesque. Et Marina.

Un instant elle espéra s'être trompée, pria pour que ce ne soit pas lui.

Disparus le Principe di Savoia et le va-et-vient des gens élégants. Son uniforme était le même, mais des uniformes comme celui-là, il y en avait des milliers. Pourtant elle continuait à le fixer, comme si elle ne pouvait faire autrement. Comme si elle l'avait toujours su, au fond, qu'un jour ou l'autre ça arriverait.

Il comprit qu'elle l'avait reconnu.

Et Marina se sentit traquée.

Le carabinier dit quelque chose à son collègue, quelque chose comme : « Attends, je dois dire bonjour à quelqu'un. » Et pendant ce temps, avec ces dix mètres encore qui auraient pu la sauver, Marina n'entendait qu'un seul mot résonner dans sa tête, dans son ventre, écraser ses poumons : Non.

L'homme marchait dans sa direction.

Elle resta où elle était. Je ne te connais pas, lui cria-t-elle en silence, je ne t'ai jamais vu. Mais il avançait à grands pas vers elle, souriant comme si de rien n'était. Marina se retourna pour s'enfuir. Mais elle ne pouvait pas : elle n'avait pas un endroit sur toute la surface de la terre où se cacher. Le carabinier se rapprochait, de plus en plus net. Comme le chat avec la souris. Il était musclé, des épaules énormes.

C'était bien lui, il n'avait pas changé.

Venu la chercher jusqu'ici.

« Marina, dit-il quand il fut près d'elle, bouchant tout son champ de vision, c'est incroyable. Jamais j'aurais imaginé te rencontrer... »

Les pupilles de Marina étaient dilatées.

« Comment tu vas ? » Il continuait à sourire. « Ils m'ont muté à Milan, ça fait deux mois... » Il tendit même la main pour lui toucher l'épaule.

Le même geste, le même sourire que le 14 novembre 2009.

« Eh », fit-il en s'apercevant qu'elle tremblait, cessant de sourire, « tout va bien ? »

Plein d'attentions, comme l'autre fois.

« Oui, trouva-t-elle la force de dire.

– Tu as froid ? Tu trembles...

– Non », dit-elle dans un filet de voix.

En réalité, elle continuait à le fixer mais ne le voyait pas. Elle voyait la cuisine de leur appartement, celui où elle jouait petite à *Non è la Rai*. Elle voyait son père trois ans plus tôt, qui ouvrait le placard, sortait les assiettes l'une après l'autre et les lançait violemment contre le mur.

« On m'avait dit ça, que t'étais devenue *célèbre*... »

Elle ne l'entendait pas. Elle n'entendait que le bruit des assiettes qui se fracassaient sur le mur.

Elle voyait les veines qui ressortaient sur le cou de son père, et sa mère assise sur une chaise qui sanglotait, la tête entre les mains, sursautant à chaque assiette brisée.

Et elle, à ce moment-là, où était-elle ? D'où regardait-elle ? Cachée derrière la porte, comme font les enfants.

« J'ai entendu ta chanson à la radio. Félicitations. »

Le carabinier leva les yeux vers l'édifice imposant du Principe di Savoia, vers le but prestigieux que Marina avait atteint. Puis les baissa sur elle, qui continuait à trembler.

« Je suis content pour toi, dit-il. *Après tout ce qui s'est…* »

Marina le fixa comme si tout était de sa faute, à lui. Elle ne put rien dire. Rien faire, ni penser à rien.

Sa mémoire se bloqua à l'instant où son père avait fini de casser les assiettes et avait hurlé à Paola : « Tu vas pas me bousiller la vie ! » Alors sa mère avait levé les yeux sur lui, un regard qui contenait toute la colère du monde. Et elle, Marina, n'avait rien fait pour les arrêter. Elle n'avait pas bougé. Elle était restée là, à regarder. Puis les carabiniers étaient arrivés, mais trop tard. Ils avaient dû enfoncer la porte. Et l'un d'eux avait dit à cet homme qui était devant elle : « Occupe-toi de la petite. » C'était elle, la petite.

« J'ai appris que *tes parents…* »

Marina ne le laissa pas finir. Elle regarda la rue qui descendait au milieu des arbres, une station de taxi au fond, et s'élança au risque de se rompre le cou. Elle se jeta sur le capot d'un taxi qui arrivait, ouvrit la portière.

Donatello essaierait pendant des heures de la joindre, cette nuit-là, sur son portable, chez elle, répétant à la boîte vocale, de plus en plus furieux : Où t'es passée, bordel ? Réponds !

Marina se fit déposer corso Buenos Aires. D'une main tremblante, elle paya le taxi, sans même compter l'argent. Puis, au lieu de gagner son appartement, elle descendit dans le parking. Elle ne se changea pas, resta en talons aiguilles, avec cette robe en satin qu'elle aurait voulu arracher.

Elle monta en voiture, jeta sa pochette sur le tableau de bord, démarra. Elle emprunta la rampe du parking souterrain et déboucha dans la nuit immense de Milan.

D'instinct elle traversa la ville, sans savoir ce qu'elle faisait. Elle ignora les panneaux, les feux rouges, les klaxons des voitures obligées de braquer pour l'éviter. Elle ne savait pas où elle allait, ne voulait se souvenir de rien. À dix heures du soir elle atteignit le périphérique ouest. Le péage passé, elle s'inséra dans la circulation sur l'A4, direction Turin.

Il est fortement déconseillé de prendre la route ce week-end. Ils l'avaient répété mille fois, aux infos. De temps en temps, dans la couche épaisse de brouillard, émergeaient l'enseigne rouge d'un restoroute, des réverbères éclairant une station-service. De chaque côté de l'autoroute, la plaine était gelée. Surface irréelle, monotone, plongée dans l'immensité spectrale de la nuit.

C'était facile de devenir célèbre, trop facile. Mais surtout, ça ne changeait rien.

Elle dépassa Rho, Arluno, Novare ; son voyage vers la liberté, mais en sens inverse. Elle le savait maintenant : il n'y aurait ni lancement de carrière, ni disque intitulé *Marina Bellezza.* Parce qu'elle était toujours cette enfant-là, celle qui n'arrivait jamais à éteindre toutes les bougies, celle qui était triste le jour de son anniversaire, celle qui ne méritait rien.

Elle filait à cent trente, traversait la lande désolée entre Vicolungo et Greggio, des pays sans noms, des kilomètres et des kilomètres de néant.

La vérité, c'était qu'elle ne leur avait jamais pardonné.

Des travaux en cours obstruaient deux voies sur trois. À cette heure-ci et par un temps pareil, personne n'était assez fou pour s'aventurer sur les routes. Elle aurait dû ralentir mais ne pouvait pas. La route, la nuit étaient à elle. Pendant que la soirée de clôture du Festival de Sanremo battait tous les records d'audience, Marina, dans l'obscurité la plus noire, traversait le désert de l'autoroute Milan-Turin dans sa Peugeot 206.

Et plus elle approchait, plus le brouillard disparaissait pour laisser place à la neige. Les engins de salage avançaient lentement sur la seule voie qui restait. Des panneaux lumineux avertissaient du danger, rappelant l'obligation des pneus neige et des chaînes.

Au fond, elle l'avait toujours su, qu'il n'y avait pas de place pour le succès, dans son histoire. Parce que c'était une histoire de misère. Une histoire de province sordide comme des milliers d'autres, à traîner pendant des années dans un deux-pièces minable. Une histoire de honte.

À Balocco elle s'arrêta pour faire le plein. La neige tombait dru, mêlée au vent.

Elle courut jusqu'à l'entrée du restoroute en s'abritant sous son manteau. À l'intérieur, deux routiers et une caissière la toisèrent de la tête aux pieds, moulée dans cette robe Yves Saint Laurent qui ne voulait plus rien dire. Elle paya puis descendit dans les toilettes des femmes. Ouvrit un robinet, laissa l'eau couler. S'accrocha des deux mains au bord du lavabo.

Elle les aimait, ses parents. Ces deux paumés qui ne s'étaient mariés que parce que sa mère était enceinte, dans ce bled de trois mille quatre cents âmes qu'était Andorno Micca, perdu dans une cuvette au milieu des montagnes.

Elle regardait l'eau couler dans le lavabo. Ce n'est pas vrai que ce qui compte, c'est où on arrive. Ce qui compte, c'est d'où on vient.

Elle s'efforça de se rappeler la cuisine, là où elle avait grandi. Les carreaux en forme de losange, blanc et marron. Les meubles Aiazzone en agglo, achetés soldés à cinquante pour cent. Voilà ce qu'il aurait fallu écrire sur Wikipédia. Pas qu'elle avait remporté *Cenerentola Rock*, mais que les portes du buffet ne fermaient pas, que la table boitait ; l'éternelle odeur de fer à repasser et de pâtes à potage qui flottait dans ces quelques mètres carrés. Marina Bellezza, née à Biella le 15 avril 1990 à cause du calcul désespéré, pathétique, imbécile, d'une gamine de seize ans qui voulait donner un sens à sa vie.

Marina se pencha sur le lavabo et se mit à vomir.

Raimondo avait une maîtresse en 2009, la énième, et Paola ne le supportait plus. Cet après-midi-là, il était rentré, suivi du sillage habituel de cigare et d'eau de Cologne. Et comme d'habitude, Paola avait bu. Ils avaient commencé à se lancer des accusations, des coups, des insultes. Chacun reprochant à l'autre de lui avoir gâché sa vie. Une vie au jour le jour, faite d'envie et d'humiliations, dans ce trou perdu.

« T'es pas un homme, t'es un lâche. » Paola, qui ne tenait pas debout, avait essayé de l'agresser. Raimondo s'était débarrassé d'elle en la poussant contre le mur. « Tu pues l'alcool. » Elle était tombée. Il était allé dans l'autre pièce faire ses valises. « Je m'en vais. » Sa mère s'était traînée dans la cuisine et s'était assise sur une chaise. « Je m'en vais », avait répété Raimondo en venant s'encadrer dans la porte. Sa mère restait là sans rien dire, les yeux dans le vide. Alors il avait ouvert le buffet, s'était mis à casser les assiettes. « Regarde-toi, tu fais pitié… »

Paola était sa mère, c'était bien ça le problème. Et cet homme qui prenait un coup de sang et cassait des assiettes, des tasses, des verres, son père. La publicité pour Aiazzone, les spectacles de fin d'année, les castings, les répétitions, les séances photo : rien n'avait servi à rien.

« Tu vas pas me bousiller la vie ! » Tout à coup, sa mère avait levé les yeux qu'elle tenait baissés jusque-là. Et dans son regard, il n'y avait plus rien d'humain. Marina sentait qu'il allait arriver quelque chose d'irréparable. Mais elle était restée là, derrière la porte.

D'un bond Paola s'était levée, avait foncé sur le deuxième tiroir à gauche, l'avait ouvert. Elle avait pris un couteau, un banal couteau de cuisine. Marina n'avait rien fait pour l'arrêter.

Cette femme-là n'était plus sa mère. Cette femme saoule, en savates avachies, qui avançait vers son père et lui enfonçait un couteau dans le ventre, une fois, deux fois, trois fois, jusqu'à ce qu'elle le voie s'écrouler au sol, cette femme-là ne pouvait pas être sa mère. Et la photo en première page de l'*Eco di Biella*, et le reportage aux infos régionales. Ça ne pouvait pas être arrivé en vrai.

Marina continuait à vomir, pliée en deux sur le lavabo.

Ces gens ne pouvaient pas être ses parents, et la jeune fille de dix-neuf ans en jogging qu'avait secourue le carabinier grand, musclé, gentil, ça ne pouvait pas être elle.

Un mois et demi après, son père sortirait de l'hôpital et recommencerait à voyager à travers le monde avec ses maîtresses, en costume Armani finement rayé. Monte-Carlo, Saint-Vincent, Campione d'Italia… Sa mère, après un internement d'office, avait recommencé à s'assoupir sur les comptoirs de bar. Et la seule vraie coupable, la seule qui soit là en train de vomir dans les chiottes du restoroute de Balocco, c'était elle.

Marina se remit en route. Quand elle arriva au péage de Carisio, les routes étaient des coulées blanches. La barrière se leva et la laissa passer. Ses montagnes étaient toujours là, immobiles, éternelles. Elle ne les voyait pas, mais personne n'aurait pu les lui enlever ni les brûler ni les faire disparaître.

Elle prit la nationale 230. La plaine avait disparu. Comme les bâtiments, les silos, les fermes, les panneaux routiers. Elle conduisit jusqu'à Biella, roulant à vingt à l'heure, dérapant parfois. Les phares de sa voiture étaient les seuls dans la nuit, à part ceux des services de secours et des engins de salage.

Elle se gara en bas, sonna à l'interphone. Elle avait parcouru quatre-vingts kilomètres dans la tempête uniquement pour ça. Quitté le Principe di Savoia, sa nouvelle vie, sa carrière, uniquement pour accomplir ce geste.

Elle sonna plusieurs fois. Il était minuit passé, si elle était là elle dormait sûrement. Elle sonna et sonna, jusqu'à ce qu'enfin elle se réveille. Quand la porte d'en bas s'ouvrit et que Marina grimpa les étages, elle ne savait pas du tout pourquoi elle était venue, quel prix elle voulait faire payer à sa mère pour avoir gâché sa vie.

Sur le palier, la porte était entrouverte, un rectangle de lumière se découpait sur le sol. Paola la regardait les yeux écarquillés.

« Qu'est-ce qu'il se passe ? Quelle heure il est ? »

Marina resta dans l'ombre, à la fixer.

Tout se taisait autour, tout se glaçait.

« Qu'est-ce que tu fais là ? Qu'est-ce qu'il t'arrive ? » Paola était effrayée, sa voix tremblait.

Marina ne répondait pas. En silence, elle la regardait. Elle fixait sa mère, la femme qui lui avait lavé ses vêtements, l'avait accompagnée aux castings pour la publicité d'Aiazzone, avait consenti à jouer à *Non è la Rai* pendant que dehors c'était l'hiver et qu'il neigeait, comme maintenant. Cette femme détruite, tremblante, sans défense. Qui avait voulu tuer son mari.

Marina fit quelques pas vers elle. S'arrêta sur le seuil.

La « Teen Mom » d'Andorno, quarante ans maintenant, avec des taches de café sur sa robe de chambre et les racines grises de ses cheveux ; et la fille de vingt-deux ans, en robe de satin bleu, avec son maquillage qui coulait, celle qui aurait peut-être pu devenir une star mais qui en était toujours à ramasser la vaisselle cassée.

Personne, à part ces deux-là, ne pourrait jamais savoir.

Marina ne pouvait pas détacher ses yeux de ce corps amaigri, pâle reflet de la personne qu'avait été sa mère. Dehors la neige continuait de tomber, et plus rien n'avait de sens. Ni gagner, ni perdre. Peut-être juste, pour une fois, devenir adultes.

Alors, plus de trois ans après, Marina rendit les armes et, en la prenant dans ses bras, réussit à lui pardonner.

Quand Andrea, le dimanche matin, se réveilla et alla pousser la porte de l'étable, il avait cessé de neiger.

Dehors, tout était blanc, une lande immobile et uniforme d'où émergeaient le sommet des silos et les branches des arbres. Il regardait émerveillé ce spectacle, comme si le monde venait de renaître. Dans un coin du ciel, la couverture de nuages s'écartait, permettait à un mince trait de lumière de filtrer sur la plaine, sur la cour, sur tout ce qui avait survécu.

Il ne savait pas que quelques heures plus tôt, là-bas, sur la nationale 230 à l'entrée de Massazza, Marina était restée garée dans sa voiture, moteur et chauffage allumés, presque jusqu'à l'aube. Elle avait tenté de regarder vers ce point perdu et solitaire, et peut-être que s'il n'y avait pas eu ces congères qui bloquaient tout, elle aurait parcouru le reste du chemin pour venir frapper à sa porte.

Le toit n'avait pas cédé, c'était l'essentiel. Il était vivant, ses bêtes étaient vivantes.

Andrea ressentit une joie immense. Il avait une montagne de neige à pelleter, c'est vrai, mais d'ici demain on viendrait dégager le chemin, il pourrait peut-être faire ses livraisons à la boutique sans trop de retard. À peine avait-il commencé à penser cela, jouir de la lumière qui illuminait la cour, du danger écarté, de la satisfaction d'avoir réussi avec ses seules forces, qu'il nota du coin de l'œil quelque chose de bizarre.

La vache qui était à son neuvième mois s'agitait de manière inhabituelle. Elle reculait, comme pour s'isoler des autres. Seigneur, pensa-t-il, débrouille-toi pour que ça ne soit pas ça.

Il s'approcha d'elle la gorge serrée, l'observa avec attention. Ses mamelles étaient beaucoup plus gonflées que la normale, la base de la queue visiblement relâchée et, comme si ces signes n'étaient pas suffisants, une sécrétion de liquide translucide indiquait sans l'ombre d'un doute que le travail commençait.

Nom de Dieu. Andrea se prit la tête dans les mains. Bon sang de nom de Dieu !

Impossible d'appeler le vétérinaire, ou d'appeler qui que ce soit : la route était ensevelie sous la neige, personne ne se risquerait à venir jusqu'ici.

Son cœur se mit à battre la chamade. Il ne lui manquait plus que ça. Il avait résisté à une tempête, mais là, c'était autre chose. Il n'avait pas la force, pas le courage, pas la préparation nécessaire pour affronter ça tout seul.

Elle était dilatée, nom de Dieu. Il essaya de toucher sa queue, sentit que c'était mou et hurla : « Merde ! » Il lança un coup de pied dans une botte de foin. « Tout mais pas ça ! Bordel de merde ! »

C'était une chose de voir naître un veau – et il en avait vu naître des dizaines, enfant, dans la ferme de son grand-père –, et autre chose d'être ici, maintenant, seul comme un chien, avec l'adrénaline qui montait, et de devoir aider de ses propres mains une vache à mettre bas, sans l'avoir jamais fait. Andrea lança un coup de pied dans la porte.

Puis il prit son téléphone et appela le vétérinaire : messagerie. Il alluma l'ordinateur pour y trouver d'autres numéros de vétérinaires mais la batterie était à plat et le chargeur dans la maison, de l'autre côté de la cour, derrière une muraille de neige. Il voulut allumer la lumière mais le courant était coupé. Et alors, se dit-il, de quoi avait-il peur ? Que pouvait-il arriver de si grave ? Que le veau meure entre ses mains, peut-être. Cette pensée lui coupa le souffle.

Il tira la vache du coin dans lequel elle s'était réfugiée, l'éloigna des autres et la fit se coucher sur un lit de foin. Le col était de plus en plus dilaté, les premières contractions commençaient. Il se rappela que le travail pouvait durer de quatre à six heures, ses mains tremblaient.

Pourtant il fallait traire les autres, arriver à se détacher de celle-ci. Andrea commença son travail.

Cinq heures durant il s'obligea à traire et à curer l'étable comme d'habitude, sans pour autant la quitter des yeux, courant vers elle de temps en temps. Il la caressait, lui répétait mille fois de rester calme.

À la cinquième heure, les contractions se rapprochèrent. Andrea lâcha sa fourche, ses seaux de lait et le reste, et s'assit à côté d'elle. Il n'avait jamais prié de toute sa vie mais il pria. Il pria pour que ce soit une femelle, qu'elle sorte toute seule, et surtout dans la bonne position : par les pattes avant et non par les pattes arrière, sinon elle risquait d'étouffer. Et si le veau étouffait, Andrea ne tiendrait pas le choc.

Il se leva et pour la énième fois tenta d'appeler le vétérinaire : toujours sur boîte vocale. L'idée lui vint d'appeler Sebastiano. Il regarda dehors : deux mètres de neige. Franchement, comment le vétérinaire ou Sebastiano ou n'importe qui pourrait-il arriver jusqu'à lui ?

Il revint près de la vache. Elle continuait à souffrir en silence, couchée sur le flanc. Andrea la regardait et se sentait défaillir. Il connaissait la marche à suivre : il l'avait étudiée dans les manuels, il avait vu faire son grand-père des dizaines de fois. Il le savait, mais n'arrivait pas à se décider.

Il aurait dû enfiler une main dans son utérus et l'aider à faire sortir le veau, et au lieu de ça il était là à prier Dieu et tous les saints ou à donner des coups de pied dans la porte.

La vache ne protestait pas. Couchée et impuissante, elle poussait faiblement. Elle continua ainsi, à pousser en silence pendant des heures, avec Andrea qui la regardait et qui se sentait comme un môme qui a pissé dans sa culotte, vaincu, seul, lâche et stupide, jusqu'au moment où elle perdit les eaux.

Alors quelque chose en lui bougea.

Une rébellion. Quelque chose de barbare et d'absolu. Il l'avait voulue, cette vie-là ? Il avait tout fait pour ? Alors, assez, maintenant. Ravalant sa peur il remonta les manches de son pull, enfonça une main dans la vulve de la vache, presque jusqu'à l'avant-bras, en se mordant les lèvres. Il sentit la chaleur de ses entrailles, la consistance visqueuse du placenta, et eut une irrésistible envie de vomir. Mais il se retint, fouilla du bout des doigts, puis de toute la main, et enfin toucha les pattes. Merci mon Dieu, faites que ce soient les pattes avant. Il fouilla encore plus profond, en retenant son souffle et en priant, et il sentit bientôt la tête.

« Putain, je l'ai ! Je l'ai ! », hurla-t-il tel Attila au cœur de la bataille. Le veau était dans la bonne position, maintenant il fallait qu'il sorte.

La vache poussait. Andrea, un bras enfoncé jusqu'au coude, attrapa le veau par les pattes et, s'arrimant de l'autre bras au sol, commença à tirer prudemment. La vache était primipare, pour elle aussi c'était la première fois.

Andrea tira plus fort et la bête commença à gémir. Il tira, jurant comme un charretier, jusqu'au moment où il vit sortir les pattes avant : deux petits sabots, parfaitement dessinés. Le placenta tombait sur son jean et ses chaussures, maculait ses bras, mais plus rien ne le dégoûtait. Il se mit debout, plia les genoux et recommença à tirer de toutes ses forces.

Andrea n'avait pas de temps pour réfléchir, et personne à qui s'en remettre. Il tirait, et le veau ne sortait pas. Il criait comme s'il mettait bas lui-même, et le veau ne voulait toujours pas sortir. Sa tête n'allait pas pouvoir rester longtemps à l'intérieur. Si le veau mourait, Andrea mourrait avec lui.

Il courut chercher un bâton, attacha le bout d'une corde au milieu puis noua l'autre bout aux pattes du veau et recommença à tirer. C'était un effort titanesque. Il tirait comme un damné, en hurlant : « Mais sors ! Vas-tu sortir nom de Dieu ! », et la vache souffrait, poussait, mais n'y arrivait pas. C'étaient des minutes terribles.

Andrea insulta son père, insulta son frère, et Marina, tous ceux qui n'étaient pas là à sa place, avec du placenta partout et les bras couverts de sang, pas là pour l'aider et pour le soutenir. Mais il devait absolument faire naître ce veau, quand bien même ce serait la dernière chose qu'il ferait de sa vie.

Enfin la tête sortit. Une petite tête trempée aux yeux fermés, qui pendait comme celle d'un pantin. On ne voyait pas s'il était vivant ou mort, s'il respirait. Alors dans un élan désespéré Andrea tira sur le bâton avec toute l'énergie qui lui restait, toute la rage, toute la colère et la rancune qu'il avait accumulées pendant vingt-sept ans d'existence. La corde se tendit à se rompre, et le veau sortit tout entier, tombant dans le foin comme un poids mort.

Andrea était écarlate, les veines gonflées à son cou, les yeux lui sortaient des orbites. « S'il te plaît, sois vivant ! criait-il. Allez, faut vivre, putain ! Allez ! » Il dégagea ses pattes de la corde le plus vite qu'il put, lui retira des narines le placenta qui les obstruait. L'attrapa par les pattes arrière et le maintint soulevé, en le secouant, jusqu'à ce qu'il recrache tout le placenta qu'il avait avalé. Il le vit cracher, il le vit respirer.

Le veau était vivant.

En tenant par les pattes cette créature qui venait de naître, qui était déjà si parfaite, si prodigieusement formée en chacun de ses moindres détails – des sabots à la queue et aux oreilles en cartilage –, cette créature que lui-même avait fait naître de ses propres mains, Andrea éprouva un bonheur inouï, qu'il n'avait jamais ressenti. Le bonheur de celui qui est le sang, la chair, les muscles du monde auquel il appartient.

Et pendant qu'aux confins de ce monde, là où la plaine laissait place aux villes et aux autoroutes, l'Italie s'effondrait, s'appauvrissait, se vidait, Andrea était là, victorieux. Il tenait un veau nouveau-né de quarante kilos dans ses bras. Il le tenait serré contre lui, sale, comme un père tiendrait son fils.

Il lui embrassa le museau, les narines, les petites fentes des yeux. S'aperçut que c'était une femelle, et qu'elle était très jolie. Il l'amena à sa mère, la posa devant elle. Aussitôt la mère commença à la nettoyer. La génisse, les yeux encore fermés, s'accrocha à une mamelle et commença à téter. Alors il pensa à Marina.

Marina, nom de Dieu, t'as raté quelque chose.

Les volontaires de la Protection civile, quand ils arrivèrent des heures plus tard, le trouvèrent comme ça : assis par terre, les jambes croisées et les yeux rouges, à regarder la mère allaiter son petit, et refusant de se lever.

Elle arriva du fond du corso Buenos Aires, comme un navire fantôme émergé de l'océan. Elle roulait à pas d'homme sur l'avenue à moitié déserte, le capot cabossé et le pare-chocs cognant contre l'asphalte. Elle se gara de biais, échouant sur un stationnement interdit.

Elle ouvrit la portière et posa un talon sur le trottoir, comme on pose un fragile drapeau sur une terre promise.

Le matin se levait, glacé, indifférent. Sa robe de la veille était chiffonnée, il manquait un talon à sa chaussure droite. Elle referma la portière et clopina sur le trottoir où les rideaux de fer des magasins étaient baissés.

Un vendeur de roses, rescapé de la nuit, l'accosta : « *Bellissima, bellissima*... Trois roses, un euro ! » Elle ne s'était jamais arrêtée pour en regarder un, mais elle regarda celui-là. L'examina à travers les verres sombres de ses lunettes de soleil : il était jeune, il avait un beau sourire et ne baissait pas les yeux face à elle, qui le surpassait en hauteur, en grâce, mais qui pour le moment, en équilibre sur un seul talon, semblait venir d'une histoire pire que la sienne. Elle sortit son portefeuille de sa pochette, prit un billet de cinquante euros et le lui donna. Puis elle poursuivit sans rien dire, et sans roses.

Elle arriva en boitant à l'angle de la via Spallanzani, s'assit sur une marche et attendit que le supermarché ouvre. Pendant ce temps elle alluma une cigarette, qu'elle fuma en penchant la tête, les jambes croisées sur le sol. Elle regarda Milan se lever, la circulation s'intensifier sur les artères principales. Ses yeux se fermaient tout seuls, mais elle résistait.

Quand le supermarché ouvrit, elle entra en même temps qu'un groupe d'ouvriers du bâtiment et de deux vieilles dames avec leur chariot de courses. Elle prit un caddie et s'engagea entre les rayons, jusqu'à celui des alcools. Tout le monde la regardait. L'ourlet décousu de sa robe pendait comme un chiffon. Elle se pencha pour étudier les étiquettes, trouva ce qu'elle cherchait. Appela un responsable, en demanda trois caisses puis fit la queue et paya avec sa carte de crédit toute neuve.

Elle poussa le caddie jusqu'en bas de chez elle et le laissa dans la rue. Elle ôta ses chaussures et les y laissa aussi. Empila les caisses sur le trottoir. Les passants se retournaient sur elle puis aussitôt regardaient ailleurs. Elle essaya de porter les trois caisses à la fois. Impossible, elle n'arrivait pas à les soulever d'un millimètre. Alors elle les traîna, l'une après l'autre, de l'entrée de l'immeuble jusqu'à la porte de l'ascenseur. Elle transpirait, bloquait sa respiration : c'était une fatigue insensée. Mais si tout devait finir, alors ce serait à sa manière, selon *ses* règles.

Elle ouvrit la porte de son deux-pièces avec vue sur la rue et les immeubles d'en face. Mille euros par mois pour vivre *presque* au centre de Milan, *presque* au centre de tout. Elle ôta son manteau, le laissa tomber par terre. Puis alluma la stéréo et programma une seule chanson en boucle : *Dreams* des Cranberries. Celle qu'elle avait chantée en septembre à la fête de Camandona, celle qu'elle avait entendue pour la première fois grâce à *lui*.

Les rideaux étaient ouverts mais elle s'en fichait. Elle ôta ce qu'il restait de la robe en satin et se laissa regarder comme elle était, en string et lunettes de soleil, par le dentiste d'en face. Elle l'avait si peu habité, cet endroit, elle n'y revenait jamais que pour dormir. Elle transporta les caisses dans la salle de bains, en les tirant l'une après l'autre, sur le carrelage. Elle se souvint d'avoir laissé ses chaussures en bas, devant la porte d'entrée. Mais de toute façon, elles étaient à jeter. Comme tout le reste, d'ailleurs.

Elle enleva son string, resta nue. Dehors, la ville s'était réveillée, les gens se hâtaient vers le métro. Elle ouvrit les caisses, prit une bouteille : Moët & Chandon. Elle sourit. Ce n'était pas le meilleur, mais, comme aurait dit son père, ce qui compte c'est que ce soit français.

Elle la déboucha, en but une gorgée au goulot, se nettoya la bouche du revers de la main. Puis elle en vida le contenu dans la baignoire, et fit de même avec les cinq autres bouteilles. Elle faisait sauter les bouchons, qui roulaient entre le bidet et les toilettes, ou sous le lavabo, avec *Dreams* des Cranberries qui passait en boucle et lui rappelait combien le monde de dehors était loin, et inutile.

La lumière du soleil filtrait derrière les vitres, dans cet appartement qui ne signifiait rien. Elle vida l'une après l'autre onze autres bouteilles dans la baignoire. Et s'aperçut alors seulement que ça ne suffirait pas. Elle débouchait le champagne, le versait, mais le niveau ne montait pas, ou si peu. Quand elle vida la dernière, elle se rendit compte de sa naïveté.

Tous ces litres suffisaient à peine pour se mouiller les chevilles, recouvrir le fond de la baignoire. Elle aurait dû s'y attendre. Du champagne, on n'en a jamais assez, dans la vie, aurait dit son père. Elle ôta ses lunettes de soleil, regarda cette flaque. Se sentit les jambes molles, un début d'envie de pleurer. Mais se dit qu'au fond ça n'avait pas d'importance, c'était juste un détail. Et elle ouvrit le robinet.

Pendant que l'immeuble autour d'elle s'animait, Marina s'immergea dans le champagne à l'eau. Elle souriait. Comme une idiote, les bras abandonnés sur le rebord de la baignoire. Elle l'avait fait, elle aussi. Elle avait gagné. Elle était comme Paris Hilton, comme Dita Von Teese, comme toutes les héritières américaines, les stars d'Hollywood, les fortunées de cette terre. La meilleure, la numéro un.

Elle avait pris sa vie, et en une nuit l'avait détruite.

Pendant qu'elle souriait, ses yeux se fermaient. Pendant qu'elle pensait à Paris Hilton, à Dita Von Teese et à Marina Bellezza qui, maintenant, était l'une des leurs, elle s'endormait, là, dans sa baignoire remplie de champagne comme dans les films, dix-huit bouteilles de Moët & Chandon allongé avec de l'eau.

Mais avant de s'endormir, les yeux collés du maquillage de la veille, elle tendit la main vers sa pochette, qu'elle avait jetée par terre près de la baignoire. Alluma une cigarette, aspira lentement. Fixa le point précis où se trouvait la caméra imaginaire qui la filmait. Regarda le fond de l'objectif, lança un dernier sourire à ses téléspectateurs.

Puis elle éteignit sa cigarette, ferma les yeux et se recroquevilla. Comme un chat qui s'en va pour mourir. Dimanche 17 février, dix heures du matin. La prodigieuse carrière de Marina Bellezza venait de prendre fin.

Il fallut forcer la porte pour entrer.

À neuf heures du soir, pris de panique, Donatello dut appeler les pompiers. Et quand, une fois entré, il la trouva nue dans cette baignoire qui puait l'alcool, quand il la souleva et la sécha en l'enveloppant dans son peignoir, il ne put rien deviner de ce qui s'était passé. Marina ne répondait pas aux questions, elle semblait à moitié évanouie, fiévreuse, et ne tenait pas debout. Mais elle était vivante.

Donatello dit aux pompiers que tout était sous contrôle, qu'ils pouvaient s'en aller. Mais eux ne bougeaient pas, voulaient être sûrs que tout allait *vraiment* bien. Alors il s'énerva : « Bien sûr que tout va bien ! Vous ne voyez pas ? Ça ne pourrait pas aller mieux ! » et il les chassa en les poussant vers la porte à présent enfoncée. Puis il prit Marina dans ses bras et la coucha sur le lit, ferma les volets. Enfin il alla dans l'autre pièce, rassembla son courage et répondit à tous les appels.

Il annula tous les engagements, la conférence de presse du lendemain matin, échafauda des prétextes improbables, des justifications absurdes pour la petite star de Piedicavallo qui aurait dû lancer son disque dans quelques heures, un disque intitulé simplement *Marina Bellezza*, et qui au lieu de ça était couchée, inconsciente, dans la pièce à côté.

Il marcha de long en large dans le salon, son téléphone à la main, lequel sonnait sans discontinuer. N'en pouvant plus, il finit par l'éteindre. Se mit à la fenêtre qui donnait sur le corso Buenos Aires, regarda les rares passants, les voitures, les vitrines éclairées des magasins fermés, et finit par comprendre que cette fille ne serait jamais personne. Qu'il avait misé sur le mauvais cheval, qu'il s'était complètement trompé.

Mais ce que pensa Donatello n'avait aucune importance, ni ce que les journaux écrivirent le lendemain. Une seule chose comptait : cet entrefilet en bas à gauche, à la seizième page du *Gazzettino del Cervo*. Un minuscule article que presque personne ne lut et qui ne parlait pas de Marina : *Andrea Caucino, fils cadet de l'ancien maire de Biella, a résisté courageusement à la tempête de neige dans sa ferme de Massazza totalement isolée. Les volontaires qui l'ont trouvé racontent qu'hier, sans eau ni électricité, le jeune éleveur a fait naître un veau. Nous l'avons joint au téléphone pour lui poser quelques questions, mais il n'a pas souhaité répondre.*

7

Une semaine après commença le dégel.

Des monticules de neige sale s'amoncelaient le long des routes, des branches d'arbres cassées, des tuiles et du crépi tombés au pied des maisons abandonnées. Des fissures profondes traversaient le revêtement de la chaussée, quelques villages étaient encore sans électricité. Mais la lumière réchauffait la crête des montagnes, les petites communes de la Valle Cervo, la ville de Biella et les campagnes.

Partout, tombant des toits, des gouttières, dans les ruelles et sur les balcons, c'était un bruit d'eau continu. À mesure que la neige fondait réapparaissaient les bancs, les plates-bandes, les trottoirs, et les routes recommencèrent à s'animer. Le ciel, nettoyé des nuages des jours précédents, invitait à sortir, à pelleter la neige dans les cours, à dégager les voitures. Juste à temps pour l'ouverture des élections.

Les Caucino furent les premiers à voter à Andorno. À l'extérieur du bureau, les vieux s'attardaient dans les couloirs de l'école, discutaient de toute cette neige qui était tombée, ou parcouraient du bout du doigt la liste des candidats dont pas un ne leur était connu. Puis ils entraient, disparaissaient dans l'isoloir avant de retourner au bar jouer aux cartes. Les jeunes, eux, étaient plus rapides. Ils savaient ce qu'ils voulaient faire : cocher le nom de leur candidat, et se venger.

Sebastiano s'était réveillé tôt ce matin-là. Sur les deux bulletins, celui pour élire les députés comme celui pour élire les sénateurs, il avait écrit : *Je suis un père séparé, je n'ai pas de travail, je n'ai pas de maison, je n'ai rien à moi. Et ça serait ma faute ? Connards !* Signé de ses nom et prénom. Puis, serrant dans sa main l'autorisation du juge, il avait sonné à l'interphone de son ex-femme : « C'est moi, fais-le descendre. » Et après deux mois, il avait enfin réussi à voir son fils.

Quand ils arrivèrent, Andrea finissait de déblayer le reste de neige. Il leva les yeux, reconnut Mathias qui avait jailli de la Volvo pour se précipiter sur le tracteur, pendant que Sebastiano descendait et fermait la portière à grand fracas.

« Tu l'as toujours pas réparée ? » lui cria-t-il en venant à sa rencontre, la pelle à la main et le chapeau sur la tête.

Sebastiano se mit à rire : « Tu sais combien il me prend, le Mario, juste pour me changer une petite ampoule ? »

Les mains sur les hanches et le regard grave, ils s'arrêtèrent un instant pour examiner une énième fois le capot recroquevillé sur lui-même et le phare cassé.

« D'ailleurs je m'y suis attaché, dit Sebastiano, c'est un souvenir de Kadhafi… Je peux pas l'effacer comme ça, comme si de rien n'était. »

Andrea sourit : « T'as raison.

– Et puis c'est une épave, elle est plus à ça près… »

Autour d'eux, la plaine enneigée se dissolvait, laissant entrevoir les rameaux fins des bouleaux, les silos, des traces de verdure le long des canaux d'irrigation. Le ciel était limpide. Ils observaient tous deux le dégel qui leur restituait le paysage. Le Mucrone, le Barone, les Mologne : elles étaient toutes là, à marquer la frontière la plus haute, leur roche exerçant une attraction obscure.

Soudain, ils entendirent Mathias qui hurlait : « Je veux le conduire ! Je veux le conduire tout seul ! », et ils se retournèrent pour le regarder grimper comme un chat sur le tracteur : il n'en avait jamais vu qu'à la télévision.

« Pour le moment, c'est pas possible, répondit Andrea. Mais en avril, je te laisserai conduire.

– Tiens, montre-lui les vaches, il va être content… »

Andrea emmena l'enfant dans l'étable. Les seize grises alpines étaient là, qui ruminaient tranquillement. Mathias, soupçonneux et un peu effrayé, alla se cacher derrière les jambes de son père.

« Sois pas trouillard, dit Sebastiano, c'est juste des vaches. »

Mais en même temps il le tenait par la veste.

Mathias relâcha peu à peu ses défenses, s'amusa de les entendre meugler et de voir comment elles agitaient la queue. Il courut en riant se cogner contre la panse d'une des bêtes.

« Hé, c'est pas un punching-ball », fit Sebastiano en le rattrapant par le bras. Et Andrea ne put s'empêcher de penser que si un jour Aaron venait le voir, ils joueraient de la même manière.

« Bon, alors je vais voter, dit-il.

– T'inquiète, on reste là. »

Tel qu'il était – en sueur, avec ses bottes en caoutchouc et sa chemise à carreaux –, Andrea monta dans la Punto et partit accomplir son devoir de citoyen.

À Cossato, sa circonscription, il se mit dans la file et remarqua que les gens le regardaient avec curiosité. Il se sentait mal à l'aise, c'était plus fort que lui, chaque fois qu'il s'éloignait de sa ferme ne serait-ce que d'un kilomètre. Depuis quand n'était-il pas allé à Biella ? Cinq mois, et ça ne lui avait pas manqué un seul instant.

Une heure plus tard, il était de retour. Il ralentit sur le chemin de terre, alluma une cigarette et, tout en cherchant à identifier le grincement qu'il entendait à l'arrière, leva distraitement les yeux et aperçut quatre voitures garées. Peut-être des clients ? Les premiers après toute cette neige.

Alors il les vit dans la cour. Tous.

Son père, sa mère, Elsa, Luca, Sebastiano et Mathias.

Une photographie improbable.

Mathias courait après le chien, Sebastiano, appuyé contre le mur de l'étable, gardait un œil sur le petit. Luca lavait sa voiture avec la pompe du jardin. Elsa lisait le journal. Et Clelia et Maurizio, debout devant la porte. Lui en veste et cravate, elle en robe amidonnée, son sac à bout de bras. Paralysés, détonnant complètement dans le décor.

Andrea écarquillait les yeux derrière le pare-brise, il avait du mal à y croire. Il manœuvra, se gara, tira sur le frein à main et se sentit comme à l'église à sa première communion, seule fois où il s'était retrouvé au centre de la scène. Il était heureux et remué par cette vision, qui aurait dû être naturelle, presque évidente : dans toutes les familles normales on se réunit le dimanche. Mais ça n'avait rien d'évident, pour lui. D'ailleurs, ça n'était jamais arrivé. Et voilà qu'ils étaient tous là, même s'ils ne se parlaient pas. Son père regardait sa montre, Sebastiano lui lançait des coups d'œil en biais. Sa mère serrait toujours la poignée de son sac, Elsa refermait lentement son journal.

Au fond, malgré son embarras, cela lui faisait plaisir. Mais il ne put s'empêcher de noter que parmi tous ces visages, les plus importants dans sa vie pour le pire et le meilleur, il en manquait deux, essentiels.

Quand il descendit de voiture, ils étaient tous muets.

Il fit quelques pas au milieu de l'aire, s'arrêta et se pencha pour saluer Clint, qui lui tournait autour en remuant la queue.

Il cherchait à gagner du temps, mettre de l'ordre dans des sentiments contradictoires. Puis il releva la tête et regarda ses parents, sourit.

Il aurait pu dire bien des choses, prendre enfin sa revanche. Pas tant sur elle, qui souriait timidement, avec ses rides profondes autour des yeux et une nouvelle couleur qui ne lui allait pas, que sur lui, qui ne cessait de tourner sa montre autour de son poignet et ne faisait rien pour cacher que venir ici lui avait coûté. Mais c'était trop tard, maintenant. Ils avaient trop à se faire pardonner.

Pourtant Andrea n'éprouvait pas de colère en les regardant, aucune haine envers ces deux personnes coupables, frigorifiées et un peu pathétiques.

« J'ai pas voté Berlusconi, papa, dit-il en continuant de caresser le chien. Désolé ! »

L'avocat ébaucha un sourire : « Je n'avais aucun doute à ce sujet…

– Moi non plus, monsieur le maire, j'ai pas voté pour lui », cria Sebastiano, qui voulait au moins se payer ce plaisir.

« Moi non plus, fit Elsa en écho, amusée.

– Ni moi non plus ! » conclut Luca en arrêtant la pompe.

Alors Maurizio cessa de tripoter sa montre. Il regarda Andrea et ses amis qui venaient de le défier ouvertement, puis cette ferme, qui lui rappelait tellement celle de son père.

Il décida de faire bonne figure : « Du calme, les jeunes. Attendez les résultats avant de crier victoire… Votre tour viendra, ne soyez pas trop pressés.

– Mais où vous avez vu qu'on était pressés ? s'exclama Sebastiano. Regardez : on a une pelle, on a du fumier, on a même des vaches… Que demande le peuple ? D'ailleurs, si vous voulez entrer… »

L'avocat hésita un instant.

Elsa leva les yeux de son portable, juste à temps : « Laissez tomber, dit-elle, l'abstention est très forte. » Andrea se dit qu'elle l'avait sauvé, une fois de plus.

Tranquillisée, Clelia chercha le regard de son fils : « C'est beau ici, hasarda-t-elle. Tu es bien installé. » Et elle ajouta : « Allez, montre-moi la maison. »

Maurizio en revanche ne dit pas un mot, c'eût été trop demander. Il n'était pas du genre à lâcher prise. Jamais, pour aucun motif. Mais il se promenait dans la cour, les mains derrière le dos. Il semblait examiner avec soin comment Andrea avait arrangé le fenil, organisé son affaire. Il se contenait, cachant sa déception à l'égard de ce fils qui lui avait toujours désobéi, mais qui maintenant était adulte.

L'étable, il fut incapable de s'en approcher.

Andrea emmena sa mère visiter la maison, lui montra aussi la cave, le laboratoire et la boutique, qui ressemblait à une bibliothèque. On voyait qu'elle était décontenancée, mais émue en même temps. Il lui expliquait avec fierté les principales étapes de son travail, les temps de maturation, le travail de la pâte, et elle hochait la tête.

Dans la cour, Maurizio continuait à parler des élections avec Elsa, Luca et Sebastiano. C'était bizarre pour Andrea de voir son père ainsi, de loin, lancé dans un genre de meeting improvisé – cherchant à convaincre ceux qu'il avait toujours appelés des desperados – et Elsa, candidate aux municipales à Piedicavallo, qui lui tenait tête : « Elle est finie, cette époque-là, maître Caucino... » Et Sebastiano qui se défoulait : « Quand j'étais en taule, vous aviez annoncé tellement de choses et vous n'avez rien fait ! » Et Luca qui écoutait, amusé que l'ancien maire de Biella, le terrible père de son meilleur ami, soit là avec eux dans cette cour boueuse, au milieu des poules qui grattaient le sol entre les monticules de neige, tandis que Mathias s'entêtait à vouloir escalader le tracteur. Ce qui impressionna Andrea, ce fut de voir combien l'homme avait vieilli.

Quand Andrea revint dans la cour avec sa mère, Elsa lui sourit sans ambiguïté : elle lui avait pardonné. Et cette fois, même s'il se sentait encore coupable pour cette nuit-là, il répondit à son sourire.

Ils restèrent là, à parler politique, comme si c'était un dimanche normal. Jamais on n'avait entendu autant de voix ici, vu autant de voitures garées l'une derrière l'autre.

« Alors, tu veux pas nous le montrer, ce petit veau ? » demanda Sebastiano.

Andrea hésita.

« Allez ! C'est le veau le plus célèbre de toute la région !

– D'accord, mais vite, parce que c'est bientôt l'heure de la traite. »

Il était près de cinq heures, la nuit allait tomber. Ils le suivirent dans l'étable. Seul son père resta à l'extérieur. Andrea les emmena dans un coin isolé où la génisse d'à peine une semaine écarquillait les yeux comme un bébé. Tous voulurent la caresser, tous se penchèrent sur elle, et ce fut étrange pour Andrea de partager avec eux la créature qui résumait le mieux pourquoi il avait choisi cette vie.

Puis ils s'en allèrent, l'un après l'autre, comme à la fin d'un repas de Noël ou d'une fête d'anniversaire. Seul son père s'attarda encore un instant avant de remonter en voiture.

« J'ai jeté un coup d'œil, dit-il en montrant l'étable. Des grises alpines, comme celles de ton grand-père… » Et d'une voix qui se cassait, tant ces paroles lui coûtaient, il ajouta : « C'est la meilleure race. »

Alors Andrea observa son père la main sur la portière, regardant ailleurs, comme s'il regrettait déjà cette minime et prudente approbation. Non, il ne pouvait pas lui pardonner. Il resterait toujours le fils de série B, le second après

Ermanno. Mais il comprit aussi combien il s'était inquiété pour lui, et en arriva presque à accepter que cet homme soit son père. Il fut surpris de lui poser la main sur l'épaule : « Ok, on s'appelle. »

Surpris de voir qu'il n'arrivait plus à le haïr.

Plus tard, plus fatigué que les autres jours après la traite, il essaya de se convaincre qu'il ne s'était rien passé d'extraordinaire. Ses parents et ses amis étaient venus lui rendre visite, voir comment il allait après la pire tempête de neige de ces trente dernières années. Tout ce qu'il y avait de plus naturel.

Il se prépara à manger, dîna seul devant les infos régionales comme toujours, sans prêter attention aux nouvelles. Puis il débarrassa, lava la vaisselle. Il était en paix avec le monde, pour la première fois depuis vingt-sept ans.

Ce n'était peut-être qu'une trêve, mais c'était une belle sensation. Et il l'avait gagnée à la sueur de son front, il l'avait entièrement méritée.

Il s'étendit sur le canapé, commença à lire le livre VI de l'*Iliade*, l'échange de dons entre Glaucos et Diomède. Ça lui avait fait plaisir qu'Elsa soit venue. À un moment, il avait même eu envie qu'elle reste, pour lui demander pardon, pour lui dire que maintenant, et aussi grâce à elle, il était devenu un homme meilleur.

Il fut sur le point de lui téléphoner. Il se leva du canapé, prit son portable et chercha le numéro dans son répertoire, quand il entendit frapper à la porte. Il descendit au rez-de-chaussée, espérant que ce serait Elsa : ils avaient peut-être eu la même idée.

Mais il ouvrit la porte, et c'était *elle*.

Elle, faiblement éclairée par la lumière extérieure. Mi-statue mi-humaine, dans la nuit muette qui s'étendait sur des kilomètres de vide. Jean déchiré et tennis roses, doudoune fuchsia si courte qu'elle laissait voir son nombril, longs cheveux blonds tombants sur ses épaules. Identique à ce qu'elle était sur scène, à la fête de Camandona. Du gloss sur les lèvres et des paillettes sur les paupières, dans la brume qui montait du sol et flottait sur la plaine.

Immobile, un mètre soixante-quinze d'inutile beauté. Avec ce même regard incendiaire et son éternelle expression de défi. Elle, présente, vivante, insolente.

Mâchant du chewing-gum, elle le regardait.

« Salut. »

Andrea éprouva une bouffée de haine. Follement, il désira qu'elle n'ait jamais existé.

Elle continuait à mâchonner son chewing-gum la bouche ouverte, en faisant du bruit exprès, avec ce demi-sourire allusif de starlette inculte de BiellaTv 2000.

Salut. Comme s'ils venaient de se rencontrer. Comme s'ils se voyaient pour la première fois et qu'elle n'avait pas foutu sa vie en l'air pendant dix ans. Simplement salut : comme si c'était un film dont elle était l'héroïne.

Il l'aurait tuée.

Andrea sentit un flot de sang chaud lui monter à la tête. Il saisit la poignée de la porte et d'un geste sec la claqua le plus fort possible.

« Ouvre-moi ! criait-elle. Andre, je dois te parler ! »

« Andre, ouvre-moi ! » Elle s'obstinait. Tambourinait sur la porte.

Et il restait là, adossé au mur de l'entrée, le cœur battant la chamade. Il croyait lui avoir pardonné, l'avoir oubliée, vaincue. Mais la haine qu'il éprouvait le tétanisait.

« Oh ! Je te dis que je veux te parler ! »

Andrea fixait la porte dans laquelle elle balançait des coups de pied maintenant. Et il se répétait comme un mantra, en s'obligeant à rester calme : Stop, fais comme s'il ne s'était rien passé. Monte à l'étage, va te coucher. Comme si elle n'était pas là, comme si elle n'existait pas.

L'ignorer, voilà ce qu'il devait faire : se prouver à lui-même qu'il était plus fort qu'elle.

« Andre, ouvre-moi ! De toute façon, je reste là ! »

Mais elle était là, et il n'arrivait pas à rester calme. Ses mains, ses jambes tremblaient, et plus il l'entendait crier et s'acharner sur la porte, plus il perdait sa lucidité. Il s'efforçait de respirer. Il se rappelait le texto qu'elle lui avait envoyé, la façon dont elle était partie, après qu'il lui avait demandé de partager sa vie, de s'occuper ensemble de la ferme, d'avoir des enfants et d'être libres, adultes, et de vieillir ensemble, mourir ensemble.

« J'm'en irai pas ! T'as compris ? Je reste là jusqu'à ce que tu m'ouvres ! »

D'un seul élan, Andrea ouvrit la porte. Les yeux injectés de sang. Marina devint muette et changea subitement d'expression.

« Dis-moi ce que tu as à dire et barre-toi », lâcha-t-il les dents serrées.

Elle recula d'un pas.

Il était méconnaissable. Une barbe broussailleuse dissimulait son cou, la peau de son visage était brûlée par le froid. Il était sale, moche, vieilli. En était-elle responsable ?

Surtout, il semblait la haïr au point de pouvoir lui faire du mal. Et Marina ne comprenait pas une métamorphose aussi profonde. Elle ressentit une chose qu'il ne lui avait jamais fait éprouver : la peur. Pourtant, elle restait là.

« C'est sérieux, j'ai besoin de te parler. J'ai besoin qu'on s'asseye un moment, et que tu m'écoutes », continua-t-elle, apeurée mais ferme. Et elle ajouta : « S'il te plaît. »

Ces derniers mots le mirent hors de lui.

« PARLE ! hurla-t-il. Parle, putain de merde ! Je te laisse pas entrer, c'est clair ? ! Tu l'as vu, ça ? » Il désigna du bras la ferme entourée de brouillard. « Ça, c'est ce que j'ai réussi à construire, MOI, de mes propres mains, SANS TOI ! Et je ne veux pas te voir ici ! »

Marina trouva le courage de ne pas baisser les yeux face à lui, qui semblait une copie contrefaite de l'homme que, malgré tout, elle avait aimé.

« Je suis revenue. »

Andrea demeura muet, comme s'il n'arrivait pas à comprendre le sens de ces mots.

« Je suis revenue vivre avec toi », et elle posa la main sur la poignée de sa valise à roulettes pour montrer que c'était vrai.

Andrea éclata d'un rire hystérique, qui pouvait ressembler à un sanglot. Il mit sa main devant ses yeux. Hocha la tête.

Puis, sérieux et froid, en s'efforçant de rester calme : « Marina, écoute-moi bien. Je me fiche complètement de ce qui te passe par la tête, de tes problèmes, de savoir si tu as une cervelle ou pas. Tes problèmes, ça ne me concerne pas. Par conséquent, moi, je vais me coucher, et toi tu prends ta valise et tu disparais.

– Non, répondit-elle d'un ton décidé. Je m'en irai pas tant que tu m'auras pas laissée entrer. »

Il continuait à la fixer, pâle, serrant les poings. Et Marina soutenait son regard, déterminée, ou peut-être seulement désespérée.

« Le 2 mars on doit se marier. »

Là, Andrea explosa. C'était la dernière chose à dire. Il balança un grand coup de pied dans la porte, si fort qu'il la défonça. Puis il se tourna de nouveau vers elle, les yeux noirs de fureur.

« Va-t'en », répéta-t-il, glacial.

Elle fixa le trou dans la porte.

« Le 2 mars, c'est samedi prochain. Il reste une semaine. »

Mais cette date, Andrea ne pouvait pas l'entendre. Cette date exaspérait sa colère.

« Si tu ne t'en vas pas, je te jure que je sors et je te cogne.

– Alors frappe-moi ! » Marina haussait le ton. Redevenait la gamine capricieuse, égocentrique, qu'elle avait toujours été. « Allez, vas-y ! Frappe-moi ! »

La pire des têtes à claques.

« Marina, s'il te plaît, ne m'oblige pas à te faire mal.

– Tu n'as qu'à me laisser t'expliquer ! protesta-t-elle. Parce que tu ne sais rien ! Tu crois toujours tout savoir, mais en fait tu ne sais rien ! Je suis revenue, je les tiens, moi, mes promesses. J'ai des couilles, moi », lui jeta-t-elle à la figure, « et je suis là. »

Andrea referma la porte à moitié défoncée derrière lui. Il marcha jusqu'au milieu de la cour. Sans savoir où il allait, ce qu'il voulait faire.

Il ramassa le premier objet qui lui vint sous la main, une pelle, et la jeta violemment contre une botte de foin. Le chien prit peur et aboya à l'intérieur de la maison. Andrea aurait été capable de tout détruire en cinq minutes, prendre un jerrican d'essence et mettre le feu à sa ferme, à l'étable, aux vaches.

« Toi, t'en as rien à foutre de rien ! hurla-t-il comme un forcené. Rien à foutre de personne ! » Et il s'en prenait à grands coups de pied aux autres bottes de foin. « Tu reviens ici cinq mois après, et tu t'imagines que je vais te pardonner… Mais je te pardonnerai jamais ! » Et de le dire il se sentait mieux, presque heureux de pouvoir déverser sur elle, enfin, toute la haine accumulée. « Tu sais quoi ? Hein ? Tu sais quoi ? En fait t'es qu'une perdante, une vraie *perdante* ! »

Elle resta où elle était, sans reculer d'un pas. Comme un soldat qui ne se rend pas, dans la nuit glacée enveloppée de brouillard. Inamovible. Une statue. Andrea regarda la silhouette de cette femme dans la semi-obscurité, lutta contre lui-même pour s'en libérer. Mais elle ne partait pas.

Alors il revint sur ses pas, arriva sur elle, lui saisit le poignet à lui faire mal : « Écoute-moi bien, siffla-t-il entre ses dents, je ne veux pas de toi dans ma vie.

– Ah oui ? Alors pourquoi il y a mon nom marqué là-haut ? » répondit-elle sur un ton de défi en indiquant l'enseigne Caucino-Bellezza.

Andrea lui serra le poignet plus fort. Il était si près d'elle maintenant qu'il pouvait distinctement reconnaître son odeur.

« Parce que tu es une pauvre fille, Marina. Je le sais, maintenant, ce que tu es. J'ai fait mon choix, tu as fait le tien. Retourne à Milan, retourne faire l'idiote à la télé. Tu me fais pitié. » Et il cracha par terre.

Marina dégagea son poignet, blessée et furieuse.

Elle le toisa avec mépris : « Je te croyais beaucoup *plus intelligent*. Je peux comprendre que tu m'en *veux*, mais faut m'écouter avant de juger. »

Elle ne savait même pas parler correctement, cette petite garce égoïste. Ils étaient au milieu de la cour sombre, entre les monticules de neige durcie, éclairés par la lumière sale de la lampe. Une fois de plus, face à face. Mais Andrea se le jura, c'était la dernière fois.

« Prends ta foutue valise et tire-toi. »

Elle restait immobile.

« J'ai perdu patience, je t'avertis. »

Elle ne bougea pas.

Andrea la prit lui-même, cette valise. Il l'attrapa, la traîna n'importe comment jusqu'à la Peugeot 206 garée devant le fenil, ouvrit le coffre et la balança à l'intérieur.

« T'es avec Elsa, c'est ça ? » cria-t-elle, sans bouger.

Andrea revint jusqu'à elle, la prit par le bras et commença à la tirer vers la voiture. Elle résistait de toutes ses forces, comme le cerf de cette fameuse nuit ; mais il ne cédait pas et tirait.

« Vous êtes ensemble, c'est pour ça que t'es comme ça ! » Elle criait. « Lâche-moi ! Lâche-moi et dis-moi si c'est vrai !

– Tu ne mérites pas que je te réponde, dit-il en la poussant contre la carrosserie. Tu ne mérites rien. » Il ouvrit la portière : « Allez, monte.

– Non.

– Monte ! » cria Andrea, haletant de fatigue.

Elle planta ses yeux dans les siens.

« J'ai pas d'endroit où aller. »

Andrea resta silencieux, exaspéré. Mais il n'arrivait pas à détacher ses yeux des siens.

« Mon appartement à Milan, je l'ai quitté. J'ai quitté ce travail, et la promo de l'album, j'ai tout plaqué. Et tu sais pourquoi ?

– Ça m'intéresse pas.

– Parce que j'en avais rien à foutre de devenir célèbre. Ça me servait à rien d'être célèbre. » Puis, avec des larmes qui commençaient à sillonner ses joues : « Tu sais pas ce que ça veut dire.

– Tu es pathétique, va-t'en.

– Tu sais pas ce que ça veut dire », répéta Marina.

Et sur Andrea, même s'il opposait une résistance féroce, même s'il la haïssait plus que jamais, ces larmes faisaient encore effet. Comme si c'était lui-même qui pleurait.

« Tu n'es pas adulte, lui dit-il, tu ne le seras jamais. »

Marina continuait de pleurer, en silence, détruite et fière. Une survivante sur les ruines de sa maison après un tremblement de terre.

« Tu sais pas ce que ça veut dire, toi, d'avoir grandi comme moi, à toujours attendre ton père qui rentrera pas, à ramasser le vomi de ta mère, la voir un jour prendre un couteau de cuisine et le planter dans le ventre de ton père. Ça, c'est quelque chose que t'as jamais vu de tes yeux. »

Elle l'avait dit. Pour la première fois elle l'avait raconté à voix haute à quelqu'un d'autre, et c'est alors qu'elle cessa de pleurer. Elle essuya ses larmes et son maquillage qui avait coulé, sans cesser un instant de le fixer dans les yeux.

« Peut-être que c'était pas ma faute, dit-elle. Mais c'est arrivé quand même. »

Alors il vit cette fille de vingt-deux ans, qui ressemblait encore à une ado de quinze tout juste sortie de sa banlieue, l'ado qu'elle avait toujours été : la chef du petit groupe de filles qui se baladent en ville le samedi, celle qui parle fort pour qu'on la remarque, la plus provocante et la plus décolletée devant l'unique glacier d'Andorno. Il la vit devant lui, irrémédiablement blessée. Et lui aussi se sentit coupable.

« Tu m'en veux parce que je suis partie, parce que je t'ai écrit ce texto. Mais c'est des conneries, Andre. C'est à ton frère que t'en veux, à ton frère et au monde entier, et tout ça pour des conneries. T'as acheté des vaches, t'as monté ta ferme. Mais t'es pas meilleur que moi, l'oublie pas. »

Elle se tourna, monta dans sa voiture.

« J'ai eu tort de venir ici.

– Attends », lui dit-il.

Marina posa la main sur le volant mais ne ferma pas la portière.

« Tu vas où ?

– J'en sais rien. Elle esquissa un sourire. Me faire foutre, je suppose.

– Tu vas chez ta mère ?

– J'y suis déjà passée. Mais j'ai plus envie de nettoyer son vomi dans les chiottes, désolée. » Elle leva les yeux vers lui, des yeux rougis, vaincus mais apaisés, aussi. « Si je pars maintenant, je peux être à Monte-Carlo dans trois heures. Je peux aller en Amérique, en Suisse, à Paris. Où je veux. Ce que j'avais à te dire, je te l'ai dit. »

Elle ferma la portière, tourna la clé.

Andrea la vit démarrer, passer la marche arrière. Alors, avant même de penser quoi que ce soit, avant de se rendre compte de ce qu'il faisait, il rouvrit la portière, se jeta sur elle, éteignit le moteur. Il la prit dans ses bras et la serra de toutes ses forces.

« Je peux pas, dit-il en enfonçant la tête dans ses cheveux, j'y arrive pas. »

Et elle ne le repoussa pas. Elle resta là, simplement, à sa place.

Au milieu de la cour où l'on n'entendait plus aucun bruit, où seule la lumière du néon jetait un peu de clarté dans la nuit, ils se regardèrent en silence, chacun découvrant combien le visage de l'autre avait changé. Andrea semblait endurci, sauvage, fatigué. Et pour la première fois il ne la trouva pas belle : une pâle copie de la jeune fille dont il était tombé amoureux des siècles auparavant, à la fête de Camandona, quand ils n'étaient que deux adolescents.

Il effleura son visage. Elle semblait plus fragile. La souffrance avait brouillé ses traits. Mais en la reconnaissant pour ce qu'elle était, avec sa faiblesse et sa mesquinerie, il sut qu'il ne l'avait jamais autant aimée.

« On est pareils, dit-il avec un regard de colère mêlée de tendresse. Toi et moi, on est pareils. »

8

Ils se marièrent cinq jours plus tard, dans la salle de la mairie, à Biella.

Sebastiano et Luca acceptèrent d'être leurs témoins mais pour le reste, la salle était vide. La cérémonie dura une vingtaine de minutes, à midi et demi c'était fini. Ils remontèrent dans la Punto et rentrèrent aussitôt à Massazza, où les bêtes étaient restées plus d'une heure sous la seule garde du chien.

Andrea conduisait en silence, fumant cigarette sur cigarette. Il portait la même veste, la même chemise et le même jean qu'à leur rendez-vous sur la Burcina, six mois plus tôt. Pendant ce temps, la tête inclinée contre le dossier du siège, elle chantonnait en battant la mesure sur la vitre. Elle regardait la campagne courir de chaque côté de la nationale, l'horizon s'éteindre dans la brume. Ils firent tout le trajet sans se frôler, sans se chercher.

Dès l'arrivée, Andrea se changea et descendit au laboratoire, où le lait tiré à l'aube devait encore être caillé. Marina installa une chaise longue rouillée au milieu de la cour, s'y étendit et resta là, en robe blanche, sa doudoune sur les épaules pour se protéger du froid. Les écouteurs sur les oreilles, sans rien faire qu'écouter de la musique, jusqu'à ce que la lumière disparaisse derrière les cimes du Mucrone et du Cresto.

Personne, à part les témoins, le maire et l'état civil, ne savait qu'ils s'étaient mariés. Ça ne concernait qu'eux deux, leur histoire, leur rébellion, rien d'autre. Mais à présent, quelques heures après avoir signé, Andrea essayait de ne pas y penser. Il avait recommencé comme tous les autres jours à séparer la crème du sérum, à le travailler à la baratte pour obtenir du beurre.

Marina étendait ses jambes sur la chaise longue, jouait avec ses chaussures vernies, blanches elles aussi. De temps en temps elle levait les yeux et regardait les montagnes là-haut, parcourues de traînées de nuages. Sa robe de mariée, qui voletait dans le vent et la poussière, était la seule preuve concrète que quelque chose de spécial avait eu lieu, tandis que lentement les heures s'écoulaient dans l'immobilité hivernale.

Elle avait désactivé son portable, sa boîte mail, sa page Facebook: depuis plus de dix jours elle avait disparu pour tout le monde.

Selon la plupart des sites Internet, Marina Bellezza se cachait, on ne savait où ni pourquoi, pendant que son disque voyageait sans elle, retransmis par les radios et sur MTV. Quelqu'un avait évoqué un coup de pub. En réalité, Marina n'y pensait même plus. Elle était simplement là, étendue au soleil, dans l'anonymat le plus total. Parfois elle regardait les poules picorer sur le sol et elle essayait de leur faire peur en leur lançant une chaussure, ou bien elle s'ennuyait, c'est tout. Elle regardait les champs qui se succédaient à perte de vue et chantait Rihanna tout bas.

Ce qui se passait dans sa tête, impossible de le deviner.

Andrea, d'ailleurs, ne voulait pas le savoir, il y avait renoncé. Une partie de lui, ce matin, devant le maire en écharpe tricolore et ses copains qui baissaient les yeux, avait vraiment rendu les armes.

En sortant du laboratoire, il s'arrêta pour la regarder, de loin. Sans s'approcher, sans l'appeler. Il la laissa où elle était: *sa femme*, en robe de tulle poussiéreuse avec sa traîne agitée par le vent, enclose dans cet atoll de lumière d'après-midi, au milieu de la cour. Inaccessible.

Et elle faisait semblant de rien.

Quoi qu'il arrive, ils avaient conclu un pacte, échangé les alliances: un point ferme si fragile qu'il ne pouvait pas durer plus d'un mois, une semaine, un jour. Ils le savaient tous les deux. Alors ils continuèrent à tourner autour de ce silence, comme deux personnes qui n'ont plus rien à se dire. Puis Marina baissa les yeux, Andrea passa son chemin et disparut dans l'étable. Ils n'avaient aucune idée de ce qui allait se passer. Ils s'étaient mariés, c'est tout. Comme ça, comme deux enfants, ou deux désespérés.

Andrea comprenait, en posant les manchons sur les pis d'une vache, qu'en réalité il n'avait plus rien à lui dire. Elle restait là, à contempler ses chaussures. Elle ne se plierait jamais à mener cette vie pour de bon, elle ne le suivrait pas à Riabella, sans électricité ni eau courante. Il le savait, et pourtant il l'avait épousée.

À un moment donné, il s'arrêta de traire et regarda son alliance. Il le savait que ça ne pourrait pas durer. Que ça n'avait aucun sens. Que c'était absurde.

Il avait étudié Marina pendant des mois, assistant à des concerts de deux heures d'affilée lorsqu'elle s'exhibait avec une détermination insensée sur le balcon en face de chez lui. Il s'était laissé torturer pendant des années, en allant la chercher à l'école, en attendant que ses parents sortent. Il lui avait pris sa virginité sur le siège arrière d'une voiture, et en échange lui avait donné sa vie. Sans retenue, sans défense, comme aucun autre n'aurait été prêt à le faire.

Il l'avait toujours attendue, il s'était laissé humilier. Il avait essayé de la sauver, sans y parvenir. C'était une lutte inutile, sans fin. Elle l'avait quitté deux fois, la deuxième pour faire *Cenerentola Rock* sur BiellaTv 2000. Elle s'était enfuie à Milan, était revenue sans prévenir ; et cinq jours après, sans certitudes ni raisonnement, ils étaient allés à la mairie se marier. Et maintenant, regardant l'alliance à son doigt, Andrea se traitait d'imbécile, de connard et de fou.

Un matin, dans pas longtemps, elle referait ses valises et disparaîtrait, une fois de plus. Et peut-être qu'elle reviendrait encore, pour disparaître à nouveau. Les gens ne changent pas, ils ne peuvent pas changer. Les gens comme Marina n'appartiennent à personne, parce qu'ils ne réussissent même pas à s'appartenir.

Il se passa la main sur les yeux. Il essuya aussi la sueur sur son front. Se demanda comment ils avaient pu être à ce point inconscients. Nom de Dieu, comment il avait pu.

Puis il reprit la traite. Il ne l'entendit pas quand, vers cinq heures, elle entra dans la maison et monta dans la chambre. Dehors il faisait déjà nuit, la température était descendue en dessous de zéro. Marina dégrafa son bustier en satin, ôta sa robe et la suspendit à la porte de l'armoire. Elle s'arrêta pour la regarder d'un œil blasé : elle l'avait trouvée dans une grande surface le long de la nationale. Elle n'était même pas à sa taille. Alors elle enfila son jogging, mit ses chaussures de sport, rassembla ses cheveux et, sans prévenir, partit courir dans les champs.

Le long des canaux d'irrigation, sur les passerelles entre les rizières, là où la neige s'était retirée en laissant des touffes d'herbe desséchées par le gel, elle parcourut presque sept kilomètres en longeant la route. Elle l'avait traversée des dizaines de fois pour aller aux studios de BiellaTv et en revenir. Un peu plus loin il y avait des retenues d'eau artificielles où petite on l'emmenait parfois pêcher : une lande effritée par les souvenirs et par l'abandon, que son père, ce soir-là, avait appelée un *no man's land*.

Elle arriva au carrefour de Fornace Crocicchio et Carisio, et s'arrêta pour reprendre son souffle. Elle s'assit sur ce qui restait d'une chaussée bordant une baraque. Regarda les autos filer dans les deux sens sur la nationale 230, un panneau publicitaire de la charcuterie Pria qui ressemblait à celui de *Cenerentola Rock*, pendant que le soir s'étalait en silence sur Massazza, Carisio et Biella.

Elle chercha au loin derrière les arbres, dans la brume qui commençait à s'épaissir, l'enseigne lumineuse du motel Nevada. Elle essaya de deviner où était le péage de l'autoroute, et où était son père en ce moment. Elle aurait voulu lui dire qu'elle s'était mariée, elle aurait voulu le prendre dans ses bras et lui pardonner, à lui aussi, mais elle ne pouvait pas. Elle se rappela la soirée du *Gala de la Chanson*, quand elle avait traversé ce carrefour au ralenti, craignant de se perdre, d'arriver en retard et de ne pas le trouver. Ici, où tout avait commencé, le 16 septembre de l'année dernière.

Maintenant elle les voyait elle aussi, les entrepôts abandonnés, les filatures démembrées et les chantiers fermés depuis des années. Elle s'apercevait enfin que tout était mort, éteint, rouillé, pas comme dans ses souvenirs. Un scrapeur s'enfonçait dans la boue depuis Dieu sait combien de mois, les volets du restaurant au coin de la rue étaient barricadés. Pourtant, cette terre-là n'était pas un *no man's land* : c'était *la sienne*. Le seul lieu au monde où elle puisse toujours revenir.

Un jour, peut-être, elle aurait des enfants, et elle les emmènerait pêcher dans les retenues d'eau, ou pique-niquer au bord du Sesia. C'était peut-être ça qu'elle voulait. Pour la première fois depuis qu'elle s'était enfuie, Marina comprit vraiment, avec une lucidité totale, devant ce carrefour de Carisio éclairé par quatre réverbères chétifs, devant un restaurant fermé et un engin de chantier abandonné, qu'elle avait gâché sa vie.

Elle l'avait prise et elle l'avait jetée, comme la cassette-vidéo de la publicité Aiazzone.

Elle était allée jusqu'à Milan, jusqu'à Rome. Elle aurait pu réussir, faire carrière, devenir quelqu'un. Tout était prêt, tout était en route : le disque, la promo, la tournée. Mais elle, au dernier moment, elle avait fait marche arrière. Avait troqué un avenir de succès, de liberté, d'argent, contre l'avenir quelconque d'une femme quelconque jamais sortie de sa province.

Dans quelques années, plus personne ne se souviendrait de son nom, et son corps déformé par les grossesses serait gras et flétri. Elle passerait sa vie à se disputer avec son mari, à repasser, à faire le ménage, et à traire les vaches. Elle s'infligerait cette punition, et au nom de quoi ? Pour quel putain de motif ?

Mais qu'est-ce que t'as fait, Marina ?

Elle avait envie de pleurer.

Elle pensa aux femmes de la Valle Cervo, des vies entières ensevelies parmi les pierres, enterrées comme les racines des hêtres et des châtaigniers. Toujours dans le même lieu, le même jour répété à l'identique pendant des décennies. Le visage tanné par les intempéries, la voix rauque de qui a perdu l'habitude de parler.

Au fond, elle était comme ces femmes. Elle qui possédait la plus belle voix du monde, qui était passée à la télé, qui avait vu la capitale, elle se préparait maintenant à vivre la même vie que ses arrière-grands-mères.

Elle se releva et recommença à courir. Parcourut dans l'autre sens ces sept kilomètres de neige durcie et de terre brûlée, avec toute son angoisse, transpirant de colère et de sueur.

Personne ne la regarderait, personne désormais ne la reconnaîtrait plus dans la rue, plus aucun présentateur ne l'annoncerait dans un nuage de fumée, sur la bande-son de *Top Gun.* Une partie d'elle courait, ressentait dans le ventre et la poitrine une douleur lancinante : la partie d'elle qui avait besoin d'un public, d'un projecteur braqué sur elle, et d'entendre les applaudissements éclater et grandir jusqu'à remplir tout l'espace pour exister. Mais une autre partie, destinée à demeurer à jamais inconnue, se sentait presque libérée tandis qu'elle courait au milieu des rizières en criant à pleins poumons.

Elle pensa : cette nuit, je m'en vais.

Quand elle revint à la ferme, il était plus de huit heures. Elle ne rencontra pas Andrea, évita de le chercher. Monta l'escalier et s'enferma dans la salle de bains. Se jeta sous la douche et y resta longtemps, à sentir l'eau bouillante dégouliner sur son visage, le laver des scories de la journée. Elle passa le plus de temps possible dans ces deux mètres carrés, sans savoir quoi faire, quelle décision prendre.

Elle pouvait fourrer toutes ses affaires dans la valise sans qu'il s'en aperçoive, et à minuit être à Milan. Elle pouvait s'arrêter à l'Holiday Inn sur l'autoroute, et être demain à Rome pour le déjeuner. Sur cette place, avec cette fontaine magnifique en forme d'animal marin. Elle enveloppa ses cheveux dans une serviette, sortit nue.

Puis elle ouvrit la porte et le trouva là, *son mari.*

Assis sur le lit, lui tournant le dos. Immobile, silencieux, observant sa robe de mariée accrochée à la porte de l'armoire.

« Tu veux déjà t'en aller ? » demanda-t-il sans se retourner.

Sa voix était calme ; sans ombre, sans reproche. Ses mains posées sur ses genoux, ses épaules courbées. Comme un vieux, comme un homme qui n'en peut plus.

« Je ne me mettrai pas en colère, ajouta-t-il, mais il faut me le dire, cette fois. »

Marina resta clouée sur le pas de la porte. Elle ne s'y attendait pas, un instant se vit découverte, démasquée. Elle ramassa le premier vêtement qui lui tomba sous la main et s'en couvrit. Puis alla s'asseoir sur une chaise, à une certaine distance de lui. Elle resta muette, jambes croisées, indécise. Elle attendit qu'Andrea se retourne.

Mais il ne bougeait pas, ne la regardait pas. Continuait de fixer cette robe de mariée qui pendait à la porte entrouverte de l'armoire, décousue et salie par la terre. Une robe à quatre cents euros en forme de meringue, achetée en solde et à toute vitesse dans un outlet.

« Pourquoi tu me demandes ça ? finit-elle par trouver le courage de dire.

– Parce que je te connais. » Andrea désigna la robe et sourit tristement. « Tu t'es marié, dit-il, tu as fait ça aussi... Tu ne tiendras pas le coup une semaine, pas même une journée. Ce n'est pas ta faute », il se passa les mains sur la figure, il avait l'air épuisé, « La seule chose que je veux, c'est que tu me le dises, si tu t'en vas. »

Prise à contre-pied, Marina se leva de la chaise, ôta la serviette de ses cheveux et commença à les sécher, tête en bas. Elle laissa passer quelques minutes, puis vint s'asseoir à côté de lui sur le lit.

« Ce n'était pas ce que je voulais », dit Andrea en désignant à nouveau la robe. « Je le savais, ce matin, j'en étais bien conscient... Pourtant, je t'ai épousée. » On aurait dit qu'il se parlait à lui-même. « Ça n'a pas de sens qu'on se raconte des histoires, toi tu resterais là sans rien faire de la journée…

– Tu sais ce que je pense ? l'interrompit Marina d'une voix dure. Je pense que c'est *toi* qui as une peur bleue. »

Andrea leva finalement les yeux sur elle et vit qu'elle était nue sous une de ses chemises à carreaux, boutonnée de travers, qui laissait entrevoir un sein. Il vit ses pieds blancs et fins avec les ongles peints en rouge, ses cheveux humides qui ondulaient sur ses épaules,

« Voilà ce que je pense de toi, continua Marina, que t'as pas de couilles. »

À moitié étendue parmi les oreillers, les yeux pleins de fureur, dans cette chambre cernée par l'hiver. Andrea regarda ce corps dont il avait été l'esclave pendant tant d'années.

« On a fait une énorme connerie », dit-il en souriant. Puis il lui caressa la cheville, parce que c'était plus fort que lui. Il l'effleurait comme on effleure les choses qu'on s'apprête à abandonner.

Mais elle retira aussitôt son pied : « T'es un lâche. »

Elle commença à se peigner du bout des doigts, nerveuse. Sans cesser de le regarder dans les yeux.

« Tu as eu cinq jours pour me renvoyer à Milan, pour me dire non et tout annuler. Pourquoi tu l'as pas fait ? Parce que t'es un con ! »

Andrea se mit debout, étira son dos meurtri par sa journée de travail. « À quoi ça aurait servi ? dit-il, les yeux tournés vers la fenêtre. Je ne me débarrasserai jamais de toi. Tu voulais faire un truc nouveau, transgressif… » Il laissa échapper un demi-sourire. « Et moi je t'ai laissée faire. Peut-être que ça te plaisait, l'idée d'avoir un mari, un type que la loi obligerait à t'attendre toujours, à te pardonner chaque fois… L'idée de te marier avec un éleveur de bétail. Un truc qu'aucune de tes collègues bimbos ne ferait jamais... » Il parlait calmement, en regardant la nuit de l'autre côté des vitres. « Tu passes d'un excès à l'autre, Marina. Tu joues... » Il s'arrêta pour se tourner vers elle. D'une voix ferme, il conclut : « Maintenant, il vaut mieux que tu t'en ailles.

– T'as la trouille, oui, une putain de trouille ! s'écria Marina en s'asseyant bien droite. C'est toi le lâche, pas moi ! » et elle en tremblait.

« C'est possible », dit-il en se laissant retomber sur le lit, comme quelqu'un qui a renoncé depuis longtemps et peut enfin baisser les armes. « Arrête, les vaches ça te dégoûte, tu peux même pas les approcher... Dans deux jours tu téléphoneras à ton Donatello ou je sais pas comment il s'appelle, et tu lui diras de venir te chercher... D'ailleurs, dans une heure tu seras déjà collée à la télévision à te dire que tu es la meilleure, que c'est toi qui as du talent. Je te connais comme ma poche, Mari. Pas la peine de me faire ton cinéma, tu piaffes déjà à l'idée de repartir.

– C'est pas vrai ! » protesta Marina.

Andrea gardait les bras croisés et contemplait le plafond. « Tu fais les choses parce que t'en as envie. Les conséquences tu t'en fous, les autres tu t'en fous...

– Et toi tu dis toujours n'importe quoi ! » Marina s'assit sur lui, elle le regarda bien en face. « Si t'étais malin, au lieu de te faire des films, tu m'aurais déjà proposé de m'occuper de la boutique, de faire un site Internet, de faire ce que je sais faire le mieux... Mais t'es pas malin. Toi, tu vis dans le monde des utopies, des paranoïas... Au lieu de penser au fric, tu penses à des conneries. »

Andrea éclata de rire, lui caressa les hanches.

« Me touche pas ! cria-t-elle. Essaie pas de me toucher !

– Mais comment voudrais-tu que je te croie ? » Il caressait les hanches, les jambes, les lignes de ce corps qui continuait à exercer leur pouvoir sur lui, et elle restait à cheval sur son ventre, furieuse, dans une colère noire.

« Dis-moi que tu n'y as pas pensé. Jure sur la tête de ta mère qu'il y a cinq minutes, tu ne pensais pas à faire tes valises. »

Marina ne répondit pas. Même si elle était tout à fait capable de jurer n'importe quoi sur la tête de n'importe qui, y compris sa mère.

Andrea hochait la tête, amusé et désespéré : « On est dingues, Marina... Toi, tu ne sais pas ce que tu fais, mais moi je m'en rends compte.

– Eh non ! » s'écria Marina. Elle était sérieuse tout à coup : « Moi, je sais ce que je fais. J'ai plein de fric, maintenant. Je pourrais te faire doubler tes bénéfices, je pourrais changer ta vie dès demain matin... Mets-moi à l'épreuve ! Donne-moi la responsabilité *marketing* ! » Et ce mot-là sur ses lèvres, la façon dont elle l'avait prononcé, étaient si ridicules qu'Andrea avait irrésistiblement envie de l'embrasser. « Regarde, j'ai géré mes affaires moi-même pendant pas mal de temps, et t'as vu où je suis arrivée ? » Fière d'elle, orgueilleuse. « Si tu me laisses faire la promotion sur Facebook, tu vas devenir plus riche que ton père.

– Tu mens comme tu respires, dit-il en la prenant dans ses bras, tu te mens à toi-même, à n'importe qui », et il riait, en lui maintenant la tête contre sa poitrine, jouant à l'étouffer. « Ce qui te plaît c'est la nouveauté, au bout de trois jours tu en as déjà marre. Tu veux faire un site ? Mais tu ne sais même pas comment on fabrique le maccagno... T'en as rien à foutre du maccagno, Mari. »

Alors elle commença à se dégager, puis à le frapper. Il parait les coups et riait. Elle n'arrivait pas à être vraiment en colère, parce qu'au fond elle savait qu'il avait raison.

« Pour toi tout est un jeu, mais ma ferme ça n'est pas un jeu.

– Laisse-moi m'occuper de la publicité, et après on verra, insistait-elle. Laisse-moi organiser les foires… Arrête avec tes prospectus minables ! Moi, je sais comment ça marche ces trucs.

– Ça me fait de la peine pour ce pauvre Donatello, tu as dû lui en faire voir…

– Je sais peut-être pas traire les vaches mais je suis un super *manager* ! »

Un manager… Quand il n'y avait qu'une étable, seize grises alpines et une génisse à peine née, et le désert autour. Elle l'attendrissait.

« Tu veux que je te dise la vérité ? demanda-t-il en la ren versant sur le lit. Tu ne sais rien, Marina, rien de rien… Tu ne sais pas qu'il y a des lois, ce que certains choix impliquent, ce que ça veut dire de faire marcher une entreprise dans ce pays en faillite. La vérité, c'est que ce matin on a fait une connerie et on la regrette déjà, et si on pouvait revenir en arrière on ne la referai pas. Parce qu'on n'a pas une once d'avenir ensemble. Mais moi, je t'aime à en mourir. »

Andrea la poussa vers le milieu du lit, enleva sa chemise, son T-shirt, sa ceinture. Il l'embrassait puis s'écartait pour la regarder. Elle était belle, et il n'y avait rien d'autre pour quoi il vaille la peine de bousiller sa vie.

Et là, en lui ôtant son jean, avec sa malice habituelle, elle lui demanda : « Alors, qu'est-ce que tu as fait avec Elsa ? Dis-le-moi… » Andrea lui baisa les genoux, les jambes, l'aine : « Rien, répondit-il, rien qui puisse se comparer à ça, même de très loin. »

Marina sourit, satisfaite, pencha la tête en arrière. « Elle va me le payer, dit-elle, elle va mourir pour avoir même osé t'effleurer… » Andrea ne la laissa pas finir, il lui ferma la bouche et Marina enfonça le visage au creux de son épaule, s'accrocha à lui et ferma les yeux.

Un mariage, ça ne sert à rien et ça ne résout rien. Ils l'avaient compris. Mais ils faisaient l'amour et, pour la première fois, ce n'était pas sur les rives du Cervo ni sur les sièges rabattus d'une voiture ni en cachette ni par jeu ni pour se quitter ou se combattre. Mais pour quelque chose d'autre qu'ils ne connaissaient pas, qui n'était pas en leur pouvoir, loin de leur propre guerre ou de leurs fautes, de l'Italie et de l'Histoire, à des années-lumière.

Il était très tard quand ils se laissèrent tomber de chaque côté du lit, cœur battant, corps épuisés. Ils restèrent là, bras et jambes écartés, à regarder le plafond et reprendre leur souffle.

Alors ils pensèrent exactement la même chose.

Qui n'était d'ailleurs pas une pensée nette, juste une image floue, voire le halo d'une image lointaine : quelque chose comme un espace énorme avec un ciel très haut, comme une liberté insensée mais qu'ils sentaient tous les deux vouloir vivre. Andrea n'eut pas le courage de le formuler. Mais Marina, si.

Elle se leva brusquement, enfila un pull.

Puis elle s'arrêta au centre de la chambre, pointa un index sur lui et dit : « Maintenant, tu appelles Sebastiano, ou ton père, ou n'importe qui, et tu lui dis qu'on s'en va. »

Andrea s'assit les jambes croisées sur le lit, au milieu des couvertures défaites.

« Une semaine, Andre, pas plus. On y va, on revient. Les vaches tiendront bien une semaine sans nous. On paie quelqu'un, ton imbécile de copain qui est au chômage… On se tire.

– Non, dit Andrea tout doucement. Je peux pas faire ça. »

Mais Marina ne l'écoutait pas, ne voulait rien entendre : « C'est moi qui ai le fric, c'est moi qui décide. Je veux claquer ces vingt-cinq mille euros de *Cenerentola Rock*, du premier jusqu'au dernier. » Elle avait foncé sur l'armoire qu'elle ouvrait déjà, en sortait des vêtements. « Allez, on fait les valises.

– Non », répéta Andrea, à voix haute cette fois.

Et il trouva le courage d'ajouter, même s'il connaissait déjà la réponse : « Où tu veux aller ? »

Marina se tourna vers lui. Son regard se fit plus intense et elle dit où.

Et entendre ce nom fit à Andrea l'effet d'un coup de poing.

« Je peux pas.

– Si moi je peux vivre cette vie ici, dit-elle, alors toi tu es capable de monter dans un putain d'avion.

– Ça fait vingt-trois heures de vol… Tu ne te rends pas compte. C'est à l'autre bout du monde.

– Ça pourrait aussi bien être *cinquante* heures de vol, je m'en fous. Tu veux que je vienne sur cette montagne en mai, tu veux que je vienne vivre dans ce taudis de Riabella qui est encore pire que ta ferme ? Eh bien moi, avant, je veux voir l'Amérique !

– Marina…

– Non ! protesta-t-elle avant même qu'il termine. Moi je veux le revoir, Ermanno. »

Ce prénom le fit sursauter.

« Je veux aller saluer *mon beau-frère*, lui dire qu'on s'est mariés. Et je veux voir où il habite, ce qu'il y a de l'autre côté du monde. Pas la peine de faire cette tête, je sais que toi aussi tu le veux. »

Andrea bondit sur ses pieds, pâle à faire peur.

« Je ne ferai pas ça.

– Si, tu le feras. Lundi je vais acheter les billets. Je veux monter dans un avion, je veux voler, regarder en bas par le hublot, et je veux faire ça comme il faut. En business class. »

Aucun des deux, en effet, n'avait jamais pris l'avion. Dès qu'elle verrait les prix, Marina opterait pour la classe économique comme le commun des mortels.

« Ok. On va où tu veux », finit-il par dire. Et il ajouta, en faisant la gueule : « N'importe où sauf à Tucson. »

Elle ouvrit les bras. « Et où, sinon ? »

Andrea le voulait si fort, qu'il lui venait l'envie de crier et de tout casser. Pourtant, il ne pouvait pas. C'était fou, c'était encore plus fou que ce qu'ils avaient fait ce matin-là.

Putain, se barrer. Une semaine, le plus loin possible d'Andorno, de Biella, de l'Italie en train de crever. Les canyons, le désert de Sonora à la frontière avec le Mexique.

« Pas question, dit-il. Mes bêtes, je les laisse à personne, même pas une journée.

– Andrea », conclut Marina à un centimètre sous son nez, comme pour le défier ouvertement, avec une détermination explosive dans le regard. « Je te le dis pour la dernière fois : si t'as des couilles, c'est le moment de le prouver. »

9

I'm very very famous !

Un mois plus tard, à l'aube, ils s'éloignaient de Massazza enveloppée dans l'obscurité de la plaine immobile et glacée. Ils la traversèrent lentement, à cause du brouillard, jusqu'à Santhià. Ils garèrent la Punto le long de la voie du chemin de fer, marchèrent jusqu'à la gare en portant leurs bagages. Montèrent dans le train régional pour Milan avec les travailleurs du matin. Et à onze heures et demie, s'envolèrent de l'aéroport de Linate et quittèrent l'Italie.

Ils firent une première escale à Londres, une seconde à Los Angeles. Sur le Boeing intercontinental de l'American Airlines, pendant les douze heures de la traversée, ils ne dormirent pas. Assis à quatre rangées du fond, ils jouèrent aux cartes, à la briscola et au trois-sept ; essayèrent de lire : Marina *Amore&Scoop*, où un entrefilet sur elle devait paraître, et Andrea *Canada* de Richard Ford.

Des centaines de personnes venues de pays lointains et parlant différentes langues se serraient sur les sièges : Chinois, Arabes, Suédois. Tous avaient apparemment l'habitude de voyager. Tous, sauf eux, descendus de leur Valle Cervo, et ne sachant pas comment se comporter en voyage.

Aucun des films disponibles n'étant en italien, ils se contentaient de regarder la progression du voyage sur l'écran fixé au dossier du fauteuil devant eux : les kilomètres qui restaient à parcourir, la vitesse, l'heure d'atterrissage prévue, et les huit fuseaux horaires à traverser entre-temps. Ils parlaient peu, comme si c'était un retour plutôt qu'un départ. Comme s'ils devaient se séparer dès qu'ils auraient touché terre. Andrea raide, l'air grave, suivait attentivement la route au-dessus de l'Atlantique puis l'apparition graduelle des États : New York, l'Ohio, le Kansas. Des sonorités sans réelle consistance. Rien à voir avec des noms comme Quittengo, Riabella ou Piedicavallo. Ce qu'ils voulaient, peut-être, c'était s'enfuir, oublier où ils étaient nés.

À Los Angeles on les fouilla, on vida sans égard le contenu de leurs bagages, avant d'apposer enfin le coup de tampon sur leur passeport. Marina s'agaçait, courait pour trouver la porte d'embarquement, ses pieds lui faisaient mal dans ses chaussures à talons ; Andrea regardait autour de lui, serrant son sac de sport de l'Andorno Calcio, ressemblant au fantôme de ce gamin qui, l'été 1993, s'était sauvé de chez ses parents. À bout de souffle, ils réussirent à monter dans le petit avion pour Tucson. Une heure et demie de vol, la dernière.

Marina s'endormit profondément, le dos courbé, la tête ballante. Andrea, imperturbable, continuait de regarder le ciel par le hublot, noir comme dans n'importe quelle autre nuit du monde. Il écouta des hommes en chapeau de cow-boy plaisanter entre eux, sans comprendre un seul mot de ce qu'ils disaient. Enfin, sales et transpirants, les jambes moulues, ils arrivèrent à destination, à vingt et une heures, heure locale.

Ils sortirent de l'aéroport, se trouvèrent face à deux énormes parkings surélevés, une rangée de palmiers jaunis et un cactus. Au loin, des enseignes d'hôtels suspendues dans la nuit. Et ici, devant la porte des arrivées, des voitures s'arrêtaient, des portières s'ouvraient, des familles accueillaient les voyageurs en criant *Hi !*

Marina et Andrea restèrent plantés là, chacun enfermé dans ses pensées, regardant ces scènes de retrouvailles. Eux n'avaient averti personne de leur arrivée. Andrea alluma une cigarette, aspira la fumée à fond. C'était là le ciel, l'odeur, le béton et la nuit du lieu où son frère avait décidé de vivre. Sans lui.

Ils se dirigèrent vers le comptoir Car Rental, sans savoir quel genre de voiture louer. L'employée ouvrit un dépliant et exposa, dans un anglais incompréhensible pour eux, les différents modèles et les prix. Marina passa rapidement sur les pages *economy* mais s'arrêta, fascinée, sur la dernière, celle des *exclusive.* « *Yes* », dit-elle en la pointant de l'index.

L'employée la regarda d'un air soupçonneux, lui demanda une foule de choses qu'elle ne comprit pas, et qu'elle se fichait bien de comprendre. Enfin, en détachant bien les mots, la femme demanda une fois encore : « *Are you sure ?* »

Et Marina : « *I want this.* » Sans la moindre hésitation.

Elle posa sa carte de crédit sur le comptoir, prit les clés. C'était un absurde et gigantesque pick-up vert pétrole de General Motors, sept mètres de long sur deux de large. Qu'elle exigea de conduire, réveillée tout à coup, emportée par un accès d'enthousiasme. Et elle enfonça le pied sur l'accélérateur, comme si elle se rendait compte seulement maintenant qu'elle était en Amérique.

Elle prit la rampe d'accès à l'Interstate direction El Paso, sans avoir la moindre idée de l'endroit où ils se trouvaient. Elle filait à toute vitesse, pendant qu'Andrea avait le regard perdu derrière la vitre, épuisé de fatigue : « Il faut qu'on trouve un hôtel et qu'on mange quelque chose. » Mais Marina ne l'écoutait pas. En Amérique, selon elle, tout était possible.

Elle conduisait tout excitée, doublant et accélérant sur environ dix miles. Jusqu'au moment où l'air fut brutalement déchiré par une sirène. Ils levèrent les yeux vers le rétroviseur : la Highway Patrol.

Les lumières bleues, rouges, orange, les appels de phare dans la nuit.

C'était après eux qu'ils en avaient.

Mais avant que le marshall descende de la voiture de patrouille pour venir jusqu'à la vitre conducteur, avant que commence leur fuite désordonnée et inutile vers le Nouveau Mexique, et avant de revenir à Tucson, devant le pavillon blanc et le drapeau américain planté dans un jardin rectangulaire sur Bighorn Avenue, il s'était passé quelque chose.

Un épisode marginal, survenu la veille de leur départ. Un épisode dont Andrea ne saurait jamais rien.

Elle devait aller voir sa mère, elle voulait au moins lui dire au revoir. C'était ce qu'elle avait dit en se montrant à la porte de l'étable, habillée pour sortir.

Il était deux heures de l'après-midi, le jour de Pâques. Pour la centième fois, Andrea montrait à Luca et Sebastiano comment ils devaient traire la vache qui avait une mastite pendant son absence : à la main, délicatement. Marina déclara qu'elle reviendrait avant le dîner. Elle monta dans la Peugeot, démarra et disparut au bout du chemin.

Elle n'allait pas chez sa mère, naturellement. Elle remontait la nationale 230 en passant devant Mercatone Uno, McDonald's, le centre commercial des Orsi : là où elle avait chanté *Locked Out Of Heaven* en maillot de bain, le 6 octobre. Elle y repensa sans émotion.

Mais elle laissa la radio éteinte : elle ne voulait pas risquer de s'entendre chanter *Sei un sole infinito, sei l'inferno e il paradiso* ou, pire encore, découvrir que la chanson ne passait plus. Elle traversa Biella incognito, en lunettes de soleil et casquette de base-ball. Depuis des semaines, elle évitait de chercher son nom sur Google, de regarder MTV, de passer près d'un kiosque à journaux ou simplement d'appeler Donatello pour savoir comment l'album marchait, s'il avait annulé la tournée, les interviews, tout. Elle aurait pourtant été parfaitement capable de s'arrêter dans un bar, de soulever le combiné d'un téléphone à carte : Salut, Tello, c'est Marina. Combien d'albums on a vendu ? Elle avait failli le faire, mais là elle n'en avait pas envie.

Elle descendit par la via Cernaia, franchit le pont de Chiavazza, puis tourna à gauche et commença à longer les filatures qui se délabraient le long du remblai du torrent. Les morceaux de fenêtres cassées étincelaient dans le soleil. Ce qu'elle voulait faire n'avait pas grand sens, mais elle y tenait. D'ailleurs, elle était sortie pour ça.

Elle lut distinctement le panneau au bord de la route : toujours la même départementale 100 depuis sa naissance. On lui avait raconté que sa grand-mère avait travaillé dans une de ces usines éventrées. Et sa mère aussi aurait dû se retrouver là-dedans, si elle n'était pas tombée enceinte à seize ans. Et elle, finalement, avait fait la même chose : elle avait pris sa vie et l'avait broyée entre ses propres mains.

Sans ralentir dans les virages, la vitre baissée et le vent dans la figure, elle dépassait les rares voitures en rasant les rochers qui surplombaient la glissière de sécurité. Elle voyait bien qu'elle n'avait plus de travail, plus de but. Mais ça n'était pas si mal, de ne plus rien avoir ; juste foncer sur la route.

Elle dépassa Andorno, le cimetière, le Sirena. À un moment elle pensa à son père : cette crapule. Elle l'aimait follement. Elle était sûre que tôt ou tard ils se reverraient, dans un autre endroit comme le motel Nevada ou le bar de la gare. Ils se reverraient et se raconteraient les mêmes mensonges, sans se pardonner et sans rien résoudre.

Elle traversa la Balma, San Paolo Cervo, Rosazza. On ne pouvait rien résoudre, dans la vie. Elle devait s'avouer qu'elle l'aimait, et se contenter de cette certitude. Vivre avec son absence comme elle l'avait toujours fait, et avec cette image de lui la dernière fois qu'ils s'étaient vus : ramassant le chèque et le fourrant dans sa poche. Il n'avait pas essayé de la joindre depuis ce soir-là.

À Piedicavallo elle ralentit, remonta la via Marconi jusqu'au numéro 23 et se gara en face de son ancienne maison. Aucune nostalgie : ce n'était qu'une ruine, ça aussi. Elle revit les hortensias, le lierre qu'entre-temps quelqu'un s'était donné la peine de tailler. Elle frappa à la porte et attendit.

« Je savais que tu viendrais. »

Elsa lui sourit sur le seuil, visiblement heureuse. Comme si elle attendait sa visite depuis longtemps.

Marina entra, impassible, sans dire bonjour ni regarder autour d'elle. Elle ôta ses lunettes et sa casquette de baseball, les lança sur le canapé. Puis elle s'assit à table et y posa sa main gauche, les doigts bien écartés, pour montrer son alliance.

Elsa s'assit en face d'elle, et son regard s'attarda longtemps sur cet annulaire.

« Je fais du café ? » dit-elle. Son visage était pâle, elle ne souriait plus.

« Oui, fais-en. »

Elsa se leva, remplit la cafetière et la mit sur le feu. Elle avait besoin d'un prétexte pour s'éloigner, reprendre contenance. Ce n'était pas ainsi qu'elle avait imaginé leurs retrouvailles. Puis elle revint s'asseoir face à elle, qui la fixait droit dans les yeux.

Elles restèrent sans parler. Elsa gardait les yeux rivés sur cette main plaquée au centre de la table, et Marina dardait les siens contre elle. Elsa s'était fait des illusions, elle s'en rendait compte. Jamais elles n'avaient été amies, elles avaient juste cohabité neuf mois dans le même lieu. Elle avait du mal à contenir sa déception. Le silence se prolongeait, sans échappatoire possible. Elles avaient conservé la même méfiance mutuelle que le premier jour, à l'agence immobilière. Et depuis, les erreurs, les trahisons, les mauvais souvenirs, s'étaient accumulés. Elsa encaissait le mariage, qui rendait tout rapprochement impossible.

L'alliance de Marina était en or jaune, simple, traditionnelle.

Quand elles entendirent le café monter, Elsa se leva pour aller éteindre et le versa dans les tasses.

« J'ai gagné », dit Marina d'une voix forte.

Elsa lui tournait le dos, elle s'apprêtait à prendre le bocal de sucre. Elle le reposa, et se retint aux bords de l'évier.

« Tu as essayé de me le piquer, continua Marina de la même voix calme et limpide, mais tu n'y es pas arrivée. Tu as toujours été jalouse de moi, avoue-le. »

Oui, pensa Elsa, elle l'avait enviée. Mais ce n'était qu'une partie de la vérité. Elle se retourna. Resta debout, en jogging, complètement désarmée.

« Je t'aime bien, plus que tu ne crois, répliqua-t-elle.

– Par contre, moi je ne t'aime pas du tout. »

Elsa pâlit encore. Amaigrie, anguleuse, avec ses cheveux roux coupés au bol et des épis partout, ces taches de rousseur asymétriques sur le nez et les joues, on aurait dit la petite marchande d'allumettes.

Elle ne comprenait pas la cruauté, gratuite, de son adversaire.

« Tu as laissé ici un paquet de cartes postales, dit-elle.

– Je sais, je suis venue les récupérer.

– Non, tu n'es pas venue pour ça. »

Marina retira la main qu'elle avait laissée jusque-là à plat sur la table comme une ultime proclamation.

Leurs visages, à moitié éclairés par le rayon de lumière oblique tombant de la fenêtre, se ressemblèrent un instant, révélant une parenté souterraine, cachée. La même aptitude à la guerre silencieuse, la même capacité de résistance en terrain hostile. La marque du granit et des roches immobiles, dehors.

« Tu sais ce que j'ai fini par comprendre ? dit Marina, brisant encore une fois le silence. Que le malheur ne rend pas meilleur, au contraire. Il rend pire. C'est des conneries quand on dit que souffrir fait grandir. Quand on souffre, on est furieux et on a envie de se venger, c'est tout. » Elle fit une pause, regarda la paroi sombre du Monte Cresto de l'autre côté de la vitre. « Andrea m'a raconté ce qui s'est passé entre vous, ajouta-t-elle en souriant. T'as joué ta chance, t'as cru que *toi* tu pourrais être avec lui. »

Elle dénoua ses cheveux.

« Mais toi, tu n'es pas *moi.* »

Elsa restait debout, figée, adossée à l'évier. Elle regardait cette cascade de cheveux blonds tombant sur ses épaules, qui à elle seule suffisait à lui donner autorité et pouvoir. Un pouvoir atavique, primitif, contre lequel il était absurde de se révolter. Ou bien elle n'avait pas ce courage.

« J'ai compris qui tu étais depuis le jour où tu t'es permis de parler de ma mère. Quand tu l'as traitée d'alcoolique en essayant de me culpabiliser. T'as attendu que je parte à Milan pour tenter le coup », elle souriait de nouveau, méprisante. « Sauf que moi, je ne laisse rien à personne. Je ne laisse jamais aux autres ce qui m'appartient. »

Les tasses étaient encore sur le plan de travail, le café allait refroidir. Elsa aurait pu répliquer ou se justifier, mais elle demeura muette. Marina se leva, alla récupérer sa casquette et ses lunettes sur le canapé. Elle n'était venue que pour ça : lui dire qu'elle avait gagné. Le reste ne l'intéressait pas.

Mais puisqu'elle était là, elle monta l'escalier, entra dans son ancienne chambre et récupéra les cartes postales de son père. Ces images de Saint-Vincent, Venise, Monte-Carlo sur lesquelles elle avait rêvé pour rien toute sa vie. Quand elle se retourna, Elsa était derrière elle, appuyée au chambranle, et n'avait pas l'air en colère. Ni de lui en vouloir. Elle semblait trop fragile, et trop maigre, et pas jolie.

« Si je ne t'y avais pas fait penser, tu ne t'en serais même pas souvenue, de ces cartes postales, dit-elle. Vous partez demain, je le sais, Andrea m'a téléphoné.

– C'est quoi, ça ? T'as besoin de me dire qu'il t'a téléphoné ? Tu t'imagines que je vais m'inquiéter ? C'est *mon mari.* »

Elle l'avait dit ; et c'était une satisfaction.

Elsa s'écarta du chambranle, regarda autour d'elle, dans cette chambre inhabitée qu'elle serait incapable de louer pour le moment à quelqu'un d'autre. Elle s'efforça de sourire.

« Finalement, je suis contente que tu sois venue. Je suis contente qu'on ait vécu quelques mois ensemble dans cette maison... » Elle voulait se comporter comme quelqu'un de mature, lui dire quelque chose de vrai, d'important : « Tu raisonnes toujours en termes de victoire ou de défaite, c'est toujours la course à qui arrivera le premier, pour toi. Mais ça n'est pas aussi simple. Ce qui compte, ce n'est pas d'arriver le premier ou le dernier. » Elle la regarda et ajouta : « La vie, ça ne marche pas comme ça.

– Possible. » Marina remit ses lunettes de soleil. « Mais je vais te dire une chose : j'en ai rien à foutre de comment elle marche, la vie. »

Elsa entrouvrit la bouche, pour la refermer aussitôt. Non, ça ne valait pas la peine de poursuivre. Elle s'écarta pour la laisser passer, et Marina s'en alla de cette maison, pour une fois sans claquer la porte et sans faire de bruit, se contentant de disparaître à travers la hêtraie agitée par le vent, dans ce dur silence de rocs et de broussailles, du silence et rien d'autre.

Ce fut la dernière fois qu'elles se parlèrent. Une fille comme Marina ne pouvait avoir aucune amie, se dit Elsa plus tard, en rinçant les tasses. Une fille comme Marina ne pouvait que tout détruire, y compris elle-même. Elle, au contraire, elle voulait construire. Restaurer les ruines, les vieilles maisons de pierre, les filatures abandonnées, donner à ces lieux une nouvelle vie. Une nouvelle histoire. Elle voulait réparer les choses.

Elle ouvrit la fenêtre, se pencha sur les bois baignés d'une lumière calme et limpide, bras croisés, regard vide, à la manière des femmes d'autrefois. Marina n'avait raison que sur un seul point: à la fin, c'était elle qui l'avait épousé. Mais la vérité, pensa-t-elle en regardant les eaux tourbillonnantes du Cervo se précipiter dans la vallée, c'était qu'elles avaient toutes les deux perdu.

Deux jours plus tard, en Arizona, à une dizaine de miles de l'International Airport de Tucson, le marshall descendait de la voiture de patrouille et s'approchait lentement de leur pick-up avant de venir se planter devant la vitre conducteur.

« *Too fast* », déclara-t-il, laconique.

Il portait un chapeau à larges bords, la fameuse plaque en forme d'étoile appliquée sur la poitrine. Il les examinait, tout en semblant ne regarder nulle part. Mâchoire contractée, mains sur les hanches. Une scène vue et revue cent fois dans les films d'Hollywood; sauf que là, ce n'était pas un film.

Une pompe à essence Texaco flottait un peu plus loin dans la nuit, sur le côté droit de l'Interstate, solitaire, enfermée dans un pâle îlot de lumière. Il n'y avait rien d'autre, que cette nuit déserte et désolée. Les feux clignotants bleus, orange et rouges de la Highway Patrol garée à quelques mètres. Et le marshall devant eux, les pieds bien plantés dans le sol.

Il demanda permis et papiers, d'un ton militaire. Les doigts raidis par la peur, Andrea fouilla dans la boîte à gants. Il trouva les documents et les tendit à cet homme qui restait impassible, un vieux marshall du comté de Pima. Marina gardait les mains sur le volant, sans piper mot.

« *Where are you from*? » demanda-t-il à un moment, d'un ton indifférent, tout en examinant le permis de Marina.

« *Italy* », dirent-ils en même temps, comme si ce mot pouvait les sauver.

« *Too fast* », répéta le marshall.

Il faisait noir. L'Amérique, on ne la voyait même pas.

Ils ne savaient pas où ils allaient dormir, quand ils pourraient manger, ni même ce qu'ils étaient venus faire ici. Andrea se dit que si on les arrêtait, il pourrait toujours téléphoner à Ermanno. Ou bien dire quelque chose comme : *My brother works at University of Arizona.*

Le marshall disparut avec les documents, rejoignit la voiture de patrouille, se mit à discuter avec son collègue resté au volant et les laissa mariner une bonne dizaine de minutes pendant lesquelles tous deux se disputèrent à mi-voix, lançant des coups d'œil inquiets dans le rétroviseur.

Puis le marshall revint, calme, impassible. Il leur dit quelques phrases qui pouvaient signifier n'importe quoi, une amende, une nuit en prison. Il conclut en posant un regard fixe et insistant sur Marina : « *Twenty-two*, déclara-t-il. *Too young to drive this car.* »

Il hocha la tête. « *Not good.* »

Marina écarquilla les yeux. Brusquement, elle se ranima, piquée au vif. Trop jeune, moi ? Elle ouvrit son blouson et fixa le marshall, poitrine en avant.

En réalité, elle était plutôt pitoyable après vingt-quatre heures de voyage, son débardeur mouillé de sueur, les cheveux sales.

Elle cria fièrement : « *I'm Marina Bellezza ! I'm famous !* »

Et pour l'impressionner : « *I'm a singer !* »

Elle sortit son portable, chercha la photo de sa victoire à *Cenerentola Rock* et la lui montra, comme si ça avait quelque valeur. L'autre baissa à peine les yeux sur l'écran, fronça les sourcils. Alors elle perdit toute retenue et le supplia avec force gestes de ne pas l'arrêter, de ne pas lui mettre une amende, de les laisser partir, parce qu'ils venaient juste d'arriver, ils venaient juste de se marier.

Andrea la regardait, impuissant, et il rapetissait de honte. Une fois de plus il était le petit frère, celui qui ne suivait pas les règles : celui des cailloux lancés contre le siège d'Alleanza Nazionale, celui qui se fait arrêter par la police après un quart d'heure sur l'autoroute, pendant qu'au même moment Ermanno, dans la cuisine de sa jolie maison, dîne avec sa femme et son fils après un cours passionnant sur les satellites.

Andrea la regardait gesticuler. Il l'entendait s'énerver et répéter : « *I'm famous ! I'm very very famous !* » Puis, comme l'autre ne cédait pas, elle reconnut : « *In Italy, I'm famous…* »

Ce fut alors que le marshall sourit. Le sourire classique et fourbe de celui qui te plaint parce que tu n'as rien compris, mais rien de rien.

Il écrivit quelque chose sur un procès-verbal, demanda un autographe à la « *famous Italian girl* », puis leur fit signe de s'en aller : là-bas, quelque part, où l'on ne voyait rien d'autre que cette pompe à essence Texaco.

10

Dans le combat entre toi et le monde, seconde le monde.

Franz Kafka, *Journal*

Ils roulaient à une vitesse de croisière, dans ce pick-up de la General Motors qui les faisait se sentir comme dans un bateau, se laissant dépasser par d'énormes poids lourds et d'autres 4x4. C'était le mardi 2 avril, et tout le reste autour d'eux était immobile et inhabité.

Ils roulaient depuis des heures sur une route toute droite, une ligne jaune au milieu de la chaussée, avec Pink comme bande-son et Marina qui entonnait *Try* à gorge déployée, ses pieds nus posés sur le tableau de bord, en bermuda, les cheveux sales et ses éternelles lunettes noires sur le nez.

Elle chantait Pink et il conduisait sans parler, en boîte automatique, les yeux fixés sur le pare-brise. Sur des miles et des miles s'étendait une prairie aride, brûlée par le soleil, où paissaient dans les lointains de noirs troupeaux. Ni villages ni arbres. Juste la terre, des arbustes secs, un silo rouillé au loin, et des Trailer Park: des cabanes en bois montées sur roues, des sortes de camps pour Américains nomades. Un horizon de montagnes rocheuses. Et un ciel très haut, complètement vide.

Ils avaient dormi peu et mal dans un Motel 6, vingt miles à l'est de Tucson. Une chambre minuscule en rez-de-chaussée, une place devant la porte pour se garer. Andrea aurait voulu faire l'amour mais les forces lui manquaient et il s'était écroulé sur le côté, pendant que Marina, avec son exagération habituelle, faisait tout un cinéma parce que la salle de bains n'était pas propre, qu'elle refusait de s'asseoir sur la cuvette des toilettes. Puis elle s'était endormie sans se laver, se jetant tout habillée sur le lit où Andrea ronflait déjà, glissant la tête au creux de son épaule.

Ils s'étaient réveillés à l'aube pour repartir aussitôt.

Ils avaient pris un petit déjeuner dans une station-service. Après un coup d'œil sur la carte, Andrea avait dit qu'il voulait voir le Chiricahua National Monument. Marina ne savait pas ce que c'était, les grands parcs nationaux ne l'intéressaient pas, mais elle était montée en voiture sans faire d'histoires : ce qui l'intéressait vraiment, c'était ce pick-up. Il était énorme, rien à voir avec le Koleos de Donatello.

Maintenant, ils regardaient les voitures. Les Hummer, les Dodge, les Chevrolet : des SUV d'une taille inouïe qui galopaient en solitaire vers le Nouveau-Mexique. Ils regardaient les gens qui tiraient leur maison derrière eux, les caravanes, les mobil-homes accrochés à des pick-up, des gens qui vivaient en se déplaçant sans cesse et semblaient ne jamais devoir s'arrêter, jamais rencontrer de ville, jamais arriver quelque part. Ils roulaient, c'était tout.

« Il y a rien, commenta Andrea au bout d'un certain temps.

– Je vois bien », répondit Marina.

Andrea pensait en fait à son frère. À peine arrivés à Tucson, ils s'étaient sauvés. Il regardait les rares stations-service dont les enseignes se découpaient dans le ciel à cinq ou six mètres de haut pour être visibles dans ce néant immense. De temps en temps surgissait un panneau marron portant l'inscription HISTORIC. Ils indiquaient une mine, une grotte, un vieux studio de cinéma ou une hacienda des débuts du XXe siècle. Tout était *historic* là-bas, même si ça n'avait que cent ans. Même s'il n'y avait pas d'histoire, juste de l'espace, juste des gens qui voyageaient en tirant leur vie derrière eux, sans destin, sans passé.

Comme eux deux en ce moment, orphelins de tout.

Vers dix heures, ils quittèrent l'Interstate et prirent la Route 191 South. Droit devant eux, à quelques dizaines de miles de distance, il y avait la frontière et ensuite le Mexique. La lumière aveuglait, un vent sec et chaud soufflait sans rencontrer d'obstacles à sa force.

Andrea s'arrêta pisser sur le bord de la route, puis alluma une cigarette. Quand il se retourna, Marina était adossée à la carrosserie vert pétrole et le regardait.

Il en avait rêvé si souvent, d'être avec elle à l'autre bout du monde, qu'il n'arrivait même plus à parler. Il sentait dans son cœur une tristesse immense tandis que l'adrénaline courait dans tout son corps, un désir muet de violence.

« Halte-là, cow-boy ! » plaisanta-t-elle pendant qu'il venait vers elle.

C'était comme s'ils étaient libres pour la première fois.

« Je ne suis plus un cow-boy, répondit-il en jetant son mégot sur la chaussée, je suis Geronimo maintenant. »

De l'autre côté de l'océan, l'Italie sombrait, minuscule pays parmi tant d'autres. Mais ici tout était déjà fini. Les pionniers étaient passés un siècle avant en laissant derrière eux un sillage de sang et ne s'étaient pas arrêtés. Andrea regarda à l'est, au fond de la prairie. Les Chiricahua Moutains de Geronimo n'étaient pas loin. Il éprouvait en son cœur la frustration immense d'être aussi loin de son frère que de lui-même.

Il s'approcha de Marina, toujours adossée à la carrosserie, sur cette route secondaire et déserte, parallèle à la voie ferrée. Elle avait enlevé ses lunettes, ses yeux dans la lumière intense étaient clairs et limpides. Elle était identique à cette prairie, maintenant, comme elle avait été identique aux hêtraies sombres de leur vallée : mais elle avait toujours quelque chose d'étranger dans le regard. Comme le cerf.

Il la prit par la taille. Personne ne pourrait les voir. Les forces qui lui avaient manqué la veille pulsaient dans ses reins, dans ses tempes, pendant qu'elle baissait son bermuda et sa culotte, le long de la portière.

Ils étaient seuls au monde. Trop adultes désormais pour accuser les autres. Debout, à dix heures et demie du matin, au bord de la 191 South, il déboutonna son jean, lui écarta les jambes et en l'embrassant se libéra de toute sa rage, de tous ses souvenirs, sans penser à rien. Comme deux inconnus qui décideraient instinctivement de s'appartenir. Ils n'étaient plus les deux gamins d'Andorno, ils étaient devenus quelque chose d'autre, qu'ils ne comprendraient qu'avec le temps.

Vingt minutes plus tard, ils tombèrent sur le premier village.

Une enseigne rouillée disait : DESERT INN – FAMILY UNITS. Dessous, les ruines d'un motel démoli, un amas de débris entouré de barrières et deux palmiers brûlés.

« Mince alors, commenta Marina, c'est ce qu'on peut appeler le centre du monde. »

Andrea ralentit, fut tenté de faire demi-tour. Mais il ne dit rien et continua.

Ils pénétrèrent au pas dans un réseau de rues sans âme qui vive, sans magasins, restaurants, ni bars. Juste des caravanes et des baraques en bois à demi écroulées qui semblaient abandonnées depuis des années. Pourtant des gens vivaient là : il y avait des antennes satellite, des poussettes repliées dans un coin et des jouets en plastique éparpillés devant les portes et les vérandas.

Un silence de cimetière. Ils n'entendaient distinctement que le bruit de leur moteur en longeant cette rangée de taudis, d'une misère déchirante, où l'on pouvait à peine imaginer la possibilité de vivre. À un moment, un chien sortit d'une cour et traversa la rue. Ils virent des sortes d'églises : des bâtiments carrés aux dimensions modestes. Un atelier de réparation, rideau de fer baissé. Et des réverbères.

C'était ça l'Eldorado qu'Andrea avait imaginé : cette désolation, cette beauté angoissante. Des roues de bicyclettes, des pots d'échappement et autres pièces de voitures, sièges, radiateurs, pneus couverts de poussière, jetés là, dehors, dans les jardins desséchés entre les maisons.

Une tondeuse à gazon, une pompe à eau : on ne comprenait pas si ça avait été jeté ou si ça marchait encore. Il n'y avait personne, comme à Piedicavallo, à Riabella, à Quittengo. Sauf qu'ici il n'y avait pas de passé, rien qui puisse ressembler à une histoire. Andrea n'aurait jamais imaginé que ce qui l'attendait dans cinq jours sur Bighorn Avenue ne serait guère différent.

« On s'en va », dit Marina.

5842 miles, soit 9409 kilomètres, pour trouver une décharge : pas mal.

« On s'arrête ici cette nuit, dit Andrea.

– Tu plaisantes ?

– Non.

– T'es con ? C'est affreux ici, ils vont nous tirer dessus ! »

Ils arrivèrent à un passage à niveau. La ville était déjà finie.

« On reviendra ici ce soir », répéta Andrea.

Un panneau disait : WELCOME TO WILLCOX. À côté, une botte de cow-boy stylisée. Le Far West cent ans après. La vérité de tous ces films qu'Ermanno et lui avaient regardés enfants, assis ensemble dans le salon les jambes croisées sur le tapis. La vérité de leurs jeux dans le jardin, quand ils se battaient, quand ils se tombaient dessus à bras raccourcis. C'était ça qu'il voulait voir : les ruines de son enfance, qui n'étaient pas à Andorno mais ici, où Ermanno avait apporté tous ses rêves d'enfant et les avait démolis, passés à la machine comme lui-même avait fait pour son chien.

Le passage à niveau s'abaissa. Le train arriva. Ils restèrent là à regarder cette énorme chose vivante qui reliait des endroits perdus. C'était la Union Pacific Railroad, le bruit des wagons lancés faisait peur. Sur la locomotive il était écrit : BUILDING AMERICA. Pas de passagers, juste des marchandises. Des centaines de containers qui filaient vers El Paso. Jamais d'arrêt, juste d'énormes distances à parcourir.

La barre relevée, Andrea appuya sur l'accélérateur et fonça vers les Chiricahua Moutains : lieu de la plus acharnée et la plus longue résistance apache. Quatre-vingt-un miles seulement le séparaient de Tucson et d'Ermanno, mais une fois de plus il s'éloignait.

S'arrêter là où il n'y avait rien, dans un endroit comme Willcox qui était aussi grand qu'Andorno : trois lignes dans les guides. Voilà ce qu'il voulait.

Il ne reviendrait plus ici, il ne se donnerait pas une seconde chance. Sa frontière, il l'avait déjà, où planter sa tente et faire paître ses vaches : au-dessus de Riabella, dans les Alpes bielloises. Il n'avait pas besoin d'en conquérir d'autres : celle-ci n'était que le miroir inutile de la première. Comme lui-même n'avait jamais été que le miroir inutile de son frère ; né après, peut-être jamais désiré. Et toute sa vie avait tourné autour de ce *peut-être*.

À mi-chemin il s'arrêta pour téléphoner : il voulait savoir si tout se passait bien à la ferme. Il demanda à Sebastiano quel temps il faisait à Massazza et s'ils avaient mené les vaches au pré ce matin. Il leur recommanda pour la énième fois de bien suivre la procédure pour le maccagno, celle qu'il avait écrite sur la feuille accrochée au chaudron en cuivre. Puis ils repartirent et sans parler arrivèrent au parc national.

L'entrée n'avait rien de majestueux : une petite maison en bois avec une dame aimable qui vendait les billets. À l'intérieur, la route montait lentement entre les rochers et les arbres. Andrea faisait attention à respecter les limitations de vitesse, et Marina examinait le vernis à ongles sur ses orteils. Le Chiricahua National Monument, elle ne le regardait même pas.

De chaque côté de la chaussée se dressaient, sur cinq mille hectares de canyon, les témoignages de l'érosion. Des aiguilles rouges, lézardées, dressées à la verticale contre le ciel : les restes d'une très violente explosion qui, disait le guide, avait bouleversé à jamais le paysage. Il n'y avait pas beaucoup de visiteurs. Ils croisèrent seulement un couple de gens âgés roulant en Hummer avec une plaque du Kentucky, et une famille avec deux enfants assise à une table de pique-nique.

Ils se garèrent tout en haut, au bout de la route, qu'un panneau marron désignait comme le Massai Point. Ils descendirent le long d'un sentier en escalier creusé dans la roche, lui en chaussures de marche, elle en tongs. Au belvédère, la longue-vue marchait avec des pièces. Ils s'assirent pour prendre le vent, à deux mille mètres d'altitude, dans ce silence abyssal qui semblait unir l'Amérique à la Valle Cervo, l'Arizona à Piedicavallo. Ils restèrent silencieux à regarder l'immensité de la surface terrestre, loin de tout, insignifiants.

À un moment, Andrea lui dit, sans la regarder : « Tu es tout ce que j'ai. »

Marina gardait les yeux rivés sur le canyon qui se perdait à l'est vers le Nouveau-Mexique : une source de lumière et de sable au loin. Dans le ciel, un faucon se laissait porter par le vent.

« En fait, ici il n'y a rien.

– Il y a ton frère », dit Marina.

Il faisait froid, mais ils ne le sentaient pas.

Massai avait combattu aux côtés de Geronimo contre les colons. Maintenant il n'y avait plus qu'une immense étendue de pierres, sans croix. Les rares visiteurs n'étaient pas venus jusque-là pour regarder par la longue-vue. Comme si ce n'était pas ici un monument national mais quelque chose d'inconnu et d'étranger, et destiné à le rester. Un cimetière de vaincus, d'oubliés.

« Tu sais ce que je pense ? » Marina ôta ses claquettes, serra ses genoux contre elle. « Que tu as toujours peur.

– J'ai peur de te perdre, dit Andrea, j'ai peur de perdre ce que j'ai construit, ma ferme. J'ai peur de ne pas y arriver à Riabella. J'ai toujours eu peur de perdre, parce qu'à la fin, j'ai toujours perdu. »

Ils se tenaient sur une terrasse de roche volcanique, suspendus au-dessus d'un canyon de vingt-sept mille ans.

Marina leva les yeux vers lui, sourit : « Il n'y a pas que ça, dont tu as peur.

– Et de quoi alors ? » Andrea aussi souriait, parce qu'il n'y avait rien d'autre à faire. Parce que tout était loin et perdu dans ce qu'ils regardaient. Le vent ébouriffait leurs cheveux.

« On ne se ressemble pas, lui et moi, on n'a rien à se dire. On a juste eu les mêmes parents, et encore. Ses parents étaient fiers de lui, compréhensifs, généreux... Alors que les miens ne l'ont jamais été. »

Marina, immobile dans le soleil, avait étendu les jambes sur le muret de pierre.

« Il y a quelque chose que je n'ai jamais dit à personne », fit-elle en changeant de voix. Son visage aussi avait changé tout à coup.

« J'ai ma théorie à moi sur la liberté », poursuivit-elle.

Ce mot sonnait bizarrement, prononcé par elle, comme une chose idiote ou hors de propos.

«Je le sais parce que j'y suis passée. Et si je ne l'avais pas payée aussi cher, je ne serais pas ici avec toi, je ne t'aurais pas épousé. Je serais restée à Milan et qui sait, je serais peut-être numéro un dans le classement iTunes.» Elle tourna le regard de l'autre côté. «La liberté, c'est pas positif, ça fait un mal de chien. Mais tu finis par être obligé d'y passer, quoi que tu fasses.»

C'était la première fois qu'elle parlait ainsi, avec une telle gravité. Andrea la regardait, surpris et mal à l'aise à la fois. Tout à coup il la voyait comme une adulte.

«J'ai raconté des tas de conneries, à tout le monde. Que petite fille j'étais grosse, que mon père travaillait aux États-Unis… Je me suis raconté des tas d'histoires, à moi aussi. Quand j'étais petite, j'étais pas malheureuse. Ma mère se saoulait, mon père disparaissait pendant des semaines, mais je n'étais pas malheureuse puisque de toute façon *ils étaient là.* Ils s'engueulaient, c'est tout. Ils se tapaient dessus devant moi, sans penser que j'étais là…»

S'il y avait eu une caméra, quelque part, Marina aurait été parfaite. Mais il n'y avait ni objectif ni spectateurs, à part Andrea, déconcerté.

«Mais je les aimais. Et eux aussi m'aimaient. À leur façon bien sûr, qui comportait pas mal de défauts… Tout compte fait, quand ma mère est tombée enceinte, c'était une gosse, et ses parents l'ont chassée : personne ne peut prétendre avoir des parents parfaits. Et de toute façon ça ne sert à rien de le leur reprocher.»

Le faucon tournait au-dessus de leurs têtes, il était la seule présence vivante à part eux, qui ne se regardaient pas. Andrea l'écoutait. Il comprenait qu'elle lui faisait une confidence importante. Quelque chose qu'elle avait gardé en elle pendant des années et dont, même l'ayant dit, elle ne se libérerait jamais.

« *Ils étaient là,* répéta-t-elle. Je rentrais à la maison et je savais que ma mère était dans la cuisine et que mon père reviendrait tôt ou tard de ses voyages. Il m'envoyait des cartes postales de Saint-Vincent, de Monte-Carlo... Je les ai toutes gardées. Je pensais qu'il y allait pour faire je ne sais quoi, qu'il nous abandonnait pour une bonne raison. Un truc qui valait la peine... Maintenant c'est moi qui devrais lui en envoyer une, de carte postale, sourit-elle. Je lui écrirais : *Je t'envoie trois mille cinq cents baisers.* » Et elle éclata de rire mais s'interrompit aussitôt.

« Et puis un après-midi, *poum !* reprit Marina en tapant dans ses mains, ils n'étaient plus là. Ils avaient décidé de ne plus y être, de me laisser toute seule. Parce que c'est ça qui s'est passé, *en fait.* Les carabiniers sont venus pour emmener ma mère, l'ambulance pour emporter mon père. Et moi, je suis restée toute seule. À me demander pourquoi ces gens-là étaient mes parents, pourquoi j'étais leur fille. Il y avait des assiettes cassées dans la cuisine, et une flaque de sang par terre. J'ai pris la serpillière et je l'ai nettoyée. »

Andrea sentit son cœur défaillir. Il la vit distinctement, *cette serpillière.*

« J'ai rangé la maison et je suis allée dormir. J'ai crié, j'ai lancé des coups de pied dans le lit, et ensuite j'ai dormi. Et je savais bien qu'ils n'étaient pas dans leur chambre. Je savais que ma vie était bousillée pour toujours. Et pourtant », elle se tourna vers lui et le regarda, « tu sais à quoi j'ai *vraiment* pensé ce soir-là avant de m'endormir ? »

Elle avait les yeux écarquillés, comme si elle se rappelait seulement maintenant ce qu'elle avait pensé, comme si elle s'étonnait de s'en souvenir. « J'ai pensé : *Ok, maintenant je peux laisser tomber le lycée.* Je ne savais pas si mon père allait s'en sortir, si ma mère reviendrait. Mais je me suis dit : le bac, je ne suis pas obligée de le passer. Je pouvais tout quitter, toi, le lycée, Andorno. Me réveiller, me foutre de tout et aller m'entraîner au gymnase. Ce que j'ai fait, d'ailleurs. »

Andrea la regardait, bouleversé, le cœur serré. Parce que s'il avait pu, si seulement il en avait eu le pouvoir, jamais il n'aurait permis qu'à *elle*, à Marina, il arrive une chose pareille.

« Je l'ai jamais dit à personne. J'allais tellement mal que je me serais fichue en l'air, et même, j'y ai pensé. Mais en même temps, j'étais aussi euphorique : je pouvais faire n'importe quoi, personne ne m'aurait arrêtée. C'est peut-être pour ça que j'envoie chier tout le monde. Parce que je suis capable de le faire, dit-elle en le fixant avec une lueur de fierté dans les yeux, parce que je n'ai pas peur de ne plus sentir la terre sous mes pieds, parce que de toute façon personne jamais ne réparera ce qui s'est passé. Moi, j'ai survécu, ajouta-t-elle en souriant. Je sais ce que c'est, la liberté. Et toi, c'est de ça que tu as peur, Andrea. » Ses yeux étaient presque noirs maintenant. « D'être libre, sans que rien jamais soit réparé. »

Andrea baissa les yeux. Dans le silence qui suivit, il n'eut pas le courage de la frôler.

Marina se leva et se dirigea vers le sentier. Il la suivit. Ensemble ils remontèrent les marches creusées dans la roche. Andrea resta en arrière. Il cherchait comment remplir ce vide. Mais n'y arrivait pas. Alors il resta quelques minutes à regarder le canyon où les Indiens et les colons s'étaient entre-tués pendant des années. Des faucons continuaient de tourner en larges cercles, telles de muettes sentinelles. Quand il arriva au parking, il la vit qui l'attendait tranquillement, en faisant du stretching contre le capot de la voiture.

Les jours suivants, ils erreraient d'est en ouest, au nord et au sud du comté de Pima, toujours Tucson au centre, mais sans s'en approcher.

Ils rencontreraient par hasard un panneau publicitaire qui disait : VISIT TOMBSTONE, avec un cow-boy pointant dans leur direction. En riant, ils suivraient les indications, pour se retrouver à l'intérieur de la carte postale qu'Ermanno lui avait envoyée. Des acteurs du dimanche prêts à tirer sur les touristes et à se provoquer en duel pour dix dollars. Un groupe country jouait dans le saloon, pendant que des enfants déguisés en pionniers se faisaient photographier par une fausse tenancière de bordel. Ils achèteraient deux chapeaux de cow-boy, des bottes texanes et des ceinturons en cuir, et se baladeraient ainsi attifés. Puis, en traversant le comté de Santa Cruz, ils arriveraient à Nogales : dernière ville-frontière, coupée en deux par un haut mur d'acier oxydé. Infranchissable. Sans se poser de questions, ils iraient à pied de l'autre côté sans laisser aucune trace de leur passage : personne ne leur demanderait leurs papiers, les gardes mexicains se contenteraient d'un signe de la main.

De l'autre côté de la frontière, ils trouveraient une rue entière bondée de pharmacies vendant des boîtes de Viagra 3x2, du Cialis, des stéroïdes, de tout. Des hommes en sueur, sans aucune expression dans le regard, les coinceraient pour leur fourguer quelque chose. Marina sentirait la peur ; Andrea feindrait le calme, la prendrait par le bras pour l'éloigner. À peine dix minutes, et ils repartiraient dans l'autre sens, pour faire la queue avec des hommes, des femmes, des enfants, les valises remplies, et de jeunes Américains chancelants qui avaient passé la frontière pour se droguer et acheter des cigarettes à prix cassé ; l'un d'eux avait un tatouage *Born to lose* sur le cou, et un visage trop beau pour finir de cette façon. Tous silencieux, attendant d'être admis en Amérique par des militaires braquant leurs mitraillettes. L'Amérique qui n'était pas un rêve, simplement un endroit où il était possible de survivre.

Chaque soir ils rentreraient dormir à Willcox, leur camp de base, au Motel 6, entre une bretelle d'autoroute et un supermarché Family Dollar.

Mais avant que leur semaine ne se termine, ce mardi-là, en revenant du Chiricahua vers six heures du soir, tandis que la lumière horizontale incendiait la prairie désolée, ils s'arrêtèrent, sans raison, au milieu de rien. Juste pour descendre du pick-up et regarder cet endroit perdu du monde.

Ils se garèrent au bord de la route et laissèrent les portières ouvertes. Il ne passait plus personne sur la Highway 186. Andrea commença à marcher sur la ligne jaune qui séparait les deux voies et disparaissait à l'horizon. Au bout de quelques dizaines de mètres il s'assit au milieu de la route, les jambes croisées.

Marina avait mis le CD qu'elle avait enregistré pour le voyage, avec Pink, Justin Bieber, Britney Spears. La musique se perdait dans le vent de la prairie. Juste des broussailles, juste ce vide énorme. Voilà où ils avaient atterri. Marina se mit à rire quand elle le vit assis là, au milieu de la chaussée. Si une voiture arrivait, elle le renverserait. Lui aussi se mit à rire, tout ça était si vain.

Puis on entendit *Diamonds* de Rihanna. Marina se précipita pour monter le volume au maximum. La chanson s'éleva dans l'air, se mêlant à la poussière. Jamais elle ne pourrait trouver une scène comme celle-ci. Et un pick-up de la General Motors à faire pâlir d'envie tout Milan, tout le Principe di Savoia, et tous ceux de *X Factor*.

Alors elle grimpa sur le capot, et monta sur le toit.

Comme la statue de la Liberté. Comme le Triton du Bernin.

Andrea, assis sur la route, la regardait. C'était lui son public, maintenant. Eux deux, en Arizona, et c'était tout. Marina commença à chanter: *Find light in the beautiful sea, I choose to be happy*, avec la même conviction que si elle passait sur Italia Uno, *You and I, you and I, We're like diamonds in the sky*, et elle se mit à danser comme sur la scène de Camandona, et à se déshabiller en lançant son bermuda, ses tongs, son débardeur sur la route. Pour lui, rien que pour lui. En Amérique, quelque part entre les Chiricahua Moutains et Willcox, avec tout son talent.

Ébloui, il la regardait. Comme il l'avait fait des centaines de fois à Andorno, depuis la fenêtre d'en face. Souriant, applaudissant, l'encourageant à continucr. Parcc qu'elle était douée, oui, elle était la meilleure. Et elle continuait, imperturbable, sérieuse, concentrée, avec cette voix qui aurait mérité le succès, qui l'aurait vraiment mérité. Puis elle resta en petite culotte et soutien-gorge, la chanson était finie. Et ils éclatèrent de rire en même temps, comme deux idiots.

Elle n'avait plus besoin de lui demander si elle avait bien chanté, et il n'avait plus besoin de lui courir après partout. Ils étaient les plus forts maintenant. Plus forts que l'Italie qui coulait à pic, plus forts que leurs parents qui n'avaient pas été capables de les rendre heureux et adultes. Plus forts que Biella, que leur histoire. Ils avaient survécu. Ils étaient capables de se tenir debout dans un monde en ruine, abandonné, pillé. Ils étaient deux héros.

Cinq jours plus tard, ils entraient à Tucson.

Plus que quarante-huit heures avant le retour en Italie. L'adresse tapée sur le GPS était Bighorn Avenue 24.

Ils traversèrent une longue avenue à six voies, sans arbres, de chaque côté de laquelle s'élevaient à distance régulière un

Pizza Hut, un Family Dollar, un vague « Dentist » et une laverie automatique, plus ou moins comme sur la nationale 230 entre Carisio et Biella.

Le centre-ville se dressait derrière eux, avec quelques bâtiments en verre et acier, d'immenses parkings surélevés. À l'horizon les silhouettes arides des montagnes se perdaient vers le désert de Sonora au sud-ouest et vers la prairie à l'est.

Le réseau des rues était monotone, géométrique et plat. Des quartiers aisés alternaient avec des quartiers plus modestes, où s'affichaient des enseignes en espagnol. Mais ni Marina ni Andrea ne parvenaient à comprendre où était cette ville, qui s'étendait sur des dizaines et des dizaines de miles autour d'eux. Lui se concentrait sur les indications données par le navigateur, serrait les mains sur le volant, essayant de rassembler son courage, apparemment étranger à tout cela. Cette tension la gagnait. Elle commençait déjà à se demander ce qu'elle ferait de sa vie, une fois rentrée en Italie.

Andrea conduisait lentement, la tête vide. À partir d'Euclid Avenue, il fut évident que la zone universitaire commençait. Les mots UNIVERSITY OF ARIZONA étaient sculptés dans la pierre en face d'un bâtiment de briques rouges. Puis suivaient – bien alignées, régulières – les différentes facultés, depuis la médecine jusqu'au droit, séparées par des intervalles bordés de palmiers, de cactus solitaires hauts de quinze mètres, et de zones piétonnes désertes puisqu'on était dimanche.

Andrea levait les yeux par moments, juste un coup d'œil pour voir où il était, vérifier la circulation, totalement inexistante, s'assurer que tout allait bien.

Mais rien n'allait bien. Et il baissait de nouveau les yeux sur le pare-brise, sur le petit écran du GPS qui les emmenait vers une destination inconnue mais de plus en plus réelle dans le temps et dans l'espace. Marina regardait distraitement par la vitre en se disant qu'un campus comme celui-là – imposant et tout neuf –, même elle, elle s'y serait inscrite.

Le campus s'élargissait peu à peu sur des places puis débouchait sur une étendue de pelouses vertes, avec des terrains de tennis, de base-ball, de rugby, et à nouveau des parkings surélevés, nets et propres contre le ciel d'un bleu intense, comme un village olympique à peine achevé.

Partout des banderoles vantaient la gloire des Arizona Wildcats, du nom des dix-huit équipes sportives de l'université et de l'État. Le museau stylisé d'un lynx les regardait, fier et menaçant. Puis la zone sportive prit fin et commencèrent à défiler des îlots monotones de maisons.

Andrea ne pensait rien. Il se contentait de conduire. Les seules choses qu'il percevait, c'étaient le ronronnement du moteur, les phrases métalliques du navigateur, la vague sensation d'un vide au creux de l'estomac. Une légère et cruelle nausée. C'était un jour limpide et immobile dans la capitale du comté de Pima.

Andrea avançait de plus en plus lentement, le ciel était d'un bleu absolu qu'il ne pourrait jamais plus oublier. Il ralentit encore. La suivante serait Bighorn Avenue.

Turn right, turn right. Pourtant Andrea ne tourna pas, s'arrêta juste avant, se gara à l'intersection de Grant Road, en face d'une benne à ordures.

Il éteignit le GPS qui continuait à répéter *turn right, turn right.* Il ne l'oublierait jamais non plus, le son de cette voix monocorde.

« Attends-moi ici », dit-il à Marina en ouvrant la portière.

Il ne savait pas exactement ce qu'il devait faire mais il devait le faire seul.

Il avança vers Bighorn Avenue, dans le silence désert de ce dimanche matin. Marina le vit tourner au coin et disparaître.

Elle attendit, comme la complice d'un braqueur devant la banque.

Andrea, indécis, marchait à pas lents et transpirait sous le soleil qui brûlait l'asphalte. Il restait sur le trottoir des numéros impairs, par sécurité. Il regardait les numéros pairs descendre du 78 au 66 puis au 52, et plus il avançait, plus il prenait son temps.

Chaque maison avait un drapeau américain et une Chevrolet ou une Dodge ou une Ford garée près de la véranda. Il s'était imaginé Dieu sait quoi, quel faste, quelle puissance, et il ne voyait que des maisons individuelles toutes blanches, préfabriquées, identiques les unes aux autres, les fenêtres fermées, les stores vénitiens baissés, comme si personne ne vivait à l'intérieur.

Au 44, il s'arrêta, s'assit sur le bord du trottoir et alluma une cigarette. Au creux de son estomac, le vide grandissait. Tout n'avait été qu'imagination débordante.

La vie américaine d'Ermanno n'aurait pas dû être ici, dans cette rue si modeste, si périphérique, ultime ramification d'un quartier construit à la fin du campus. Les jardins étaient des rectangles d'herbe sèche, guère différents de ceux de Willcox. De temps en temps, entre deux maisons, on apercevait une caravane avec des rideaux jaunis et des jantes rouillées. Tout un fatras d'objets éparpillés çà et là, comme si rien ne méritait vraiment d'être jeté et que tout pouvait avoir une seconde vie. Ce qui, pensa Andrea, était faux.

Il se dit que peut-être, tout au bout de la rue, le paysage changerait. Qu'au numéro 24 il trouverait une maison en pierre, bien entretenue, avec de l'allure, dans laquelle il aurait pu reconnaître les raisons pour lesquelles son frère était parti. Des raisons qui avaient à voir avec une belle véranda, des plates-bandes fleuries, une richesse et une position sociale, autant de choses qu'un Italien à l'étranger peut atteindre par son propre mérite, ses propres forces.

Il se leva et reprit sa marche. Sans qu'il puisse l'en empêcher, son cœur s'était mis à battre plus vite. Le mot pour exprimer ce qu'il ressentait devant la peinture écaillée de ces maisonnettes, les pneus abandonnés dans les cours, les drapeaux américains défraîchis qui pendaient lourdement dans un air sans vent, ce mot-là existait mais il n'arrivait pas à le formuler.

Des marches d'une caravane descendit une femme qui se pencha pour regarder le vide de la rue. Obèse, des cheveux gras rassemblés derrière la nuque, elle mangeait des chips. Andrea détourna les yeux et s'efforça de continuer son chemin.

Il avait les jambes molles et lourdes, ressentait la tentation irrésistible de faire demi-tour, de ne pas aller jusqu'au numéro 24. Est-ce qu'il frapperait ? Sonnerait ? Et qui lui ouvrirait ? Sarah Walsh en pyjama ? Sarah Walsh avec le bébé dans les bras et les sourcils froncés devant ce parfait inconnu ?

Ou bien Ermanno ? Il aurait quelle tête ? Les cheveux comme dans son souvenir ou gris comme sur la photo de Facebook ? Ils venaient peut-être seulement de se réveiller, se dit-il. Ou peut-être avaient-ils des invités pour le déjeuner, et ils préparaient le repas. Toutes ces questions pratiques lui venaient à l'esprit seulement maintenant. Il aurait mieux valu lui téléphoner, l'avertir. Plutôt que de débarquer chez lui à l'improviste, après quatre années de silence, un dimanche matin d'avril, comme ça.

Cette rue, tandis qu'il marchait sous le soleil de midi, la tête bourrée de questions et le T-shirt qui collait à son dos, lui paraissait sans fin. Il s'arrêta une seconde fois, non pour reprendre son souffle, mais pour essayer de respirer. Ils étaient peut-être partis se promener. Ils étaient peut-être avec des amis, des collègues d'Ermanno, tous ensemble autour d'une table dans le jardin. Et lui, l'étranger, comment il se présenterait ? De quel droit ferait-il irruption dans une vie tranquille, sereine, avec sa barbe et son angoisse ?

Ermanno sans doute saurait quoi dire et quoi faire. C'était lui l'aîné, celui qui avait le plus de bon sens, le plus d'expérience, non ?

Ils ne pouvaient pas s'ignorer pendant toute leur vie. Devenir adulte veut dire accepter les évidences, voir les choses à la lumière du soleil, débarrassées de toutes ces obscures fantaisies. Uniquement ce qui existe, rien d'autre. Et ce qui existait, maintenant, c'était une rue introuvable sur Google Earth ; une triste et anonyme rue américaine. Il se demanda comment Ermanno avait pu échanger leurs montagnes contre cette pauvre banlieue.

Il se rappela la carte postale que son frère lui avait envoyée de Tombstone et sentit un coup dans la poitrine. Il ne l'avait même pas lue. Il n'était pas allé à son mariage, n'avait pas été là pour la naissance de son fils. Il se rappela l'expression d'Ermanno dix-neuf ans plus tôt, quand il s'était approché de lui, dans l'étable du grand-père, pour le convaincre de revenir à la maison. Il lui avait dit que le golden retriever il s'en fichait, mais pas de lui. Il se souvint de la sensation de sa main sur son épaule.

Il tourna la tête et vit le numéro 24.

Il le vit non pas comme on voit les choses dans la vie réelle, rattachées au reste du monde. Mais comme une photographie isolée sortie d'un album, une de ces mauvaises photos un peu floues, liées à des moments honteux ou douloureux, une de celles qu'on voudrait cacher mais qui font partie de nous et nous représentent impitoyablement.

Non seulement c'était une maison comme les autres, un préfabriqué aux murs de planches à la peinture écaillée.

Mais elle était, si possible, plus petite, plus consternante, plus modeste que toutes les autres. Elle l'était peut-être parce qu'à cet endroit aurait dû s'élever une grande villa, plus belle, plus luxueuse que celle dans laquelle ils avaient grandi à Andorno, via Dante.

Une poussette était pliée près de la porte vitrée. Une table en plastique et deux chaises attendaient sur la véranda. Il y avait une Skoda garée sur un emplacement en terre battue et une pompe avec un tuyau enroulé pour la laver. Le drapeau américain pendait comme un chiffon à un mât métallique planté dans le sol entre deux plates-bandes sèches et sans fleurs. Les stores aux fenêtres étaient décolorés. Andrea se sentit mal.

Qu avaient donc vu ses parents ? se demanda-t-il. Qu'avaient-ils vu pour être si fiers de leur fils aîné, le génie émigré aux États-Unis, le grand chercheur qui travaillait pour la Nasa ? Il n'habitait pas ici, se dit-il. Il avait déménagé, c'était la seule réponse. Il se refusait à croire que ce qu'il voyait, là, devant ses yeux, était le destin d'Ermanno, la raison pour laquelle il avait quitté Andorno, la Valle Cervo, l'avait laissé lui, seul comme un chien, à cohabiter des années durant avec son fantôme. Il pensa qu'il devait frapper quand même, ne serait-ce que pour demander aux nouveaux occupants s'ils connaissaient l'adresse de l'ancien propriétaire. Un Italien, vingt-huit ans, leur dirait-il. Il leur expliquerait que c'était son frère, ou peut-être que non, il ne le dirait pas.

Ses yeux continuaient de fixer cette poussette, qui était à l'évidence la poussette d'Aaron mais qui ne pouvait pas l'être. Marina, là-bas dans la voiture, devait s'inquiéter. Il valait peut-être mieux revenir en arrière. Il n'avait aucune idée du temps écoulé depuis qu'il était descendu du pick-up et avait commencé à remonter Bighorn Avenue, périphérie de Tucson.

Il allait devoir traverser la rue et aller jusqu'à cette porte. Résoudre une fois pour toutes le problème. Il devait cesser de lui en vouloir d'avoir été le fils préféré, le plus intelligent, le plus doué. Il devait reconnaître que ça ne pouvait pas être sa faute. Décider de ne pas le haïr. Parce que c'était ce qu'il devait faire, c'était pour ça qu'il était venu jusqu'ici. Pour les libérer tous les deux d'une inégalité qu'ils n'avaient pas décidée. D'une guerre qui n'était pas la leur.

Parce qu'ils ne s'étaient pas choisis, pas cherchés, pas voulus. Mais qu'ils étaient frères.

Il se dit : Fais ce qui est juste. Il se dit : Ça suffit, Andrea. Dans un mois il monterait dans les alpages du Monte Cucco, il mènerait paître ses vaches dans le pré fleuri de narcisses, il aurait ce qu'il avait toujours voulu, fermant ainsi le cercle de sa vie. Il ne pouvait pas laisser derrière lui le passé, il ne voulait pas l'emporter là-haut comme un poids, comme un cadavre, comme un sacrifice qu'il devait expier. Il s'apprêtait à descendre du trottoir pour traverser quand tout à coup la porte vitrée s'ouvrit et il en sortit un homme grand, maigre, les cheveux gris, tenant à la main un sac-poubelle.

Andrea bondit en arrière, tourna le dos instinctivement, et courut se cacher derrière la Dodge de la maison d'en face. Son cœur battait la chamade et ses jambes tremblaient comme face au canon. Il sentait la sueur couler à ses tempes et sa respiration se bloquer dans sa gorge. Recroquevillé contre la portière de la Dodge, à genoux sur le sol, il leva lentement la tête. Il regarda furtivement à travers les vitres et vit cet homme marcher en savates vers le bout de la rue, où se trouvaient les bennes à ordures. Il vit cet homme en short long et T-shirt à moitié glissé à l'intérieur, à moitié dehors. Les jambes pâles et maigrelettes, marchant au milieu de la rue vide, son sac-poubelle à la main. Et cet homme-là, c'était lui.

Cet homme qui s'éloignait de dos, sans rien savoir, dans le silence abyssal de la rue, était Ermanno Caucino, son frère. Andrea l'épiait, caché derrière la voiture d'en face, comme un môme qui joue à cache-cache, comme un lâche honteux et terrorisé qui réussit, enfin, à dire le mot qu'il gardait en lui depuis qu'il avait commencé à remonter Bighorn Avenue une demi-heure plus tôt : déception.

Une déception énorme, parce que toute cette haine avait été vaine.

Pardonner était impossible, rien ne pouvait se résoudre, parce que son frère avait les cheveux gris. Parce qu'il était en savates. Parce qu'il avait remporté les Olympiades de mathématiques en quatrième, avait passé sa licence avec félicitations du jury et était sorti diplômé de Cambridge, et qu'il avait eu tout ce qu'on peut attendre de la vie, tout ce qui avait manqué à Andrea, et maintenant ils étaient là tous les deux à Tucson, sous un ciel gigantesque, sur une terre étrangère qui ressemblait à Carisio, à Massazza, et cette bicoque qu'il voyait, là, c'était sa maison.

Quand l'homme se retourna après avoir jeté son sac-poubelle et fit mine de revenir, quand Andrea vit son visage et reconnut les lunettes rectangulaires à monture métallique, les mêmes que lorsqu'il était parti, il eut un coup au cœur.

Je ne peux pas, se dit-il en serrant les poings. Il s'écarta de la portière de la Dodge, regarda une dernière fois à travers les vitres son frère qui rentrait chez lui. Et il commença à courir.

Courir, de toutes ses forces, du plus vite qu'il pouvait. Ermanno ne verrait qu'un garçon qui s'éclipsait tel un voleur au fond de la rue, sans pouvoir le reconnaître, sans pouvoir imaginer. Peut-être même ne le verrait-il pas. Andrea courait comme un fou. Comme s'il prenait son élan pour se jeter du haut d'un pont, mourir, s'écraser.

Après quelques dizaines de foulées, il s'arrêta, à bout de souffle. Leva la tête vers le ciel. Il avait envie de crier. Il se retourna. Son frère n'était plus qu'un point au fond de la rue. Andrea courut encore, comme quelqu'un qui n'a plus rien à perdre. Mais qui ne veut pas s'avouer vaincu. Il courut encore, mais cette fois dans la direction opposée. Revenant sur ses pas, revenant à l'endroit qui lui faisait mal. Quand il arriva devant chez lui, il le trouva assis sur les marches de sa maison, pensif, qui fumait une cigarette.

Il fumait, lui qui avait toujours été si soigneux de sa santé. Il aspirait la fumée, la rejetait, le dos contre la balustrade, les jambes allongées sur les marches ; il regardait fixement la Skoda garée sur l'emplacement en terre battue.

Le visage rouge, haletant encore sous le coup de la fatigue, de la colère et de la honte, Andrea s'écria, au beau milieu de la rue vide : « Ermanno ! »

Il cria de toutes ses forces, comme s'il voulait la détruire, cette rue.

L'homme aux cheveux gris se tourna. Pas tout de suite mais très, très lentement, d'abord le buste, puis le visage.

Il ajusta ses lunettes, regarda vers l'endroit où l'on avait crié son nom, avec une voix qu'il connaissait depuis toujours mais que peut-être il ne reconnaissait plus.

Il mit du temps à comprendre, un temps qui pouvait être une seconde ou un siècle, du temps pour réaliser que ce garçon trempé de sueur, au visage écarlate, au sourire hésitant, les yeux noirs emplis de défi, qui se tenait là sous le soleil de Tucson, au beau milieu de Bighorn Avenue, devant chez lui, et qui ressemblait tant au garçon de la photo dans le journal, celui qui avait lancé des pierres contre le siège d'Alleanza Nazionale, était son frère Andrea.

Quand il le comprit, il commença par froncer les sourcils, comme s'il n'était pas sûr, plissa ses yeux de myope derrière ses verres. Puis il lâcha sa cigarette, resta les bras ballants. Un lent sourire, déchirant, détendit son visage. Dans ce sourire il n'y avait ni étonnement ni bonheur ni colère. Juste de la souffrance, muette, contenue.

La matinée était immobile autour d'eux, quelques mètres les séparaient. Il y avait les drapeaux américains, les automobiles, les vérandas, la beauté infinie de Tucson qui était égale, identique à Biella, maintenant, et à Andorno Micca, à Sagliano, à Riabella quand il s'était sauvé de la maison et que son frère l'avait persuadé de revenir.

Ermanno était là, sur les marches de sa maison, regardant le garçon en face de lui qui continuait de chercher son souffle, planté sur l'asphalte, comme un kamikaze prêt à se faire exploser. Qui avait parcouru 5842 miles pour être ici, maintenant, en face de lui, et lui prouver qu'ils étaient toujours frères. Qu'il y avait une chose qu'on ne pouvait pas changer. Que ce n'était pas leur faute. Que ce n'était la faute de personne.

Et aucun des deux ne bougeait, chacun attendant que l'autre fasse le premier pas, dise quelque chose. Les yeux d'Ermanno brillaient, et son menton tremblait. Ce n'était plus le champion d'autrefois, il avait maigri. Andrea aussi avait maigri, il portait la barbe et avait vieilli. Qu'auraient-ils dû faire ? Tomber dans les bras l'un de l'autre ? Déjeuner ensemble ? Aller au stade voir les Wildcats ? Bon Dieu, comme tout était évident, et simple, et possible. Combien il l'aimait, celui qui lui avait gâché la vie. Mais à quel point Ermanno pouvait-il l'aimer, à quel point pouvait-il lui pardonner ?

Tout à coup, une femme musclée, aux épaules larges de nageuse, un bébé dans les bras, ouvrit la porte et sortit sur la véranda. Elle s'approcha, dit tout haut quelque chose à son mari, en anglais. Cette femme n'avait rien à voir avec leur passé, avec leur famille, avec le jardin où ils jouaient enfants au cow-boy et au Peau-Rouge. Son mari se leva, comme assommé, tenant à peine sur ses jambes maigrelettes, se tourna vers elle un instant, sans parvenir à lui parler.

Il était marié à elle maintenant. Il avait réussi à se construire une nouvelle vie, quelle qu'elle soit. Andrea s'essuya le front avec son avant-bras, prit une profonde inspiration. Puis il commença à marcher, la tête renversée vers le ciel. Il s'éloigna, épuisé, d'un pas vif mais sans courir.

« Andrea ! » s'entendit-il appeler.

Il ne pouvait plus se retourner.

« Andrea ! »

Il ne pouvait pas revenir en arrière. Il avait essayé de le tuer, de le noyer. Il avait fêté tous ses anniversaires à moitié, parce que l'autre moitié appartenait à Ermanno. Il avait tué son chien. Il lui avait raflé sous le nez le koala blanc et gris, à la fête de Camandona, celui qui jouait *Eye of the Tiger*, la musique de Rocky III, quand on lui appuyait sur le ventre.

Qui a dit que des solutions existent ? Et qu'il faut forcément gagner ? Et gagner quoi ? Pour obtenir quoi ?

Il savait que son frère était au milieu de la rue à le regarder devenir de plus en plus petit au fond de Bighorn Avenue. Il savait qu'Ermanno pleurait.

Pourtant il ne se retournait pas, ne revenait pas en arrière. Ne lui poserait pas la main sur l'épaule, ne se présenterait pas à sa belle-sœur, ne prendrait pas son neveu dans ses bras. Rien de tout cela. Pas de match avec les Wildcats. Il s'en allait, c'est tout, continuant de fixer ce ciel d'un bleu intense, avec deux larmes qui coulaient sur ses joues et un sourire désespéré sur le visage. Ce n'était pas leur faute, mais ça revenait au même. Aucune différence.

Ermanno resta au milieu de la rue à regarder son frère s'éloigner jusqu'à ce qu'il disparaisse. Alors il se passa la main sur les yeux avant de rentrer chez lui et de répondre à sa femme qui demandait qui était ce type qui s'était sauvé, et ce qu'il voulait.

Andrea arriva à la voiture où Marina l'attendait. Mais il continua encore une dizaine de mètres. Puis il s'arrêta, écarta les bras et lança un grand cri. Fort, libérateur. Un seul.

11

Quand elle descendit de la Peugeot 206, il était dix heures du matin, ce lundi 15 avril. Le petit terrain de foot était vide, les filets effilochés des buts battaient dans le vent en même temps que des banderoles oubliées du dernier match. Le cimetière se tenait resserré dans ses murs, à l'ombre des montagnes. Devant elle grinçait l'enseigne du Sirena, son store à rayures se gonflait puis se relâchait. C'était une journée venteuse, des masses nuageuses noires s'amoncelaient au sommet du Mucrone.

Marina traversa la rue. Dès qu'ils la virent, les hommes assis aux tables, sur la véranda aux planches de bois avec ses trois géraniums desséchés sur la balustrade, se retournèrent pour la regarder et sifflèrent en lançant des commentaires. À cette heure-là tous buvaient de l'eau-de-vie, feuilletaient la *Nuova Provincia* et jouaient au trois-sept.

Elle leur jeta un coup d'œil indifférent, sans les saluer même si elle les connaissait tous. Il y avait le fils du Marra, le frère du Bongio, le Pasta. Elle défila lentement entre les tables en se laissant admirer. En talons aiguilles, minijupe et blouson de cuir qui lui moulait la taille. La parfaite diva de province : elle avait ça dans le sang. En entrant, elle nota aussitôt que sa mère n'était pas là. Ivano passait un torchon sur le comptoir, où personne n'était assis.

« Eh, beauté, dit-il en levant les yeux, comment ça va ? »

Marina s'installa sur un tabouret, croisa les jambes. Elle était maquillée comme pour passer à la télé. « Donne-moi un thé glacé. »

Ivano fourra son torchon dans la poche de son tablier et mit les poings sur ses hanches. « T'as arrêté de chanter ? Y avait deux types du *Gazzettino* qui te cherchaient, l'autre jour…

– Mais je chante toujours, moi, répondit Marina d'une voix dure. Qu'est-ce que vous croyez ?

– Tu peux faire ce que tu veux, dit Ivano en lui tendant une canette et un verre, c'est pas ça qui va me rendre riche. »

Marina rassembla ses cheveux en chignon, qu'elle maintint avec un crayon trouvé sur le comptoir. Tira sur la languette, se versa du thé et but une gorgée. Elle regarda autour d'elle avec ennui.

« Et tu leur as dit quoi, aux journalistes ?

– Rien, qu'est-ce que tu voulais que je dise ? »

Une guirlande de tickets Gratta e Vinci était accrochée derrière le comptoir, près des cigarettes. Le carrelage aurait eu besoin d'un nettoyage à fond. D'aussi loin que remontent ses souvenirs, ce bar avait toujours été comme ça : un refuge pour les âmes égarées, en quête de compagnie. Un bar de village, là depuis les années soixante-dix. Le seul qui ait survécu.

« Le Giangi va mal, ajouta Ivano après un bout de temps. Ils sont venus hier, ta mère et lui. Il n'a pas bu une goutte d'alcool, ça m'a fait un choc. Il a le foie mal en point mais je crois qu'il va s'en sortir… Il faut qu'il s'en sorte. Il a dit qu'il était né pour décevoir…

– Eh ben pas moi », rétorqua sèchement Marina pour couper court.

Puis elle se retourna, le temps des bavardages était terminé. « Dis donc, t'as encore un téléphone ?

– Derrière le billard, il y a un téléphone public, dit Ivano. Ils viennent me l'enlever la semaine prochaine. De toute façon, pour moi, ça existe pas qu'on soit né pour décevoir... »

Marina descendit du tabouret. « Comment il marche ? Encore avec des cartes ? »

Ivano en prit une vieille, dont plus personne ne se servait, et la lui donna.

La petite arrière-salle était plongée dans une pénombre poussiéreuse et puait le tabac froid. Le billard était là, abandonné. Un chat, un à qui Ivano donnait à manger, dormait sur le feutre vert défraîchi, enroulé sur lui-même au milieu des boules éparpillées. Marina souleva le combiné, glissa la carte et tapa le numéro qu'elle avait appris par cœur avant de sortir. Elle l'entendit sonner dans le vide pendant plus d'une minute, puis une voix toute pâteuse de sommeil répondit.

« Salut, fit-elle. *C'est moi.* »

À l'autre bout du fil, un silence de tombe.

Le bar derrière elle était vide, ils étaient tous dehors à jouer aux cartes. De la salle contiguë n'arrivait que le bruit des tasses et des soucoupes dans le lave-vaisselle.

« Je voulais savoir si l'album s'est vendu ou pas », dit-elle.

Pas de réponse.

Encore un silence abyssal, dans lequel on percevait pourtant une respiration lourde et irrégulière.

Marina, appuyée contre le mur, le combiné coincé contre son épaule, jouait avec la fermeture éclair de son blouson, et attendait.

« T'as déjà annulé la tournée, je suppose », continua-t-elle.

Son correspondant semblait absent, ou mort, ou bien cherchait par tous les moyens à se contrôler, contenir sa colère et ne pas balancer le combiné à l'autre bout de la pièce.

« Où tu es ? » demanda-t-il, après un long silence. Sa voix était à faire peur. Rauque, comme s'il venait de se réveiller. Ou pire. Et ce fut à elle de rester silencieuse.

« Putain tu vas me dire où tu es ! » s'écria Donatello à l'autre bout du fil.

Marina laissa sa fermeture éclair tranquille, s'écarta du mur et serra fort le combiné : « Peut-être que j'ai changé d'avis », dit-elle.

Elle l'entendit qui bouchait le micro, criait quelque chose d'incompréhensible qui ressemblait à un juron. Puis, après avoir pris une respiration profonde : « Je viens te chercher. »

Ce n'était pas une question, c'était une affirmation.

« Non, répondit Marina sans réfléchir, je peux pas, j'ai des ennuis. »

Quels ennuis ? Elle n'en savait rien mais elle s'en trouverait bien.

« Dis-moi où tu es que je vienne te chercher ! » hurla Donatello. Puis, essayant de se contenir : « Tu ne te rends vraiment pas compte, tu n'as aucune idée... Je passe te prendre dans vingt minutes.

– Je sais pas... » Marina se tourna pour regarder les deux hommes qui venaient d'entrer dans le bar. « T'es où, toi ? C'est moi qui viens...

– Je suis à Zubiena, putain de bordel de merde ! » Donatello recommença à crier. « Mais qu'est-ce que t'as foutu, hein ? Tu t'es mariée ? C'est ce qu'on raconte maintenant, franchement, je sais pas ce que t'as dans la cervelle ! Tu m'appelles au bout de deux mois ! DEUX MOIS ! » Il lâcha un nouveau juron. « T'as tout foutu en l'air ! Dis-moi où tu es, bordel !

– C'est trop tard, hein ? » laissa échapper Marina sans y penser, en fixant le logo de Telecom Italia marqué sur cet ultime survivant du réseau de téléphones publics, dans ce couloir qui menait aux chiottes et à la réserve.

« Évidemment que c'est trop tard ! On peut pas te faire confiance, tu es la personne la plus nulle qu'on ait jamais vue ! Qui crois-tu qui va investir un euro sur toi ? Les types d'Universal veulent t'écorcher vive, tu comprends ça ? J'ai dû tout annuler, TOUT !

– Écoute, je viens à Zubiena.

– Et tu t'imagines quoi ?

– J'ai bientôt plus de crédit…

– Marina ! Putain ! »

Elle restait là, comme suspendue, dans ce recoin sombre et poussiéreux du Sirena. Elle écoutait la voix de Donatello, se rappelait très nettement son ongle, celui du petit doigt de la main droite, si long, si inquiétant, et comment sa tête heurtait le toit de sa voiture, comment il devait se tenir courbé, se baisser chaque fois qu'il parlait à quelqu'un.

« Mais l'album, est-ce qu'il marche ? »

Donatello commençait à perdre patience : « Deux mois ! Tu attends deux mois pour donner des nouvelles, bon sang ! Je veux qu'on se rencontre tout de suite !

– Écoute, faut voir.

– Non, y a rien à voir !

– Écoute, je suis à Andorno, dans un bar, et il y a des gens qui arrivent… Faut que je réfléchisse, ok ?

– Je t'attends dans une demi-heure, à la station-service à l'entrée de Zubiena. Si tu n'arrives pas, c'est moi qui viens, et je te jure sur la tête de ma mère que je te retrouve et je te découpe en morceaux.

– J'arrive, dit Marina. *Bise.* »

Et elle raccrocha.

L'origine se trouve à 1 858 mètres au-dessus du niveau de la mer, sur le Monte Cresto, et on y arrive de Piedicavallo par un ancien sentier muletier, en deux heures de marche à pas soutenu. Cela s'appelle le Lago della Vecchia, le lac de la Vieille, c'est un miroir noir tant il est profond, ceint d'une couronne de rochers nus et acérés. La légende veut que le jour de ses noces une femme, après avoir attendu son époux qui venait d'être tué, se soit retirée là-haut et l'ait attendu éternellement. En vain. Sans jamais se rendre à l'évidence.

C'est là que naît le torrent Cervo, qui a creusé au fil du temps la vallée du même nom, sur les rives duquel se sont construits Piedicavallo, Rosazza, San Paolo Cervo, la Balma, Sagliano Micca, Andorno Micca, Biella. Puis les filatures où travaillaient surtout les femmes au XIXe siècle, les *lanine*, qui, à la différence de leurs maris, n'ont jamais quitté les lieux où elles sont nées. Le cours du torrent se poursuit au-delà de Biella, touche Cossato et Castelletto Cervo, traverse la plaine, reçoit d'autres affluents dont l'Oropa et l'Elvo, s'élargit et ralentit sa course jusqu'à se jeter dans le Sesia, où il meurt.

Dans une rédaction en huitième, Marina avait raconté les promenades qu'elle faisait avec sa mère les après-midi d'été sur la rive droite du torrent. Elle l'avait appelé « le Po », amplifiant la dimension de ses rives et sa portée. Parce qu'un enfant né dans la Valle Cervo apprend à construire le monde autour de ses rapides, perçoit très vite sa force originelle, l'élément fondateur, et *sait* que sans le Cervo rien n'aurait jamais existé.

Marina Bellezza avait passé la plus grande partie des étés de son enfance à la Balma, à se baigner dans le courant glacé, boire cette eau au goût de fer, essayer de pêcher des truites à la canne simple, sans moulinet. Et elle avait passé la plus grande partie de ses automnes, les jours fériés, à aider Paola à ramasser des châtaignes, et Raimondo à chercher des champignons.

Dans un endroit comme celui-ci, ce sont encore les saisons qui rythment les journées, pas le temps. Mai est le mois des transhumances, octobre le mois des retours dans la plaine. Les troupeaux remontent la vallée, traversent les villages, et leurs cloches appellent les rares habitants aux fenêtres. À la fin de l'été, ils redescendent. C'est un cycle, chaque année.

Quiconque naît sur les bords de ce torrent, qu'il le veuille ou non, s'imprègne de ce silence, cette immobilité, cet abandon. Quiconque a grandi, comme Marina Bellezza, entre Andorno et Piedicavallo, dans cette étroite fente creusée entre les rochers, isolée du reste du monde, porte en soi cette clôture, qui est avant tout un enracinement, et aussi une forme de défense, une manière enfin de résister quelles que soient les circonstances ; de s'adapter aux imperfections de la vie.

En juin 1994, Marina avait quatre ans, sa mère vingt et un et son père vingt-quatre. Ils formaient une famille. Paola et Raimondo étaient deux enfants, trop jeunes pour être des parents, mais ils formaient une famille.

Un dimanche, vers la fin du mois, ils l'emmenèrent à la Balma se baigner. Son père n'avait pas encore quitté son travail de garçon boulanger pour recommencer à fréquenter les salles de jeu clandestines, sa mère ne buvait pas encore, et elle n'avait pas encore été choisie aux essais pour la publicité Aiazzone. C'était un dimanche matin fragile, ensoleillé. Un instant avant que leurs vies ne s'en aillent à la dérive. Raimondo s'était réveillé avec l'idée d'aller pêcher, Paola avait préparé des sandwiches et ils étaient descendus à la cave chercher les chaises et la table de camping. Ils avaient tout empilé dans le coffre de la Ritmo puis remonté quelques kilomètres plus haut sur la départementale 100 pour s'installer sur la rive gauche du torrent, en face de l'hôtel Asmara.

D'autres baigneurs et pêcheurs étaient assis sur les rochers blancs du Cervo, le bruit de l'eau saturait l'air environnant, limpide et lumineux. Il n'existe aucune photographie de cette journée. Mais sa mère portait un bikini à fleurs vert et blanc, que Marina n'oublierait jamais. C'était une jolie fille, rien de spécial mais élancée, la peau claire. Elle sentait bon la crème solaire et portait de larges lunettes de soleil. Raimondo avait un T-shirt bleu marine, un bermuda rouge et une casquette de base-ball. Il était allé se poster devant ce qui était selon lui un trou d'eau plein de truites et il était resté là, avec sa canne à pêche. De temps en temps il poussait des cris ou appelait « ses femmes » en hurlant pour raconter des blagues ou faire une plaisanterie.

Marina était en maillot une pièce, rose, avec des petits nœuds sur les bretelles. Elle restait dans l'eau près de sa mère qui la surveillait. Paola fumait, à l'époque, non par habitude mais par jeu, et uniquement des Muratti Ultra. Elle aimait prendre la pose, la cigarette entre les doigts. Marina la regardait pleine d'admiration, puis regardait son père qui pêchait. Les autres baigneurs la regardaient, elle, parce que c'était *une très jolie petite fille*, blonde comme une Allemande, avec des yeux de la couleur changeante des eaux du lac de la Vieille, et ils complimentaient ses parents qui haussaient les épaules, embarrassés.

Il ne se passa rien de spécial ce jour-là, pour lequel il n'y a ni date ni trace concrète, sinon un souvenir net et précis dans la mémoire de Marina. Ils déjeunèrent au bord du torrent, la table et les chaises en équilibre instable sur les rochers, chassant les guêpes qui tournaient autour des sandwiches et des barquettes de salade. Raimondo riait, racontait des histoires drôles. Paola aussi riait. Ils commençaient tous les deux à regretter de s'être mariés, d'avoir eu un enfant si tôt. Paola soupçonnait déjà Raimondo de la tromper, de sortir à nouveau le soir dans des endroits louches, avec des gens peu recommandables. Et lui se sentait déjà piégé dans cette sorte de vie normale, sans un rond, sans perspective. Mais ils étaient là, ensemble, tous les trois. C'était une belle journée, l'eau était glacée et transparente en ce début d'été.

Les années suivantes, ils ne reviendraient que rarement à la Balma, ou sur les bords du Sesia ou dans la Baraggia. Et la sortie du dimanche virerait de plus en plus souvent à des disputes furieuses pour des riens : à cause de la petite qui pleurait parce qu'elle avait peur des fourmis, du temps qui avait tourné, de Paola qui se plaignait de la chaleur ou de Raimondo qui explosait parce que ça ne mordait pas, parce qu'il retrouvait une amende glissée sur son pare-brise, parce que l'imperfection de la vie est le cœur de la vie même, et qu'elle creuse et ronge implacablement de l'intérieur, qu'elle s'interpose entre nous et notre volonté, dévore comme le fait un torrent.

Mais ce jour-là de juin 1994, dans le plus ancien souvenir de la vie de Marina, ils formaient une famille. Et sa mère était vraiment gracieuse dans ce maillot de bain, et son père les faisait rire. Il pêcha une truite, qu'ils mangèrent frite au beurre le soir même. À leur retour, Paola fourra les maillots et les serviettes dans la machine à laver. Elles se douchèrent ensemble. La vie est capable aussi de ces instants parfaits ; peu, rarement. Parfois elle ne t'en accorde qu'un seul.

Une journée sans rien d'extraordinaire, où tes parents ont l'air heureux, et l'endroit où tu es née est baigné de lumière, l'air a quelque chose de sauvage, de ferreux, chaque chose est exactement à sa place. Et qu'importe ce qui arrivera ensuite, ou ce qui est déjà arrivé. Qu'importent les souffrances, la fatigue, les trahisons qu'il faudra endurer. Ça vaut la peine, malgré tout. Pour cette seule perfection d'une journée, à quatre ans avec ta famille au bord de la Balma, ça vaut la peine.

C'était à cela que pensait Marina, en ce jour de son anniversaire, regardant depuis la départementale l'anse entre les rochers où ils avaient pique-niqué dix-neuf ans plus tôt. Pour aller à Zubiena, elle allait devoir descendre à Biella, traverser Occhieppo Inferiore et Mongrando; elle aurait pu y être en une demi-heure, si elle avait voulu. Mais elle avait pris la direction inverse et remontait la vallée.

Laissant sa voiture garée au bord d'une crevasse, elle s'était penchée par-dessus la glissière de sécurité, sur la rive qui faisait face à l'hôtel Asmara. Le torrent courait vite, avec force, fouettant et polissant les grands rocs qui avaient roulé jusque-là, tombés d'on ne sait quelle hauteur. Ni sa mère ni son père ne lui avaient souhaité son anniversaire. Comment auraient-ils pu, d'ailleurs? Elle n'avait plus d'adresse ni de numéro de portable. Elle se demanda s'ils s'étaient souvenus du jour. Se demanda quel genre de personnes ils auraient été, tous les trois, s'il n'était pas arrivé ce qui était arrivé. Et s'ils repensaient parfois à ces sorties qu'ils faisaient en été, il y avait bien longtemps.

Elle marcha jusqu'au pont, seule, dans le vent qui soufflait du Cresto et du Bo, apportant des masses sombres de nuages et de froid.

Andrea était monté à Riabella avec Luca, préparer la ferme pour la transhumance. Dans deux semaines il traverserait la vallée comme l'avait fait son grand-père avant lui, avec sa canne et son chapeau, fermant le petit cortège de ses vaches, son chien trottinant autour d'elles pour qu'elles restent groupées. La circulation arrêtée, les gens immobilisés qui regarderaient ou joueraient du klaxon. Ensuite, là-haut, il n'y aurait plus que les aubes et les crépuscules, deux heures à pied pour descendre les fromages ou remonter les vivres, les outils.

Marina se pencha par-dessus le parapet et resta quelques instants à regarder les rapides qui dévalaient vers la plaine, l'écume et les tourbillons entre les pierres. Quelques anciens buvaient à la terrasse de l'hôtel Asmara, antique refuge des pionniers de la vallée qui était là depuis 1868 à veiller sur ce coin de monde suspendu hors du temps. Eux aussi contemplaient en silence le torrent, les rives en surplomb, les hêtres, les châtaigniers, l'ombre d'un cerf ou d'un chevreuil au milieu des arbres.

Elle s'était toujours demandé quels étrangers pouvaient venir y passer la nuit. Elle n'avait jamais vu au bar que des gens d'ici, lancés dans ces parties de cartes qui avaient rythmé son enfance. Elle aussi, au fond, était jalouse de ces lieux. Elle non plus ne voulait pas de ces touristes et autres curieux qui viendraient assister à ce spectacle privé, qui ne les concernait pas, qu'ils ne pourraient pas comprendre : ce torrent et ces parois hostiles de granit, les rares éclaircies de lumière entre le Monte Cucco et le Cresto n'appartenaient qu'à elle, et à ceux qui étaient nés là.

Elle s'en fichait que les maisons soient abandonnées, que les fermes tombent en ruine. Elle ne savait pas si elle resterait, ou n'allait pas dans un mois faire ses valises. Elle savait seulement qu'au bout du compte, c'était ici qu'elle reviendrait : ici, à l'endroit exact où elle se trouvait, regardant le vide qui avait pris la place de son unique journée parfaite.

Il commença à pleuvoir. Marina se dit qu'il ne servait à rien de vouloir que les choses soient différentes. Les femmes de la vallée ne s'étaient jamais plaintes. Elles avaient toujours vécu avec ces quelques heures de lumière, ces hivers sans fin, cette terre qui offrait peu ou rien, sinon des pierres à casser, la solitude et le silence. Les femmes de la vallée ne s'étaient jamais rebellées, parce qu'on ne peut pas se rebeller contre la vie.

Marina leva les yeux vers la crevasse où le pont se terminait, et vit quelque chose bouger parmi les arbres. Un museau long et pointu observait en silence, caché derrière un tronc :

deux yeux bruns et brillants, le regard insaisissable, rapide à déceler le danger.

Elle resta immobile, et le cerf aussi resta immobile. Puis l'un et l'autre se retournèrent et disparurent entre les crêtes ombreuses des montagnes, les sapins, les villages en ruine, l'un et l'autre abandonnés à eux-mêmes, à la nature indéchiffrable de leurs instincts.

L'un et l'autre disparurent dans une direction secrète, et leurs traces se perdirent dans la pluie fine et légère du matin, sur la frontière nue et oubliée de ces montagnes.

Adieu, Marina Bellezza.

Bologne, 31 mai 2013

Note de l'auteur

La Valle Cervo est un lieu réel. C'est là que mes grands-parents ont vécu toute leur vie, que ma mère est née et que j'ai grandi. Mais c'est aussi le lieu où, sur les rives que longe la départementale 100, certains jeunes de mon âge ont décidé depuis quelques années de revenir vivre. C'est en suivant ces deux directions, le passé de ma famille et l'avenir de ma génération, que j'en ai « imaginé » la géographie.

L'appartenance et l'abandon, la signification de « frontière » et l'enracinement sont les filtres à travers lesquels j'ai raconté Piedicavallo, Andorno Micca et les Alpes du Biellois, aux confins nord de l'Italie, en mêlant des éléments réels avec des éléments inventés, comme BiellaTv 2000, le bar Sirena, les fermes de Massazza et de Riabella. À d'autres moments j'ai transfiguré des lieux existants en fonction des exigences du récit : par exemple la bibliothèque municipale d'Andorno, que j'ai enveloppée d'une aura d'ancienneté et dont j'ai réinventé les espaces intérieurs, est un fier et actif bastion de la lecture ; la fête de Camandona, où je suis souvent allée petite fille et plus grande, j'ai voulu en revanche qu'elle reste fidèle à mes souvenirs.

J'ai pris aussi quelques libertés historiques : la publicité Aiazzone dont je parle n'est pas de 1994 mais plus ancienne ;

la tempête de neige qui frappe la région de Biella en février 2013 n'a jamais eu lieu.

Tous les personnages et leurs aventures n'appartiennent qu'à mon imagination. Pourtant, je n'aurais pas pu écrire ce roman si je n'avais pas eu la chance de rencontrer des hommes et des femmes de mon âge qui ont choisi de mener cette vie d'éleveurs et de marcaires. C'est pourquoi je remercie particulièrement Riccardo Mazzucchetti et Roberta Mosca : pour m'avoir raconté leur métier, montré leur entreprise agricole, et offert un exemple réel de ténacité et de courage.

CET OUVRAGE A ÉTÉ ACHEVÉ D'IMPRIMER
SUR ROTO-PAGE
PAR L'IMPRIMERIE FLOCH À MAYENNE
EN JUILLET 2014

N° d'édition : 463. N° d'impression : 87125.
Dépôt légal : août 2014.
(Imprimé en France)